УДК 821.111(73)
ББК 84 (7Сое)
С51

Серия «Гарем Бертрис Смолл»

Bertrice Small
THE BORDER VIXEN

Перевод с английского

Компьютерный дизайн Г. Смирновой

Печатается с разрешения автора и ее литературных агентов,
Ethan Ellenberg Literary Agency (США)
и Агентства Александра Корженевского (Россия).

Смолл, Бертрис

С51   Любовь дикая и прекрасная : [роман; пер. с англ.] /
Бертрис Смолл. — Москва: АСТ, 2014. — 573, [3] с. — (Гарем Бертрис Смолл).

ISBN 978-5-17-083846-2

Шестнадцатый век. Шотландия. Прекрасная юная Катриона еще ребенком обручена с кузеном, графом Патриком Гленкерком. Но за три дня до свадьбы она убегает от жениха: гордая и независимая, горячо любящая будущего мужа, она желает, чтобы в ней видели человека. Венчание происходит, когда их первенец должен вот-вот появиться на свет... Как дальше сложится их жизнь? Сумеют ли они сохранить свою любовь?

УДК 821.111(73)
ББК 84 (7Сое)

Бертрис СМОЛЛ

Любовь дикая и прекрасная

АСТ

москва

КНИГА ПЕРВАЯ

Часть I

ГРАФ ГЛЕНКЕРК

1

— Я хочу, — сурово сказала Эллен Мор-Лесли, — чтобы вы не надевали бриджи, когда ездите верхом, госпожа Катриона. Это совсем не подобает леди.

— Но зато как удобно, — ответила прелестная девушка. — Не приставай, Элли, а не то отошлю тебя домой и пойдешь замуж за того славного фермера. Ведь какие надежды возлагала на него твоя матушка!

— Бог мой! Вы не сделаете этого!

— Нет, не сделаю, — засмеялась хозяйка Эллен. — Если, конечно, Элли, ты сама не захочешь. А что, хороший парень, настоящий мужчина. Чем он тебе не мил?

— Важно, чтобы одна вещь у мужчины была настоящей, а точнее, стоящей, а ее-то у этого фермера и нет! Давайте же снимем ваш костюм. Уфф! Вы пахнете конюшней. И ведь знаете, что сегодня вечером граф приезжает на ваш день рождения. Не могу поверить, что вам уже пятнадцать. Я еще помню ту ненастную декабрьскую ночь, когда вы родились.

Катриона сняла с себя одежду. Она слышала эту историю уже много-много раз.

— Над Грейхевеном кружился снег, и, ох, как же ревел и выл ветер, — продолжала Эллен. — Старая графиня, ваша прабабушка, непременно захотела быть рядом с вашей матерью. А мне только что исполнилось семнадцать. Я была самой младшей в семье и страшно балованной, но раз я не выказывала намерения выйти замуж и остепениться, то моя старая бабушка посоветовалась со своей госпожой, вашей прабабушкой, и они решили, что я буду присматривать за новорожденной. Старая леди Лесли бросила на вас один только взгляд и сказала: «Эта — моему мальчугану Гленкерку». Да, вас едва было видно из пеленок, а она уже устраивала вашу помолвку!

Если бы только старая леди могла дожить и увидеть, как вы вырастете и выйдете замуж! Но она умерла следующей весной, а моя бабушка последовала за ней всего лишь несколько недель спустя.

Разговаривая, Элли не переставала хлопотать, готовя своей госпоже ванну в огромном дубовом чане, поставленном перед камином. Подлив в горячую воду надушенное масло, служанка позвала:

— Идите, моя леди, все готово.

Катриона сидела в мечтательной задумчивости, а руки Эллен терли ее плечи и спину. Затем девушка взяла у служанки мыло и закончила мытье, а та сходила и достала из шкафа небольшой кувшин с жидкостью. Женщина полила голову Катрионы золотистой струйкой, плеснула воды и, взбивая душистую пену, дважды вымыла и прополоскала волосы.

Потом, укутанная в огромное полотенце, Катриона уселась перед огнем и высушила свои густые и тяжелые локоны. Служанка расчесывала их до тех пор, пока они не заблестели. Укрепив заколками эту темно-золотистую массу, Эллен велела молодой госпоже прилечь и стала натирать ее бледно-зеленым кремом, приготовленным Рут, матерью Эллен. Девушка поднялась, и служанка подала ей шелковое нижнее белье. Когда Катриона уже стояла в нижней юбке и кофте, вошла ее мать.

Тридцатишестилетняя Хезер Лесли Хэй находилась в расцвете своей красоты. Она была прелестна в темно-голубом бархатном платье, отделанном золотыми кружевами и украшенном чудесным жемчужным ожерельем, которое, как было известно Катрионе, принадлежало еще прабабушке. Прекрасные темные волосы Хезер прикрывал голубой чепец с золотым узором.

— Прежде чем приедут гости, мы с отцом желаем поговорить с тобой. Как только будешь одета, пожалуйста, пройди прямо в наши покои.

— Да, мама, — скромно ответила Катриона, но дверь за матерью уже закрылась.

Девушка с полной отрешенностью дала себя одеть, все это время раздумывая, что же хотят сказать ей родители. Кроме нее, их единственной дочери, в семье был старший сын Джеми, которому исполнилось восемнадцать, и десятилетние близнецы Чарли и Хьюн. Родители всегда оказывались столь поглощены друг другом, что воспитание детей легло главным образом на нянек и учителей. Катрионе пришлось самой устраивать свою жизнь почти с рождения.

Все было бы по-другому, если бы была жива ее прабабушка. Девушка знала это. Для Джеми наняли учителей, однако никто не подумал о том, что учить читать и писать надо и Катриону. Пришлось ей самой пробиваться на урок к Джеми. Когда удивленный преподаватель доложил родителям, что их дочь усваивает предмет быстрее, чем наследник, ей было разрешено остаться. Поэтому ее обучали как мальчика, но лишь до тех пор, пока Джеми не уехал в школу. Дальше о своих уроках девочке пришлось позаботиться самой.

Катриона настояла, чтобы родители наняли учителя, говорящего по-французски, по-итальянски, по-испански и по-немецки, дабы и ей овладеть этими языками. Учитывая, сколь хорошее образование получили ее отец с матерью, их безразличие к обучению собственного ребенка не находило оправдания.

Но двадцать лет спустя после свадьбы Хезер и Джеймс Хэй были влюблены друг в друга еще более, чем когда-либо. Так что невнимание к дочери происходило просто от беспечности. Дети сытно ели, носили хорошую одежду и жили в прекрасных условиях. Молодому хозяину Грейхевена, да и его жене просто не приходило в голову, что, помимо этих основных надобностей, детям требовалось что-то еще. И если маленьким братьям Катрионы вполне хватало теплоты и ласки, получаемых ими от любвеобильных нянечек, то ей самой этого было мало. Эллен Мор-Лесли понимала свою молодую госпожу. Но Кат Хэй выросла избалованной и своевольной, а сдерживать ее было некому.

Теперь девушка стояла перед зеркалом и рассматривала себя. Сегодня вечером, впервые за несколько лет, она встретит своего нареченного. Ему исполнилось двадцать четыре года, и он учился в университете Абердина. Он также посетил Париж и некоторое время состоял при дворе королевы Бесс в Англии. Катриона знала, что суженый был красив, уверен в себе и говорил изысканно. Она также надеялась, что ему предстояло пережить жестокий удар по самолюбию. Девушка пригладила зеленый бархат своего платья и, улыбаясь, отправилась к родителям. К ее удивлению, там же оказался и старший брат.

Отец откашлялся.

— Всегда предполагалось, — начал он торжественно, — что ты выйдешь замуж за Гленкерка после твоего шестнадцатого дня рождения. Однако, в связи с безвременной смертью прошлым летом третьего графа и введением молодого Патрика в звание четвертого графа Гленкерка, решено, что ваша свадьба будет отпразднована в Двенадцатую ночь.

Ошеломленная, Катриона посмотрела на отца.

— Кто решил так, папа?

— Мы вдвоем с графом.

— Не спросив меня? — Ее голос звучал гневно.

— Спрашивать тебя? Зачем, дочь? Вы были обручены одиннадцать лет назад. Свадьба всегда подразумевалась.

Джеймс Хэй не скрывал раздражения. Дочь вывела его из себя. Как всегда. Она никогда не была мягким и нежным созданием, подобным жене.

— Ты мог бы рассказать мне об изменившихся обстоятельствах, а потом спросить меня, не возражаю ли я выйти замуж на целый год раньше! — закричала Кат. — Я не хочу выходить замуж сейчас. И вы зря потратили время на разговоры, потому что я вообще не собираюсь выходить замуж за Патрика Лесли!

— А почему, дорогая? — спросила Хезер. — Такой славный молодой человек. И ты будешь графиней!

— Это бык в охоте, дражайшая мама! С тех пор как дядя Патрик слетел с лошади и сломал себе шею, не проходит и дня, чтобы я не слышала о победах его наследника! По всему округу ходят сплетни о его подвигах. В постели, на сеновале, под изгородью! Я не выйду замуж за грязного развратника!

Хозяин Грейхевена был ошеломлен этим взрывом ярости. Джеми принялся было смеяться, но быстро умолк под строгим взглядом матери. Теперь-то, хоть и слишком поздно, блистательная леди осознала, что пренебрегла очень важной стороной воспитания дочери.

— Оставьте нас, — велела Хезер мужу и сыну. — Сядь, Катриона, — сказала она, когда мужчины вышли. — Ты знаешь что-нибудь о том, что происходит между мужчиной и женщиной на брачном ложе?

— Как же, — сказала Кат резко, — он засовывает свою палку ей в дырку между ног, а через несколько месяцев через ту же дырку вылезает младенец.

Хезер на мгновение прикрыла глаза. «О дитя мое, — подумала она. — В моей огромной и всепоглощающей любви к твоему отцу я забыла, что ты тоже женщина. Ты ничего не знаешь о тех наслаждениях, что дарят друг другу влюбленные, а я не знаю, найду ли слова, чтобы описать их тебе».

Открыв свои фиолетовые глаза, леди глубоко вздохнула.

— Отчасти ты права, — спокойно произнесла она, — но акт любви между мужчиной и женщиной не обязательно всякий раз приводит к рождению ребенка. Есть способы предотвратить зачатие и в то же время наслаждаться радостями любви. Я буду рада научить тебя этому до твоей свадьбы.

Девушка, казалось, почувствовала любопытство.

— Любовь — весьма приятное занятие, Катриона, — продолжила Хезер.

— Разве? А как это, мама? — В голосе девушки звучало презрение.

«Боже милостивый, — подумала леди, — как ей объяснить?»

— Целовали ли тебя когда-нибудь, дитя мое? Не пытался ли на вечеринке какой-нибудь из твоих кузенов сорвать поцелуй?

— Да, мама, и я хорошенько их била. Больше не пытаются.

С досады Хезер готова была закричать.

— Поцелуи доставляют большое наслаждение, Катриона. А также и ласки. Я бы сказала, что наслаждение восхитительное.

Кат смотрела на мать как на помешанную.

— Я не вижу, мама, ничего восхитительного в том, что голые мужчина и женщина жмутся друг к другу.

Дочь выглядела до того самоуверенной, что вывела наконец Хезер из себя.

— Однако так оно и есть, дочь моя! Мне надо было такое предвидеть! Боже мой, Кат, ты же просто вопиюще невежественна! Ты даже и понятия не имеешь, что значит быть женщиной, и это моя вина. Но в ближайшие недели ты все узнаешь. Как мы и решили, на Двенадцатую ночь ты выйдешь замуж за своего кузена Гленкерка. Это отличная партия, и ты должна радоваться, что у тебя такой прекрасный жених.

— Я не выйду за него, мама!

Хезер попробовала другой маневр.

— И что же тогда ты будешь делать?

— Есть ведь другие мужчины, мама. Мое приданое достаточно велико.

— Только если за Гленкерка, дорогая моя. — Брови у Катрионы удивленно поднялись. «Наконец-то ты мне внимаешь», — с облегчением подумала Хезер. — Твое огромное приданое — только для Гленкерка. Так распорядилась твоя прабабушка. Если же тебе случится выйти замуж за кого-нибудь другого, то твое приданое будет очень скромным.

— Но разве прабабушка не подумала, что Гленкерк может умереть или вообще отказаться от своего намерения? — спросила девушка возмущенно.

— Если бы Патрик умер, то ты бы вышла замуж за Джеймса. Мэм распорядилась, чтобы ты стала графиней Гленкерк, и, конечно, даже речи не могло быть, что твой жених откажется. Ладно, дитя мое, Патрик Лесли — образованный очаровательный мужчина. Он будет любить тебя и хорошо к тебе относиться.

— Я не выйду за него!

— Выбор делать не тебе, дорогая моя. Так что давай убери с лица это недовольное выражение. Гости, должно быть, уже прибывают. Здесь будут все твои кузены, и они захотят пожелать тебе счастья.

Кузены! К счастью, дядюшки Колин и Эван жили в Эдинбурге, и ей не придется иметь дело с их выводками. Остальные были все-таки не столь ужасны, но эти шестеро жеманниц-кузин!

Фиона Лесли в свои девятнадцать лет уже стала вдовой. Бедный Оуэн Стюарт не выдержал суровостей брачного ложа. Золотисто-каштановые волосы, красный надутый рот и платье с огромным вырезом на пышных формах — вот что такое Фиона. Затем шестнадцатилетняя Джанет Лесли, которой предстояло весной выйти замуж за брата Фионы, кузена Чарлза. Эта едва скрывала удовольствие от того, что она будущая графиня Сайтен — что за глупая корова! Эйлис Хэй уже исполнилось пятнадцать, и ее предназначали Джеймсу Лесли — младшему брату Гленкерка. До этой свадьбы оставалось еще по крайней мере два года. А вот Бет Лесли минуло шестнадцать, но она обожала своего дядю Чарлза, и ей вскорости предстояло начать монашескую жизнь во Франции. А чтобы в чужой стране кузина имела близких родственников, ее четырнадцатилетнюю сестру Эмили обручили с сыном дядюшки Доналда, Жаком де Валуа-Лесли. Оставалась наконец малышка Мэри Лесли, которая, будучи тринадцатилетней, прождет еще три или четыре года, а потом выйдет за брата Кат Джеми. Кат надеялась, что к тому времени Мэри уже не станет хихикать в ответ на все, что скажет Джеми, хотя тот, казалось, не возражал.

Вместе с матерью Катриона вошла в зал. Именинницу сразу же окружили кузены со своими поздравлениями. Это был ее праздник, и она сочла невозможным и дальше оставаться сердитой. Вдруг Фиона произнесла своим кошачьим голосом:

— Кат, дорогая, вот твой нареченный. Посмотри, как она выросла, Патрик! Уже совсем женщина.

Катриона метнула сердитый взгляд на свою старшую кузину и, подняв недовольное лицо, встретила веселые глаза Патрика, графа Гленкерка, пристально глядевшего на нее. Большая и теплая рука графа поднесла маленькую ручку девушки к губам.

— Кузина, — голос Патрика оказался глубже, чем она его помнила, — ты всегда была восхитительна. Но сегодня, Катриона, ты превосходишь всех женщин в этом зале.

Взяв девушку под руку, граф повел ее к помосту. Фиона осталась одна и, удивленная, засмеялась. Граф посадил свою нареченную за главный стол.

— Почему ты сердишься на меня? — спросил он.

— Я не сержусь на тебя.

— Тогда улыбнись мне, дорогая.

Она намеренно не замечала его, и граф испытывал раздражение. Когда кушанья были убраны и начались танцы, он отыскал свою тетку, увел ее в библиотеку Грейхевена и там в тиши попросил объяснить, что происходит с девушкой.

— Это моя вина, Патрик, — сокрушалась Хезер. — Мне так жаль. Я, совсем того не желая, пренебрегла важнейшей стороной воспитания Катрионы. И теперь она полностью лишена чувственности и холодна как лед.

— Другими словами, моя прекрасная беспечная тетушка, вы были так поглощены вашим Джеми, что любить Кат просто позабыли.

— Но я люблю Кат!

— А разве вы когда-нибудь это говорили ей? Разве вы обнимали и ласкали ее, когда она была младенцем? Ребенком? Девушкой? Нет, тетушка. У вас не оставалось на это времени. Вы были заняты тем, что применяли на деле все те восхитительные вещи, которым вас научила Мэм.

Хезер покраснела до корней волос.

— Патрик! Что ты вообще можешь знать об этом?

— То, что мне рассказала моя мама, — ядовито усмехнулся он. — Но она уверяла, что моя невеста будет воспитанной и горячей. Вместо этого, тетушка, я должен растапливать эту ледяную девицу, которую вы прочите мне в жены?

— Она сказала, что не пойдет за тебя, — произнесла Хезер тонким голоском.

— Проклятие! — выругался Гленкерк. — Может быть, вы просветите меня почему?

— Не знаю, Патрик, — солгала тетушка. — Но когда сегодня вечером отец объявил ей, что свадьба переносится со следующего года на Двенадцатую ночь, она пришла в ярость. Заявила, что никто не спрашивал ее мнения, но что это все равно ничего не меняет, потому что она тебя не потерпит.

— Вы говорили кому-нибудь о переносе свадьбы?

— Мы думали объявить сегодня вечером.

— Тетушка, приведите сюда дядю, но только так, чтобы никто не заметил.

«Бедная малышка Кат, — подумал Патрик, когда тетка вышла. — С младенчества оставлена одна и должна сама устраивать свою жизнь. А затем, в самый важный момент жизни, за нее все решают другие. Ясное дело, рассердишься».

Граф знал, что женщины Лесли были пылкими по своей природе и что стоит только открыть Кат глаза на мир чувственных удовольствий, как она расцветет. Это потребует времени и терпения. Но ему уже наскучили легкие победы, а теперь времени у него было сколько угодно.

Тут в библиотеку вместе с женой вошел Джеймс Хэй.

— Итак, племянник! Что же случилось такое важное, что я должен тайком убегать от своих гостей?

— Думаю, нам следует отложить объявление дня свадьбы, дядюшка. Катриона явно рассержена и испугана, и я не хочу причинять ей боль.

— Девическая чепуха!

— А разве не так вела себя перед свадьбой тетушка Хезер?

— Нет. — При этом приятном воспоминании голос Джеймса Хэя сразу размяк. — Она вся была одним нежным и страстным желанием.

— Поздравляю вас с этой удачей. Откажете ли вы мне в подобном счастье?

— Хезер и я достаточно хорошо знали друг друга, — проговорил Джеймс Хэй.

— Именно так! — сказал граф. — Я отсутствовал шесть лет: изучал науки и путешествовал. Когда я уезжал, Кат не было еще и девяти. Она не знает меня. Я ей совсем чужой, и, однако, через четыре недели ей предстоит ужасная перспектива выйти замуж и лечь в постель к совершенно незнакомому мужчине. Послушайте, дядюшка! Вы уже испытали супружеское блаженство. Дайте мне время завоевать вашу колючую дочь, чтобы я мог иметь такое же удовольствие.

— Что ж, — рассуждал хозяин Грейхевена, — свадьба была назначена на эти же дни ровно через год... Но если к этому времени она не будет завоевана, хочет она или нет, но пойдет к алтарю!

— Согласен, — сказал Патрик. — Но и вы с тетушкой должны согласиться кое на что. Будут моменты, когда мои ухаживания могут показаться странными и, возможно, даже жестокими. Но что бы ни случилось, я намерен сделать Катриону своей женой. Помните это...

— Да, да, — охотно согласился владелец Грейхевена.

Его жена была до глубины души потрясена словами племянника. «Так Патрик, оказывается, ее уже любит, — с удивлением подумала Хезер. — Он, вероятно, питал к ней такие чувства с детства. Сначала станет ухаживать за ней нежно, но если это не принесет плодов, будет груб, ибо намерен получить ее. Ох, моя невинная дочь! Лучше бы я научила тебя тому, что знаю сама, прежде чем твой страстный любовник потеряет терпение и посягнет на твою невинность».

Ее раздумья прервал голос племянника:

— Я сам скажу Кат. Она вообще не должна знать, что мы обсуждали это.

Когда Патрик вернулся в зал, раскрасневшаяся, смеющаяся Катриона танцевала с его братом Адамом. Заняв место младшего брата, Патрик закончил с ней танец. Желание его было таким сильным, что он готов был обладать ею тут же и сейчас. Он схватил девушку за руку и увлек ее подальше от семейств в уединенный маленький альков.

— Я думаю, — сказал он, — нам не стоит жениться до следующего года. Когда я покинул Гленкерк, ты была маленькой девочкой. А возвратившись, нахожу тебя прекрасной женщиной. Я страстно желаю сделать тебя своей женой, дорогая. Но сознаю, что ты по-настоящему меня не знаешь. Не будешь ли ты возражать, если какое-то время мы уделим тому, чтобы познакомиться?

В первый раз за вечер она ему улыбнулась.

— Нет, милорд, не возражаю. Мне это по душе. Но если мы обнаружим, что друг другу не подходим?

Патрик поднял бровь.

— Ты храпишь, Катриона? Или, возможно, жуешь восточный бетельский орех?

Она весело покачала головой.

— Любишь ли ты музыку, поэзию и мелодичные звуки иностранных языков? Любишь ли кататься верхом в туманной тиши весеннего утра или лунным осенним вечером? А в жаркий летний день купаться голышом в укромном ручейке? Восхищает ли тебя первый зимний снег?

— Да, — прошептала она мягко, и отчего-то ее сердце быстро забилось. — Я люблю все это.

— Тогда, дорогая, ты должна полюбить и меня, потому что я тоже все это люблю.

Густые темно-золотистые ресницы Катрионы коснулись ее покрасневших щек, и сердце девушки забилось чаще. «Моя первая маленькая победа», — с удовлетворением подумал Патрик и немедленно попытался развить свой успех.

— Поставим ли мы на нашей сделке печать поцелуя? — спросил он.

Катриона подняла голову, и какое-то мгновение ее глаза цвета зеленых листьев смотрели на него. Затем глаза закрылись, девушка подняла свежие, как бутон розы, губы и подставила для поцелуя. Патрик осторожно прикоснулся к ним.

— Благодарю тебя, Катриона, — нежно сказал граф. — Благодарю тебя за первый твой поцелуй.

— Откуда ты знаешь?

— У невинности — своя красота, любовь моя. — Он встал. — Позволь мне проводить тебя к твоим гостям.

Когда они появились в зале, Хезер с удовольствием отметила, что дочь больше не выглядит угрюмой, а племянник кажется довольным. «Он завоюет ее», — подумала леди. И, глядя на Гленкерка глазом искушенной женщины, отметила про себя: «Ох, моя Кат! Какое же тебя ожидает чудесное приключение!»

2

Фиона Лесли лежала на кровати, размышляя о своем кузене Патрике. Она мечтала о том, как хорошо было бы стать графиней. А вместо нее за графа выходит эта кисейная девственница Катриона Хэй! Прямо смех!

Фиона знала, что когда-то собирались устроить партию между ней и Гленкерком. Затем в дело вмешалась бабка, отдавшая ее замуж за этого слабенького дурачка Оуэна Стюарта. Как же она ненавидела теперь старую даму!

Оуэн был болезненным и, даже страстно желая свою пышную семнадцатилетнюю невесту, оказался не способен выполнять супружеские обязанности. Это не имело значения для Фионы, которая утратила девственность в тринадцать лет. То, что ей требовалось, она быстро нашла в поместье своего мужа. Его звали Фионн, он был охотником. Большой и сильный, нетребовательный в постели, этот дикарь втискивал себя в Фиону, и ей казалось, что она сходит с ума от наслаждения. А затем случилось невозможное: она просчиталась. Потом долго не могла поверить, что беременна, а к тому дню, когда точно это установила, избавляться от ребенка стало уже слишком поздно.

Леди Стюарт сообщила мужу о своем положении, ожидая, что это ничтожество примет все как должное и рта не раскроет. Но снова просчиталась. Едва сумев сползти со своего ложа, немощный супруг обозвал ее всеми грязными словами, какие знал, и добавил, что, когда настанет утро, выставит ее шлюхой всему миру напоказ. Здесь, однако, просчитался Оуэн Стюарт. Пока он спал, жена задушила его подушкой. Смерть была списана на приступ астмы, а беременную вдову ласково утешали.

Когда ребенок родился, при Фионе находилась лишь ее служанка Флора Мор-Лесли. Крепкого мальчика тайком вынесли из спальни и передали в одну крестьянскую семью, которая только недавно потеряла собственного ребенка. Фиона не хотела, чтобы дети усложняли ее жизнь, поэтому ее собственного младенца заменили мертвым, которого похоронили с большой скорбью в семейном склепе Стюартов.

Для Фионы это событие не прошло бесследно: роды были тяжелыми. Доктор и акушерка, вызванные впоследствии, в один голос заявили, что леди Стюарт больше не сможет иметь детей. Но ее тайна осталась при ней. Только Флора знала правду, но эта женщина взрастила свою госпожу с пеленок.

А сегодня вдовушка ликовала, ибо она узнала чужую тайну. Чтобы избежать ухаживаний своего кузена Адама Лесли, который страстно желал ее с тех пор, как им было по двенадцать лет, Фиона ускользнула в библиотеку. Спрятавшись за портьерами у окна, она подслушала весь разговор между Хезер, Патриком и хозяином Грейхевена.

Ничто другое не привело бы ее в такой восторг. Девственница Кат пугалась любовных ласк! Гленкерк не сможет долго вытерпеть, а она, Фиона, тем временем почаще будет завлекать его своими зрелыми прелестями. Но, конечно, так, чтобы ее не обвинили в нескромности. Да и она сама замечала, что Кат мучают какие-то страхи.

— Когда вы так улыбаетесь, госпожа Фиона, я знаю, это не предвещает ничего хорошего. Что за козни вы замыслили?

— Никаких козней, Флора. Я просто думаю, какое платье надену к Гленкеркам на Рождество.

Флора мечтательно улыбнулась.

— Рождество в Гленкерке, — вздохнула она. — Лесли из Сайтена, Лесли из Гленкерка, Хэи из Грейхевена, Мор-Лесли из Крэннога. Мы не собирались на Рождество в Гленкерке всей семьей с тех пор, как умерла ваша бабушка. Я рада, что молодой граф снял траур. Старый лорд Патрик не одобрил бы этого. Думаю, что, если граф в следующем году женится на госпоже Катрионе, праздники в замке снова станут частыми.

— Да, — промурлыкала Фиона, — Рождество обещает быть очень занятным!

Но совсем нечаянно Кат обошла свою кузину Фиону. За десять дней до приезда всех остальных она прибыла в Гленкерк по особому приглашению своей тетки Мэг, вдовствующей графини Гленкерк. Мэг Стюарт Лесли знала о поведении своей племянницы как от Патрика, так и от Хезер и поэтому охотно предоставила своему старшему сыну возможность поухаживать за своей суженой. Она тоже когда-то появилась в Гленкерке испуганной невестой, а Мэм тепло приняла ее, окружила любовью и пониманием. Старой леди давно уже не было в живых, но Мэг намеревалась отплатить этот долг, помогая любимой правнучке Мэм, которая была к тому же ее собственной племянницей.

Стояла прекрасная погода — солнечная и прохладная. Патрик одержал свою первую победу, подарив Катрионе белоснежную лошадь.

— Она рождена от Дьявольского Ветра, Кат, — пояснил он, — и ты скоро убедишься, что она быстра, надежна и верна. Как ты ее назовешь?

— Бана. По-гаэльски означает «прекрасная».

— Знаю. Я тоже говорю по-гаэльски.

— Ох, Патрик! — Она обеими руками обвила его шею. — Спасибо за Бану! Не хочешь ли на своем Дабе поехать вместе с нами?

Днем они скакали по холмам вокруг Гленкерка, а по вечерам Катриона сидела со своей теткой и кузенами в фамильном зале замка. В камине весело пылал огонь, и Катриона играла в шарады и танцевала вместе с молодыми Лесли. Глядя на них, вдовствующая графиня снисходительно улыбалась, а графу приходилось прятать разочарование, потому что вечерами он никогда не оставался наедине со своей суженой.

И вдруг накануне того дня, когда должны были нагрянуть все остальные родственники, представился удобный случай. Вечером Патрик обнаружил Кат одну. Было поздно. Его мать давно спала, и, думая, что и остальные разойдутся по своим спальням, граф отправился в библиотеку, чтобы завершить некоторые дела по поместью. Позже, возвращаясь через фамильный зал, он заметил какую-то фигурку, в одиночестве сидевшую перед камином.

— Кат! Я думал, что ты уже легла спать, — удивился Гленкерк, присаживаясь рядом.

— Я люблю сидеть одна перед огнем во мраке ночи, — ответила Кат.

— Нравится ли тебе Гленкерк, любовь моя?

— Да, — проговорила она задумчиво. — Я не была уверена, что так окажется. Я помнила его огромным, но, конечно же, видела все глазами ребенка. На самом деле это оказался прелестный маленький замок.

— Значит, ты будешь счастлива жить здесь?

— Да, — чуть слышно сказала девушка.

Они молча посидели несколько минут, а затем Катриона решилась.

— Милорд, — сказала она, — не поцелуете ли вы меня? Не как раньше, а настоящим поцелуем. Я говорила и с мамой, и с моей Эллен. Они сказали, что поцелуй, которым мы скрепили нашу сделку, был вполне подобающим, однако... — она запнулась и закусила губу, — настоящий поцелуй содержит больше страсти.

Катриона откинулась назад, ее зеленые глаза блестели в свете камина. Патрик неспешно склонился и тронул ее губы своими. Нежно и постепенно он усиливал нажим, и тогда руки девушки сплелись у него на шее.

— Ох, милорд, — прошептала Кат, тяжело дыша, когда его рот отпустил ее. — Это было намного лучше! Пожалуйста, еще!

Патрик охотно подчинился и с удивлением почувствовал, как ее маленький язычок скользнул вдоль его губ. Мгновение спустя она снова заговорила:

— Вам понравилось, милорд? Мама сказала, что ощущение весьма приятно.

Неожиданно до графа дошло, что его суженая проводила опыты с вещами, о которых ей рассказала мать, но сама при этом ничего не чувствовала. Рискуя вызвать гнев девушки, он схватил Катриону в объятия и, пробежав ладонью по ее спине от шеи до основания позвоночника, всем телом прижал к себе. Его рот яростно овладел алыми губами. Используя все

16

свое умение, Патрик мягко, но настойчиво раздвинул губы и, глубоко ворвавшись к ней в рот, принялся ласкать ее язык и молча возликовал, когда все тело Кат трепетно задрожало. Он чувствовал ее возраставший страх, девушка пыталась вырваться, но он крепко держал ее до тех пор, пока сам не захотел отпустить.

— Патрик, — только и сказала она, задыхаясь, и разразилась слезами. Граф стал успокаивать ее.

— Ну что ты, голубка, что ты, — нежно шептал он, поглаживая своей большой рукой ее прекрасные волосы. — Не плачь, моя любовь.

— Почему ты сделал это? — спросила она сквозь слезы.

— Потому, моя драгоценная маленькая суженая, что ты опробовала со мной то, о чем рассказала тебе твоя прелестная ветреная матушка. И ты не чувствовала при этом ничего сама. Никогда, моя милая Кат, никогда не занимайся любовью, если тебе самой этого не хочется.

— Мне хотелось.

— Что тебе хотелось?

— Мне хотелось... хотелось... О Боже! Не знаю, что я тогда чувствовала. Сначала мне просто не хотелось, чтобы ты прекращал, а потом я захотела... Меня как будто внутри всю встряхнуло... — Смущенная, девушка запнулась.

Патрик встал и помог Катрионе подняться. Положив руки ей на плечи, он властно посмотрел суженой в лицо.

— Когда я был тринадцатилетним парнем, меня обручили с малышкой, которой исполнилось всего четыре года. Как только обряд завершился, нас усадили на почетное место и служанка принесла освежающие напитки. Девушки носили тогда блузы с глубоким вырезом, а я как раз начинал интересоваться женскими прелестями и никак не мог отвести глаза от ее обворожительных белых выпуклостей. И вдруг дитя, сидевшее рядом со мной, выплеснуло свой напиток на открытую грудь служанки и резко меня отчитало. В тот самый миг я влюбился и оставался влюбленным все эти годы.

Она подняла глаза.

— Я все время слышу о твоих победах. Как ты можешь уверять, что любишь меня, когда в твоей жизни столько других женщин?

— У мужчины есть особые потребности, Кат. Если он не женат и у него нет супруги, чтобы их удовлетворить, то должен искать в другом месте.

— Ищешь ли ты в другом месте сейчас?

— Особенно сейчас. Черт возьми, Кат! Я хочу тебя! Голую, у меня в постели, чтобы твои прекрасные волосы лежали растрепанные, и ты кричала от любви ко мне.

Катриона почувствовала, как при этих словах по ее телу снова пронесся трепет. Подняв на графа глаза, она сказала:

— Если ты оставишь других женщин, Патрик, то я выйду за тебя замуж в новом году на Святого Валентина. Если ты желаешь говорить «доброе утро» и «доброй ночи» твоей настоящей любви, то придется сказать «прощай» всем другим женщинам.

— Ты мне будешь приказывать, любимая?!

— Я не желаю делить тебя с кем-то, Патрик. Я приду к тебе девственницей, и ты сможешь ради своего удовольствия делать со мной все, что захочешь. Но я должна быть твоей единственной любовью.

— Когда мы поженимся, я подумаю над этим, — рассмеялся граф, — а теперь отправляйся в свою холодную постель, ты, ворчливая маленькая кокетка, пока я не вышел из себя и не лишил тебя права распускать твои прекрасные волосы в день нашей свадьбы.

Послав ему недовольный взгляд, Катриона покинула комнату. Патрик удовлетворенно засмеялся. Что за девка его Кат Хэй! Еще не жена ему, а уже пытается распоряжаться его жизнью. Что ж, теперь граф знал по крайней мере две вещи. Его невеста совсем не была ледяной девицей, которую он опасался получить, и скучать с ней, конечно же, не придется.

3

На следующий день пополудни замок Гленкерк наполнился представителями семейств Лесли и Хэй. Поскольку Катрионе предстояло выйти замуж за графа, то она была освобождена от сурового испытания — спать в общей спальне со своими кузинами. Фиона также избежала этой участи — как из-за своего возраста, так и потому, что была вдовой.

Узнав, что Катриона гостила в замке последние десять дней, Фиона поспешила отыскать ее и начала строить всевозможные козни. В это время Кат в одиночестве вышивала в фамильном зале. Фиона уселась рядом.

— Итак, кузинушка, как тебе нравится замок Гленкерк?

— Очень, — ответила Катриона. — Мне будет приятно стать здесь хозяйкой.

Она метнула Фионе озорной взгляд. Та досадливо сжала зубы.

— Ты смелая девушка. Так стремиться в волчью пасть!

— Что ты имеешь в виду?

— Боже мой, дитя! Ты должна знать репутацию Гленкерка.

— Его женщины! — Катриона изобразила скуку. — Боже мой, Фиона! Все знают, что Гленкерк с девками просто дьявол. Скажи мне что-нибудь другое, чего я не знаю.

— Хорошо, дорогая, скажу. — Она понизила голос и подалась вперед. — Говорят, «петушок» у Гленкерка слишком велик. Говорят также, что граф сложен, как Аполлон. Я была уже замужем и много знаю, и должна тебе кое-что рассказать. Мы, женщины Лесли, очень маленькие. Большой «петушок» может нас разорвать. Вот мой покойный муж, лорд Стюарт, был среднего роста, и, однако, когда в свадебную ночь он воткнулся в меня... — Для большего эффекта она помедлила, с ликованием замечая побледневшее лицо Катрионы. — Да, кузина! Боль была страшной, и каждый раз становилось хуже. Пусть Бог простит его! Смерть Оуэна для меня оказалась просто счастьем!

— Но я — Хэй, Фиона. Со мной так быть не может.

— Твоя мать — Лесли, кузина. Дочь вырастает по образу и подобию матери. Я, конечно, тебе не завидую.

Объятая ужасом, Катриона передала разговор Эллен.

— Все совсем не так, — твердо сказала Эллен. — Эта Фиона пытается просто запугать тебя. Боль бывает только один миг в первый раз, когда разрывается девственный щит. После этого все прекрасно. Твоя кузина сама сохнет по графу. Грязная потаскушка! И еще имеет наглость пугать тебя! Глупышка. — Она взъерошила волосы девушки. — Посмотри на свою мать. Единственно, чем она занята, это тем, что льнет к твоему отцу. Разве бы так вела себя женщина, испытывающая постоянную боль?!

Раздосадованная тем, что ей так легко задурила голову хитрая кузина, Кат стала наблюдать за Фионой, чтобы убедиться в правоте Эллен. А кузина между тем не упускала ни одной возможности оказаться рядом с Патриком. Она наряжалась в платья с самым глубоким декольте, выставляя напоказ свои пышные прелести. «Какая сука, — думала Катриона. — Рыжая сука!» Она поискала глазами брата, а найдя, спросила:

— Джеми, скажи мне, что ты знаешь о кузине Фионе?

Джеми хохотнул.

— Говорят, что она очень щедро раздает свои милости, но сам я никогда не попадал к ней в постель. Говорят, что малец, которого она принесла Стюарту, вовсе не был его сыном: сомнительно, чтобы Оуэн, известный слабак, смог когда-либо сделать ей ребенка.

Джеми посмотрел на сестру.

— Тебе теперь нравится Гленкерк, не так ли, Кат?

— Да.

— Тогда остерегайся Фионы. Всем известно, она его домогается, хотя сомневаюсь, что бедный Гленкерк это осознает.

Но Джеми ошибался: Патрик был вполне осведомлен о замыслах Фионы, и если бы Катриона не находилась в замке, то мог бы даже немного поразвлечься со своей пылкой рыжеволосой кузиной. Он знал, что шепотки насчет нее окажутся наверняка истинными, однако было бы весьма забавным подтвердить их.

Однажды ночью, вскоре после Рождества, Фиона попыталась обольстить графа. Когда все обитатели замка уже давно были в постели, Гленкерк остался перед камином побеседовать с братом. Графу хотелось женить его на наследнице Форбзов. Но Адам, однако, доказывал, что их младший брат, семнадцатилетний Майкл, намного лучше подойдет для тринадцатилетней Изабеллы.

— Я хочу жениться поскорее, причем не на ребенке. Майкл же не сможет сыграть свадьбу по крайней мере еще три или четыре года. Сделай хорошую партию. Изабелла будет без ума от этого ангелочка.

Патрик засмеялся.

— Ладно, брат, но кто та девушка, для которой ты себя бережешь?

Адам улыбнулся, и его глаза сузились.

— Я еще не посватался к ней, но скоро сделаю это.

Братья посидели еще некоторое время, потягивая подогретое вино с пряностями, приготовленное специально к рождественским праздникам. Оба были высокими, как их отец, но если Патрику достались темные волосы матери и зеленовато-золотые глаза Лесли, то Адам унаследовал красно-рыжие волосы Лесли и янтарные глаза Стюартов.

Разомлевшие от теплых братских чувств и роскошного красного вина, они поднялись по лестнице в свои покои.

— У меня есть хорошее виски из винокурни старого Макбина, — сказал граф. — Заходи, Адам, выпьем по капельке. Лучше заснешь.

Он открыл дверь и зашел в свою спальню, а брат без возражений последовал за ним.

— О Боже! — переступив порог, выдохнул Адам. На кровати графа в отблесках огня, игравших на обнаженном белом теле, лежала Фиона Стюарт. — Ох, Господи благослови, кузина! Ты — самое приятное зрелище, которое я сегодня видел!

— Что ты тут делаешь, черт возьми! — вскричал мгновенно протрезвевший граф, похолодев от гнева.

— Ты не захотел прийти ко мне, Патрик, — тихо сказала Фиона. — И вот я пришла к тебе сама.

Он уловил тонкий запах ее надушенного тела.

— Я плачу своим шлюхам, Фиона. Сколько ты просишь?

— Патрик! — севшим от волнения голосом взмолилась она. — Пожалуйста! Я с ума по тебе схожу! Женись на своей кузине, если уж так надо, но возьми меня! Будь моим любовником. Не пожалеешь, Патрик!

— Боже мой! — холодно произнес Адам. — Тебя что-то смущает, брат? А мне вот еще только предстоит получить такое чудесное приглашение от женщины.

Патрик повернулся к нему:

— Эту хочешь?

Адам посмотрел на брата.

— Да. И уже давно.

— Тогда возьми ее! Я буду спать сегодня в твоей спальне.

— Нет! — яростно завопила Фиона. — Я хочу тебя, а не этого мальчишку-хлыща!

— Дорогая кузина, — спокойно сказал граф, — по всем тем слухам, что до меня доходят, у тебя имеется богатый опыт.

И ты, конечно, должна знать, что заниматься любовью с тем, кого не хочешь, не только противно, но к тому же еще и дьявольски скучно.

Повернувшись к ней спиной, Патрик вышел из комнаты.

Адам прикрыл за братом дверь и с громким стуком задвинул железный засов.

— Фиона, любовь моя, — протянул он лениво, — я уже давно хочу поиметь тебя именно такой.

— Проваливай, — рявкнула она и, встав, попыталась пройти к двери.

Адам схватил ее за руку и потянул назад.

— Нет, голубка, — сказал он безжалостно, сдавливая грудь в своей ладони. — Нет! Сегодня ты раздвинешь ноги для меня!

Он толкнул ее обратно в постель, и молодой вдове вдруг стало страшно.

С тех самых пор, как Фиону впервые завалили на солому, — а сделал это в темной конюшне главный конюх ее отца, — она всегда раньше в таких случаях главенствовала. Теперь же вдова беспомощно лежала на кровати и смотрела, как кузен медленно сбрасывает с себя одежду. Широкая и мускулистая спина юноши переходила в узкую талию. Вот Адам снял свои короткие штаны. Бедра его были худыми, а ягодицы приятно округленными. А когда он повернулся, то леди Стюарт только охнула от потрясения. Давным-давно, девочкой, она видела однажды, как их самый ценный племенной жеребец покрывал в поле кобылу. С того времени Фиона мечтала найти мужчину со столь же огромным членом. И вот неожиданность — именно такой мужчина стоял перед ней и смеялся.

— Да, голубка! Пять лет ты бегала как раз от того, чего хотела!

— О Боже, — прошептала она. — Ты убьешь меня этим!

Но тайное место у нее между ног уже жадно билось и трепетало. Громко вскрикнув, Фиона протянула руки к мужчине. Сильное мускулистое тело быстро накрыло ее, и Адам почувствовал, как теплая рука судорожно проскользнула вниз, чтобы направить в истекающее соками лоно его орудие. Он осторожно втиснулся в женщину и, поняв, что та с легкостью может принять весь объем, начал медленные, проникновенные движения. Тело Фионы дико корчилось под ним, а ногти царапали ему спину. Движения становились все быстрее и яростнее, она начала тихо стонать, а несколько минут спустя стоны перешли в визг чистой радости.

Адам скатился с нее и лежал рядом, переводя дыхание. Затем приподнялся на локте и, глянув на распростертое тело, небрежно бросил:

— Для девки, которая блудила с тех пор, как едва начала созревать, ты умеешь чертовски мало, и это твоя вина! Ты ограничивалась любителями и посредственностями.

Наклонив голову, Адам задумчиво покусывал ее грудь, а его пальцы тем временем играли с ее чувствительной плотью между бедер.

— А я, голубка, — продолжил Адам, — получил воспитание у лучших шлюх Парижа, Лондона и Абердина. И с удовольствием обучу тебя всему, что знаю.

Все еще продолжая слабо сопротивляться, Фиона ответила:

— Я не говорила, что буду твоей любовницей, ты, тщеславный мальчишка!

— А я тебя и не спрашиваю, дорогая моя.

На ее лице отразилось недоумение.

— Уверен, что сейчас, — сказал он, — церковь уже привыкла давать кузенам Лесли разрешение на родственные браки.

Фиона была ошеломлена.

— Я старше тебя, — попыталась она робко возразить.

— На целых пять недель, — засмеялся Адам. — На следующей неделе, дорогая, мне исполнится двадцать.

Ненасытный любовник снова затянул ее под себя, и она бедром почувствовала его твердость.

— Я не хочу тебя! — яростно закричала Фиона. — Я хочу Гленкерка!

— Тебе его не добиться, голубка. Он тебя не хочет.

Адам раздвинул ей ноги.

— У тебя нет денег! — сказала она. — К тому же я не хочу жить в чужом доме!

— У меня совсем неплохой доход от вложений, которые оставила мне бабка, да и у тебя тоже. Один я богаче многих графов, вместе взятых. У меня есть доля и в семейном судовладении, и в овцеводстве. А ты имеешь дом в Эдинбурге — тот, который принадлежал твоей бабке Фионе Абернети. Мы с тобой несколько лет попутешествуем, а потом, когда маленький король Джеми вырастет, вернемся, начнем жить в Эдинбурге, будем представлены ко двору.

Адам снова глубоко втиснулся в нее, и они полежали молча.

Фиона сама не поняла, почему разоткровенничалась, но она сказала:

— Я не могу иметь детей. Ребенок Стюарта погубил меня.

— Я знаю, — ответил Адам равнодушно. — Повитуха, которую ты тогда позвала, принимала потом по крайней мере троих моих внебрачных детей. Эти сведения о тебе мне обошлись в две золотые монеты. И мне известно также, голубка, что младенец был не от Стюарта.

Адам засмеялся, услышав, как Фиона цветисто выругалась.

— Пусть Патрик, Джеми и Майкл продолжат наш род вместе со стадом своих младенцев, — проговорил он. — Я хочу только тебя. Но если я когда-нибудь застану тебя с другим мужчиной, то изобью до посинения и откажу тебе в этом... — он резко воткнулся в нее, — на целый месяц.

Его янтарные глаза сузились и засверкали. Мысль, что она может потерять то, что так долго искала, бросила Фиону в дрожь. Обвив Адама ногами, она прошептала:

— Я буду хорошо себя вести. Клянусь!

На следующий день, к удивлению собравшихся родственников, Адам Лесли объявил, что женится на своей кузине леди Стюарт. Поскольку ни свою мать, ни родителей Фионы он прежде не известил, то началось столпотворение.

Патрик поднял голос в защиту брата.

— Они спросили моего разрешения, — солгал он. — Я должен принести свои извинения, дядюшка, что еще не посоветовался с вами. Предстоящая собственная свадьба совсем закружила меня.

Граф повернулся к младшему брату и строго сказал:

— Тебе не следовало объявлять о своих намерениях прежде, чем я поговорил бы с дядюшкой.

Адам изобразил раскаяние.

— Пойдемте, дядюшка Сайтен, — учтиво пригласил граф Гленкерк. — Давайте поговорим о делах наедине. Даже красивая вдова должна иметь приданое.

Прежде чем лорд Сайтен успел возразить, он оказался в библиотеке и там услышал от Адама, что его дочь навсегда осталась бесплодной и, учитывая это, следовало радоваться всякому зятю.

— Тогда почему же ты ее хочешь? — спросил лорд.

— Потому, дядюшка, что я люблю эту шалунью.

Лорд Сайтен больше ничего не сказал. Он никогда не считал свою дочь особенно достойной любви, тем более что хорошо знал ее славу. Считая большой удачей, что его от нее избавят, лорд согласился на довольно щедрое приданое, и договор был заключен. Свадьбу назначили на весну.

Когда дядюшка ушел, Гленкерк повернулся к брату.

— Почему ты так поступил? — спросил он. — Ведь ты мог бы жениться на милашке Изабелле Форбз и иметь законных сыновей.

— Потому, Патрик, что я по-настоящему люблю Фиону. Люблю с тех пор, как был мальчишкой.

— Она же шлюха! Прости меня, Адам, но ведь она ляжет под любого!

— Нет, теперь не ляжет. Не смотри так недоверчиво, Патрик. Помнишь Нелли Бэйрд?..

— Да, — уныло ответил граф, вспоминая одну особенно роскошную девку, которую содержал в Эдинбурге. Он обладал ею до тех пор, пока не одолжил брату всего на одну ночь.

Адам засмеялся и затем, снова посерьезнев, сказал:

— Фиона больше не станет блудить. Просто у нее огромные потребности в любви, а до вчерашней ночи ни у одного мужчины не хватало сил удовлетворить ее. Но теперь есть я, и она довольна.

— Но ведь с Изабеллой у тебя могли быть законные сыновья.

— И ты, и Джеми, и Майкл — все вы будете иметь сыновей, чтобы продолжить наш род. А я предпочитаю свою рыжую сучку.

— Понимаю тебя, — сказал граф, — и меня тоже госпожа Катриона Хэй заставляет плясать под свою дудку.

— Прими мой совет, Патрик, и укроти девку, иначе не будет мира в твоем доме.

— Да, но как?

Адам пожал плечами:

— Думай сам — это не моя забота. Мою зовут Фиона.

В библиотеку ворвалась Маргарет Лесли.

— Как ты мог? — набросилась она на старшего сына. — Как ты мог позволить брату жениться на шлюхе?! Сайтен смеется и ликует, что снова избавился от этой суки. Пусть Фиона моя племянница, но я не допущу, чтобы кто-то из моих мальчиков спаривался с такой блудливой девкой!

Патрик встал и посмотрел на мать.

— Хочу вам напомнить, мадам, что глава семейства — я, а не вы. Решения здесь принимаю я. Адам влюблен в Фиону, а она в него. Лорд Сайтен согласился на брак и дает щедрое приданое. Они поженятся весной. Вы должны приветствовать Фиону, как приветствовали Катриону и Эйлис Хэй, а в будущем — Изабеллу Форбз.

Маргарет Лесли повернулась к младшему сыну. Он взял руки матери в свои.

— Я действительно люблю ее, мама. Ты прожила с отцом счастливые годы. Я хочу так же прожить свои с Фионой.

Мэг Лесли расплакалась, а сыновья заключили ее в объятия.

— Вы всегда были своевольны, мальчики!

— Мадам, мы надеемся найти свое счастье. Вы с отцом показали нам пример, — сказал Адам.

Мэг Лесли деликатно вздохнула, потом вытерла глаза и улыбнулась обоим.

— Очень хорошо, господин граф и глупый мой младший сын. Я приветствую Фиону, хотя все еще считаю это непристойным. Девчонка не лишена озорства. Когда ей хочется, она может быть скверной. Мне это не нравится.

4

Граф Гленкерк ухаживал за своей будущей невестой с элегантностью и изяществом французского царедворца. Каждое утро, когда Эллен приносила Катрионе завтрак, на подносе всегда лежало что-нибудь и от Патрика. Иногда это было нечто скромное и простое, вроде сосновой веточки и золоченой шишки, перевязанных красными бархатными ленточками. Иногда — дорогое, наподобие резной коробочки из слоновой кости, наполненной дюжиной бриллиантовых пуговиц. Совершая короткие поездки верхом по декабрьским снегам и неспешно прогуливаясь по сонным садам, Катриона и Патрик лучше узнавали друг друга.

Патрик Лесли был хорошо образованным человеком, и его юная нареченная, которая так долго и упорно боролась за свое собственное образование, жадно слушала своего жениха. Графа забавляло, что в таком роскошном молодом теле обнаруживался столь глубокий и гибкий ум, хотя и беспокоило, что невеста зачастую оказывалась совсем наивной. Выросшая в обособленном мире Грейхевена, она почти не знала жизни.

Девушка настолько освоилась в обществе графа, что сама предложила назначить свадьбу на День святого Валентина. После Пасхи тихо, без лишнего шума, поженятся Адам и Фиона, хотя вся семья прекрасно понимала, что свадьба будет простой формальностью. Они уже давно жили вместе как муж и жена. Фиона выглядела пухлой и гладкой, словно кошка, кормленная одними сливками.

— Она почти что уже мурлыкает, — посмеивалась Эйлис Хэй. — Я надеюсь только, что мой Джеми так же хорош, как, судя по рассказам девок, кузены Патрик и Адам.

— Хороши в чем? — спросила Катриона.

Большие голубые глаза Эйлис широко открылись, а затем она снова захихикала.

— Ох, Кат! Ты смеешься надо мной!

— Не знаю, о чем ты говоришь, Эйлис. Ты надеешься, что Джеми столь же хорош, как Патрик и Адам, но в чем?

— В постели, ты, гусыня-простушка! — воскликнула Эйлис, потеряв терпение. — Они говорят, что у гленкеркских мужчин девки теряют рассудок от наслаждения! Не могу дождаться июня, когда выйду замуж!

— Боже мой, Эйлис! Ты такая же шлюха, как Фиона!

Глаза Эйлис наполнились слезами, и милашка возмущенно затрясла белокурыми локонами.

— Я, — отвечала она с большим достоинством, — такая же девственница, как и ты, Катриона Хэй! Но на этом между нами и кончается сходство. Я предвкушаю ночи, которые буду проводить на супружеском ложе, и всем, чем только смогу, доставлю удовольствие Джеми. А ты холодна как лед. И если не переменишься, то граф примется искать утешения в более теплой постели. И кто тогда его обвинит?..

Катриона гордо удалилась, ничего не сказав в ответ. С тех пор как на Рождество в замок приехала вся семья, поведение Гленкерка стало сдержанным.

Больше не повторилась та ночь перед камином, когда он разбудил ее чувства, о существовании которых она раньше даже не подозревала, и сейчас не была уверена, что сумеет справиться с ними. Она жаждала снова испытать их.

В одну из ночей, одетая только в мягкую льняную рубашку, Катриона выскользнула из своей спальни и спряталась в алькове возле покоев графа. Она дрожала от холода, когда наконец он появился. Девушка выскользнула из укрытия и последовала за ним в комнату.

— Ох, Кат, милая, что тебе?

Увидев, что она дрожит, граф набросил ей на плечи плащ, подбитый мехом.

— А теперь, любовь моя, скажи, что же такое важное привело тебя сюда посреди ночи?

Катриона оробела. Граф ласково обнял ее и присел с ней у камина.

— Скажи же, сладкая моя.

Ее голос был тих:

— Я хочу... я хочу, чтобы ты любил меня.

— Нет, голубка. Если бы я считал, что так надо, то в один миг раздел бы тебя, и ты была бы уже в постели.

— Пожалуйста, Патрик! Я в самом деле хочу! Ох, милорд, я вопиюще невежественна! Моя мать пыталась исправить это, но она понимает любовь так возвышенно и одухотворенно! А тут еще Эйлис сплетничает и смеется насчет репутации гленкеркских мужчин, и Фиона открыто спит с Адамом и выглядит чертовски надменной и довольной. Это совсем не одухотворенно. Так что... не знаю, чего и ожидать. Пожалуйста, научи меня! Хотя бы немножко!

— Очень хорошо, — сказал он, едва сдерживая смех. — Но если ты испугаешься и захочешь, чтобы я прекратил, то не стесняйся и попроси.

— Хорошо, Патрик.

В комнате стало очень тихо, слышалось только потрескивание огня в камине. Одной рукой он обнял ее, а другой,

28

свободной, медленно и осторожно спустил рубашку, обнажив прекрасную округлую грудь, словно выточенную из слоновой кости. Сосок выделялся темно-розовым пятном. Какое-то время граф разглядывал это совершенство. Затем его ладонь нежно охватила и сжала грудь. Он почувствовал, как девушка легонько вздрогнула. Вытянув большой палец, Патрик стал поглаживать соблазнительное розовое острие, пока оно не затвердело. Катриона затаила дыхание, и у Гленкерка на губах заиграла улыбка.

Граф наклонился, чтобы поцеловать Катриону, и его плащ соскользнул на пол, потому что девушка обвила его шею руками. Он осторожно снял рубашку с прекрасного тела и бросил ее на свой плащ. Потом принялся ласкать свою возлюбленную, поглаживая ее атласную кожу. Хотя Катриону била дрожь, она что-то довольно шептала и льнула к нему. Внезапно Патрик остановился и замер, а Кат взмолилась:

— Пожалуйста, милорд! Еще! Я не боюсь!

Но граф сам испугался, ибо его желание быстро нарастало. Он знал, что следует поскорее остановиться, иначе он возьмет ее здесь и сейчас же.

— Кат! Любимая! Послушай меня. Я начинаю желать тебя очень сильно. Если я не отошлю тебя сию минуту, то не смогу отказать себе в удовольствии обладать твоим телом.

— Прошу тебя, милорд! Я тоже тебя хочу! Пожалуйста, возьми меня сейчас!

Если бы перед ним стояла другая, он с большой охотой подчинился бы ее желанию. Но это была Кат, его невинная суженая, которая только просыпалась навстречу радостям любви.

— Нет, любимая. При свете дня все будет выглядеть по-другому. Если я заберу твою девственность сейчас, потом себя за это возненавижу.

Вздохнув, Патрик снова натянул на нее рубашку, а затем отнес невесту обратно в комнату, уложил в постель и нежно прикрыл одеялом.

— Спокойной ночи, любовь моя, — прошептал он, закрывая за собой дверь.

Катриона неподвижно лежала в тепле своей постели и прислушивалась к звукам зимней ночи. В камине с мягким потрескиванием горел огонь. За окном прокричала сова, и в ответ завыл волк. Теперь девушка понимала, что имела в виду ее мать. Но она теперь стала понимать и Эйлис, и с большей симпатией относилась к своей кузине Фионе. Снова и снова Кат переживала в мыслях последние часы. Ее груди стали тугими, и, заметив это, она покраснела. Весь остаток ночи невеста Гленкерка металась между беспокойным сном и не менее беспокойным бодрствованием. Ее молодое тело томилось по ласкам Патрика.

Наутро, когда суженые встретились, чтобы отправиться на прогулку верхом, граф приветствовал девушку в своей обычной манере. Катриона последовала его примеру и молчала до тех пор, пока они не оказались на безопасном расстоянии от замка. Тогда, медленно повернувшись к нему, Кат сказала:

— Я не жалею ни о чем, что случилось прошлой ночью.

Патрик улыбнулся, почувствовав, с каким напряжением это было сказано.

— А тут, Кат, и жалеть-то не о чем. Мы только целовались и ласкались... невинные забавы, которым предаются влюбленные со времен сотворения мира.

— Я приду к тебе снова, — сказала она.

Патрик усмехнулся.

— Нет, ты останешься в своей постели как хорошая девочка, — велел он, — иначе я за себя не отвечаю.

Девушка надула губы.

— Я не останусь одна.

Гленкерк внимательно посмотрел на нее и вдруг, к своему крайнему изумлению, понял, что именно так она и поступит. «Боже мой, — подумал граф, — это тигрица!» А вслух сказал:

— Если ты ослушаешься меня, то я возьму лещинный хлыст и исполосую твою прелестную попку. Я не шучу!

Ночью Катриона снова появилась у него в комнате. Вручив ему лещинный хлыст, она резким движением плеч сбросила свой плащ. Другой одежды на девушке не было. Граф отшвырнул хлыст в камин и, схватив ее и притянув к себе, нежно поцеловал, позволив своим пальцам прикоснуться к тайному местечку между ног. Она едва слышно застонала, но не остановила его.

30

***

Каждую ночь Кат приходила в комнату Патрика, и граф чувствовал, что если не передохнет от пытки, на которую она его обрекла, то сделает нечто, о чем оба будут потом жалеть.

Закончились празднества Двенадцатой ночи, и родственники отбыли по домам. Граф упросил Катриону вернуться к себе в Грейхевен на несколько недель, чтобы потом приехать снова в Гленкерк для приготовлений к свадьбе. Девушка уезжала с большой неохотой.

За две недели до свадьбы Катриона вернулась, привезя свое приданое — одежду, драгоценности, белье и обстановку. К ужасу Патрика, девушку поместили в покои графа и графини Гленкеркских, частью которых была и его собственная спальня. На дверях между всеми этими спальнями никогда не существовало замков. И если сейчас он прикажет поставить замок на свою дверь, то какие же вызовет пересуды!.. В первую ночь по возвращении Катрионы граф допоздна засиделся в библиотеке, беседуя с Адамом, в надежде, что, когда он придет к себе, девушка будет спать.

Наконец Патрик пожелал брату спокойной ночи и отправился в свою спальню. Дверь между двумя комнатами стояла открытой. Граф прислушался, но ничего не услышал. Поспешно, стараясь не шуметь, он начал раздеваться.

— Патрик, — прозвучал нежный голос.

Гленкерк повернулся и обнаружил, что Катриона стоит в двери, такая же голая, как и он сам. Девушка простерла к нему руки, и граф застонал.

— Пойдем, любовь моя. Моя постель уже согрета.

Патрик не мог отвести глаз от ее роскошной груди и соблазнительных длинных ног. Медового цвета волосы, тяжелые и густые, ниспадали ниже тончайшей талии, а глаза сияли так ярко, как никогда прежде.

— Если я сегодня заберусь в твою постель, Кат, то пути назад не будет. Я больше не стану играть с тобой в игры. Если я приду в твою постель, голубка, то лишу тебя девственности. Не обманывайся! Если начну, то и закончу!

— Пойдем, Патрик!

Катриона направилась в свою спальню. Граф последовал за ней.

— Ты уверена, любовь моя?..

Она повернулась и положила руку ему на грудь, вызвав волну возбуждения.

— Я не в силах больше ждать, милорд. Пожалуйста, не заставляй себя упрашивать.

Забравшись на свою огромную кровать, Катриона протянула к нему руки. Патрик торопливо последовал за ней и, прижав к себе, с силой поцеловал. Он почувствовал, как по телу девушки пробегает дрожь, и отодвинулся, чтобы посмотреть на возлюбленную.

— Ты уверена?..

— Да, милорд.

Когда его жадные губы побежали по ее телу, Катриона затрепетала, словно плененное дикое животное. Поцелуи будто насквозь прожигали ее тонкую кожу, а когда губы Патрика обхватили жесткий сосочек, девушка испытала восхитительную смесь страха и удовольствия. Его рука бережно обследовала у нее тайное влажное место между ног — поддразнивая, поглаживая, лаская. Нежным движением Патрик всунул внутрь палец, и Катриона выгнулась ему навстречу. Она была нетронутой. Граф понял, что придется действовать крайне осторожно, чтобы причинить ей как можно меньше боли.

Однако он мог не торопиться. Впереди была целая ночь, и граф хотел возбудить Катриону до крайности. Он уже и прежде не раз лишал девушек невинности и обнаружил, что распаленная девственница чувствует меньше боли, нежели та, что напряжена и испугана. Патрик взял руку Катрионы и приложил ее к своему органу. Катриона не отвела руку, а стала поглаживать член робко и нежно, а потом вдруг склонилась и поцеловала его пульсирующую головку.

По его телу вихрем пронесся безудержный трепет. Снова поджав девушку под себя, граф впился в нее поцелуем. Их языки превратились в огненные копья — пытливые, обжигающие. Катриона корчилась под ним, и Патрик удовлетворенно улыбнулся. Склонившись, он пробирался губами к маленькой родинке, отмечавшей расщелину между ее ногами. Затем пустил язык в саму эту соблазнительную щель. Катриона затаила дыхание от изумления. Патрик любовно, хоть и настойчиво, раздвигал ее бедра. Он нежно вошел в любимую и пришел в восторг, потому что она призывно выгнулась навстречу. С величайшим усилием граф сдерживался, чтобы не давить слишком сильно. На мгновение остановившись, он посмотрел на Катриону. Пот покрывал ее тело, словно мелкий бисер, и было заметно, что она немного испугана.

— Легче, голубка, легче, — вполголоса промурлыкал Патрик и погладил трепетное тело возлюбленной.

— Мне больно, Патрик! Больно!

— Еще мгновение, любовь моя, только один раз будет больно, а потом сразу станет лучше, — пообещал граф.

И прежде чем Катриона успела снова пожаловаться, Патрик откинулся назад и резко ткнулся сквозь барьер. Ее глаза расширились, и она вскрикнула от боли. Этот крик мужчина заглушил своими поцелуями. Но он не обманул. Боль сразу начала стихать. Гленкерк мягко двигался внутри ее, и Катриона, скользнувшая в новый блистательный мир, выгнула свое гибкое тело ему навстречу. Ее омывали волны удовольствия, и чем мощнее они становились, тем глубже ее увлекало в какой-то крутящийся золотой вихрь. Она тоже услышала девичий крик, но не поняла, что это был ее собственный голос.

Столь же неожиданно, как началось, все кончилось. Катриона обнаружила, что лежит в объятиях Патрика и плачет. А тот целиком был во власти угрызений совести и отвращения к самому себе. Покрывая ее мокрое от слез лицо поцелуями, он молил о прощении, каялся, что поступил как ужасная скотина. Катриона прервала его на полуслове, засмеявшись сквозь слезы.

— Ты глупец! — сказала она, улыбнувшись. — За что же мне тебя прощать? За то, что ты сделал меня женщиной за две недели до нашей свадьбы? — Она взяла его лицо в ладони. — Я люблю тебя, милый! Ты слышишь? Я с ума схожу по тебе, милорд! И не могла вынести, что не обладала тобой целиком! Я своевольная девка, Патрик!

Гленкерк склонился над ее лицом и улыбнулся.

— Я побью тебя, если ты когда-нибудь ослушаешься меня! Дитя, я люблю тебя всем сердцем, но я хочу быть хозяином своего дома!

— До тех пор, пока я твоя единственная любовница, милорд! — парировала она.

Граф засмеялся.

— Какая же вы озорница, мадам!

Он опрокинул ее обратно на подушки.

— Давай-ка спать, а не то утром все в замке будут знать, чем мы тут занимались.

В ответ Кат удивленно подняла бровь. Граф усмехнулся.

— На сегодня достаточно, моя ненасытная малышка. Тебя слишком недавно растеребили. И если ты собираешься подняться и куда-нибудь пойти поутру, то одного раза на сегодня хватит. Но в следующие ночи я буду любить тебя без остановки с вечера до утра. Ни один мужчина, если только в нем есть сколько-нибудь огня, не сможет никогда насытиться тобой.

Утром Эллен заметила кровавые пятна на постели Катрионы. Но она промолчала, ибо никого не касалось, что жених и невеста провели свадебную ночь прежде, чем отпраздновали свадьбу. Ее беспокоило другое: возможно, ее молодая госпожа собиралась выйти замуж за мужчину, которого не любила. Теперь же Эллен знала, что все было в порядке: Катриона не отдалась бы Гленкерку, если бы не любила его.

К несчастью, Фиона тоже узнала об этой ночи. Никто не раскрывал ей секрета, но инстинктивно леди Стюарт чувствовала это. Дня за три до свадьбы она отыскала Катриону, когда та была одна, и небрежно заметила:

— Итак, ты все-таки позволила, чтобы он тебе воткнул до свадьбы. Ну ты и смелая!

Катриона покраснела, поняв, что ее тайна раскрыта. Но она вовсе не желала, чтобы Фиона чувствовала себя победительницей.

— Ты ревнуешь, кузина?

Та засмеялась:

— Послушай, малышка. У меня мужики были с тринадцати лет. И среди них не нашлось такого, чтоб я не могла поиметь, когда хотела. И твой драгоценный Гленкерк не исключение!

— Лгунья! — возмутилась Катриона.

— Нет, — нагло улыбнулась Фиона. — Я имела обоих — и Патрика, и Адама. Я останусь со своим Адамом. Но чтобы у тебя не было сомнений на этот счет... — И Фиона во всех подробностях описала спальню Патрика.

Не произнеся ни слова, Катриона рассталась с кузиной. Отправившись в свои покои, она облачилась в теплые замшевые бриджи, шелковую рубашку, надела сапоги на меху и тяжелый плащ, тоже с меховой подкладкой. Затем послала

34

смущенную Эллен в конюшню, приказав, чтобы оседлали Бану.

— Но куда же вы поскачете в такое время? — возразила было служанка.

— Не знаю, — ответила Катриона, садясь на Бану. — Но когда великий граф Гленкерк возвратится из Форбза, скажи ему, что я скорее выйду замуж за самого дьявола!

Рывком повернув голову Баны, она пришпорила кобылу и поскакала легким галопом через подъемный мост в сгущавшиеся зимние сумерки.

5

Подхватив свои юбки, Эллен, спотыкаясь, побежала обратно в замок на поиски хозяина Грейхевена. Найдя его, выдохнула:

— Она ускакала, милорд! Госпожа Катриона ускакала!

Грейхевен соображал не слишком быстро, но его жена разобралась во всем сразу.

— Что случилось?

— Не знаю, миледи. Она была так счастлива, что снова оказалась в Гленкерке, и предвкушала свою свадьбу.

— Я подозреваю, — сказала Хезер, — не было ли все это притворством.

— Нет! Нет, миледи! Кат влюблена в графа, это ясно. Они были даже... — Эллен запнулась, охваченная ужасом, и прикрыла рот ладонью. Хезер поняла.

— Как долго?

— Ох, миледи!

— Как долго, Эллен?

— В первую ночь, когда мы вернулись в Гленкерк. Я нашла пятна на следующее утро. Но что-то происходило уже и на Рождество. Он не насиловал ее! В этом я уверена, миледи!

— Хочешь ли ты сказать, что граф спал с моей девочкой? — возмутился лорд Хэй.

— Ох, Грейхевен, помолчи! — прикрикнула на него Хезер. — Не столь важно, что они спали вместе. Все равно им предстоит пожениться через три дня. Эллен... что Кат делала сегодня? Куда она ходила?

— После обеда, как обычно, часок поспала. Затем отправилась в фамильный зал со своей вышивкой. Графа не было весь день, так что они не могли поссориться.

Отыскалось несколько человек, которые разговаривали с Катрионой или видели ее после обеда. Все — и Мэг Лесли, и ее дочери, и Эйлис Хэй с двумя служанками — в один голос уверяли, что девушка выглядела веселой и находилась в приподнятом настроении.

— Что же могло испугать ее? — задумалась Мэг.

— Она не казалась испуганной, миледи, — поправила Эллен. — Была бодра и оживленна.

Во дворе послышался цокот копыт и лай собак: граф и его братья возвращались из Форбза, куда ездили вчетвером заключать брачное соглашение между Изабеллой Форбз и Майклом Лесли. Со смехом и шутками они вошли в фамильный зал, разом остановившись перед картиной, представившейся их глазам.

— Что такое? — встревожился граф.

— Кат... — бездумно начала Хезер.

Патрик побелел.

— Нет-нет, с ней все в порядке, — поспешила заверить леди.

— Тогда что же?

— Кат в скверном настроении, племянник. И она ускакала. Не выдержали перед свадьбой девичьи нервы, — ответила Хезер, пытаясь его успокоить.

— Когда?

— Примерно час назад. После обеда она еще была здесь. Потом неожиданно отправилась в свою комнату, оделась для езды верхом и ускакала.

— Кто разговаривал с ней? И откуда вы знаете, когда она уехала?

Хезер объяснила, а затем повернулась к Эллен, чтобы та поведала все что знала.

— Она ворвалась ко мне в спальню, милорд. Кричит: «Элли, отправляйся на конюшню и вели седлать Бану». — «Миледи, — говорю я, — уже поздно, и солнце близится к закату». — «Делай как тебе велят!» — приказала она. Боже мой! Я растила ее с младенчества, и никогда прежде Кат со мной так не разговаривала. Когда она садилась на лошадь, на ней была старая одежда для верховой езды. «Элли, — говорит, — скажи великому графу Гленкерку, что я скорее выйду замуж за самого дьявола!» И ускакала. А я сразу побежала к миледи Хэй и все рассказала.

Патрик Лесли стиснул зубы. Его глаза сузились.

— Кто-то, наверное, расстроил ее, — процедил он.

— Кого расстроил? — спросила Фиона, входя в зал. — Боже, что здесь происходит?

Не повышая голоса, Патрик спросил:

— Ты видела Кат сегодня после обеда?

— Да, она вышивала.

Граф посмотрел на брата. Адам решительно взял свою будущую жену под руку и увел ее в библиотеку. Испуганная Фиона предстала перед обоими Лесли.

— Что ты сказала Кат, дорогая кузина? — ледяным голосом обратился к ней граф.

— Ничего, Патрик. Я ничего не говорила! Клянусь! Мы разговаривали о наших девичьих делах.

Адам схватил свою нареченную и, бросив ее поперек стула, провел кнутовищем по спине. Фиона завизжала от боли и попыталась увернуться, но Патрик придержал ее за тонкую белую шею, не дав подняться.

— Слушай, кузина, — проговорил граф сердито, — любит тебя Адам или нет, но сейчас он по моему приказанию забьет тебя до смерти. Что ты сказала Катрионе?

— Я сказала, что ты спал со мной. — Всхлипывая, Фиона передала им весь разговор.

— Сука! — выругался Патрик. — Я столько времени потратил, чтобы завоевать доверие Катрионы, а ты сгубила все за три минуты!

Хлопнув дверью, он вышел из комнаты. Адам посмотрел на Фиону сверху вниз.

— Я предупреждал тебя, любовь моя, что, если будешь озорничать, я тебя накажу.

Он поднял руку, и Фиона услышала свист кнута, который тут же опустился на ее спину.

— Не надо, Адам! — закричала несчастная, но жених был безжалостен. Он бил и бил невесту, пока та не упала в обморок.

А Гленкерк действовал быстро и решительно. Его любимому жеребцу после поездки в Форбз требовался отдых, поэтому Патрик приказал оседлать своего второго любимца — Дерга. Он позволил сопровождать себя только одному брату Эллен — Коноллу Мор-Лесли. Перед отъездом граф побеседовал с матерью, с теткой Хезер и с Адамом.

— Бог знает, куда она поскакала. Может быть, мне придется разыскивать ее не одну неделю. Но свадьбу отменять слишком поздно, поэтому, Адам, вы с Фионой поженитесь вместо нас.

Он внимательно посмотрел на брата.

— Ты все еще хочешь эту суку?

— Да, брат. Фиона — скверная кошка, но, думаю, теперь она будет вести себя прилично.

— Хорошо! Скажи гостям, что невеста подхватила корь и заразила жениха. Это предотвратит скандал.

— Патрик, сын мой! Будь поласковее с Катрионой! — взмолилась Мэг. — Она молода и невинна, а Фиона страшно огорчила ее злой ложью.

— Мадам, — холодно ответил Патрик, — Катриона делила со мной ложе почти уже две недели. Я обращался с ней нежно и никогда не принуждал ее. Она даже не захотела высказать мне все в лицо, а сразу посчитала меня виновным и бежала. Я не прощу ей такое недоверие. Я найду ее, верну и женюсь, как и предполагалось ранее. Но прежде еще последую примеру Адама и побью ее так, что она не сможет садиться целую неделю.

Несколько минут спустя граф Гленкерк вместе с Мор-Лесли проскакали галопом по подъемному мосту. Ночь была холодная, но светлая: луна освещала им дорогу. Сначала они направились в Грейхевен, ибо Патрик подозревал, что Катриона сбежала домой. Однако там ее не оказалось. Преследователи повернули своих коней на Сейтен, но и здесь их ждало разочарование. Патрик и Конолл подождали до утра и начали тщательно прочесывать местность.

Но Катриона как сквозь землю провалилась. Ее никто не видел.

Пришел День святого Валентина, и Адам Лесли женился на своей вдовствующей кузине леди Стюарт. Гости втихомолку посмеивались, слыша, что граф и его невеста заболели корью. «Какая удача, — перешептывались они, — что у Лесли наготове имелась другая обрученная пара, и празднества не пришлось отменять».

Это был прекрасный пир. Однако новая леди Лесли выглядела усталой и подавленной. Разглядывая своих гостей с главного стола, Фиона думала: «Что бы они сказали, если бы узнали о настоящей причине моей бледности». Ибо последние три ночи Фиона провела привязанной к стулу, наблюдая, как Адам занимался любовью с очень хорошенькой, но совершенно ненасытной крестьянской девкой. Мученица попыталась было закрывать глаза, но даже звуки, доносившиеся с кровати, все равно оказывались непереносимыми. Зачарованная, она смотрела, как исполинский член Адама погружался в корчившуюся девицу, как выходил обратно. Ее собственное желание нарастало, душу и тело охватывала жестокая боль, и в последнюю ночь она вообще думала, что сойдет с ума.

Сегодня утром, однако, Адам сказал, что время наказания истекло. Фиона поклялась, что больше никогда не причинит зла своей кузине, и пообещала, что, когда Катриона будет найдена, она извинится и скажет ей правду. Удовлетворенный Адам улыбался: он знал, как обращаться со своей девкой.

Но Катриону никак не могли найти. Февраль уступил место марту, март — апрелю, а долгожданного известия все не было. И тут Эллен, отправившаяся в Крэнног навестить своих родителей, неожиданно обнаружила, что ее госпожа живет у них! Бежав из Гленкерка, Катриона направилась прямо к Рут и Хью Лесли. Рут, которой было за шестьдесят, немедленно согласилась спрятать девушку. И хотя семидесятилетний Хью выказал меньшую охоту, жена убедила его, что их давно умершая хозяйка одобрила бы этот шаг. Эллен изумилась.

— Конечно же, соседи о чем-то подозревают, — предположила она.

— С чего это? — ответила Рут. — Они же никогда не видят Катриону. Каждую ночь она для упражнения ездит верхом на Бане, но это только часок; а кроме этого она совсем не выходит из дома.

— Мама, Кат не может оставаться здесь бесконечно. Она сказала вам, почему убежала?

— Да! Эта мерзкая Фиона! Еще когда она была ребенком, я знала, что из нее вырастет что-то гадкое.

— Так и случилось, мама. Очень гадкое. Настолько, что она довела госпожу Кат до такой ярости, что та убежала из дому. Но Фиона солгала, и госпожа напрасно ускакала, не попросив объяснения у лорда Гленкерка. Граф обижен, что Катриона могла так плохо о нем подумать. Однако он любит ее и все еще хочет сделать своей женой.

— Хорошо. — В голосе Рут звучала мудрость, унаследованная ею от покойной хозяйки. — Тогда мы должны сделать так, чтобы он ее нашел. Но не здесь.

— Значит, А-Куил, мама. В горах над Лох-Сайтен. Ее бабушка, Джин Гордон, получила тамошний дом в приданое, а теперь он принадлежит госпоже Кат.

— Насколько он велик и в каком состоянии?

— А-Куил небольшой и уединенный. Дом построен из камня, с шиферной крышей. К свадьбе его подновили. На первом этаже — гостиная, на втором — спальня. Имеется кухня и еще небольшая конюшня с двумя комнатками на чердаке. Вот, пожалуй, и все.

— Подходит, — сказала Рут. — А сколько туда ехать верхом?

— Добрый час.

Рут улыбнулась.

— Я уговорю госпожу Катриону поехать туда, а затем отправлюсь в Гленкерк и извещу графа. Там тихо и спокойно, и они наедине разрешат все свои недоразумения.

Рут так и сделала. Убедив девушку, что летом ей следует побольше бывать на свежем воздухе, и заверив, что А-Куил достаточно удален от Гленкерка, женщина отослала беглянку в горы. Эллен заранее поехала проветрить дом и сделать запасы пищи. Служанка попросила у своей молодой госпожи разрешить пожить вместе с ней, и Катриона, чувствовавшая себя одиноко, согласилась.

А-Куил стоял в сосновом лесу, высоко на утесе, откуда далеко внизу виднелись Гленкерк, Сайтен и Грейхевен. Место было тихим и укромным. Несколько дней все еще не успокоившаяся Катриона бродила по лесу, росшему вокруг дома. Ночью она спала глубоким сном в большой просторной спальне, а Эллен устраивалась неподалеку в низенькой кроватке на колесиках. Так прошло больше недели, и девушка начала чувствовать себя в безопасности.

Но вот однажды вечером разразилась страшная буря, загнавшая Катриону и Эллен в спальню. Разведя в камине огонь, они поужинали тостами с сыром и выпили слегка крепленого сидра. Ни та, ни другая не обращали внимания ни на молнию, зловеще сверкавшую над ними, ни на грозные раскаты грома. Внезапно дверь распахнулась, и Эллен в ужасе закричала. Широкими шагами вошел граф.

— Твой брат на кухне, Эллен. Найдется ли в доме место, где вы могли бы спать оба?

— Чердак над конюшней, милорд.

— Тогда беги.

— Нет! Не оставляй меня с ним, Эллен!

Эллен беспомощно смотрела на свою госпожу.

Граф мягко взял служанку под руку и вывел за дверь.

— Не подходи к этой комнате, если только я не позову тебя. Понятно?

— Да, милорд.

Дверь за женщиной плотно закрылась, и она услышала, как с грохотом задвинули засов. Спустившись по лестнице, Эллен увидела брата и повела его в чердачные комнаты над конюшней.

— Он очень сердит на нее, Конолл?

— Да, — спокойно ответил брат. — И будет ее бить.

— Никогда! — выдохнула Эллен. — Он же с ума по ней сходит!

— И все равно, — ответил Конолл, — будет ее бить, и правильно сделает. Убежав от него, она поступила, как блудливая девка. Если граф с самого начала не станет хозяином в собственном доме, то у него всегда будут с ней нелады. Зачем мужчине такой брак?

— Если бы мы с мамой знали, что госпоже Кат будет больно, то не позволили бы графу найти ее.

— Сестра, — терпеливо, словно ребенку, втолковывал Конолл, — он не причинит ей сильной боли. Просто задаст трепку, чтобы помочь исправиться.

Эллен покачала головой. Она знала Катриону Хэй лучше, чем все остальные, потому что сама вырастила ее. Графу предстояло узнать, что, побив свою невесту, он не укротит ее.

6

Катриона рассерженно смотрела в лицо графу Гленкерку. Он аккуратно развесил свой мокрый плащ на спинке стула у камина и снял сырую льняную рубашку.

— Мои сапоги, Кат! — Это были первые слова, которые Патрик сказал ей.

— Отправляйся к дьяволу! — огрызнулась Катриона.

— Мои сапоги! — Его золотисто-зеленые глаза сузились и засверкали недобрым блеском.

Сердце девушки дико забилось. Она встала на колени и стянула с графа сапоги. «Я не боюсь его», — подумала Катриона. Но почему так сжималось ее сердце?..

Патрик грубо схватил невесту за длинные волосы и, обернув их вокруг руки, притянул девушку лицом к себе. Взяв другой рукой верх ее рубашки, он разорвал ткань от горловины до подола и отбросил лохмотья в сторону.

— Я предупреждал, что если ты когда-нибудь ослушаешься, то побью тебя.

И прежде чем Катриона смогла возразить, Патрик толкнул ее на кровать и безжалостно опустил кнутовище ей на спину. Дрожа от боли и возмущения, она закричала и попыталась вывернуться, но граф, удерживая девушку, оставил на ее попке еще несколько красных рубцов и только тогда остановился. Отбросив кнутовище, он забушевал:

— Вы заставили меня несколько месяцев бегать за вами, мадам! Если бы Адам не согласился немедленно жениться, мы оказались бы в неудобном положении перед всеми родственниками и всей округой. Ты довольна, что Фиона заняла почетное место на нашей свадьбе?

Перевернувшись, Катриона проворно села и обратила к нему дерзкое лицо, залитое слезами.

— Ты ублюдок! — завопила она. — То, что ты совал мне между ног, ты совал и ей! Я не прощу тебе этого! Никогда!

— Сучка! — закричал Патрик в ответ. — Как ты могла ей поверить?! Я никогда не спал с Фионой. Однажды она ждала меня в моей спальне, но Адам был со мной. Он сох по ней много лет, поэтому в ту ночь я спал в его комнате, а он наслаждался с ней. Никогда я не спал с этой дьяволицей!

— Почему я должна тебе верить? Вы, ублюдки, шляетесь по всему округу. Фиона сказала, что могла иметь любого мужчину, какого только хотела, а потом в точности описала твою спальню. Что я должна была думать?!

— Почему ты веришь ей больше, чем мне? — спросил он. — Как могла ты спать со мной и не верить, что я люблю тебя и не сделаю ничего такого, что причинит тебе боль?

— Лгун! Ненавижу тебя! Убирайся из моего дома!

— Твоего дома? Твоего?! Нет, Кат, этот дом — часть приданого, которое твой отец дал мне вместе с тобой. Он принадлежит мне, как принадлежишь и ты.

Граф толкнул невесту обратно на постель и склонился над ней.

— Ты — моя собственность, Катриона, так же как и Гленкерк, как и мои лошади, и мои собаки. Ты — это что-то для моего удовольствия. Ты — вещь, на которой я буду выводить сыновей. Понимаешь?

Катриона замахнулась. Уловив стальной блеск, Патрик извернулся и схватил ее за запястье. Вырвав у Катрионы небольшой нож, он ударил ее по лицу.

— Фокусы блудной девки, голубка! Ты этого хочешь? Чтобы с тобой обращались, как со шлюхой?

— Лучше я буду шлюхой, чем твоей женой, Гленкерк! Ни один мужчина не станет владеть мной! Ни один!

Граф засмеялся.

— Славные слова, девица. Однако, поскольку ты выказала интерес, то я могу обучить тебя некоторым фокусам настоящих шлюх. Ты еще не столь расторопна в постели. Мало опыта. Но я исправлю это упущение в ближайшие недели.

— Что ты имеешь в виду? — Ее сердце безудержно забилось.

— А вот что, дорогая моя. Пока я не засажу тебе в живот ребенка, домой в Гленкерк ты не поедешь. Я, конечно, не могу быть уверен, что ты непременно выйдешь за меня замуж. Но когда в твоем чреве вызреет мой сын, то у тебя не будет другого выбора, так ведь?

Стоя, он быстро спустил свои короткие штаны, а затем снова бросился на нее. Губами он нашел ее рассерженный рот и безжалостно впился в него. Скользнув Катрионе промеж ног, граф закинул их себе на плечи и спрятал голову между ними. По мере того как бархатистый язык графа ласкал и щупал ее, вопли ужаса постепенно переходили у девушки в звуки пристыженного желания.

— Патрик! Патрик! — кричала она. — Нет! Пожалуйста! Ох, Боже мой! Нет!..

Она отчаянно пыталась ускользнуть от требовательного рта, который обсасывал ее, уйти от мучившего ее языка. Но большие и сильные руки графа удерживали ее округлые бедра железной хваткой, и Патрик наслаждался, посылая по ее телу волны огня и боли. Рыдая, Катриона попыталась не позволить ему наслаждаться ее оргазмом, но он все-таки сумел дважды его добиться. Затем, посмеиваясь, Гленкерк забрался на нее и протиснулся глубоко внутрь, чтобы излиться самому. Не желая того, девушка страстно корчилась под ним. Кончив, граф откатился в сторону и сказал холодно:

— Это, дорогая моя, был урок номер один.

Девушка отползла на угол кровати и молча плакала. Ее плечи тряслись от унижения. Патрику очень хотелось схватить строптивую суженую в объятия и утешить ее, но он был убежден, что малейший признак мягкотелости с его стороны все погубит. Не желая ломать ее дух, он, однако, хотел быть хозяином в собственном доме.

Но Катриона была слишком неопытна, чтобы использовать те хитрые средства, какими женщина может управлять мужчиной так, чтобы тот об этом даже не догадывался. Патрик удивился бы, если бы узнал, что невеста плачет вовсе не из-за того, что он с ней сделал, а из-за того, что он взял над ней верх.

Граф снова заключил Катриону в объятия и стал играть с ее грудью.

— Нет! — возмутилась она.

Патрик, не обращая внимания, вместо ответа сжал мягкую плоть ладонью.

— Боже, — прошептал он, приблизив свое лицо. — Боже, ведь у тебя самые нежные соски, какие я когда-нибудь видел.

Руки графа ласкали трепещущий живот возлюбленной, но едва он двинулся дальше вниз, как девушка вскрикнула:

— Нет! Больше нет!

44

Улыбаясь, он приподнялся на локте и посмотрел на невесту. Рука протиснулась у нее между ног, и пальцы двигались, не переставая.

— Разве тебе не понравился первый урок, голубка?

Извиваясь, она попыталась отползти.

— Когда я скажу своему отцу, что ты меня изнасиловал, он убьет тебя.

— Нет, моя ласковая. Он благословил меня делать с тобой все, что захочу. Лорд Хэй знает, что в конце концов я выполню свое обязательство и женюсь на тебе. Это все, что ему надо.

Катриона понимала, что Патрик прав, и это бесило ее.

Меж тем граф затянул ее под себя и целовал израненный рот до тех пор, пока она не закричала от боли. Губы Патрика стали мягкими. Бедра девушки раздвинулись от прикосновения его разбухшего члена и жадно выгибались ему навстречу.

— Боже, Кат, ты прямо голодная сучка! Сомневаюсь даже, чтобы Фиона была такой горячей.

Катриона изо всех сил колотила кулачками по его гладкой груди, но он опять засмеялся, а затем неспешно стал превращать ее сопротивление в покорность. Наконец, утомившись, он впал в глубокий сон. Поскольку в таком положении ускользнуть ей было невозможно, она тоже уснула.

В ранний утренний час Патрик разбудил Катриону и снова овладел ею. С непривычки ее молодое тело болело. Понимая это, он приволок в спальню высокий дубовый чан и поставил его перед камином. Под изумленным взглядом своей невесты он принялся таскать ковшами горячую воду, пока не наполнил чан до самых краев. Откуда-то появился кусок благоухающего мыла. Подняв суженую на руки, граф посадил ее в воду.

— Ты пахнешь борделем, — заметил он.

— Тогда ты должен чувствовать себя как дома, — парировала она.

Сорвав с кровати простыни, Патрик выбросил их в коридор и застелил постель свежим бельем, пахнущим лавандой. Затем он исчез и через несколько минут вернулся с наполненным бокалом. Катриона уже вылезла из чана и сидела перед камином, завернувшись в полотенце.

— Выпей.

— Что это?

— Сладкое красное вино со взбитым яйцом и травами.

Это было восхитительно. Сняв с нее влажное полотенце, он поднял обнаженное тело, перенес на кровать и положил на прохладные простыни, укутав пуховым одеялом.

— Спи, милая. У тебя была долгая ночь.

Патрик наклонился и поцеловал ее в лоб.

— Куда ты идешь? — спросила Катриона. Но прежде чем граф успел ответить, она уже заснула.

Патрик Лесли внимательно разглядывал спящую девушку. Он размышлял о том, как сильно любит ее, вспоминал, как испугался, воображая всевозможные ужасы, когда она убежала от него. Больше он никогда не даст ей случая убегать, и, конечно же, она не узнает, каковы его истинные чувства к ней: женщин лучше держать в неопределенности. Но как ему самому вынести, если Катриона вдруг снова скажет, что ненавидит его?

Патрик принял ванну, оделся и пошел вниз на кухню. Конолл поднялся со скамейки.

— Сиди, парень, — сказал граф. — Эллен, любовь моя, положи мне миску такой же овсяной каши, которой так наслаждается твой брат.

Служанка поставила перед ним еду.

— Конолл, я хочу сегодня съездить в Гленкерк и привезти кое-какую одежду для себя и для госпожи Катрионы. Мы останемся здесь на несколько недель. Эллен, ты скажешь, что ей нужно, и я запишу.

— Я умею читать и писать, милорд, — обиженно сказала Эллен. — Если вы не возражаете, я бы предпочла сама написать леди Хэй.

— Прекрасно, Эллен, — улыбнулся Патрик. — Не сердись, цыпочка, и не ругайся. Ты же знаешь, что я люблю ее.

— Вы били ее, милорд?

— Десять ударов по ее сочному заду. В своем доме хозяином буду я, Эллен.

— Всего десять?

— Всего десять, — ответил он. — Она заслужила больше, но я милосерден.

— Да, — согласилась Эллен. — Она заслужила больше. Однако, когда она была ребенком, бить ее было бесполезно. После этого она дерзила вдвойне. — Она надеялась быть услышанной.

46

— Она не изменилась, — засмеялся Патрик.

Эллен написала записку, попросив леди Хэй прислать несколько смен нижнего белья, две мягкие льняные блузы, полдюжины тончайших шелковых ночных рубашек из приданого Катрионы, бархатный пеньюар, тапочки и несколько кусков ароматного мыла. Покидая Гленкерк, беглянка не забыла захватить с собой щетку и гребень для волос, а также зубную щетку, которой их всех научила пользоваться прабабка. Эллен вручила графу свой длинный список.

— Это немного, но я останусь здесь, чтобы обстирывать ее. Ноша невелика, справится один брат.

— Славная ты девушка, — похвалил Патрик и повернулся к Коноллу. — Отведи Бану обратно в Гленкерк и кобылу твоей сестры тоже. Пусть здесь останутся только две наши лошади.

— Ох, милорд, — взмолилась Эллен. — Не отбирайте у нее Бану. Кат так любит ездить верхом.

— Она получит кобылу обратно, когда мы вернемся в Гленкерк. Чем больше лошадей я здесь оставлю, тем быстрее она сможет убежать от меня. Но я постараюсь не предоставлять ей такой возможности. Мы останемся в этом доме, пока она не понесет моего ребенка. Вот тогда я заберу ее домой и женюсь на ней.

Эллен вздохнула.

— Она очень рассердится, милорд.

— Поскольку я намереваюсь здесь кормиться охотой на оленей, то сумею переждать ее гнев в лесу, — холодно ответил граф.

Катриона проснулась пополудни. Конолл только что вернулся, выполнив поручение, и, открыв глаза, она увидела Эллен, стоявшую возле небольшого платяного шкафчика.

— Что ты делаешь? — сонно спросила Катриона.

— Убираю ваши одежды, любимая моя, Конолл привез их из Гленкерка.

У Катрионы сон как рукой сняло.

— Где Патрик?

— Уехал на рассвете. Сказал, будет выслеживать оленя для нашего стола.

— Дай мне чистую рубашку и бриджи, Эллен. Хотя уже поздно, я поскачу на утреннюю прогулку.

Катриона перекинула ноги через край кровати. Эллен глубоко вздохнула:

— Не могу, госпожа, и не стоит трудиться изливать на меня свой гнев. Милорд отослал вашу Бану и мою Рыжуху домой в Гленкерк.

Катриона яростно выругалась.

— Похотливый ублюдок! Пусть знает, что, когда мне потребуется, я уйду пешком! Если он возвратится сюда, то я не останусь и на одну ночь!

— Он также приказал, — продолжила Эллен, — чтобы вы несколько дней не выходили из дома. Если вы ослушаетесь, сказал граф, можете уйти голой или в ночной рубашке. Мне приказано не давать вам другой одежды.

Катриону захлестнула волна ярости, но она подавила ее, ибо верная Эллен ни в чем не была виновата.

— Дай мне хоть что-нибудь надеть, — устало проговорила пленница, — и особо не выбирай, потому что мне все равно. Он все с меня стащит, потому что от своей шлюхи он желает только одного.

— Госпожа Кат, — ласково упрекнула ее Эллен, — граф — ваш суженый, и вы скоро станете мужем и женой. Он уже и сейчас был бы вашим супругом, если бы вы не обманулись в нем и не убежали.

— Боже, Элли! Он, значит, и тебя переманил на свою сторону?

Служанка промолчала и вручила Катрионе ночную рубашку из бирюзового шелка.

— Принесу вам что-нибудь поесть, — сказала Эллен и вышла из комнаты.

Устало и равнодушно Катриона натянула рубашку на свое пышное тело. Затем, взяв щетку, снова опустилась на кровать и стала медленно расчесывать пряди золотистых волос. Итак, он решил, что, отобрав у нее лошадь и одежду, сможет держать ее пленницей. Что ж, возможно, какое-то время он ее действительно продержит. Она выждет. Но в конце концов откроется же какая-нибудь из дверей, и тогда она снова убежит от него. Уже больше не имело значения, спал он с Фионой или не спал — хотя Катриона и была рада, что нет. Сейчас значило только то, что она не могла позволить ему завладеть Катрионой Хэй и не позволит. Никто не был над ней властелином. Пока Патрик Лесли не поймет, что она — личность, а не просто его продолжение, придется бороться с ним изо всех сил.

Неся поднос, вошла Эллен.

— Свежий хлеб, только что из печи! Полкролика поджарила на огне. Медовые соты и коричневый эль.

Катриона почувствовала голод.

— Ну, если вы так кушаете, то с вами все в порядке, — обрадовалась Эллен.

— В трудный час отказывается от еды только помешанный, — ответила Катриона. — Если мне надо придумать, как убежать от его сиятельства, то я должна поддерживать свои силы.

— Госпожа Кат! Я не знаю, почему граф терпит вас, если только вас не любит!

— Любит? Чепуха, Элли! Он полагает, что владеет мной, и ему приятно показывать свое превосходство, насмехаясь над моим телом.

Эллен пожала плечами. Она не могла взять в толк, почему Катриона так говорит. Забрав пустой поднос, она вышла из спальни, покачивая головой.

Катриона начала расхаживать по комнате. Еще вчера это было просто место, где она спала. Теперь спальня становилась ее тюрьмой. Возле дверей располагался небольшой камин, слева от него — ряд оконных переплетов, а справа находилось еще одно маленькое круглое окошечко, комната была небольшой и вмещала лишь просторную кровать с балдахином и занавесками напротив двери, низенький платяной шкафчик, стоявший возле кровати, небольшой столик у стены справа да стул у камина. На стене, неподалеку от двери, висело зеркало.

Катриона стояла у окна. Ее взору открывались часть долины, убегавшей вниз, и лес, в окружении которого стоял дом. Она увидела, что из этого леса показался Патрик. Он ехал верхом, и через седло был перекинут олень-самец. Конолл выбежал навстречу и, взвалив добычу себе на плечи, пошагал в конюшню. Граф двинулся следом. Катриона открыла дверь и позвала Эллен.

— Приготовь на кухне ванну для графа, Элли. Он только что привез оленя и вместе с Коноллом сейчас разделывает тушу. Я не хочу, чтобы он капал потом кровью по всей моей спальне.

Когда час спустя вошел Патрик, обернутый одним лишь толстым полотенцем, Катриона не смогла сдержать улыбку. Он усмехнулся в ответ:

— Видите, мадам, я исполнил ваше повеление. Подойдите же и поцелуйте меня.

Катриона робко приблизилась и, обвив шею графа руками, поцеловала его.

— Господи, сладкая ты моя, — пробормотал он, пробежав своими большими ладонями по ее телу, обтянутому шелком, и спрятав лицо на груди у любимой.

— Пожалуйста, Патрик... — прошептала она.

— Пожалуйста... что? — хрипло спросил граф.

Он увлек Катриону к зеркалу и, встав позади, нежно потянул с нее рубашку. Сильными руками он накрыл ее прелестные груди, и соски немедленно восстали.

— Посмотри на себя, Кат! Я еще только прикасаюсь к тебе, а ты уже меня жаждешь!

— Нет! Нет! — возмутилась она, крепко зажмурив глаза, чтобы не смотреть в зеркало.

Патрик ласково засмеялся и, встав к ней лицом, принялся нежно гладить ее шею, губы, веки своими губами. Потом его губы начали спускаться к груди. Граф встал на колени и, нежно, но твердо удерживая Катриону за талию, стал целовать ее живот, и чем ниже опускались его губы, тем крепче они целовали и, найдя наконец маленькую родинку, нежно прикоснулись к ней. Катриона начала тихо всхлипывать.

— Не надо, голубка, — ласково сказал граф. — Не надо стыдиться, что ты женщина и наслаждаешься этим.

— И ты с самого начала знал это? — удивилась Кат.

— Да, — ответил он, увлекая ее на пол и укладывая перед потрескивающим пламенем камина. — Знал. У меня было достаточно много женщин, и я научился безошибочно распознавать, когда им это нравится, даже если они отбиваются, словно демоны, и клянутся, что ненавидят меня.

— Ненавижу тебя, — не унималась Катриона.

Он засмеялся:

— Тогда в ближайшее время у тебя будет повод ненавидеть меня еще больше.

Граф проворно раздвинул ей ноги и всунул свой налитой мужской орган в мягкую женскую плоть. Катриона вздрогнула и попыталась вывернуться.

— Ну нет, голубка! Прошлой ночью я сказал, что ты принадлежишь мне. А что я говорю, моя сладкая Кат, от того не отступаю.

7

Промчалась весна, пришел и ушел День святого Иоанна. А граф Гленкерк все еще не выпускал свою прекрасную пленницу. Сам он часто велел седлать кобылу и уезжал в Гленкерк, куда спускаться было целых два часа, и там занимался делами своего поместья. Часто Патрик охотился, добывая пропитание для обитателей маленького дома. Но ни одной ночи он не проводил без Катрионы.

Хотя Катриона никогда бы в этом не призналась будущему мужу, она теперь жила в ожидании его ночных объятий. Ведь эта юная женщина была здоровой и сильной, и что бы ни говорила, она любила своего красавца жениха. Что же до графа, то он пылал к ней неистовой страстью. И не раздумывая убил бы любого мужчину, который осмелился бы взглянуть на его суженую хотя бы с малейшим любопытством.

Дни становились теплее и длиннее. Патрик стал часто сажать невесту на свою лошадь и пускался вскачь по лесам и высоким луговым травам. Несколько раз они предавались любовным утехам среди свежего вереска, пронизанного солнечными лучами. Катриона была горяча, как вино, и сладка, как мед. Патрик все больше удивлялся — как это он, никогда ранее не остававшийся верным одной женщине больше чем неделю или две, теперь испытывал страх при одной только мысли, что придется возвращаться в Гленкерк и делить невесту пусть даже со своей семьей.

Но возвращение близилось. Катриона еще не догадывалась о том, что месячные у нее прекратились в связи с предстоящим материнством. А Эллен уже подумывала о том, как поделикатнее обратить внимание своей молодой госпожи на это обстоятельство. Однажды утром такая возможность представилась.

Граф поднялся спозаранку и по делам отправился в Гленкерк. Эллен весело вошла в комнату Катрионы, неся на подносе небольшой пирог с дичью, который только что вынула из печи.

— Ваш любимый, госпожа Кат. Разве не чудесно пахнет? — ликовала она, поводя подносом перед Катрионой.

Но та вдруг изменилась в лице и побледнела. Спрыгнув с кровати, она схватила со стола тазик и нагнулась над ним; ее вырвало.

— Ох, — сочувственно произнесла Эллен, поставив поднос и вытирая влажный лоб девушки льняным полотенцем. — Ложитесь-ка вы обратно в постель, моя дорогая госпожа. — И она поплотнее закутала Катриону. — Что за скверный мальчуган так докучает маме!

Катриона уставилась на служанку, словно на полоумную.

— И что ты там бормочешь, Элли? Убери ты этот проклятый пирог, а не то меня снова вырвет! Принеси попить коричневого эля, а к нему лепешек.

Эллен убрала злополучный пирог и вернулась через несколько минут с тем, что велели. Она наблюдала, как Катриона медленно и осторожно тянула эль, а затем, очевидно, оправившись, с волчьим аппетитом съела лепешки.

— Как вы теперь себя чувствуете?

— Уже лучше. Ума не приложу, что это вызвало у меня такую рвоту? И это ведь уже третий раз за последнюю неделю. Как ты думаешь, Элли, не могло в кладовке что-нибудь испортиться?

— Госпожа Кат! — Эллен уже теряла терпение. — Вы же беременны! Он засадил вам в живот своего ребенка, и теперь мы можем отправляться домой!

Зеленые глаза Катрионы широко раскрылись.

— Нет, — прошептала она. — Нет, нет, нет!

— Да! И он у вас растет! В этом нет никаких сомнений. Граф будет так счастлив!

Катриона в ярости накинулась на Эллен:

— Если ты осмелишься сказать ему, то я вырежу твой подлый язык! Понимаешь?

— Миледи!..

На миг Катриона закрыла глаза. Открыв их снова, она заговорила спокойно и тихо:

— Я сама извещу лорда о своем положении, но не сейчас. Как только он узнает, то тотчас же отправит меня в Гленкерк. А я пока не хочу оставлять А-Куил. Ну пожалуйста, Эллен. Ведь пока дело зашло недалеко. Время еще есть.

У Эллен от природы было мягкое сердце. А мысль о том, что молодая госпожа хочет еще немного побыть наедине с графом, привела ее в восторг.

— Когда кровь была в последний раз? — спросила она.

Катриона на мгновение задумалась.

— В начале мая.

— Ах, моя милая, уже истекли добрых три месяца! — воскликнула Эллен. — И ничего, с неделю или около того еще можно подождать, а потом известим его светлость. Наследник будет зимним ребенком.

— Никаких намеков, Элли. Никаких лукавых взглядов. Я преподнесу графу сюрприз.

И она, быть может, сама обо всем сказала бы Патрику, а потом покорно отправилась в Гленкерк, если бы он сам все не испортил. Задержавшись в поместье на три дня и три ночи из-за какого-то незначительного обстоятельства, граф вернулся обратно в А-Куил похотливым, словно молодой жеребец.

Катриона совсем уже было собралась открыться будущему супругу и радостно побежала приветствовать его. Но, не говоря ни слова, он просто схватил ее в объятия и понес в спальню. Без предваряющих комплиментов или любезностей граф сорвал с нее одежду и жестом приказал ложиться на кровать. Грубо задрав ночную рубашку, он вонзил в нежную плоть свой член. Катриона была возмущена.

Удовлетворившись на какое-то время, граф сел, опершись на подушки, и властно притянул ее к себе. Патрик всегда любил трогать у Кат груди и теперь принялся жадно ласкать их. Но они уже начали набухать из-за беременности, прикосновения были болезненными и рассердили ее. Еще больше граф обидел девушку своим хихиканьем.

— По-моему, эти сладкие сосочки все растут и растут, Кат. — Он игриво сжал их. — Любовь и нежность мужчины творят чудеса, а, голубка?

Патрика должно было насторожить напряженное молчание невесты, но его голова была занята другими заботами, а тело снова жаждало ее. Он взял Катриону еще раз, а затем столкнул с постели и, похлопав по ягодицам, попросил подать обед.

Девушка спустилась на кухню. Эллен давно уже отошла ко сну, так что Катрионе самой пришлось собрать поднос, положив туда половину жареной курицы, холодный пирог с дичью, хлеб, масло, медовые соты, кувшин пенистого коричневого эля, в который она бросила щепотку ароматных сушеных трав. У графа сегодня будет прекрасный сон.

Все это она подала жениху с нежной заботливостью и даже почувствовала себя виноватой, когда он сказал:

— Ты станешь самой красивой графиней, какую когда-либо видел Гленкерк. Боже милостивый, моя голубка! Как же я люблю тебя!

Сонное травяное зелье уже начинало действовать, Патрик уснул.

С раннего детства она умела просыпаться, когда того хотела. Было еще темно. Поднявшись с постели, Катриона надела льняную рубашку и штаны для верховой езды. Наскоро собрав небольшой тюк и прихватив теплый плащ Гленкерка, девушка выскользнула из комнаты и спустилась по лестнице. До рассвета оставалось еще целых три часа. Она прокралась в конюшню. Наверху, в комнатке на чердаке, громко храпела Эллен. Ее брат Конолл, как было известно всем, спал сейчас примерно в полумиле отсюда у своей любовницы. Катриона тихо оседлала Дерга. Надев поводья на конолловского Файна, она вывела обеих лошадей из конюшни.

Прошагав добрую четверть мили, Катриона села на Дерга и, ведя за собой на поводу Файна, поскакала галопом в сторону Грейхевена. Она рассчитывала попасть туда прежде, чем проснутся слуги. Дома она заберет свою одежду, драгоценности и немного золота из тайника отца.

Осуществив эти намерения, Катриона поспешила на большую дорогу, не забыв перед этим ударом уздечки отослать Файна — Катриона знала, что лошадь тотчас отправится в свою конюшню в Гленкерке.

Беглянка ехала, пожевывая овсяные лепешки и посмеиваясь про себя. Она таки перехитрила Патрика! В последние недели граф был таким добрым и любящим, что, казалось, принял ее как равную. Той памятной ночью, однако, он сказал, как это обстоит на самом деле. И сомневаться уже не приходилось. Она была его собственностью, нужной только для того, чтобы выводить сыновей. Что ж, скоро Патрик увидит, как сильно ошибся, выдав желаемое за должное. Она не рабыня.

Катриона пришпорила Дерга, пустив его галопом.

Неужели Патрик и в самом деле полагал, что, отобрав у нее Бану, помешает ей убежать?.. Если бы он столько же времени уделял тому, чтобы узнать женщину Катриону Хэй, сколько тратил на познание ее тела, то очень быстро обнаружил бы, что не существовало лошади, с которой она не могла бы совладать. Катрионе доставило бы огромное удовольствие узнать, что именно это и обнаружил в тот самый миг Патрик Лесли...

Граф проснулся поутру с головной болью и странным привкусом во рту. Протянув руку, он понял, что Катрионы в постели нет. Чьи-то бешеные удары в дверь мучительно отозвались в его голове.

— Войдите, черт возьми! — закричал Патрик. В комнату ввалились Эллен и Конолл и разом запричитали.

— Тихо! — приказал граф. — По одному! Эллен, ты первой.

— Она сбежала, милорд. Госпожа Катриона сбежала. Забрала обеих лошадей и сбежала.

— Когда?

— Ночью. Мне очень жаль, милорд. Я всегда сплю как убитая до шести утра и ничего не слышу.

— А ты где был? — спросил Патрик, повернувшись к Коноллу. — Нет, не отвечай, я и так знаю. Умчался кидать палки своей пастушке. Проклятие! — выругался граф. — Когда я поймаю ее, она целый месяц у меня не сможет сидеть!

Но Эллен набросилась на него:

— Вы и пальцем госпожу Катриону не тронете! Моя бедная девочка! Уже больше трех месяцев, как она беременна вашим ребенком. И деточка уже собралась сообщить вам об этом, когда вы вернетесь из Гленкерка. Что вы сделали для того, чтобы Кат убежала? Моя бедная Кат! Что-то такое вы наверняка уж сделали!

Патрик покраснел.

— Так! — поняла Эллен. — И что же это было?

— Только любовь, — возразил Патрик. — Я целых три дня ее не видел!

— Если бы вы, мужчины Лесли, больше думали головой и меньше членом! Итак, значит, любовь? Понятно. — Эллен окинула спальню рассерженным взглядом. — Приехав домой и даже ни о чем не расспросив свою невесту, вы завалили ее. Один раз или два? А затем, держу пари, вы попросили ужин.

Лицо графа залила краска стыда.

Эллен презрительно фыркнула.

— Боже мой! Куда девался ваш рассудок? — продолжала она горестно. — Если бы вы были англичанином или французом, тогда можно было бы ожидать таких глупостей. Но каждый шотландец знает, что шотландская женщина — самое независимое существо на свете! Что ж, теперь у нее над вами хорошая фора, и так просто на этот раз вы ее не отыщете.

— Она не могла уйти далеко, — сказал Патрик. — Поскакала наверняка домой к матери.

Эллен печально покачала головой:

— Не думаю, милорд. Если она и поскакала в Грейхевен, то лишь затем, чтобы забрать свои драгоценности и, возможно, украсть у отца немного золота. Но куда она скроется дальше, милорд, я не знаю. Прежде она ни разу не выезжала за границы округа.

— Я полагал, что ее драгоценности в Гленкерке, — удивился граф.

— Нет, милорд. Когда госпожа Катриона убежала от вас в феврале, я отвезла их обратно в Грейхевен, и она знала об этом.

Какое-то мгновение Патрик Лесли выглядел подавленным. Затем он спустил ноги с кровати и поднялся. Не говоря ни слова, Эллен подала ему бриджи и вышла из комнаты.

Граф обратился к Коноллу:

— Где здесь поблизости есть лошади?

— В долине. Самая ближняя ферма — Гэвина Шоу.

— Иди, — велел граф. — Встретимся там.

Conoll кивнул и вышел. Одевшись, Патрик спустился на кухню. Эллен подала ему большой кусок хлеба с беконом.

— Пожуйте на ходу.

Граф поблагодарил кивком.

— Собери здесь все мои вещи, Эллен. Я пришлю за ними кого-нибудь самое позднее пополудни. Не останешься ли ты в Гленкерке, пока я разыскиваю Кат? Теперь ты потребуешься ей больше, чем когда-либо.

— Останусь, милорд. Ее покои все еще не подновили как следует, да надо к тому же приготовить и детскую.

Просияв, Гленкерк вышел из дома и стал спускаться в долину на ферму Шоу.

Несколько часов спустя Патрик Лесли убедился в правоте Эллен. Катрионы в Грейхевене не оказалось, и проверка показала, что отсутствуют ее драгоценности вместе с доброй порцией фамильного золота.

Патрик поскакал в Сайтен, а позже заехал в поместье к Рут. Ни там, ни там Катрионы не было. В Гленкерке его прелестная мать обругала сына за глупость таким голосом, какого он никогда в жизни у родительницы не слышал, она потребовала найти Катриону и ее будущего внука.

— Джеймс управится с поместьем, пока тебя не будет, — сказала она. — К сожалению, Адам и Фиона уехали в Эдинбург. Они собираются во Францию навестить наших кузенов.

— Мама, я не знаю, где искать Кат.

Она взглянула на него с жалостью.

— У тебя меньше шести месяцев, сын мой. И если не найдешь, то следующий законный Гленкерк родится вне брака.

Застонав от отчаяния, он покинул комнату. Если бы в этот момент Катриона Хэй увидела расстроенное лицо графа, то она была бы довольна.

8

Фиона Лесли прикрыла капюшоном свое привлекательное лицо. Оглядевшись по сторонам и убедившись, что за ней не следят, она тихонько проскользнула в таверну «Роза и чертополох».

— Я ищу госпожу Абернети, — сказала она хозяину.

— Наверх по лестнице и направо.

Фиона поднялась по ступенькам. Она совсем не представляла, кто была эта Абернети, но когда на улице какой-то мальчишка сунул ей в руку записку, любопытство взяло верх над осмотрительностью. Она постучала в дверь и, услышав приглашение, вошла в комнату. Стоявшая возле окна женщина обернулась.

— Кат! — охнула Фиона.

— Закрой дверь, дорогая, и садись.

Гостья расправила свои черные бархатные юбки и посмотрела на красавицу кузину.

— А я-то думала, что Гленкерк заточил тебя в А-Куиле. Что ты здесь делаешь?

— Я снова убежала от него и прошу твоей помощи.

— Боже мой! Глупая ты, Кат! — вздохнула Фиона. — Я обещала Адаму, что если мы снова встретимся, то скажу тебе правду. Я никогда не спала с Гленкерком, хотя прежде, чем его брат взял меня, я прямо сгорала от страсти. — Она жалобно усмехнулась. — На самом-то деле он меня не захотел. Я тогда лежала у него на кровати в чем мать родила, а он не захотел взять меня! Только тебя хотел. Такова правда.

Катриона улыбнулась:

— Спасибо, Фиона. Спасибо, что сказала. Патрик говорил, что не спал с тобой, и хотя мне хотелось ему поверить, только теперь я верю по-настоящему.

— Но тогда что ты делаешь здесь, в Эдинбурге? Уверена, что бедный Гленкерк не знает, где ты.

— Нет, не знает. Он, вероятно, меня сейчас ищет, но я не вернусь к нему. Не вернусь, пока он не признает меня за человеческое существо, а не за племенную кобылу. Помоги мне, Фиона! Я знаю, кузина, мы никогда не были близки, но я надеюсь, что ты поймешь. Эллен сказала, что вы с Адамом скоро отправитесь во Францию. Позволь мне остановиться в вашем доме. Никто не должен об этом знать, даже Адам. Там мне будет спокойнее, чем где-нибудь в другом месте. Патрику не придет в голову искать меня в Эдинбурге, а тем более в вашем доме.

Фиона прикусила губу и задумалась. Катриона вскоре станет графиней Гленкерк, а такую подругу иметь не помешает. И однако, если Адам узнает, что они с Катрионой объединились против его брата, то снова накажет ее тем ужасным способом, какой применял уже дважды.

Смотреть в бессилии, как собственный муж предается любви с другой женщиной, оказалось самым страшным мучением, какое только существует на свете. А с кузиной, рассказав ей правду, она уже полностью расквиталась.

Катриона встала и умоляюще протянула руки:

— Пожалуйста, Фиона.

Опытный глаз Фионы подметил, что живот у Катрионы несколько округлился, чего, конечно же, никогда раньше не наблюдалось.

— Боже мой, кузина! Ты беременна!

— Да, — с горечью призналась Кат. — И знаешь, что он мне сказал, Фиона? Что я та «штука», на которой он будет строгать своих сыновей. Ненавижу его!

Фиона усомнилась в последних словах кузины, но поняла ее чувства. Уж больно горды эти мужчины Лесли! Ведь Катриона только-то и хотела, чтобы Гленкерк признал в ней личность. Через несколько месяцев он совсем обезумеет и будет готов согласиться на все, лишь бы сын родился законным.

Фиона поняла, что временная разлука принесет пользу и жениху, и невесте. К тому же она решила отомстить человеку, который пренебрег ею. Повернувшись к Катрионе, она сказала:

— Дом твой, дорогая. Только я уже отпустила слуг.

— Мне никого не надо.

— Не глупи, цыпочка. Кого-то обязательно надо. Я пошлю записку миссис Керр. Она обычно присматривает за домом, когда меня нет. Я расскажу ей о своей кузине — госпоже Кэйт Абернети, которая овдовела и приезжает пожить в моем доме. Я попрошу ее позаботиться о бедняжке. У тебя хватит денег?

— Думаю, что да. И к тому же я привезла свои драгоценности.

— Если деньги кончатся или понадобится что-нибудь заложить, то отправляйся к Кира на улицу Голдсмитс-лейн. И немедленно сходи к доктору Роберту Рамсею. Он живет тут рядом, через несколько домов, за углом на Хай-стрит. Помни, что ты носишь наследника Гленкерков.

— Спасибо, Фиона, — нежно сказала Кат. Внезапно она наклонилась и поцеловала кузину.

— Мы выезжаем завтра утром, — сердито продолжала Фиона, — а ты приходи в полдень. Миссис Керр откроет тебе и передаст ключи.

Она поднялась и, надвинув капюшон, сказала:

— Поскорее помирись с Патриком, Кат. Лесли бывают надменны, но, клянусь Богом, это мужчины.

На следующий день Катриона переехала из таверны «Роза и чертополох» в дом Фионы. Первоначально этот дом принадлежал их общей бабушке — Фионе Абернети, жене первого графа Сайтена. И прабабка кузин посчитала, что особняк должен отойти Фионе. Воля Мэм была исполнена.

Сам по себе дом оказался невелик. Построенный лет семьдесят назад, он был сложен из красного кирпича, обильно увитого с трех сторон плющом. В подвальном помещении размещались удобная кухня, кладовая, буфетная и умывальня с несколькими большими чанами для стирки. Первый этаж занимали прелестная столовая, салон, небольшая семейная гостиная, окна которой открывались в сад, и еще библиотека, полная книг. На втором этаже располагались четыре спальни, каждая со своей гардеробной. Мансарда была отведена под комнаты для служанок. При доме имелась небольшая конюшня, куда Катриона поставила Дерга, и чудный сад, деревья которого давали тень в жаркие дни, где было полно цветов и душистых трав. Поскольку особняк стоял немного в стороне от модной Хай-стрит, движения было мало, все дышало тишиной и спокойствием.

Миссис Керр, пухлая вдовушка средних лет, мягкая и доброжелательная, выразила Катрионе свое сочувствие. Она доверительно поведала, что и сама оказалась когда-то в подобном положении: ее мужа застрелили на границе в схватке с англичанами, а она в это время была уже на шестом месяце беременности. Ребенка пришлось растить одной. Однако каким славным парнем он стал! Теперь проходит обучение у мясника.

— Моя кузина леди Лесли рассказала вам, как умер мой муж? — спросила Катриона.

Миссис Керр покачала головой.

— Тоже в пограничном бою, — печально продолжила Катриона. — В Чиовио, всего два месяца назад.

— Да, — сочувственно кивнула женщина, — я помню об этом случае. Но англичане потеряли тогда больше парней, чем мы.

Снова оставшись одна, Катриона довольно посмеивалась. В Кэйт Абернети скоро поверят все. Она угадала в миссис

Керр сплетницу — добрую душу, но большую любительницу посудачить о чужих делах.

На следующий день Катриона последовала совету Фионы и посетила доктора Рамсея. Тот осмотрел ее и сказал:

— Если только не случится чего-то непредвиденного, я вряд ли вам понадоблюсь, дорогая. Там растет славный здоровый парнишка, и ваша миссис Керр, должно быть, сумеет его принять безо всяких затруднений. Но если я вам все-таки потребуюсь, то посылайте за мной без колебаний.

Устроившись в доме кузины, Кат, к своему удивлению, обнаружила, что не перестала радоваться жизни. Ее больше не тошнило по утрам, прежний аппетит восстанавливался. За всю свою жизнь она ни разу не оказывалась так далеко от дома. Ни матери. Ни отца. Ни Гленкерка. Ни Эллен. Ни перед кем не надо отчитываться, кроме как перед самой собой. Правда, каждое утро приходила миссис Керр. Она прибирала в доме и смотрела за тем, чтобы ее подопечная была накормлена. Но каждый вечер женщина уходила еще до наступления темноты.

Стояла осень, и Катриона, изучая город, подолгу бродила по самым богатым улицам Эдинбурга. Беременную женщину со скромными манерами, одетую в простое, хотя и дорогое платье, никто не беспокоил. По мере того как дни становились холоднее, она ограничила свои прогулки садом и короткими походами на рынок с миссис Керр.

Эти вылазки приводили Катриону в восторг. Сопровождая свою экономку, она открыла для себя новый удивительный мир. Позже миссис Керр расширила границы этого мира: она взяла молодую женщину покупать ткань на одежду будущему младенцу. И вскоре уже сама Катриона говорила:

— Миссис Керр, мне нужно сходить в галантерейную лавку. Кажется, у меня кончается этот прелестный голубой шелк для детских чепчиков. Нужно ли что-нибудь от мясника, раз уж я прохожу мимо?

Миссис Керр вовсе не казалось странным, что ее молодая госпожа была столь несведуща в повседневных делах. Катриона объяснила славной женщине, что рано осталась сиротой и росла в сельском монастыре. Тогда это была обычная история.

Дни становились все короче, и, решив, что молодая дама не должна по вечерам оставаться одна, миссис Керр привела за ней ухаживать свою двадцатилетнюю племянницу по имени Салли. Эта девушка была похожа на свою тетку — такая же пухлая и жизнерадостная. Ее присутствие скрашивало одиночество Катрионы. Молодые женщины вместе шили, или Катриона читала вслух, уютно устроившись перед камином. Будущая мать настолько привязалась к новой подруге, что спросила, не останется ли та и потом, когда придется смотреть за ребенком. Салли с радостью согласилась.

Фиона и Адам отпраздновали Рождество в Париже со своими кузенами Лесли. На Новый год пришли поздравления из Гленкерка. В них, среди прочего, сообщалось, что Патрик до сих пор не сумел отыскать Катриону. Девка словно сквозь землю провалилась. Адам покачал головой и внимательно посмотрел на жену.

— Ты тоже мне когда-нибудь такое устроишь, дорогая?

— Нет, — ответила Фиона, стрельнув глазами.

Адам посмотрел внимательнее.

— Боже мой! — закричал он. — Ведь ты знаешь, где она! Знаешь! Так ли?

Его взгляд был ужасен, и Фиона перетрусила.

— Кат в нашем эдинбургском доме. Она взяла с меня обещание никому не говорить об этом! Я думала, что она уже давно вернулась домой и вышла замуж за Гленкерка, — зачастила Фиона. Потом она рассмеялась. — Ей не занимать мужества, этой Кат! Что за молодчина!

— Ты ведь знаешь, — свирепо начал Адам, — как я тебя накажу, Фиона.

И тут Фиона вспылила. Если нашлась управа на Патрика, то, значит, найдется и на Адама. Попытка не пытка.

— Да, Лесли! — закричала она в ответ. — И я раздвину ноги перед первым мужчиной, который войдет в эту дверь. Я не позволю тебе больше обращаться со мной, как со скверным ребенком!

Какой-то миг они сверкали друг на друга глазами, а потом Адам засмеялся:

— А я и не предполагал, что вы с Кат так дружны.

— Мы и не были дружны, но теперь мы подруги по несчастью, нам обеим приходится бороться с надменностью Лесли.

Твой ослоухий брат назвал Катриону вещью, на которой он будет выводить своих сыновей. И если ты винишь кузину в том, что она сбежала, то я — нет!

— Я должен сообщить ему, Фиона, иначе невинное дитя родится вне брака.

— Знаю, — согласилась она. — Гленкеркский курьер все еще здесь. Отправь письмо с ним. И, Адам, напиши Патрику, чтобы он обращался с Кат помягче. Кузина любит его, ты знаешь. Но бедняжка хочет, чтобы и Гленкерк любил ее — ее саму, а не только за детей, которых она может ему подарить. Твой брат должен обращаться с Катрионой уважительно. Так что во всем виноват он сам.

— По-моему, голубка, — насмешливо проговорил Адам, — замужество идет тебе на пользу. Ты набираешься мудрости.

Он увернулся от подушки, которая полетела ему в голову.

— Займись своим письмом, Адам, и приходи в постель, — ответила Фиона. — Кузина Лесли показала мне сегодня восхитительные картинки, и я прикидываю, сумеем ли мы их воспроизвести.

Она кокетливо глянула через плечо. Адам Лесли не мог отвести глаз от своей соблазнительной жены.

— Я буду самым прилежным учеником, мадам, — сказал он, ухарски подняв бровь.

9

Курьеру Лесли не составило труда добраться из Парижа до французского побережья, однако там ему пришлось остудить свой служивый пыл. Надвигалась жестокая зимняя буря, и ни один капитан не соглашался выходить в Северное море. Парень был бы вовсе не против надолго засесть в маленькой уютной таверне, наслаждаясь обильной пищей и прекрасным старым вином. Но он знал, что несет графу новость огромной важности. Лорд Адам дал ему золотой, добавив, что в Гленкерке будет еще один.

В конце концов одним ветреным, но солнечным утром курьер встал посреди пивной и, высоко подняв золотую монету, объявил:

— Она достанется тому настоящему мужчине, который благополучно доставит меня в Абердин! И еще одну монету он получит от моего хозяина, графа Гленкерка, когда мы прибудем на место!

Монета была выхвачена из его руки каким-то чернобородым моряком.

— Если ветер удержится, парень, — сказал он, — то я доставлю тебя в мгновение ока!

Утром второго февраля курьер добрался до Гленкерка. Там граф не только возместил ему истраченный золотой, но дал еще два. Капитан тоже получил обещанное вознаграждение.

В тот же день Патрик Лесли выехал из Гленкерка. Он остановился в аббатстве и попросил дядю Катрионы, аббата Чарлза Лесли, сопровождать его в Эдинбург.

— Нам придется поспешить, дядя. Хотя Эллен и говорит, что до родов осталось по крайней мере еще две недели, но с первым ребенком все может случиться.

Чарлз Лесли кивнул, удалился в свои покои и вернулся через несколько минут. Монашеского одеяния как не бывало. Аббат превратился в высокого крепкого мужчину, обутого в длинные сапоги и готового тотчас выехать верхом.

— Так мне будет удобнее, — объяснил он. — Я не буду выглядеть священником в этом еретическом городе.

Несколько дней спустя граф с аббатом стояли перед домом Фионы в Эдинбурге. Дверь открыла Салли. Увидев на пороге две представительные фигуры, она вытаращила глаза от удивления.

— Твоя хозяйка дома? — спросил граф.

— Она еще спит, милорд. — Салли впервые видела этого красивого незнакомца, но не сомневалась в его дворянском звании.

— Тогда мы подождем, — заявил Чарлз Лесли, входя в дом. — Я ее дядя.

Салли провела их в гостиную и отправилась за миссис Керр. Несколько минут спустя появилась экономка, неся на подносе вино и бисквиты.

— Я миссис Керр. Могу я узнать, какое дело вас привело, джентльмены? Моя хозяйка находится в настоящее время в очень деликатном положении.

— Она еще не родила? — тревожно спросил Патрик.

— Нет, сэр. Пока нет. Но в ближайшие дни это непременно случится.

— Скажите, миссис Керр, — осведомился аббат, — вы какой церкви — новой или старой?

Годы бесконечных религиозных распрей сделали горожан осмотрительными, но почему-то миссис Керр почувствовала доверие к этому человеку. Быстро оглядевшись по сторонам, она ответила без колебаний:

— Старой, сэр.

— Я аббат Гленкеркского аббатства, — представился старший мужчина. — А это мой племянник, граф Гленкерк.

Миссис Керр присела в реверансе.

— А ту молодую женщину, — продолжил аббат, — что именует себя миссис Абернети, на самом деле зовут леди Катриона Хэй, и она — нареченная графа. По причинам, в которые я не стану вдаваться, моя своенравная племянница уже дважды убегала со свадьбы. Теперь, однако, время глупостей кончилось. Через несколько дней родится сын графа. Он должен, конечно же, быть законным ребенком. Если вы любезно проводите нас в спальню моей племянницы, то мы повидаем ее сейчас же.

Ни слова не говоря, миссис Керр торопливо вышла из гостиной и поднялась по крутой лестнице. Аббат с графом последовали за женщиной. На втором этаже она остановилась и кивнула на одну из дверей.

— Вот комната моей госпожи. Вы разрешите мне разбудить ее, милорд?

Несколько минут спустя миссис Керр высунула в дверь голову и знаком велела мужчинам войти. Затем она удалилась и поспешила вниз по лестнице, чтобы успеть рассказать Салли об этом невероятном повороте событий.

Катриона Хэй, одетая в темно-зеленый бархатный пеньюар, стояла спиной к пылающему камину.

— Итак, дядя, что же привело вас сюда? — невозмутимо спросила она.

На какой-то краткий миг беглянка напомнила Чарлзу Лесли его бабушку Джанет.

— Я пришел услышать, что ты наконец-то обменяешься брачным обетом с Патриком.

— Такая долгая поездка — и впустую, — сказала она.

— Племянница! Роды уже совсем близко. Ты носишь в себе законного наследника Гленкерка. Разве ты хочешь отказать ребенку в том праве, которое полагается ему по рождению?

— Побереги слюну, дядюшка. Я не выйду за Патрика замуж. Да он и не хочет жену. Ему нужна племенная кобыла, которая будет рожать ему сыновей. Граф не сомневается, что владеет мной. Он сам мне так сказал.

Патрик содрогнулся.

— Пожалуйста, не говори так, Кат. Я люблю тебя, голубка. Я с ума сходил от беспокойства по тебе и по нашему ребенку. Пожалуйста, любовь моя! Это ведь моего сына ты носишь в себе!

— Нет, милорд. Не вашего сына. Ваше незаконнорожденное дитя!

Граф покачнулся, словно его ударили, и на какой-то миг Чарлз Лесли пожалел племянника. Не так-то просто будет добиться, чтобы Катриона произнесла свой брачный обет, но он ведь и сам не кротостью возвысился до звания аббата.

— Оставь нас, племянник.

Когда Патрик вышел и дверь за ним закрылась, Чарлз Лесли повернулся к племяннице:

— Хорошо, Катриона, давай поговорим. Я хочу знать все, что произошло между вами. Ведь год назад ты была готова выйти замуж за Патрика. Что же случилось такого, что вызвало этот разрыв?

Вздохнув, она осторожно опустилась на стул.

— Сначала было простое недоразумение: Фиона заявила, что спала с ним, и я пришла в бешенство. А почему бы и нет? Ведь он говорил, что любит только меня и в то же время, оказывается, спал с другой женщиной.

— Ты могла бы спросить у него самого, дитя мое.

— Дядя! Слава графа бежала впереди него, а я была еще очень молода и неопытна. Когда он отыскал меня в А-Куиле, то побил и изнасиловал. Дядя, он заявил, что я — та вещь, на которой он станет выводить своих сыновей. И сказал, что я не смогу уйти домой, пока не понесу его ребенка, ибо тогда-то уж мне придется стать графиней, поскольку другого выхода у меня просто не будет.

Аббат мысленно поблагодарил Бога за то, что выбрал религиозную стезю. Женщины, особенно те, что рождались в его семье, оказывались иногда такими несносными!

Катриона продолжала:

— Он называл меня своей собственностью. Никому я не собственность! Когда Патрик признает меня за личность, а не только за часть себя самого, тогда я подумаю о замужестве.

Чарлз Лесли вздохнул. Дело обстояло хуже, чем он полагал. Но, осознав этот факт, он усмехнулся про себя. Племянница оказалась великолепным стратегом, и теперь она держала Гленкерка за глотку. Если Патрик хотел иметь сына, — а аббат даже мысли не допускал, что может родиться девочка,— тогда он должен согласиться на все ее требования. Аббат решил сыграть на материнских чувствах Катрионы.

— Разве ты не любишь своего ребенка, девочка?

— Нет. А что, должна?

Чарлз Лесли взорвался:

— Боже мой! Девочка моя! Ты самая нелепая мать, какую я когда-либо встречал! Не чувствовать любви к своему ребенку?!

Катриона засмеялась:

— Не говорите глупости, дядюшка. Почему у меня уже должны появиться какие-то чувства к этому ребенку? Я еще совсем не знаю его. Я никогда его не видела. Так чего же мне думать о нем? Глупости! А если мне пригрезится парень с голубыми глазами и рыжий, а родится кареглазый и шатен? — Катриона замолчала, а потом продолжила: — Или, еще хуже, белокурая девчушка? Что ж, дядюшка, я тогда сильно разочаруюсь. Не говоря уже о том, что мы с отцом ребенка находимся не в самых лучших отношениях.

Чарлз Лесли поджал губы.

— Ты нарочно привередничаешь и запутываешь все дело.

— Да, — тихо согласилась она. — Это от усталости. Я несу тяжелую ношу, дядюшка. Но не стесняйтесь и располагайтесь с Патриком здесь на ночлег. Если на обратном пути вы пришлете ко мне миссис Керр, то я распоряжусь насчет ваших удобств.

Аббат, сколь мог непринужденно, ретировался на первый этаж в библиотеку. Там с нетерпением ожидал Патрик. Чарлз Лесли покачал головой.

— Тут потребуется время, парень. Она чувствует свою силу и не расположена так просто мириться с тобой.

— Она должна!

— Нет, парень. Теперь постарайся быть осторожным. Ты полагал, что сможешь укротить девушку, а не смог. Это твоя первая ошибка. Она горда, и у нее в характере огромное стремление к независимости, о котором мне было известно и раньше. Катриона очень похожа на мою бабушку Джанет Лесли. Но вместе со своенравием у той была и мудрость.

— Уж не знаю, мудро ли она вела себя в возрасте Кат, — проворчал Патрик.

— Наверное, если пережить все, что пришлось пережить ей, — ответил Чарлз Лесли. — Однако, племянник, наша нынешняя забота — Катриона. Племянница очень сердится на тебя за то, что ты ей сказал и что потом сделал. Кат кажется, что ты хочешь жениться на ней не ради нее самой, а ради ее способности рожать. Теперь ты должен проявить снисхождение. Женщины перед родами имеют некоторые странности. Тебе следует понять это.

— Не знаю, чего она хочет, — пожаловался граф. — Я люблю ее. Разве этого мало?

— Мало, племянник, мало. Ты принимаешь в расчет только себя. Я сам не убежден, что до конца понимаю, чего хочет Катриона, но, по-моему, ей надо, чтобы ты проявил к ней интерес как к личности. Следует беседовать с ней, вместе обсуждать вопросы, затрагивающие вашу совместную жизнь, а не просто предъявлять свои требования. Катриона, в конце концов, хорошо воспитанная и образованная молодая женщина. Я думаю, Патрик, что ваши сложности в значительной мере проистекают из того, что прежде ты общался со слишком многими женщинами низкого пошиба, и теперь не знаешь, как обращаться с умной, благородной дамой. Катриона не забава. И пока ты не осознаешь это, она тебя не потерпит.

Граф зарделся. Но прежде, чем он смог сказать что-либо в свое оправдание, в дверях показалась миссис Керр и пригласила их отобедать.

— Присоединится ли к нам хозяйка? — спросил аббат.

— Нет, милорд. Она отдыхает.

Ели в молчании. Аббат с удовольствием отметил хороший стол. На обед подали вкусный суп с морковью, ячменем и жирной бараниной. Затем появились миски со свежепойманными устрицами, хорошо прожаренный говяжий окорок, аппетитный каплун, артишоки в уксусе и сдобная выпечка с кроличьим и оленьим мясом. Ко всему этому принесли горячий хлеб, только что вынутый из печи, и соленое масло.

Венчал трапезу домашний торт с грушами, яблоками, орехами и разными пряностями, а также изысканный сыр. Кубки раз за разом наполнялись добрым красным вином.

Деликатно срыгнув, аббат заметил:

— А тебе, племянник, не придется голодать, когда Катриона придет в твой дом.

— Если только для начала я смогу ее туда привести, — уныло ответил Патрик.

Время тянулось медленно, но наконец настал вечер, и Чарлз Лесли удалился в свою комнату, чтобы совершить молитвы и немножко соснуть. Не находя себе места, Патрик схватил плащ и отправился побродить по городу. Холодный февральский вечер предвещал снегопад. Никакие мысли не лезли Патрику в голову, и он бродил наугад, пытаясь утихомирить бушевавшие в душе чувства. Неожиданно на глаза ему попалась небольшая ювелирная лавка, и он зашел внутрь. Хозяин, наметанным глазом опознавший богатого клиента, поспешил ему навстречу.

— У вас есть в продаже кольца?

— Да, милорд. Если только милорд согласится присесть. — Он сделал знак подмастерью, который тотчас поспешил поднести стул.

Патрик сел.

— Дамское кольцо, — уточнил он.

— А-а! — понимающе улыбнулся ювелир. — Его светлость хочет что-нибудь для своей милой подруги...

Он щелкнул пальцами, и появился еще один подмастерье с подносом.

Патрик осмотрел изделия.

— Боже мой! — презрительно обронил он. — А получше этого у вас ничего не найдется? Я покупаю кольцо для жены, а не для шлюхи.

Вынесли новый поднос, и Патрик улыбнулся.

— Вот это больше похоже на дело, черт возьми!

На бледно-голубом бархате в гнездах располагались четыре кольца, бриллиантовая слеза, рубиновое сердце, круглый сапфир и квадратный изумруд. Каждое было в тяжелой золотой оправе. Граф тщательно изучил их по очереди, спрашивая цену. Наконец, выбрав кольцо с рубином, сказал:

— Беру это, но с одним условием.

— С каким же, милорд?

— Пошлите одного из ваших подмастерьев к банкирам Кира на Голдсмитс-лейн. Передайте им, что граф Гленкерк просит немедленной оценки.

Хозяин почтительно поклонился и велел одному из своих парней идти по указанному адресу. Ювелир не запрашивал лишнего, цены были честные, и теперь за это он благодарил Бога. Заполучить такого клиента, как граф Гленкерк, — большая удача. «Если граф купит кольцо, — думал торговец, — то жена заимеет новый плащ, с которым она приставала всю зиму, а любовница получит кружевной чепец, о котором давно мечтала». Вскоре подмастерье вернулся, ведя за собой какого-то человека.

— Бенджамен! — приветствовал граф, схватив вновь прибывшего за руку.

— Рад вас видеть, милорд. Как давно в Эдинбурге?

— Только сегодня приехал. И со мной мой дядя Чарлз. Мы остановились в доме брата неподалеку от Хай-стрит.

— Да, — сказал Бенджамен Кира, — я знаю этот дом. Я разговаривал с лордом Адамом и его женой, прежде чем они уехали во Францию.

Он улыбнулся графу.

— Итак, вы хотите приобрести драгоценности?

— Да, для моей будущей жены, леди Катрионы.

— Так, — задумчиво произнес Бенджамен Кира. Он вообще-то знал, что случилось у графа с невестой, но был слишком воспитан, чтобы это показать. — Кольцо, пожалуйста, маэстро ювелир.

Вставив себе в глаз маленькую лупу, он внимательно разглядывал рубин.

— Так... Да-да. Хм... Да. Хорошо. Очень хорошо! — Кира передал кольцо Патрику и повернулся к торговцу: — Что ж, маэстро Эйиди, прекрасный камень, хорошая оправа. Ваша цена?

Ювелир назвал.

— Очень справедливо, — подвел итог Кира. — Милорд, вы получаете прекрасную вещь задешево. Позвольте взглянуть на другие кольца из тех, которые вы показывали графу.

Бенджамен Кира снова повернулся к ювелиру. Он тщательно изучил бриллиант, сапфир и изумруд, а затем справился о цене каждого.

— Слишком дешево, — сказал он изумленному ювелиру. — Поднимите цену изумруда на двадцать процентов, а бриллианта и сапфира на десять.

Патрик велел проследить, чтобы ювелиру было уплачено. Поблагодарив банкира за оценку, он распрощался с обоими и покинул лавку.

Над городом повисли серо-синие сумерки. Большими липкими хлопьями начал падать снег. Быстрым шагом Гленкерк вернулся к дому брата. Салли отворила ему дверь и, помогая снять плащ и шляпу, пригласила пройти через зал в семейную гостиную.

— Там горит добрый огонь, милорд, и я принесу вам горячего вина с пряностями.

В гостиной Патрик обнаружил своего дядю вместе с Катрионой, поглощенных партией в шахматы. Они уютно расположились перед камином. Граф ничего не сказал, а просто сел неподалеку. Вошла Салли и поставила бокал возле него. Он медленно выпил, наслаждаясь сладостью вина, остротой пряностей и чудесным теплом, которое начало растекаться по его продрогшему телу.

— Шах и мат, — услышал он слова дяди.

— Вы слишком искусный шахматист для аббата, — сокрушалась Катриона.

— Я обычно выигрываю то, что ставлю целью выиграть, — был ответ.

— В вас говорит Лесли, — засмеялась Катриона. — По-моему, вы на что-то намекаете, дядюшка.

— Да, дитя мое. Какими бы ни были ваши отношения с Патриком, ребенок ни в чем не виноват. Не позволяй ему родиться без имени.

— О! Без имени он не останется! Я собираюсь назвать его Джеймсом, в честь короля. Я видела однажды, как этот парень выезжал верхом. Такой напыщенный мальчуган, но большой красавчик.

Гленкерк закусил губу, чтобы удержаться от смеха. Шалунья, конечно же, нарочно подкалывала аббата и играла свою игру блестяще. Чарлз Лесли очень не по-аббатски разразился целым потоком гаэльских проклятий. Катриона поднялась и присела в реверансе.

— Спокойной ночи, дядя. Я что-то опять устала, — сказала она, покидая комнату.

А Патрика будто и не заметила.

— Кто-то должен отшлепать эту строптивую девку по заду, — прорычал аббат.

— Я уже пробовал, — ответил граф. — Но никакой пользы это не принесло.

Аббат фыркнул:

— Завтра я снова поговорю с ней. А теперь отправлюсь в постель. Ночью следует хорошо отдохнуть, раз уж придется вести борьбу с Катрионой Хэй.

Патрик стоял у окна и смотрел, как падает снег, хлопья которого давно уже покрыли и крыши домов, и пустынную улицу. Дверь гостиной открылась, и вошла Салли с подносом.

— Госпожа подумала, что после прогулки вы проголодались, милорд. Они с дядей поели раньше. — Служанка поставила поднос на стол у камина. — Я скоро вернусь. Поешьте же!

На подносе стояли миска с дымящимися вареными креветками, тарелка с двумя толстыми ломтями холодной ветчины, маленькая горячая буханочка хлеба, блюдо с несоленым маслом и кувшин коричневого эля. Патрик с аппетитом поглотил все эти кушанья. Вернувшись, Салли принесла тарелку теплого песочного печенья и большую миску блестящих красных яблок. Граф съел все печенье и два яблока. Салли, убирая поднос, тепло ему улыбнулась.

— Приятно смотреть, как вы кушаете, милорд! Прямо как мой брат Нац. А теперь, сэр, если вы посмотрите в том шкафу, — она показала на другой конец комнаты, — то обнаружите хорошее виски. Будут ли еще какие приказания, прежде чем я отправлюсь спать?

— Нет, девочка. Спасибо. Можешь идти.

Снова оставшись в одиночестве, граф налил себе виски и медленно выпил, наслаждаясь его продымленной остротой. «Уж Катриона всегда отыщет добрую винокурню, — тепло подумал он. — Кат! Ах, милая, я обидел тебя, и теперь мне придется пережить ужасные дни. Завтра дядюшка может разводить какую угодно дипломатию. Но я сам должен поговорить с тобой непременно сегодня».

Патрик поставил стакан и вышел из гостиной. Уходя, Салли оставила ему на столе возле лестницы зажженную свечу. Граф медленно поднялся по ступенькам, страшась того мига, когда окажется лицом к лицу с невестой. Остановившись перед ее дверью, он едва слышно постучал. На какое-то мгновение Гленкерк понадеялся, что она уже уснула. Но дверь отворилась, за ней стояла Катриона в своем зеленом бархатном пеньюаре. Ее тяжелые золотые волосы рассыпались по плечам. Язык у Патрика одеревенел, и он чувствовал себя дураком.

— Патрик, — тихо проговорила Катриона, — либо войди, либо уходи.

Она повернулась и пошла обратно в спальню. Граф шагнул следом, прикрыв за собой дверь. В камине горел огонь, освещавший комнату. Он понял, что поднял ее с постели. Не обращая внимания на жениха, Катриона снова забралась под теплые одеяла. Две огромные подушки подпирали ей спину. Патрик придвинул стул и сел.

— Итак, милорд, — произнесла она, складывая руки на своем огромном животе. — Я полагаю, что могу чувствовать себя в безопасности. Вряд ли сегодня вы пришли меня насиловать. Что же вам тогда нужно?

— Я хочу поговорить с тобой. Оставим дипломатию и такт нашему дядюшке аббату. Мы же можем сказать друг другу правду. Я дурак, Кат!

— Да, — согласилась она.

— Я люблю тебя, девочка! Что сделано, того не вернешь. Если ты не можешь простить меня, то можешь по крайней мере забыть мою грубость? Я сделаю все, чтобы вернуть тебя.

— Но можешь ли ты изменить образ своих мыслей, Патрик? Потому что моя цена именно такова. Я не буду твоей собственностью. Ни твоей, ни чьей-либо! Я не могу быть только женой Гленкерка. Я должна оставаться Катрионой Хэй

Лесли. И если ты станешь воспринимать меня именно такой, твоему примеру последуют и другие. — Она нежно ему улыбнулась. — Ах, милый! По-моему, ты не совсем это понимаешь! Возможно, просто не в состоянии понять!

— Я пытаюсь, Кат... Ну а если я определю часть твоего приданого в твое собственное пользование?

— Это не совсем то, что я имею в виду, Патрик. Но если уж речь зашла об этом, то я точно тебе скажу, что мне требуется по части финансов. Капиталовложения, которые оставила мне бабушка, были включены в мое приданое. Этого не следовало делать. Они принадлежат мне одной, и я хочу получить их обратно. И А-Куил тоже мой. Усадьба принадлежала моей бабушке по отцу, она распорядилась записать ее на мое имя так же, как этот дом — на Фиону. Боже мой, Патрик! Ведь ты знал бабушку лучше, чем я, и помнишь, как важно для нее было, чтобы женщина в семье имела что-то свое.

— Конечно, ты можешь получить А-Куил обратно, — с готовностью сказал Патрик. — Но что до вложенных капиталов, любовь моя, то, поскольку ты совсем не разбираешься в финансах, я не могу позволить тебе растратить бабушкино наследство из-за какого-то каприза.

— Тогда нам незачем продолжать этот разговор, Патрик. Спокойной ночи. — Катриона отвернулась и замолчала.

Она не захотела говорить Гленкерку, что уже два года распоряжалась бабушкиными капиталовложениями. Из многочисленных правнуков и правнучек Джанет Лесли Катриона Хэй стала самой богатой именно благодаря тому, что внимала Кира и училась у них, а ведь помощь этой семьи когда-то много значила и для самой Джанет. У Катрионы неожиданно обнаружились способности к финансовым операциям и почти сверхъестественный дар предвидения. Но она не захотела сообщать Патрику об этих открытиях. Граф должен был вернуть ей ее законную собственность. Катриону мало волновало, что именно подвигнет жениха на такой поступок, ибо она особенно и не ждала, что Гленкерк поймет ее чувства. Однако, уступая, он не должен подозревать о ее деловых способностях, поскольку иначе в этом не будет никакого смысла.

Катриона услышала, как дверь тихонько закрылась. Перевернувшись на спину, девушка оглядела комнату. Графа не было. Она почувствовала, как по щекам заструились слезы —

горячие и соленые. Несмотря на свое внешне спокойное поведение, Кат была напугана. Она носила в себе следующего Гленкерка и не могла не желать, чтобы мальчик родился с обоими своими именами. Но она не уступит. Патрик будет ждать до тех пор, пока не выполнит ее условия. Ребенок во чреве шевельнулся, и она положила руки на живот.

— Не волнуйся, Джеми. Твой отец скоро будет смотреть на вещи по-нашему! — тихо прошептала Катриона.

Она была уверена, что это произойдет очень скоро, ибо сын мог появиться теперь в любой час. Ей было любопытно: испытывал ли Патрик такое же беспокойство, что и его невеста? Сомкнул ли он сегодня ночью глаза?

10

Снег шел всю ночь, и Эдинбург проснулся поутру весь сверкающий, серебристо-белый. Катриона поднялась с постели, сходила по нужде в ночной горшок и снова забралась под теплое одеяло. Несколько минут спустя пришла Салли, чтобы разжечь в камине огонь. Она принесла горячего молока со взбитыми яйцами и пряностями, целую тарелку горячих лепешек, с которых капало масло, и земляничный джем.

— Слава Богу, — сказала Катриона, нагибаясь вперед, когда Салли взбивала ей подушки. — Сегодня утром у меня волчий аппетит. Бекона нет?

— Можно принести, миледи, — улыбнулась Салли. — Начните с того, что есть, а я скажу миссис Керр.

Катриона с жадностью отхлебнула молока и принялась за лепешки.

— Ты выглядишь, словно десятилетняя девочка, а вовсе не как женщина, которая вот-вот родит, — засмеялся Патрик, входя в комнату. — У тебя по всему лицу размазан джем. А вот и ваш бекон, мадам.

Граф элегантно пронес тарелку у нее под носом и поставил на столик.

— Спасибо, милорд. — Катриона схватила кусок и с наслаждением его сжевала.

— Можно ли мне позавтракать с тобой?

— Если хочешь.

— Салли, девочка, принеси!

Катриона подождала, пока Салли выйдет, и только тогда заговорила:

— Чувствуешь себя уверенно, да, Патрик?

— Проклятие, Кат! Неужели так теперь будет всегда?! Все время издеваешься!

— Пока не вернешь мне мое законное, вообще ничего не будет.

Катриона откусила лепешку, и масло потекло по ее маленькому подбородку.

— Ты подбиваешь меня показать, что я не блефую? — Граф едва сдерживал изумление.

— Да-а, — протянула она, глядя ему в лицо. — Не хочешь поспорить, что я еще и выиграю?

— А какие ставки, мадам?

— А-Куил против дома в Эдинбурге, который я сама выбираю.

— Если выиграешь, милая.

— Выиграю, — убежденно сказала Катриона, накидываясь на последний кусок бекона.

Граф засмеялся, любуясь ее возмутительной самоуверенностью. С этой стороны невесту он раньше не знал, и она ему нравилась.

— А если, — спросил Патрик, — я найму экипаж, не согласишься ли ты сегодня поехать со мной на прогулку?

— Соглашусь! Мои размеры теперь меня стесняют, и последние несколько недель я сидела взаперти.

У Бенджамена Кира нашлись сани, привезенные из Норвегии. Они были красного цвета, с черным и золотым рисунком. В них впрягались две лошади. Граф удобно устроил Катриону, обернув ее несколькими меховыми накидками, взял в руки поводья и пустил лошадей вскачь.

Катриона Хэй выглядела прелестно. Восхищенные взгляды прохожих, то и дело обращаемые на сани, всерьез досаждали Патрику. Однако один его огненный взгляд обескураживал любого сердцееда.

Катриона куталась в коричневый бархатный плащ. Капюшон, отделанный широкой полосой темного соболя, чудно обрамлял ее сердцевидное личико, на котором румянец играл, как кровь с молоком. Несколько прядей темнозолотистых волос выскользнули из-под капюшона и легли в восхитительном контрасте с темным мехом. Патрик ругался про себя. Ему таки придется уступить ее требованиям! Дело было даже не в одном только имени сына. Он любил эту своенравную лисицу, и если даст ей снова убежать, то никогда не получит обратно.

— Я голодна, Гленкерк, — прервала его мысли Катриона.

— На окраине, голубка, есть одна отличная таверна. Думаю, туда можно заехать.

Граф лихо вогнал сани во двор «Роял Скотт» и, соскочив на землю, бросил вожжи пареньку-прислужнику. Катриона откинула меховые одежды и позволила Патрику взять ее на руки. Чтобы ей не пришлось шагать по глубокому снегу, он донес ее до самых дверей и только тогда поставил на ноги.

— Отдельную комнату, сэр? — спросил хозяин.

— Нет, дорогой. Общий зал нас вполне устроит, если только он не очень забит.

Их усадили за столик у окна перед большим камином. Патрик снял с невесты плащ. На ней было надето обманчиво-скромное свободное платье из коричневого бархата с кружевным, украшенным рюшами воротничком кремового цвета и такими же манжетами. Тяжелая золотая цепь с топазами смягчала строгость этого платья. Волосы рассыпались по плечам.

Не дожидаясь приказания, хозяин принес бокалы горячего вина с пряностями.

— Мы будем обедать, — сказал граф. — Принеси нам самого лучшего, что у тебя есть.

Они выпили по паре бокалов вина, а затем появился слуга, пошатывавшийся под весом подноса. На первое им подали по миске креветок с устрицами, приправленными изысканным соусом из разных трав. Рядом лежали свежий хлеб и масло, блюдо артишоков в уксусе с маслом и салат из капусты. Потом принесли жареную утку, коричневатую и хрустящую, со сладко-кислым лимонным соусом, три говяжьих ребра, тонко нарезанные розовые ломти молодого барашка на большом плоском блюде и красное вино с розмарином к нему. За всем этим последовали целая отварная форель, а также слоеные булочки, начиненные рубленой олениной, крольчатиной и фруктами. Последним блюдом оказалась большая миска запеченных в сметане груш и яблок, посыпанных цветным сахаром, и к ним еще и желе, засахаренные орехи и большой кусок сыра. Завершали обед вафли и маленькие стаканчики гиппокраса.

Катриона, никогда и раньше не проявлявшая робости за столом, ела с особым удовольствием, которое позабавило графа. Наконец она сказала:

— Что-то мне дремотно, Гленкерк! Отвези меня домой.

Патрик заплатил по счету и похвалил хозяина за прекрасную еду и за усердие. Дав всем на чай, граф снова усадил невесту в сани, укутал и повез домой. Когда, возвратив сани Бенджамену Кира, он вернулся обратно, то узнал от Салли, что ее госпожа удалилась в свою комнату. Гленкерк поднялся по лестнице и постучал, Катриона велела ему войти. Она уже успела сменить парадное платье на бледно-голубой шелковый халат и прилегла на кровать.

— Я ощущаю себя страшно толстой и очень тяжелой, — сказала она, — и намереваюсь проспать до самого вечера. — Катриона потянулась к графу и привлекла его к себе. — Спасибо, Патрик, мне так понравилась наша прогулка!

— И мне тоже, любовь моя, — ответил он, а потом наклонился и нежно ее поцеловал.

Катриона взяла его руку и положила на свой выступающий живот. Когда он почувствовал, как в ее чреве шевельнулось дитя, лицо его осветилось недоверчивым восторгом. Катриона засмеялась:

— Да, любимый! Мой Джеймс — сильный и здоровый малыш!

Она сказала «мой», а не «наш». Патрик про себя обиделся, но попытался не показать этого и бодро сказал:

— Наш Джеймс, Кат. Он и мой сын.

— Нет, мой, лорд Гленкерк. Вчера я вам это уже сказала. Малыш мой. И ваш внебрачный.

Патрик встал.

— Спокойной ночи, — сказал он тихо и вышел. Граф почти уже готов был уступить. Катриона понимала это. Она отлично знала, что Патрик хотел ее, и не только из-за ребенка. И она не возражала, чтобы он желал ее тело, ибо она так же сильно желала его. Но до тех пор, пока Патрик не отдаст то, что должен, и не осознает свою неправоту, жить с ним она не сможет.

Катриона заснула, размышляя о том, сколько же времени еще пройдет, пока граф признает поражение.

А пока она спала, Патрик узнал от своего дядюшки весьма любопытную новость. Утро аббат провел в библиотеке, ожидая возвращения племянника с племянницей. Он был чрезвычайно доволен собой, полагая, что его беседа с Катрионой уже начала приносить плоды. Когда Патрик вошел в библиотеку, Чарлз Лесли спросил:

— Итак, племянник! Когда я совершаю брачный обряд?

— Пока рановато, дядя. Она еще не готова принять решение.

— Господи! Что же она хочет?! Ты понимаешь ее? Я уже перестал.

Патрик засмеялся:

— Думаю, что уже понимаю ее вполне. Она не хочет, чтобы с ней обращались как с движимым имуществом.

— Чепуха, — отрезал аббат. — Что же такое женщина, как недвижимое имущество? Ведь даже еретики-протестанты с этим соглашаются.

— И тем не менее, — продолжал Патрик, — она хочет, чтобы с ней обращались как с равной, и убеждена, что ни А-Куил, ни капиталовложения, оставленные ей бабушкой, не должны были включаться в ее приданое. Кат хочет, чтобы они были возвращены, и заявляет, что не выйдет за меня до тех пор, пока не получит их.

Аббат минуту подумал и сказал:

— Бабушка действительно считала, что каждой женщине нужно чем-нибудь владеть, поэтому она и позаботилась, чтобы все ее внучки и правнучки, родившиеся до ее смерти, получили в наследство как небольшую собственность, так и определенные капиталовложения. Сумасшедшая мысль! Никакой судья не согласится поддержать такую чепуху! И если лорд Грейхевен включил А-Куил с капиталовложениями в приданое Катрионы, то они, конечно же, твои.

Слушая пространные рассуждения дядюшки, Патрик внезапно понял всю их несправедливость. Гнев Катрионы разом стал ему понятен.

— Я обещал ей вернуть А-Куил, — твердо сказал граф. — А производила ли она какие-либо операции со своими капиталовложениями? Или только получала дивиденды?

— Грейхевен что-то говорил однажды об этом, однако точно я не помню, о чем именно тогда шла речь. Тебе следует справиться у Кира.

— Я намереваюсь это сделать, — ответил Патрик, — но, дядя, если ты хочешь, чтобы мой сын родился законным, не говори Катрионе о нашем разговоре. Я повидаюсь с Бенджаменом Кира. Если она, проснувшись, спросит обо мне, то я ушел на прогулку.

Но когда Катриона проснулась, то уже не думала о Патрике. Сильная боль пронизывала все ее тело. Девушка попыталась подняться на ноги, но едва успела это сделать, как по ногам уже полились струи воды. От испуга она громко закричала. Через несколько секунд в комнату вбежали миссис Керр и Салли. Женщина в мгновение ока оценила обстановку и, успокаивая, обняла Катриону за плечи.

— Не волнуйтесь, миледи. Просто малыш решил, что ему пора вылезать наружу. Салли, девочка, принеси полотенца. Вам больно, миледи?

— Немного. Боль подходит и отступает.

— Именно, — сказала миссис Керр. — Салли, пойди скажи аббату, что нам потребуется его помощь, чтобы перенести стол. А теперь, миледи, вам лучше ненадолго прилечь.

И она помогла Катрионе взобраться на кровать. Салли поспешила вниз в библиотеку, где Чарлз Лесли мирно дремал перед пылающим камином. Девушка мягко потрясла его за плечо:

— Сэр! Сэр!

Аббат открыл глаза.

— У госпожи начались схватки, сэр. Потребуется ваша помощь. Нужно перенести родильный стол.

Чарлз Лесли окончательно проснулся.

— Граф вернулся? — спросил он.

— Нет, сэр.

— Проклятие, — выругался аббат.

— Придется бежать разыскивать его. — Салли положила руку ему на локоть. — Милорд, мой младший брат сейчас на кухне. Он пойдет и отыщет графа. Времени предостаточно. Первенцы всегда выходят медленно.

— Дай брату вот это, — сказал аббат, вручая Салли медную монету. — Когда вернется, получит серебряную.

— Спасибо, сэр. Если вы подождете здесь, то я пошлю мальчика сейчас же.

Она поспешила на кухню, где ее десятилетний брат за обе щеки уписывал тушеную баранину. Девушка протянула ему медяшку:

— Вот, Робби, это тебе. Беги скорее в дом банкиров Кира на Голдсмитс-лейн. По дороге не отвлекайся и ни с кем не разговаривай. Спросишь графа Гленкерка. Передашь ему, что его сын вот-вот родится. А если графа не захотят беспокоить, то скажи им, что это вопрос жизни и смерти. А когда вернешься, получишь серебряный!

Зажав монетку в кулачке, мальчик схватил свой плащ и мигом убежал.

В доме Бенджамена Кира граф Гленкерк, удобно устроившись, потягивал турецкий кофе. Со все возрастающим изумлением он вслушивался в то, что говорил о финансовом чутье Катрионы нынешний глава почтенного семейства.

— За последние два года она почти утроила свой капитал, — сказал банкир.

— Наверное, потому, что вы даете ей указания, говорите, как поступать, — предположил Патрик.

— В последние два года — нет, милорд. Когда ей исполнилось двенадцать лет, Катриона Хэй написала мне письмо, в котором спрашивала, не соглашусь ли я наставлять ее по финансовым вопросам. Я начал с самого простого, поскольку не был уверен, серьезны ли ее намерения и есть ли у девочки нужные способности. Однако чем больше я учил ее, тем все больше и больше она хотела знать. Катриона впитывала все, что я ей говорил, и буквально все схватывала на лету. И понимала. Два года назад она захотела сама управлять своими делами. Примерно шесть месяцев она непременно советовалась со мной прежде, чем что-либо предпринять, но потом все взяла на себя. Катриона умна, милорд, очень умна. И я не премину по секрету сообщить вам, что порой сам следовал ее примеру, причем зарабатывал на этом кругленькие суммы!

Патрик сглотнул слюну.

— Должен ли я так понимать, Бенджамен, что, когда леди Катриона сообщала вам об ее вложениях, вы старались вложить свои капиталы туда же?

— Да, милорд.

— Знали ли вы, что еще в прошлом году, когда был назначен день нашей свадьбы, Грейхевен все капиталовложения Катрионы передал мне?

— Не знал, милорд. Нас не известили об этом. Леди Хэй продолжала управлять своими денежными средствами, особенно с тех пор, как сама появилась в Эдинбурге.

— Так будет и дальше, Бенджамен. Ваш брат Абнер — юрист, не так ли?

— Да, милорд.

— Если он здесь, то я хочу немедленно составить бумагу, которая законно возвратит леди Катрионе Хэй ее собственность. И, Бенджамен, леди никогда не должна узнать, что я расспрашивал вас о ее финансовых делах. Буду с вами честен, ведь вы мой друг. У леди Хэй скоро родится ребенок. Но она отказывается выйти за меня замуж — как это было условлено много лет назад, — если только я не верну ей ее собственность. Естественно, я не потерплю, чтобы следующий Гленкерк родился вне брака, однако Катриона упряма, и никто — ни мой дядя-аббат, ни я сам — не может переубедить ее.

— Я немедленно пошлю за братом и за его клерком, милорд. И можете вполне довериться мне. Женщины в лучшем случае непредсказуемы. А уж те из них, которые готовятся рожать, — просто опасны. Остается только уступить и сделать хорошую мину.

Пока они ждали юриста и клерка, в комнату ввели юного Робби.

— Этот малец заявляет, — сказал слуга, — что должен видеть графа по вопросу жизни и смерти.

— Итак, парень, — ласково обратился к мальчику граф.

— Я Робби Керр, брат Салли. Ее милость сейчас рожает.

— Проклятие! — выругался Патрик. — Он уже родился?

— Нет, сэр, — невозмутимо проговорил Робби, — родовые схватки только начались.

— Ты очень хорошо осведомлен для девятилетнего мальчика. Или десяти? — Граф развеселился.

— Десяти, сэр. И как же мне не знать? После меня было еще шесть.

— Твоя мать достойна похвалы, юный Робби, — включился Бенджамен Кира.

— Нет, сэр. Мать умерла, рожая меня. Это мачеха имела после меня шестерых.

Граф побледнел, и, заметив это, Бенджамен Кира поспешил успокоить его:

— Я пошлю с мальчиком свою жену. Она уже трижды была матерью и сможет определить, как идут дела у вашей леди. Не беспокойтесь, милорд. Первые — всегда долгие. У вас еще порядочно времени.

Когда Абнер Кира с клерком вошли в комнату, Бенджамен и маленький Робби уже шли за госпожой Кира. Муж и жена переговорили на языке, незнакомом мальчику, хотя и звучавшем немного похоже на гаэльский, который ему иногда приходилось слышать. Банкирша обратила на мальчика свои прелестные карие глаза.

— Что ж, паренек, в путь! Веди меня к дому его светлости!

Робби привел госпожу Кира к парадному входу, и Салли впустила их в дом.

— Я жена господина Бенджамена Кира. Его светлость послал меня узнать, как чувствует себя леди.

Салли присела в реверансе.

— Прошу вас, мадам, если вы соизволите присесть, то я схожу за своей тетушкой. Она находится сейчас при ее милости.

Когда миссис Керр спустилась по лестнице, то сразу засуетилась.

— Ох, Салли оставила вас в прихожей! Пройдите в гостиную и примите стакан крепкого напитка.

— Спасибо, миссис Керр, — улыбнулась Анна Кира, — но мне нужно спешить назад. Его светлость, подобно большинству отцов, которые ожидают первенца, совсем обезумел. Как обстоят дела у леди?

— Ему не стоит волноваться. Все идет хорошо. Она не разродится еще несколько часов.

— Думаю, он будет дома много раньше, — тихо проговорила госпожа Кира.

Женщины понимающе переглянулись и рассмеялись. Быстро возвратившись домой, Анна Кира успокоила графа.

К этому времени Абнер уже составил документ, по которому Катриона Маири Хэй Лесли, графиня Гленкерк, являлась единственной законной владелицей А-Куила и капиталовложений, оставленных ей Джанет Лесли. Составленный в двух экземплярах документ был подписан Патриком Лесли, графом Гленкерком, и тут же засвидетельствован Бенджаменом Кира и его братом. Один экземпляр оставался на вечное хранение в сейфах этого семейства, а другой граф забрал с собой.

В сумерках Патрик торопливо шагал сквозь метель, сжимая под плащом заветную бумагу. Ну, теперь-то она выйдет за него замуж! Должна!

— Еще нет! — выпалила Салли, впуская его и забирая плащ.

— А дядя?

— В библиотеке, сэр!

Граф быстро прошел в библиотеку.

— Скорее, дядя Чарлз, и возьмите все принадлежности, нужные для венчания. Я выполнил просьбу Катрионы и теперь поднимаюсь к ней.

Прежде чем аббат успел ответить, граф был за дверью. Пробежал по лестнице, перепрыгивая через несколько ступенек, и вихрем ворвался в спальню.

Перед камином стоял длинный стол, один конец которого был выше другого. Он был накрыт муслиновыми простынями. На столе, со всех сторон обложенная подушками, сидела Катриона. Ошеломленный, граф огляделся.

— Роды — кровавое дело, милорд. Я полагаю, что не стоит губить прекрасный новый матрац с периной, — объяснила ему миссис Керр.

Патрик прошел к Катрионе и встал рядом. Не говоря ни слова, он протянул ей свернутый пергамент. Она сорвала печать, развернула бумагу и внимательно прочитала с начала и до конца. На какое-то мгновение роженица зажмурилась от приступа боли. Затем, подняв на графа глаза, полные слез, Катриона тихо сказала:

— Спасибо, Патрик.

— Катриона Хэй, мы с тобой обручены уже больше двенадцати лет. В эту самую минуту рождается наш ребенок. Скажи, что теперь ты выйдешь за меня замуж. — Патрик замолчал и, лукаво взглянув ей в глаза, усмехнулся. — К тому же этот документ написан на имя Катрионы Маири Хэй Лесли, графини Гленкерк. Ты должна выйти за меня замуж, чтобы получить обратно свою собственность!

— Патрик, ты вернул мне мою собственность, это так. Но изменилось ли твое отношение? Как ты теперь смотришь на меня?

Это был хитрый вопрос, и граф знал, что их судьбы, вместе с судьбой их ребенка, зависят от его ответа.

— Я смотрю на тебя, — проговорил он медленно и значительно, — сначала как на Кат Хэй — умную и прекрасную женщину. Надеюсь видеть тебя еще и своей женой, и любовницей, и другом, и матерью наших детей. Ты не одна женщина, а сразу много! И некоторых из них мне еще только предстоит узнать.

— Патрик, — улыбнулась сквозь боль Катриона. — Я верю, что ты начинаешь меня понимать. Это, конечно, далось тебе нелегко. Спасибо.

Она соглашалась. Граф был уверен в этом и чувствовал неимоверное облегчение.

— Да, милорд... моя любовь... мой дорогой друг и дражайший враг. — Катриона сжала его руку. — Я выполню наш уговор. Я выйду за тебя замуж.

И тут, словно в театре по реплике, вбежал аббат со своим переносным алтарем.

— Прекрасно, племянница! И чтоб больше никаких глупостей! Если ты не произнесешь обет сама, мне придется сказать его вместо тебя. Старику аббату следовало позаботиться об этом еще несколько месяцев назад! Полагаю, сейчас ты не станешь сопротивляться?

— Не стоит угрожать мне, дядя. Я выйду замуж за Патрика, но только подождите еще несколько минут. Если вы оба удалитесь, то я бы хотела одеться на свою свадьбу. — Она скорчилась от боли, а затем повернулась к Салли: — Рубиновый бархатный пеньюар! О Боже!

Мужчины быстро вышли. Салли забеспокоилась:

— Роды приближаются, миледи. По-моему, вы не сможете подняться.

— Только на несколько минут! Я не могу выходить замуж, лежа на родильном столе!

Ее пронзил новый приступ боли. Салли помогла Катрионе высвободиться из халата и облачиться в тяжелый бархатный пеньюар. Миссис Керр тем временем выскользнула в зал.

— Произносите ваши речи поскорее, милорд аббат. Схватки неожиданно усилились, и следующий Гленкерк родится очень скоро.

Чарлз кивнул. Салли высунула голову из двери.

— Госпожа желает, чтобы церемония происходила в гостиной у камина.

Пока миссис Керр с аббатом негодовали друг на друга, Патрик, широко шагая, поспешил обратно в спальню. Пошатываясь от слабости и боли, Катриона стояла в своем рубиново-красном пеньюаре возле камина. Ее тяжелые длинные волосы были заплетены и крепко зашпилены золотыми шпильками с жемчужинами. От графа не укрылась боль в глазах невесты, и его руки бережно обвились вокруг нее. Ни один из них не произнес ни слова. Все еще обнимая невесту, Патрик вывел ее из спальни и осторожно проводил вниз по лестнице через зал в гостиную. Аббат, миссис Керр и Салли прошли следом.

Чарлз Лесли открыл свой требник и привычно начал читать. Жених и невеста стояли перед ним. Катриона крепко держалась за руку Гленкерка. Всякий раз, когда роженица испытывала очередную схватку, граф это чувствовал, потому что она еще крепче сжимала его руку. Он не переставал дивиться силе своей возлюбленной.

Видя, как бледна племянница, аббат не мешкал.

— Кольцо, — зашипел он на Патрика.

Тот протянул рубин.

Чарлз Лесли благословил кольцо, вернул его графу, и тот надел драгоценное украшение на палец Катрионе. Невеста сразу определила цену сердцевидного камня, и ее глаза широко раскрылись от изумления. Она подняла их на Гленкерка и улыбнулась. Граф успокаивающе улыбнулся в ответ. Торжественно произнеся еще несколько слов, Чарлз Лесли объявил племянницу и племянника мужем и женой.

Патрик не стал ждать поздравлений. Он поднял Катриону на руки и быстро понес ее обратно в спальню. Салли побежала вперед, а миссис Керр, стараясь не отставать, поспешила следом. Женщины помогли Катрионе вылезти из тяжелого платья и устроиться на родильном столе. Когда Патрик убедился, что жена сидит удобно, насколько это было возможно в ее положении, он пододвинул стул и сел рядом.

— Милорд, здесь не место мужчине, — попыталась прогнать его миссис Керр.

— Если только моя жена не возражает, я желаю видеть, как рождается мой сын. — Граф посмотрел на Катриону.

Та протянула руку.

— Останьтесь, милорд. Вы уже столько пропустили... — Она улыбнулась.

Меж тем схватки учащались и становились все тяжелее. Роженица покрылась потом. Она сжимала губы и глубоко вздыхала.

— Не сдерживайтесь, миледи, — говорила миссис Керр. — Надо кричать, а не то вам станет хуже.

— Не хочу, чтобы мой сын вошел в мир при криках боли его матери, — заупрямилась Катриона.

— Чепуха, — оборвала ее миссис Керр. — Малыш это и не вспомнит, ведь он будет так занят своим собственным криком. — Ее глаза озорно блеснули. — Почему бы вам не браниться? По-гаэльски? Он же все равно не поймет!

Аббат, ждавший в прихожей, с изумлением услышал целый поток цветистых гаэльских ругательств, несшихся из спальни племянницы. Примерно десять минут спустя последовал торжествующий крик Гленкерка и возмущенный плач младенца. Неспособный далее сдерживать свое любопытство, Чарлз Лесли ворвался в спальню. Миссис Керр хлопотала возле Катрионы, а Салли вытирала родильную кровь с плачущего младенца.

— У меня сын, дядя! Сын! Пятый граф Гленкерк! — возбужденно закричал Патрик. — Джеймс Патрик Чарлз Адам Лесли!

— Да, дядюшка, — послышался усталый, но довольный голос. — Вы слышите: у него сын. Четвертый граф Гленкерк родил пятого графа. И, подумать только, он все это сделал в одиночку!

— Я не смог бы это совершить без тебя, голубка, — заулыбался граф.

— Нет, не смог бы, — слабо усмехнулась она. — А когда я смогу увидеть то чудо, которое произвела на свет?

— Минутку, дорогая, — сказала миссис Керр. — Вы уже вся чистая и можете лечь обратно в постель.

Она через голову надела на Катриону сладко надушенный пеньюар из мягкой шерсти бледно-лилового цвета.

— Милорд, не будете ли вы любезны отнести графиню в кровать?

Патрик нежно поднял Катриону на руки и уложил меж нагретыми простынями. Затем он натянул на молодую мать пуховое одеяло. После этих приготовлений Салли вложила ей в объятия запеленутого спящего младенца.

— Боже мой! Такой малюсенький! Рождественские каплуны — и те побольше! — Но в голосе Катрионы звучала гордость.

Заметив черный влажный пучочек, который Салли причесала завитком, она продолжала:

— И у него твои волосики, Патрик!

Миссис Керр забрала ребенка и передала его Салли.

— Она уложит маленького в колыбель и посидит с ним, пока он не проснется. Вы все еще хотите его выкармливать сами, или мне нанять кормилицу?

— Я стану кормить сама, миссис Керр. По крайней мере сейчас. Однако я думаю, что сестре Салли, Люси, следует приходить и помогать ухаживать за ребенком. Салли не может оставаться при нем день и ночь.

— Да, миледи. Но теперь вы должны поспать.

— Еще несколько минут, миссис Керр. Вы позаботитесь, чтобы его светлость и аббат хорошо поужинали?

— Разумеется, мадам, — улыбнулась экономка, — я немедленно распоряжусь.

Она повернулась, чтобы уйти.

— Миссис Керр?

— Да, миледи.

— Спасибо, миссис Керр. За все.

Экономка просто засветилась от удовольствия:

— Было очень почетно, миледи, принять будущего Гленкерка. — Она повернулась к аббату: — Пойдемте, сэр. Уверена, что вся эта суматоха пробудила у вас аппетит.

И они вместе вышли из комнаты.

Затем пришел Патрик, осторожно опустился на угол кровати. Взяв руку жены, он поднес ее к своим губам.

— Ты излишне горда, Кат, и невероятно упряма. Но, клянусь Богом, я люблю тебя. Я горд и счастлив иметь тебя своей женой и... другом!

Катриона подняла на него свои изумрудные глаза, и они озорно сверкнули.

— С тебя причитается дом в городе, Гленкерк, и, как только смогу, я непременно взыщу этот должок!

Глубокий смех Патрика разнесся по всему особняку.

11

Джеймс Патрик Чарлз Адам Лесли родился двадцать четвертого февраля 1578 года. Спустя месяц после его рождения Адам и Фиона Лесли вернулись из Франции. Гленкерк послал им курьера с известием о рождении сына, и младшие Лесли поспешили в Эдинбург, чтобы стать ребенку крестными.

Чарлз Лесли совершил обряд без промедления. Священник отсутствовал в своем аббатстве уже почти два месяца. И теперь, наняв самое быстрое каботажное судно, поспешил отправиться к северу на Петерхед. Оттуда он продолжит путь по суше. Чарлз предвкушал, как проведет первую ночь на твердой земле, пользуясь гостеприимством Оленьего аббатства.

Фиону забавляло, что Катриона наслаждается своим материнством.

— Вот уж не думала, что ты станешь такой добропорядочной гусыней!

В ответ Катриона улыбнулась.

— Я и сама не думала. Это находит на тебя незаметно. Однако следующего не будет еще несколько лет.

— Если Гленкерк такой же жеребец в охоте, что и Адам, то у тебя не будет выбора.

— Я буду осторожна.

— Ох, кузина, — улыбнулась снова Фиона, подняв элегантно выщипанную бровь. — До чего же ты изменилась за этот год!

— Мне не приходилось скучать, Фиона.

Катрионе не пришлось скучать и теперь. Она подыскивала себе дом в Эдинбурге, ибо, когда вернулись Адам с Фионой, маленький особняк оказался тесным. Прежде Адам обещал жене, что они отправятся путешествовать, однако теперь его намерения изменились.

Дело в том, что второй сын Гленкерка, Джеймс, был женат на Эйлис Хэй, а единственный ее брат Френсис умер зимой от лихорадки. Джилберт Хэй не имел других законных сыновей, и поэтому брат Патрика становился его единственным наследником. Джеймс и Эйлис теперь переезжали в Хэй, чтобы ознакомиться с делами этого небольшого имения.

Майклу же Лесли предстояло меньше чем через два года жениться на Изабелле Форбз и тоже взять за ней поместье. Вот поэтому-то сейчас Адам должен был научиться управлять гленкеркским имением — на тот случай, если Патрик умрет прежде, чем его сын достигнет совершеннолетия.

— Проведете годик в Гленкерке, а на следующий год сможете отправиться путешествовать, — пообещал Патрик, увидев разочарование Фионы.

Тем временем Катриона наконец нашла дом по своему вкусу. Подобно особняку Лесли, он стоял на тихой улочке. Но графиня выбрала ту, что прилегала к Канонгэйт, шедшей не к Хай-стрит, а к дворцу Холлируд.

Кирпичный особняк имел большую и солнечную кухню, буфетную, умывальню, кладовую, холл, удобный флигель для повара и несколько закутков для кухарок и поварят. На первом этаже находились просторная приемная зала, светлый салон, столовая, затем семейная столовая и семейная гостиная. Второй этаж почти полностью состоял из одного огромного зала, от которого отходили несколько отдельных прихожих. На третьем этаже располагались шесть спален, каждая со своей гардеробной и теплым туалетом. Четвертый этаж был отведен под детскую, а пятый — под комнаты прислуги.

При особняке были сад, огород и цветник. Тут же находилась отличная просторная конюшня. Когда граф было посокрушался, что дом слишком велик, ему напомнили, сколько набиралось родственников. Предполагалось, что здесь будут останавливаться все Лесли, приезжающие в Эдинбург, а потом, как только малолетний король подрастет и вступит в свои права — а тогда ему непременно придется содержать двор, — особняк окажется еще более полезен.

Катриона официально наняла миссис Керр, чтобы та постоянно присматривала за домом и вела хозяйство в новом владении. Графиня надеялась остаться в Эдинбурге по крайней мере до конца июня, чтобы самой заказать обстановку, но Гленкерк дал ей времени только до середины мая.

— Почему ты не можешь ехать вдвоем с Адамом? — возмущалась она. — Мы с Фионой останемся в городе, а когда покончим с делами, поедем тоже.

Патрик засмеялся.

— Мадам, — галантно произнес он, глядя на жену сверху вниз. — Я больше не рискую спускать с вас глаз, потому что, боюсь, потом вас уже не найду. Обещаю, что в середине мая мы вместе вернемся в Гленкерк. Все дела вам придется закончить к этому сроку. К тому же какая разница, будет сейчас дом обставлен или нет?

— А я, милорд, не собираюсь всю зиму сидеть, засыпанная снегом, в Гленкерке. После рождественских праздников, а если удастся, и раньше, мы вернемся в город.

Патрик еще более развеселился. Итак, она намеревается приезжать в столичный Эдинбург каждую зиму?! Граф еле сдерживал готовый вырваться смех. Какой же несносной иногда оказывалась его жена! Однако надо будет почаще заполнять ее животик детишками. Шумная детская компания наверняка не оставит ей времени ни на что другое.

В последующие несколько недель Катриона вела переговоры со множеством ремесленников и мастеровых. Рассмотрев сотни предложенных эскизов, она наконец заказала обстановку и договорилась с Бенджаменом Кира, что мастерам уплатят после того, как товар будет поставлен и одобрен миссис Керр. Об этом графиня мужу не сказала. Может быть, Гленкерк и забыл, что этот дом принадлежал ей.

Еще до отъезда из Эдинбурга их навестил Джордж Лесли, граф Рауте, глава всего клана Лесли. И Патрик, и Адам были польщены такой честью, оказанной им, младшей ветви семьи. На Катриону, однако, визит не произвел впечатления.

— Мы богаче, — рассудительно сказала графиня, — и он решил поддержать с нами отношения на тот случай, если придется занимать денег.

Хотя мужчины и возмутились таким неуважением, Фиона рассмеялась.

— Ты и в самом деле сука, Кат, но тут я с тобой согласна. К тому же Джордж Лесли принадлежит к новой церкви, и его семья когда-то была замешана в убийстве кардинала Витона. Я не доверяю ему.

В середине мая, как и было намечено, все вместе они выехали из Эдинбурга. Граф, графиня, Адам и Фиона ехали верхом, а Салли вместе с малышом удобно устроились в фургоне. Поскольку на дорогах было небезопасно, господ сопровождал отряд гленкеркских воинов во главе с Коноллом Мор-Лесли. Иногда мелкие торговцы и ремесленники, узнавая, что процессия направляется в сторону Абердина, просили разрешения присоединиться. Чем больше был обоз, тем спокойнее чувствовал себя каждый.

Две недели спустя братья с женами прибыли в Гленкерк. Увидев ожидавший их там прием, Фиона озорно расхохоталась. Чинным рядом, будто по ранжиру, выстроились вдовствующая графиня, Маргарет Лесли, родители и братья Катрионы, родители и братья Фионы, а за ними следовали все гленкеркские Лесли и крэнногские Мор-Лесли.

— Проклятие! — потихоньку выругалась Катриона. — Они притащили весь клан! Единственно, кажется, нет преподобного дядюшки!

— Что ты, и аббат здесь! Он просто нагнулся, чтобы поднять перчатку тетушке Мэг. — Казалось, что Фиона снова расхохочется.

— О Боже!

— Это не нас они встречают, Кат. Это его светлость следующего графа Гленкерка, — возразила Фиона, когда родственники толпой начали спускаться к ним.

И кузина оказалась права. Восторженные родственники вырвали бедного Джеми из рук Салли и, несмотря на его истошный крик, принялись передавать от одного к другому. Рассердившись, Катриона забрала сына, успокоила его, пресекая все возражения.

Эллен сказала:

— Я возьму его, миледи.

— Ни в коем случае, — отрезала графиня. — Ты слишком хорошая служанка, и мне тебя очень недоставало.

Опечалившаяся было отказом, женщина вскоре повеселела.

— Салли, — позвала Катриона, — возьми своего мокрого господина.

Ей пришлось еще выдержать пир, устроенный в честь их приезда матерью Патрика. А ее собственная мать долго пыталась вызнать, все ли хорошо у дочери с графом. Убедившись в конце концов, что дела обстоят отлично, Хезер испустила вздох облегчения и вернулась к мужу.

Приближался вечер, и Катриона не могла сдерживать зевоту. Мэг Лесли усмехнулась.

— По-моему, — шепнула она невестке, — тебе будет совершенно позволительно удалиться с этого пира.

Катриона склонилась к Патрику:

— Гленкерк! Придется мне прямо здесь и заснуть, между желе и пирожными. Или ты раньше объявишь о конце этого вечера?

— Хорошо, голубка, иди, но я еще должен побыть. Давай сейчас встанем, да заодно спасем и других, которые тоже хотят удалиться.

Они поднялись, дав тем самым знак всем, кто хотел уйти. Катриона вежливо пожелала гостям спокойной ночи и поспешила в детскую. Раскрыв живые глазенки, Джеми лежал на животе и сосал свой малюсенький кулачок.

— Такой хороший малыш, — сказала заботливая Люси.

Катриона взяла сына на руки, немного покачала. Носик младенца задергался.

— Ох, — запричитала Салли, — смышленый малыш почуял молоко!

Джеми заплакал. Люси приняла у Катрионы ребенка, а Салли поспешила помочь своей госпоже снять корсаж. Графиня села. Снова взяв сына, Кат дала ему грудь. Когда ребенок насытился и, сонный, развалился у нее на коленях, она улыбнулась и тихо заметила:

— Он стал такой большой!

— Да, мадам, — подтвердила Салли, — и к тому же очень сообразительный!

Графиня положила сына обратно в колыбель и натянула на него одеяло.

— Когда я вижу его таким махоньким, таким беспомощным, — заметила Катриона, — мне с трудом верится, что со временем он станет огромным несносным мужчиной, похожим на своего отца.

Обе служанки захихикали, а Катриона, поднявшись, застегнула корсаж и пожелала им доброй ночи. Она поспешила в свои покои, где заботливая Эллен уже приготовила чан с горячей водой. Сбросив одежду, Катриона забралась в него и расположилась блаженствовать в благоуханной воде. Она, привыкшая мыться ежедневно, не имела такой возможности уже две недели!

— Эллен, скажи, чтобы слуга графа Ангус приготовил ванну его светлости. Мне не хочется, чтобы сегодня он лез ко мне в постель вонючим.

А пока служанка отсутствовала, Катриона взбила пену на своих волосах, промыла их, снова взбила и ополоснула. Она выбралась из чана и, не одеваясь, устроилась перед камином. Подоспевшая Эллен насухо вытерла ей волосы, а затем расчесала их до блеска. Наконец Катриона встала и, приподняв волосы обеими руками, позволила Эллен вытереть ей тело.

— Совершенство! Ты чистое совершенство! — В дверях стоял граф.

— Ангус приготовил вам ванну, милорд, — сказала в ответ графиня.

Взгляд Патрика скользнул вдоль ее тела. Катриона дерзко глянула в ответ.

— Ты словно солнечный свет, любовь моя!

— А ты воняешь лошадьми и двумя неделями пыльной дороги.

Он засмеялся:

— Я не задержусь. Спокойной ночи, Эллен.

Эллен довольно заулыбалась.

— Какую ночную рубашку, миледи?

— Не беспокойся, Элли. Дай мне только шаль.

Катриона забралась в просторную кровать и накинула себе на плечи кружевную шаль.

— Спокойной ночи, Элли.

— Спокойной ночи, мадам.

Катриона сидела на кровати, прислушиваясь к звукам, доносившимся из спальни Патрика, и посмеивалась. Он шумно плескался, что-то фальшиво напевал и издавал какое-то утиное кряканье. Катриона забавлялась. Несколько минут спустя, голым, он прошел через дверь, соединявшую их комнаты, и решительно направился прямо к кровати. Какое-то время они просто смотрели друг на друга. Затем граф медвежьей хваткой схватил жену, и она уютно устроилась у него на груди.

— Ты рада, что приехала домой, Кат?

— Сейчас — да, но я не шутила, когда сказала, что хочу часть года теперь проводить в Эдинбурге. Юный король вскоре вступит в свои права. Он, конечно же, женится, и тогда снова появится настоящий двор. Когда это случится, я не хочу быть в Эдинбурге чужачкой.

— Нет, голубка, мы не станем бывать при дворе короля Джеймса. Бабушка не уставала повторять, что залог выживания в том, чтобы держаться подальше от политики и еще дальше — от двора. Наша ветвь в роду — младшая, но самая богатая. Мы всегда избегали неприятностей, потому что держались незаметно. Так будем поступать и впредь.

— Тогда почему ты купил мне дом в городе?

Соски у нее на грудях порозовели и заострились, и она рассердилась на свое тело, так быстро ответившее на ласку.

— Потому что я всегда плачу свои долги, мадам.

Граф наклонился и, поддразнивая, принялся покусывать кончик ее груди.

Она сердито отодвинулась.

— Я обставила этот дом на собственные деньги! И что же, теперь не смогу проводить в нем даже несколько месяцев в году?

— Конечно, сможешь. Мы станем ездить в город каждый год, обещаю тебе. Ты будешь делать покупки, смотреть представления, наносить визиты нашим друзьям. Но при дворе у Стюартов мы не появимся. Известно, что Стюарты всегда испытывают недостаток в средствах, а отказать дать взаймы королю едва ли возможно. Его также нельзя попросить и вернуть долг. Мы обеднеем за какой-нибудь год! — Он затянул ее под себя и наклонился. — Я не хочу больше сегодня говорить об этом, графиня Гленкерк.

В его зелено-золотистых глазах появился упрямый блеск.

— Согласна ли ты быть послушной и покорной женой, ты, несносная шалунья?

Тонкие пальцы Катрионы вплелись в его темные волосы, и, потянув голову графа вниз, она поцеловала мужа медленно и умело, а ее созревшее тело медленно задвигалось под ним.

— Боже, — произнес Патрик, когда она наконец отпустила его. — Этому я тебя никогда не учил!

— Разве, милорд?

— Нет!

Смех Катрионы раззадорил графа.

— Ты сучка, — выдохнул Патрик, и его рука обернулась вокруг ее тяжелых волос. — Если я узнаю, что какой-то мужчина хотя бы только подумал отведать твоих роскошных прелестей...

Она снова засмеялась, но в ее глазах и в улыбке был вызов. Внезапно, с дикостью, которая перебила у Катрионы дыхание, граф овладел ею.

— Я никогда не смогу владеть тобой всей, Кат, ибо ты — ртуть! Но, клянусь Богом, дорогая моя, я испорчу тебя для всякого другого мужчины!

Катриона принялась отбиваться, но Гленкерк засмеялся и начал целовать ее легкими поцелуями в лицо, в шею, в грудь. Он чувствовал, как у него под губами билось ее жаркое сердце. Большие и сильные руки графа стали ласкать ее бедра, поглаживая шелковистую грудь.

— Патрик! Патрик! — закричала Катриона неистовым голосом. — Пожалуйста, Патрик!..

Она чувствовала, как теряет власть над собой, и не могла понять, почему еще все-таки отбивалась. Вероятно, Кат инстинктивно сознавала, что в такие мгновения они теряли себя, растворяясь друг в друге. И это до сих пор еще пугало ее.

— Нет, голубка. Не бойся того, что случится. Отдайся этому, милая, отдайся!

Отдаться было легче всего, и Катриона так и поступила, позволив увлечь себя крутящемуся радужному смерчу, который нес ей такое наслаждение. Она уже больше ничего не замечала и не хотела замечать, кроме волн изысканнейших ощущений, которые находили одна за другой, поднимая ее до последней, захватывающей дух высоты.

Поздней ночью она проснулась и увидела, как лунный свет падает через окно на постель. Патрик лежал, раскинувшись, на спине и тихонько похрапывал. Катриона осторожно высвободила из-под него ногу. Повернувшись на бок, она приподнялась на локте и стала разглядывать мужа.

Она столь же гордилась его красотой, как и он — ее. За две недели пути светлая кожа графа местами загорела. Густые темные ресницы веером лежали на его высоких скулах. Прямой нос расширялся в ноздрях, а крупный рот имел благородные очертания. Глаза Катрионы скользнули по могучей безволосой груди лежащего рядом мужчины. Она покраснела, рассердившись на себя, потому что ее взгляд невольно обласкал спутанные волосы, черневшие промеж его длинных мускулистых ног.

Муж казался ей странным мужчиной. С одной стороны, он обращался с ней как с равной. Казалось, и в самом деле, ему были понятны противоречивые и сложные чувства, которые бушевали в душе супруги. Но с другой — он по-прежнему смотрел на нее как на рабыню. Мягкий и вдумчивый, мудрый и жестокий — каждый раз другой, Патрик любил поучать.

Катриона понимала, что ее муж — человек незаурядный, но ведь и она тоже не была заурядной женщиной. Когда ей только-только исполнилось десять лет, Катриона ужасно обижалась на свою бабушку: Мэм уже устроила ей брак, прежде чем она подросла и смогла осознать всю важность этого события. И тут графиня довольно посмеялась про себя. Ведь каким-то образом та невероятно красивая седовласая старая дама знала, что делала. «Мы с милордом прекрасно подходим друг другу, — подумала Катриона. — Мы чертовски хорошо подходим друг другу!»

Удовлетворенная, она перевернулась на живот и погрузилась в глубокий сон счастливой женщины.

12

Картина семейного уюта была восхитительной. Вдовствующая графиня Гленкерк устроилась возле рамки, вышивая на гобелене крылышки ангелов. Ее двухлетний внук Джеми играл перед камином под бдительным оком Салли Керр. Один сын, Адам, сидел неподалеку, просматривая счета по имению, другой, Патрик, с головой ушел в беседу с Бенджаменом Кира, своим эдинбургским банкиром. Дочери — двадцатилетняя Джанет, уже замужем за наследником Сайтена, и семнадцатилетняя Мэри, которой предстояло выйти за старшего сына Грейхевена, — сидели, занятые шитьем одежды для ожидавшегося вскорости младенца Джанет. Муж Джанет, Чарлз Лесли, и жених Мэри, Джеймс Хэй, уединившись в углу, играли в кости. Отсутствовали только молодая графиня Гленкерк и ее кузина Фиона. Мэг знала, что они находились сейчас в покоях Катрионы и примеряли моднейшие туалеты, которые Фиона привезла из Парижа: младшие Лесли только что возвратились из годичного путешествия.

Супруги побывали в Италии, посетили Рим и Неаполь, осмотрели дворцы Флоренции. Потом они проехали по Испании и явились в Париже ко двору короля Генриха III. Наконец, несколько недель младшие Лесли провели в Англии. Фиона никак не переставала об этом рассказывать, и чем больше она щебетала, тем большее недовольство испытывала Катриона.

Фиона, познакомившись со всевозможными чудесами, — разумеется, не могла удержаться и не похвастаться. А Катриона провела в гленкеркском заточении уже больше двух лет и за все это время только один раз, прошлой зимой, смогла выбраться в Эдинбург.

Мэг не рисковала говорить об этом сыну, но она знала, что ее прелестная невестка использует тот способ ограничения рождаемости, который достался ей в наследство от бабушки. Прежде чем посвятить себя выращиванию одного Лесли за другим, Катриона хотела все-таки немного повидать мир. Сама вырастившая шестерых, Мэг могла лишь восхищаться молодой графиней.

Катриона с упоением поглаживала изысканнейшие, надушенные сиреневые лайковые перчатки, которые Фиона привезла ей в подарок из Италии. Когда она увидела, что муж готовится ложиться в постель, ее зеленые глаза сузились.

— Хочу попутешествовать, — сказала она.

— Да, любовь моя, — произнес с отсутствующим видом Патрик. — Если мне удастся выкроить время, то этой зимой мы снова отправимся в столицу.

Удивленный тем, что мимо его головы просвистели перчатки, граф поднял голову.

— Я хочу не в Эдинбург, Патрик! Фиона совершила великолепное путешествие в Италию, в Испанию, побывала в Париже, в Англии. Она! Жена всего лишь третьего сына! А я, графиня Гленкерк, никогда в жизни не бывала южнее Эдинбурга. А могла бы не побывать и там, если бы сама не устроила эту поездку.

— Тебе нет нужды путешествовать.

— Есть, и какая! Я хочу!

— А я, мадам, хочу сыновей! Пока что вы подарили мне всего лишь одного.

— Больше не понесу ни одного ребенка, пока не попутешествую, — взъярилась Катриона.

— Решать не тебе, дорогая.

— Разве? — возразила она. — Спроси свою мать, Патрик. Спроси и узнаешь.

Мучимый любопытством, Гленкерк заговорил об этом с Мэг, которая улыбнулась и сказала:

— Итак, жена объявила тебе войну, а, Патрик?

— Она ведь не может помешать появлению детей, так я понимаю? — В его голосе звучали тревожные нотки.

— А может, именно это она и делает, сын мой.

— Но это же черная магия!

Мэг снова улыбнулась:

— Ох, Патрик! Не будь же таким глупцом! В этой семье нет ни одной женщины, которая бы не знала некоторых секретов красоты и здоровья, которые бабушка привезла с Востока. Я не виню Катриону. Меня выдали за твоего отца — царство ему небесное! — когда мне было всего пятнадцать. Ты появился год спустя, Джеми и Адам с перерывом в три года, Майкл — через год после Адама, а Джанет родилась на следующий. Я никогда не расскажу твоей сестре Мэри, да и ты тоже не должен, но моя самая младшая дочка родилась случайно. Дело в том, что я не собиралась после Джени больше иметь детей. Знаешь ли ты, что за двадцать девять лет, что я провела в этом поместье, я никогда не выезжала отсюда, кроме как в Сайтен или в Грейхевен? Как бы мне хотелось совершить путешествие — какое-нибудь... И куда угодно!

Эти слова привели графа в замешательство. Его собственная мать, которая вырастила их с такой заботой и любовью, оказывалась неудовлетворенной!.. Мэри — случайность!..

И Катриона могла не допускать появления детей, если того хотела!..

Патрик стал размышлять дальше. Юному королю исполнилось четырнадцать лет, и, несмотря на множество слухов относительно партии между английской королевой и братом французского короля, Гленкерка не покидала уверенность, что подобного брака не случится. Но даже если произойдет невероятное, то сорокашестилетняя женщина вряд ли сможет родить здорового ребенка. По всей видимости, их собственный юный король станет править как Англией, так и Шотландией.

Граф задумался о том, сколько же может пройти времени, прежде чем две страны сольются в одну. Когда это случится, столицей наверняка станет Лондон, и Эдинбург останется на задворках — второразрядный городишко в королевстве очередных Стюартов, известных издавна отсутствием памяти. Не исключено также, что придется жить часть года в Англии, а иначе дела семьи могли пойти прахом. Еще в тот самый вечер предусмотрительный Патрик в беседе с Бенджаменом Кира говорил, сколь мудро было бы перевести в Лондон некоторые их суда вместе с одним или двумя складами. Возможно, ему следует отправиться туда самому, с тем чтобы разузнать обо всем из первых уст. А с собой взять Катриону и мать.

Еще прежде, чем Патрик вернулся домой, чтобы жениться, он явился ко двору Елизаветы и был ей представлен. Впервые увидев королеву, граф отметил ее женскую привлекательность, но понял, что под кокетливой наружностью скрывается холодная и решительная натура. В своей постели королева не потерпит никого из мужчин, потому что не захочет ни с кем делить власть. И все-таки, сделав такой выбор, Елизавета недолюбливала женщин, которые бросались в объятия своих возлюбленных.

Хотя замкнутый Патрик Гленкерк ни с кем не делился этими мыслями и не мог допустить, чтобы его семья принимала чью-то сторону, заточение Марии Стюарт графу не нравилось. Еще в те времена, когда Мария царствовала, Гленкерк дважды посетил эдинбургский двор. Величавая красавица, королева была немного постарше его, но это не помешало десятилетнему Патрику в нее влюбиться. Она однажды даже удостоила его разговора, отметив дальнее родство через его мать. Как же нелепо получилось, что такая женщина — прелестная и образованная — выбрала себе в мужья Дарнли!.. При всем том, что лорд Ботвелл и погубил Марию и Гленкерк не особенно любил его, он стал бы значительно лучшей партией.

Что Елизавета завидовала Марии — спорить не приходилось. Заточение шотландской королевы было жестоким и, как считал Патрик, совершилось по велению каприза. Поэтому он решил ограничиться лишь одним визитом к английскому двору. Жить там он не сможет, потому что не может уважать королеву.

Он поместит в Англию достаточную часть своего состояния, и, когда королю Стюарту придет время вступить на престол и начать править всей огромной страной, от мыса Лэндз-Энд до гор Хайландз, Гленкерк будет богат. И тогда его семья сможет делать все, что захочет.

Патрик ничего не сказал ни матери, ни жене, но на следующее утро заперся в библиотеке вместе с Бенджаменом Кира и обговорил с банкиром покупку двух складов в Лондоне. В них должны были храниться товары с полдюжины кораблей. Важен был пусть маленький, но почин. Все устроить поручалось Эли Кира, кузену Бенджамена.

Затем Гленкерк вместе с Кира занялся подготовкой путешествия в Англию. Они обсудили дорогу и остановились на морском пути, которым в это время года ехать было и быстрее, и безопаснее. В Ли немедленно был послан всадник с приказом, чтобы у Петерхеда в ожидании графа наготове стоял флагманский корабль его флота. Другой курьер был отправлен в эдинбургский банк Кира, откуда в лондонское отделение надлежало отправить бумагу о предоставлении неограниченного кредита его светлости. На юг поспешил и Коннолл Мор-Лесли, вместе с отрядом из пятидесяти вооруженных всадников, которым предстояло ожидать своего господина в Англии. Наконец Эли Кира снял для Гленкерков дом в самой лучшей части Лондона.

Адам же Лесли получил под свою опеку как поместье Гленкерк, так и наследника. Патрик не собирался подвергать своего единственного ребенка опасностям пути. Мальчик, конечно же, будет в большей безопасности в привычном окружении, среди своих заботливых нянек.

Отдав все распоряжения, однажды вечером граф объявил жене и матери, что они отправляются в Англию. Серебряный кубок Катрионы упал на стол.

— Что?! О мой дорогой милорд! Неужели мы и вправду едем? Когда же? О Боже! Мне совсем нечего надеть!

Глядя на невестку, Мэг Лесли не могла сдержать улыбки. Потом повернулась к сыну.

— Спасибо, дорогой, но я слишком стара, чтобы ехать, — сказала с грустью вдовствующая графиня.

— Нет, мадам, мы хотим, чтобы вы ехали с нами.

— Да, да! — взмолилась Катриона. — Вы непременно должны с нами поехать. Вам едва исполнилось сорок лет, а это совсем не старость. Тем более чтобы путешествовать. Пожалуйста, поедем с нами!

Мэг раздумывала.

— Я и в самом деле всегда хотела увидеть Лондон, — наконец произнесла она.

— Тогда едем! — Катриона ухватила свекровь за руки и, опустившись на колени, посмотрела ей в ласковые карие глаза. — Поедем! О, какое нам будет развлечение! Театр, Медвежий парк, театр масок при дворе! — Она озабоченно повернулась к мужу. — Мы появимся при дворе, Патрик?

— Да, дорогая. Полагаю, что у меня там все еще остались кое-какие друзья. Хотя и сомневаюсь, что ее величество придет в восторг, увидев, как у нее на пороге возникнут две прекрасные дамы. Но джентльмены при дворе будут очарованы.

— Патрик. — Катриона задумалась. — А как Джеми?

— Придется оставить сына здесь, голубка. Нельзя подвергать его опасности.

Ее лицо померкло.

— Я не могу оставить своего ребенка, Патрик.

— Ничего не поделаешь. Нынче на дорогах неспокойно. — Граф посмотрел на жену. — Джеми — наш единственный сын, Кат. А Салли и Люси позаботятся о нем, да и Адам с Фионой постараются заменить ему меня и тебя. Нас не будет в Гленкерке всего только несколько месяцев.

Доводы Патрика оказались убедительными, и Катриона перестала сопротивляться.

— Джеми остается, а я еду, — сказала она и обвила мужа за шею. — Спасибо, Патрик!

Хотя Катриона и жаловалась на бедность своего гардероба, ее сундуки заполнили бы целую повозку. Однако тут Патрик проявил твердость. По одному сундуку каждой! Что потребуется, купим в Лондоне! Новый гардероб для обеих!

В тот день, когда они добрались до Петерхеда, стояла необычно приятная погода. Невдалеке от берега с небрежным изяществом покачивался на якоре «Отважный Джеймс». Лодка доставила путешественников на судно. Катриона даже глазом не моргнула, когда их поднимали на борт на боцманском стуле; Мэг, конечно, была не в восторге.

Путешествие на юг оказалось неожиданно скорым и приятным, и сиятельные пассажиры даже не почувствовали никаких признаков морской болезни. Ни один корабль не попался им навстречу до самого устья Темзы. Но когда «Отважный Джеймс» приготовился войти в реку, их окликнули с другого судна, выглядевшего явно по-пиратски. На юте стоял красивый молодой человек с прекрасными ухоженными усами и бородкой.

Патрик вгляделся в него и радостно засмеялся.

— Рэйли! — вскричал он. — Рэйли! Ты — пират?!

Через небольшой пролив, разделявший суда, щеголь обратил свой взор на «Отважного Джеймса».

— Господи! Быть не может! Гленкерк, ты ли это?!

— Да, мятежник! Переходи ко мне, выпьем по стаканчику.

Через несколько минут англичанин стоял на палубе гленкеркского судна и крепко жал руку графу.

— Ты уже был при дворе? — спросил Патрик.

— Нет. У меня на это нет денег. Я тут немножко хулиганю. Французские корабли — легкая добыча. Но это ненадолго — скоро отправлюсь в Ирландию. Потом, возможно, если в карманах заведется золотишко, а за душой какие-нибудь приличные достижения, смогу представиться королеве. Я ведь простой парень с Запада, Патрик. Моя единственная заслуга пока ограничивается тем, что я прихожусь внучатым племянником старой гувернантке королевы, известной тебе Кэйт Эшли, а также внучатым племянником леди Денли. А этой заслуги слишком мало, чтобы рекомендоваться.

Патрик усмехнулся.

— Перестань, честолюбивый дьявол! Хочу познакомить тебя с женой и матерью.

Граф повел друга на корму к большой каюте. Постучав, они вошли в прекрасно и со вкусом обставленную комнату с широкими окнами. Мэг поднялась им навстречу.

— Мама, это господин Уолтер Рэйли. — Глаза Патрика озорно сверкали. — Внучатый племянник леди Денли.

Рэйли метнул на него сердитый взгляд, а затем почтительно улыбнулся Мэг и склонился над ее рукой:

— Ваш слуга, мадам.

— А это, — продолжал Патрик, выводя вперед жену, — моя супруга Катриона, графиня Гленкерк.

Рэйли выронил руку Мэг и вытаращил глаза от удивления.

— Боже мой! Вот это да! — воскликнул он. — Ни у кого не встречал такой жены! Может, любовница похожая есть, но только если ты король и тебе очень повезло. Но жены — никогда!

Лесли засмеялись, а Катриона, не смущаясь, ответила:

— Увы, должна разочаровать вас, господин Рэйли. Я действительно графиня Гленкерк, жена... и вдобавок — мать.

Задержавшись над ее рукой, Рэйли вздохнул.

— Увидев совершенство и будучи неспособным достичь его, я принужден остаться холостяком, мадам.

— Рэйли, вы очаровательнейший проказник. Я опасаюсь за честь всех девиц на вашем Западе. — Катриона мягко высвободила свою руку.

И Катриона, и Мэг с жадностью слушали все, что рассказывал их новый знакомец. Хотя еще не представленный ко двору, Уолтер был буквально напичкан сплетнями, услышанными от друзей. Он также смог просветить женщин насчет последней моды, поскольку был щеголем и весьма тщеславным.

Приятную беседу, однако, вскоре прервал капитан, который известил, что прилив заканчивается и сменяется отливом. Если не войти в реку сейчас же, то придется стоять на якоре еще двенадцать часов. Рэйли немедленно встал. Поцеловав руки дамам, он отвесил прощальный поклон. Граф проводил друга на палубу, сказав на прощание, что надеется увидеть того при дворе еще до возвращения в Шотландию. Вскоре подгоняемый добрым попутным ветром «Отважный Джеймс» скользнул в устье Темзы и двинулся вверх по течению.

13

Сорок седьмой день рождения, отмеченный Елизаветой Тюдор, безжалостно отражался в ее зеркале. И однако, она была настоящей королевой. При дворе всем было известно, что правительница не имела намерения выходить замуж, но соискателей все не убавлялось. Она была постоянно окружена ухажерами, ловкие языки которых пели изысканные дифирамбы.

Возможно, именно поэтому шотландский граф Гленкерк показался королеве очень привлекательным.

Он был до неприличия красив. Большинство мужчин при дворе носили усы и бороды и ходили надушенными. Граф же брился гладко, демонстрируя элегантную линию подбородка, и от него исходил чистый мужской запах, который свидетельствовал о привычке часто мыться. Высокий и хорошо сложенный, Гленкерк превосходил остальных мужчин на несколько дюймов, имел хорошую кожу и темные волнистые волосы. А его зелено-золотистые глаза просто завораживали.

Наконец, Гленкерк был образован. Королева Елизавета терпеть не могла невежества. К тому же граф не угодничал, как все другие. Этот горец никогда не согласится стать одним из фаворитов, но его почтительная холодность покоряла ее. Королева никогда не забывала о Гленкерке, хотя с тех пор, как она видела его у себя при дворе, прошло несколько лет.

Но тогда он был просто лорд Патрик, а теперь вернулся в полном звании графа. Старый знакомый опустился на колени и взял руку, которую она изящно ему протянула. Но зелено-золотистые глаза, в глубине которых поблескивали веселые искорки, не отрывались от ее лица.

— Ваше величество, — прошептал граф и поднялся. Елизавета порадовалась, что сидела на возвышении, но и тогда их глаза оказались почти на одном уровне. Это получилось явно не в пользу королевы, которая предпочитала разглядывать обожателей с высоты своего великолепия. Ее янтарные глаза сузились, и она заговорила:

— Итак, шотландский плут, ты наконец-то вернулся.

— Да, ваше величество.

— А какими скверными делами ты занимался вдали от нас?— спросила Елизавета лукаво.

— Женился и стал отцом сына, мадам.

Несколько придворных из более молодых захихикали, посчитав, что граф себя погубил.

— А сколько времени ты уже женат, милорд?

— Два года, ваше величество.

— А сколько лет твоему сыну?

— Два года, ваше величество.

Глаза Елизаветы широко раскрылись, а уголки губ задергались.

— О Боже, Гленкерк! Не говори мне, что тебя поймал возмущенный отец!

— Нет, мадам. Нас с женой обручили еще в те годы, когда она была ребенком.

«Здесь таится какая-то занятная история, — подумала Елизавета, — но не стоит доверять ее ушам придворных сплетников. Пусть они теряются в догадках».

— Пойдем, Гленкерк, я хочу послушать об этом наедине.

Оставив двор, королева, идя впереди графа, вошла в небольшую приемную.

— Без церемоний, граф! Садись.

Елизавета села и налила два стакана вина.

— А теперь, Гленкерк, — продолжала она, подавая напиток, — объяснись.

— Когда нас обручили, Кат было четыре года, а мне тринадцать. Так прошло одиннадцать лет.

— Кат? — удивленно переспросила королева. Патрик улыбнулся.

— Катриона, ваше величество, это по-гаэльски Катерина.

— Так, — нетерпеливо произнесла Елизавета. — Но почему же получилось, что твоему браку два года и твоему сыну столько же?

— Произошло недоразумение, и она убежала за три дня до свадьбы.

106

Глаза королевы озорно сверкнули.

— Ты получил упрямую девицу, а, милорд?

— Да, мадам, именно. И я почти целый год не мог ее нигде разыскать.

— Надо уж было постараться разыскать ее как-нибудь пораньше, Гленкерк, раз она понесла твоего ребенка.

Патрик засмеялся.

— Сначала она пряталась у преданных слуг, ушедших на покой, а затем в горах, в небольшом особняке, который принадлежал еще ее бабушке. Там я ее и нашел, и все было бы хорошо, если бы...

Королева прервала его:

— Уверена, ты совершил какую-нибудь огромную глупость.

— Да, — признался граф, — и она снова убежала. В Эдинбург, где мой брат с женой как раз собирались во Францию. Она сумела заговорить зубы Фионе, и та позволила ей остаться в их доме без ведома Адама. Фиона рассчитывала, что Кат быстро одумается и вернется ко мне. Но на Новый год она обнаружила, что та все еще прячется в Эдинбурге, а до рождения малыша оставалось всего около двух месяцев. И тогда жена брата написала мне. Мы с дядюшкой сразу же ринулись в Эдинбург. Мы с Кат выяснили отношения, помирились, и дядюшка, состоящий аббатом гленкеркского аббатства, нас повенчал.

— Держу пари, Гленкерк, что тебе пришлось нелегко, — усмехнулась королева.

— Нелегко, — согласился он.

— А когда родился твой сын?

— Примерно через час после брачного обряда.

Елизавета, во время разговора потягивавшая вино, принялась громко хохотать и хохотала до тех пор, пока из глаз у нее не брызнули слезы. От смеха у королевы перехватило дыхание, она поперхнулась вином и закашлялась. Не долго думая Гленкерк встал, нагнулся и похлопал ее по спине.

Когда королева наконец отдышалась, то сказала:

— Надеюсь, милорд, ты привез свою дикую девицу, ибо я желаю с ней познакомиться.

— Привез, ваше величество, и также привез мою мать, леди Маргарет Стюарт Лесли. Надеюсь, вы примете их обеих.

— Приму, Гленкерк. Приводи когда захочешь. Но скажи, красива ли твоя жена?

— Да, мадам, красива.

— Столь же красива, как и я? — скромно спросила королева.

— Едва ли можно сравнивать красоту ребенка с красотой зрелой женщины, ваше величество.

Елизавета, довольная, заулыбалась:

— Боже, Гленкерк! Думаю, у тебя не все потеряно. Это первый настоящий комплимент, что я слышу из твоих уст при моем дворе.

Два дня спустя Патрик привез свою жену ко двору. Когда Катриона направилась в сторону королевы, то дамы помоложе злорадно отмечали, сколь скромно и непритязательно выглядело ее платье, а дамы постарше и поопытнее завидовали прозорливости графини.

Королева Елизавета стояла в платье из ярко-красного бархата, обвешанном лентами и драгоценностями, сверкавшими под огромным золотистым кружевным рюшем. А графиня Гленкерк надела черное бархатное платье со многими юбками. Широкие рукава были отделаны кружевами, и разрезы на них открывали белый шелк, усыпанный вышитыми золотыми звездами. Глубокое декольте обрамлялось высоким кружевным воротником, сильно накрахмаленным и прозрачным. На шее сверкали три длинные нити великолепных бледно-розовых жемчужин. И только одно-единственное кольцо украшало руку графини Гленкерк — крупный рубин в форме сердца. Незавитые волосы прекрасной дебютантки разделялись посередине пробором и, стянутые над ушами, сходились в узел на затылке, где их венчал кружевной чепец. В изящных ушах блестели две крупные розовые жемчужины.

Фрейлины посчитали туалет юной графини слишком простым, но Лестер склонился к своей жене Леттис и прошептал: «Какая красавица!» На что в ответ услышал: «Да! Надеюсь, она не задержится при дворе!»

Прекрасная чета приблизилась к королеве. Изысканно взмахнув шляпой, Гленкерк отвесил низкий поклон. Графиня опустилась в изящном реверансе. Поднявшись, Гленкерки с достоинством встретили взгляд королевы. И на какой-то миг Елизавета Тюдор подумала о том, как много потеряла, не последовав зову сердца.

— Добро пожаловать, графиня.

— Я приношу вашему величеству величайшую благодарность за приветствие, — осторожно проговорила Катриона.

— Твое дитя и в самом деле удивительно красиво, Гленкерк, — сухо сказала Елизавета. — В следующий раз приведи свою мать. Буду рада познакомиться и с ней. — Она повернулась к Катрионе: — Надеюсь, вы приятно проведете здесь время.

Поняв, что аудиенция окончена, Катриона снова опустилась в реверансе. Поблагодарив Елизавету, она отступила назад. Потом графиня справилась у мужа, что именно имела в виду королева, когда назвала ее ребенком. Патрик сказал, и Катриона рассмеялась.

Несколько дней спустя Гленкерки привели ко двору Мэг, и королева вежливо приняла ее, хотя при этом не преминула поджать губы и заметить:

— Не думаю, Гленкерк, чтоб у тебя были некрасивые сестры.

Однако сердечность Мэг покорила Елизавету.

Эли Кира снял для семьи Лесли великолепный особняк на Стрэнде. К дому примыкал обширный сад, выходивший террасой на берег реки. Лодочник, которого наняли Гленкерки, катал их на лодке. Примерно в пятнадцати милях от Лондона у них появился еще один дом — на случай, если им захочется выбраться за город.

Графиня переживала свои самые счастливые дни. Вместе с Мэг они выманили Патрика сопровождать их в театр на одну из пьес господина Шекспира. После спектакля Катриона сказала, что молодые парни, игравшие в пьесе женщин, выглядели весьма приятно, но она не может понять, почему женские роли не разрешается исполнять женщинам. Затем Гленкерки сходили посмотреть травлю медведя, ибо Катрионе хотелось увидеть и такое представление. Но зрелище с наполовину уморенным голодом, с изъеденной молью шкурой животного, на которого злобно нападала целая дюжина таких же изголодавшихся собак, возмутило ее.

Они принимали множество гостей как в Лондоне, так и в своем загородном особняке, расположенном неподалеку от Уолтемского аббатства. Гленкерки пользовались успехом. В третий их визит ко двору королева поставила на шотландцах печать своего одобрения. Елизавета, презиравшая ярких внешностью, но малообразованных и легкомысленных женщин, одобрительно заметила тогда графине:

— Насколько я понимаю, вы получили образование.

— Да, ваше величество. Моя прабабушка считала, что женщинам непременно следует учиться. Всем девушкам в ее роду предоставили такую возможность. У некоторых дело пошло, у других — нет. Но у меня, конечно же, нет таких достоинств, как у вашего величества.

— Вы знаете математику?

— Немного, ваше величество.

— Музыку?

Катриона кивнула.

— Языки?

— Да, мадам.

— Какие?

— Французский, гаэльский и латинский — хорошо. Немного фламандский, итальянский, немецкий, а также испанский и греческий.

Королева кивнула и неожиданно задала вопрос на фламандском, перейдя в середине фразы на латинский. Кат ответила на французском, перешла на греческий, а закончила фразу на испанском. Елизавета восторженно засмеялась и ущипнула графиню за руку. Успех Гленкерков был закреплен.

— Какая же ты бойкая, дорогая шалунья, — сказала Елизавета. — Не знаю почему, но ты мне очень нравишься.

В Англии Катриона приобрела также и хорошую подругу — первую, какую имела вообще вне своей семьи. Леттис Ноллис, прекрасная графиня Лестер, была старше Катрионы. Двумя годами раньше она тайно вышла замуж за любимейшего фаворита королевы, но всего через полгода их секрет раскрыли, и только сейчас Леттис, кузина Елизаветы, получила высочайшее разрешение вернуться ко двору после жестокой опалы.

Графиня Лестер до сих пор проявляла крайнюю осторожность. Городской дом Лесли был одним из немногих мест, где

Леттис могла видеться с мужем, не оскорбляя королеву. Катриона щедро предоставила им несколько комнат для встреч наедине. Королева же, в своей ревнивой злобе, отказывала им даже в одной.

Патрика несколько задерживали дела, поскольку на берегу никем не предлагалось складов на продажу. Однако близ реки обнаружили прекрасный участок земли, который Эли Кира приобрел для Гленкерков. Пришлось открыть торги за строительство двух складов и прилегающих доков, которые бы их обслуживали. Патрик был вынужден остаться в Лондоне, чтобы следить за выполнением намеченных работ.

Мэг же предпочла вернуться в Гленкерк. Она уже насмотрелась столичной жизни.

Чтобы сопроводить мать домой, Патрик выделил половину своих всадников с верным Ноноллом во главе. Катриона пожелала, чтобы по возвращении они привезли Джеми. Патрик благоразумно отменил приказание жены и добавил, что если она хочет, то может ехать вместе с Мэг.

— И оставить тебя играть в пчелку средь английских роз? И не подумаю, милорд!

— Ревнуешь, голубка? — спросил он с вызовом.

— К твоим поклонницам? — проворковала Катриона. — Не более чем ты меня к моим воздыхателям.

В ее прекрасных глазах, в изгибе губ читалась ласковая насмешливость, и Патрик в который раз подумал, как же ему повезло, что он получил эту женщину. Граф схватил Катриону в объятия и страстно поцеловал. Прижавшись всем телом к любимому супругу, она ответила на его поцелуй с той же страстью, подумав, что если когда-нибудь застанет его в объятиях другой женщины, то просто-напросто убьет. Если бы Гленкерк мог прочитать мысли жены, то был бы польщен, потому что ненавидел придворных ухажеров, которые с вожделением разглядывали Катриону. К счастью, не пройдет и нескольких месяцев, как они наконец отправятся домой.

Но этому случиться не было суждено. После Рождества у Катрионы случился выкидыш. Не стало ребенка, которого она совсем недавно зачала. Опустошенная этой трагедией, графиня впала в уныние — постоянно плакала. Ничего не ела и почти потеряла сон. Она не хотела никого видеть, даже Леттис. Наконец Эллен заговорила об этом с Патриком:

— Помочь ей можно только одним — вам надо привезти сюда Джеми.

— Боже мой, женщина, — взорвался граф, — сейчас середина января, и на севере все занесено снегом. Конолл только что вернулся!

— Пошлите за ним одного брата. Без людей. Один он доберется быстрее и без приключений доставит сюда Салли с мальчиком. Не беспокойтесь, милорд. Салли выросла на пограничье. Она ездит верхом не хуже солдата, даже с ребенком. Сегодня же пошлите вестника раньше Конолла. Пусть Хью везет девчонку с вашим сыном навстречу до самого Эдинбурга.

Патрику не понравилось предложение Эллен, однако он послушался мудрой женщины. Как только Конолл выехал, граф сообщил об этом жене. Катриона сразу повеселела и даже начала принимать пищу. Когда же прибыл сын, а это произошло три с половиной недели спустя, она была уже почти прежней Катрионой. На радостях графиня до того зацеловала мальчика, что тот у нее уже сам вывернулся.

— Мама, хватит!

Вскоре зима неожиданно посуровела, и за снегопадом шел снегопад. На складах и в доках работа остановилась до весенней оттепели. Затем в начале лета Лондон посетила чума, и Лесли вместе со своими домашними поспешно бежали из столицы. Когда они смогли вернуться обратно в город, уже снова наступила осень, и им пришлось провести в Англии еще одну зиму.

С приходом весны 1582 года Катриона почувствовала, что снова забеременела. Они остались в Англии до рождения ребенка. Элизабет Лесли, названная в честь королевы, сумела появиться на свет в сорок девятые именины ее величества — 7 сентября. Когда четыре дня спустя малышку крестили, Елизавета настояла, что будет крестной матерью. Перепуганный католический священник не осмелился отказать королеве. Малышка Бесс получила от своей сиятельной покровительницы дюжину серебряных кубков, инкрустированных аквамаринами, с гравировкой герба Лесли.

Девочка появилась на свет в загородном доме. Месяц спустя, даже не увидев Лондона, малышка отправилась домой в

Шотландию со своими родителями и четырехлетним братом, который ехал верхом на собственном пони.

Через месяц они пересекли границу. Уже начинался ноябрь, полдень был теплый и чарующий. Катриона и Патрик, ехавшие впереди своего обоза, остановились на гребне горы. Березы казались золотистее, а сосны зеленее, чем когда-либо. Внизу мерцала долина, укутанная в слабую пурпурную дымку. На запад был Эрмитаж, дом графов Ботвеллов. Впереди лежал Джедбург, где кортеж сегодня переночует.

— Боже мой, — произнес Патрик. — Это мне кажется, или даже воздух сегодня пахнет слаще?

Катриона кивнула и улыбнулась, подняв лицо к мужу. Путешествие ей понравилось, но теперь лицо графини светилось радостью возвращения в Шотландию.

— Мы почти дома, голубка, — сказал Патрик. — Если такая погода продержится, то мы будем в Гленкерке через десять дней.

Он протянул руку. Катриона снова улыбнулась и взяла ее в свою. «Боже мой, — подумал граф, — как же она изменилась! Я повез в Англию девочку, а обратно везу женщину — и какую!»

— Ты будешь жалеть, что мы вдали от Лондона и от двора? — спросил он.

— Нет, милый, я очень рада, что вернулась домой.

— После Лондона в Гленкерке тебе будет не особенно весело.

— Но, Патрик! Ведь есть Эдинбург! Королю в будущем году исполнится семнадцать лет, и он непременно вступит в свои права. Как только Джеймс женится, у нас появится собственный двор.

— Мадам! — возмутился граф. — Я уже не раз говорил вам, что мы не станем связываться со Стюартами! Им нельзя доверять, и к тому же они вечно в долгах, как в шелках. Эти попрошайки нам не нужны, и не надо меня обхаживать.

Уголки ее прелестного рта приподнялись в озорной улыбке.

— Когда король Шотландии вступит в свои права, Патрик, я отправлюсь ко двору! Захочешь ты поехать со мной или нет — это твое дело. Напоминаю вам, дражайший милорд, что особняк в Эдинбурге принадлежит мне. Я обставляла его с огромными личными затратами и совсем не для того, чтобы наведываться туда на месяц в год, а то и в два, как ты хочешь. И не для того также, чтобы, пока я сижу в Гленкерке, там жили родственники. Ты знаешь, Адам обещал Фионе, что они отправятся ко двору Джеймса, и будет неплохо, если ты то же пообещаешь и мне.

С этими словами она пришпорила Бану и поскакала легким галопом в пурпурную долину.

Граф тоже пришпорил коня и поспешил за своей упрямой, но прелестной женой.

Часть II

КОРОЛЬ

14

Король Шотландии, Джеймс Стюарт, шестой, носящий это имя, сидел, развалившись на своем троне, и наблюдал за танцующими придворными. Особенно внимательно он следил за одной из дам, которую звали Катрионой Лесли, графиней Гленкерк. С ней танцевал один из кузенов монарха, Патрик Лесли, граф Гленкерк. Катриона Лесли считалась самой красивой женщиной при шотландском дворе и одновременно имела славу самой добродетельной. Какая незадача! Ведь король вожделел графиню. А то, чего Джеймс Стюарт желал, он добивался. Так или иначе.

Король не знал свою мать, потому что, бежав в Англию, Мария Стюарт оставила его. Мальчика взрастили воинствующие протестанты, которые использовали его как пешку для осуществления своих целей. Эти люди полагали, что научили юного монарха ненавидеть собственную мать. Но его няня перехитрила их всех.

Няня обожала Марию, и когда наставник Джеймса произносил язвительные речи против королевы-пленницы, старая дама излагала ребенку свою версию. Это успокаивало мальчика, потому что ее рассказы оказывались правдоподобнее, чем рассказы опекуна. И если наследник расспрашивал старую даму о матери, то слышал, что женщины слабы, когда дело доходит до мужчин. Он не понимал этих слов до тех пор, пока ему не исполнилось четырнадцать.

Хотя король давно уже не был ребенком, няня все равно не покидала его и продолжала заботиться о своем воспитаннике. Опекуны же Джеймса посчитали, что оставить старушку обойдется дешевле, чем нанимать горничных.

Когда Эсме Стюарт д'Оробине прибыл из Франции, нянечка было обеспокоилась, как бы пристрастия мальчика не склонились в опасную сторону. К счастью, Эсме оказался всего лишь честолюбив, а старая дама позаботилась направить своего питомца по безопасной любовной стезе. Она познакомила его с хорошенькой молодой шлюхой, умелой и чистой. Эта девица, прозывавшаяся Бетти, имела честь обучить юного короля искусству любви. Тот оказался отличным учеником.

Бетти принадлежала к старому вероисповеданию, и ее просто забавляли благочестивые лицемеры из суровой и холодной новой церкви. По воскресным дням утром эти люди посвящали себя проповедям о грехах плоти, а в тот же день вечером приходили, надев маски, к ее дверям.

Джеймсу тоже нравилось оставлять своих опекунов с носом. Король был Стюартом по обоим своим покойным родителям, а Стюарты отличались чувственностью. Юный монарх открыл целый мир наслаждений и тогда-то понял слова нянечки о женской слабости. Он любил женщин.

Джеймсу Стюарту исполнилось двадцать три года, и он был королем. Завтра ему предстояло вступить в брак с прелестной датской принцессой Анной, белокурой и голубоглазой. Но прежде чем он увидит свою шестнадцатилетнюю невесту и вступит с ней в брачные отношения, пройдет еще несколько недель. Если уж ему суждено было жениться заочно, рассуждал Джеймс, то почему бы заочно не провести и брачную ночь?!

Эта мысль монарху чрезвычайно понравилась, однако ни одна шлюха не могла заменить ему королевскую невесту-девственницу. Не подобало. Нехорошо также будет начинать любовную историю с какой-нибудь впечатлительной девушкой. Взгляд Джеймса снова остановился на Катрионе Лесли, которая смеялась, подняв лицо к мужу. Да! Самая добродетельная женщина двора окажется достойной заменой!

Тут, однако, имелись свои сложности. Король уже дважды подбирался к Катрионе. В первый раз графиня подумала, что Джеймс просто шутит, и задиристо напомнила, что она старше его. Во второй раз Кат осознала серьезность его намерений и мягко напомнила о своих брачных узах, сообщив, что не собирается их нарушать. Она любит своего мужа и не навлечет позора на его имя.

Другой мужчина откланялся бы и изящно удалился. Но не таков был Джеймс Стюарт. Он знал, конечно, что мог просто отправиться к Патрику Лесли и объявить, что хочет его жену.

Не стоило сомневаться, что кузен, глава самой младшей, но самой богатой ветви Лесли, поведет себя правильно и закроет глаза, пока король будет флиртовать с его женой. Однако Джеймс любил своего старшего кузена и не хотел его огорчать. Граф Гленкерк был безумно гордым человеком. Если король желает графиню, то Патрику придется дать согласие, но уже никогда больше он не будет счастлив с Катрионой.

Однако если Патрика Лесли убрать с дороги, то тогда Катриону можно будет принудить. Это осуществится тайно, чтобы не повредить репутации дамы и самолюбию ее мужа. Но это произойдет! Джеймс хотел отведать того, от чего Патрик Лесли не мог оторваться вот уже девять лет. И король не сомневался, что свое получит.

Танцы закончились, и придворные, разгорячившиеся от усердия, жадно припадали к кубкам с охлажденным вином, подносимым слугами. Джеймс непринужденно прохаживался по залу, разговаривая и смеясь. В конце концов он приблизился к Лесли.

— Кузены! — Он поцеловал Катриону в обе щеки.

— Итак, Джеми, завтра ты берешь себе жену, — обратился к нему Патрик.

— Да, кузен, хотя я бы предпочел, чтобы она была здесь, а не в Дании.

— Терпение, дружище. Не успеешь обернуться, как она уже сюда приедет, и тебе снова захочется сплавить ее обратно в Данию.

Все засмеялись, а Джеймс сказал:

— Не станете ли вы с Катрионой моими гостями и не останетесь ли при дворе на празднества? Я знаю, что у вас есть дом в городе, но мне бы хотелось, чтобы моя семья была со мной. Даже Ботвелл снова у меня в фаворе.

— Как же, спасибо, Джеми, — улыбнулся Патрик. — Мы почтем за честь. Не так ли, голубка?

— Да, сир, — сказала Катриона. — Мы весьма польщены вашей добротой.

Джеймс отправился дальше, тайно ликуя. Теперь она у него под крышей!

На следующий день с неистовым весельем праздновалось бракосочетание короля Шотландии с Анной Датской. В тот же вечер граф Гленкерк выехал по срочному делу в аббатство

Мелроуз, а графиня после восхитительного пиршества и танцев отошла в свои покои.

Эллен помогла ей раздеться. Затем Катриона вступила в небольшой чан с теплой надушенной водой, а женщина потерла свою госпожу мягкой губкой. Обсушенная и напудренная, графиня подняла руки, и Эллен надела на нее шелковую ночную рубашку цвета морской волны. Забравшись в постель, Катриона приказала служанке сгрести в кучу угли в камине и пожелала ей спокойной ночи.

Графиня откинулась на пухлые подушки. Кровать была огромная, казавшаяся еще большей в отсутствие Патрика. За девять лет супружества Гленкерки расставались редко, и Катриона не любила разлуки. Внезапно, уже начиная дремать, леди услышала какой-то скрип. Она села и увидела, как рядом с камином открывается потайная дверь. В проем вошел Джеймс Стюарт.

— Что вы здесь делаете? — возмутилась Катриона.

— А мне казалось, дорогая, что ответ на этот вопрос очевиден.

— Я сейчас завизжу на весь замок.

— Нет, милая, не завизжишь. Меня скандал не затронет. Я король. А ты — другое дело. Если ты мне откажешь, твоя семья сильно пострадает.

— Я уже говорила, что не стану вашей любовницей, Джеми.

Графиня пыталась скрыть свой страх. Она не ожидала такой настойчивости.

— Я не согласен с вашим решением, мадам. К тому же не вам его принимать. Сегодня я заочно вступил в брак. Сегодня же я намереваюсь скрепить свои брачные узы, и я выбрал вас своей невестой.

— Никогда! Я никогда не уступлю вам.

— У тебя нет выбора, дорогая, — произнес король с торжествующим видом и снял с себя одежды. — Встань же и подойди ко мне! — приказал он.

— Нет, а если принудите меня, то я расскажу Гленкерку.

В глазах Катрионы заблестели слезы, а прелестные губы вызывающе надулись. Она была самым очаровательным созданием, какое Джеймс встречал за всю свою жизнь, и ее гнев возбудил короля сильнее, чем любая познанная им женщина.

— Значит, скажешь Гленкерку? — Это позабавило монарха. — Если хочешь, Катриона, я скажу ему сам. Но имей в виду, дорогая, Патрик простит меня. Я его король. Тебя он не простит. А теперь подойди.

Правда этих слов ужаснула графиню. Если Патрик узнает, что с ней спал другой мужчина, то гордый лорд бросит ее. Король поймал ее в ловушку, как кролика.

— Ублюдок, — выругалась она.

Джеймс захохотал:

— Нет, дорогая, с этим слухом было покончено еще до моего рождения.

Король протянул руку. Не видя другого выхода, Катриона приблизилась, изумрудные глаза графини горели яростью. Король все еще смеялся, довольный. Ох, теперь она своим упрямым умом будет ему сопротивляться, но ее тело в конце концов уступит. Время терпит, и сегодня он овладеет ею.

— Сними рубашку, — тихо проговорил Джеймс и обрадовался, что Кат подчинилась ему без единого слова.

Отступив назад, король с удовольствием разглядывал графиню. У Катрионы была широкая и мягкая грудная клетка, откуда выпирали самые прекрасные груди, какие Джеймсу когда-либо доводилось видеть, — чудесные шары цвета слоновой кости с большими темно-розовыми сосками. Изящно округлые полные губы, тонкая талия, длинные и хорошей формы ноги, ниспадающие до самых бедер темно-золотистые волосы... Монарх почувствовал, как в нем забилось желание.

— О Боже, кузина! Ты прекрасна!

К его удивлению, Катриона зарделась, и Джеймс испытал непритворный восторг. Так, значит, это правда! Она и в самом деле никогда не знала другого мужчины, кроме Патрика! И действительно была самой добродетельной женщиной при дворе. Он позаботится о том, чтобы вознаградить графиню и сделать ее придворной дамой своей будущей жены. Графиня Гленкерк окажет на юную королеву прекрасное влияние.

Снова взяв Катриону за руку, монарх повел ее к кровати. Он поднял графиню на руки и уложил в постель. Меж ее ног розовел соблазнительный треугольник, выщипанный, как и полагалось леди. Над заветной расщелиной чернела крохотная родинка.

— Знак Венеры, — прошептал король, прикоснувшись к этому пятнышку, а потом наклонился и поцеловал его.

По обнаженному телу графини пробежал неистовый трепет, и Джеймс про себя улыбнулся. Он возьмет ее быстро, и, когда дело будет сделано, Катриона оставит свое глупое сопротивление. Нежно и вместе с тем твердо король раздвинул дрожащие бедра женщины. Ее глаза широко раскрылись, а когда он мягко вошел внутрь, у нее перехватило дыхание. Подобно большинству мужчин из семьи Стюартов, Джеймс был одарен природой сверх меры. Неожиданность его натиска обезоружила Катриону, и графиня решила тихо лежать и ждать, когда монарх удовлетворит свою похоть.

Однако Джеймс Стюарт был слишком опытным и умелым любовником, чтобы позволить своей даме оставаться безответной. Сладострастно раздразнивая, он двигался внутри ее, уверенно и неторопливо возбуждая ответную страстность. Лишь величайшим усилием воли Катриона сохраняла под ним неподвижность. Вытянув руки по бокам и сжав кулаки, она пыталась сосредоточиться на остроте ногтей, впивавшихся в ладони, и только так сумела отвлечься от его ласк и остаться безучастной.

Обнаружив это, король сказал:

— Ох нет, любовь моя!

Смеясь, он вытянул ей руки над головой и придержал их. Потом его чувственный рот нашел ее благоуханные, но безответные губы, а настойчивый язык раздвинул сначала эти губы, а следом и зубы. Она была близка к тому, чтобы уступить, ибо он сумел прорвать ее линию обороны. Прекрасное тело, привыкшее к частым любовным ласкам, просто не умело сопротивляться удовольствиям. Король ускорил свои движения.

— Уступи, любовь моя, — настойчиво шептал он.

— Никогда! — Голос графини дрожал.

— Дело содеяно, любовь моя. Уступи и насладись мной, как я наслаждаюсь тобой.

Катриона не захотела ответить, однако король чувствовал, как неуступчивая любовница сдерживает движение своих бедер. Джеймса внезапно осенило. Высвободив ее руки, он приказал:

— Обними меня.

А затем король внимательно посмотрел в ее изумрудные глаза. Они блестели от слез.

— Если бы Патрик сейчас зашел в эту комнату, Кат, и увидел, как я пронзил тебя, то он не стал бы разбираться, упрямишься ты или наслаждаешься. Не сопротивляйся больше, любовь моя! Твое прекрасное тело жаждет меня! Уже ничто нельзя изменить: я овладел тобой.

Катриона все еще молчала, но ее глаза закрылись, и по краям лица бесшумно потекли обильные горючие слезы. Затем король почувствовал, что объятие ее рук окрепло, а бедра стали выгибаться навстречу каждому его напору. Победитель весь отдался сладости уступившей женщины.

Потом, опершись на локоть, Джеймс посмотрел на графиню, но она снова прикрыла глаза и не захотела встречать его взгляд.

— Такой я тебя всегда и представлял, — произнес король тихим голосом. — Твои веки пурпурные от изнурения. Мокрые ресницы лежат на щеках. Твое тело ослабело от любви, а рот саднит от моих поцелуев.

Он наклонился и поцеловал ей соски. Глаза Катрионы мгновенно раскрылись.

— Я не прощу тебе этого, Джеймс Стюарт.

Он чарующе улыбнулся:

— Почему же? Конечно же, простишь, ты, нежная моя. Конечно, простишь.

Уложив графиню на изгибе своей руки, король принялся ласкать ее мягкие груди. Она попыталась вывернуться.

— Пожалуйста, сир! Вы насладились мной. Теперь идите в свою постель.

— Как, моя сладкая, — в его голосе прозвучало искреннее удивление, — неужели ты думаешь, что я хотел только попробовать? Нет, дорогая. Впереди у нас целая ночь.

— Ох нет, Джеми! Ну, пожалуйста, нет! — Катриона принялась отбиваться.

Король удержал ее и с сожалением проговорил:

— Дорогая, я надеялся, что ты станешь благоразумной теперь, когда наш предварительный бой закончился. Твоему Патрику мало дела до того, взял я тебя один раз или дюжину. Одного того, что я имел тебя, будет достаточно. Знаю, любовь моя, ты не развратница, но не можешь же ты отрицать, что твое тело отвечает моему. Почему тебе еще все хочется бороться со мной? Я с тобой нежен и знаю, что я — хороший любовник. Почему ты никак не уступишь?

— Ох, Джеми, — тихо отвечала графиня. — По-моему, ты и в самом деле не понимаешь. Кроме Патрика, я никогда не знала другого мужчины. До свадьбы я сопротивлялась ему, но любила... Да, конечно, мое тело отвечает твоему. Патрик научил его этому. Но вот приходишь ты и заявляешь на меня права сеньора. До сих пор в постели тело и ум у меня действовали заодно, потому что я ложилась с мужчиной, которого люблю. Но вас, милорд, я не люблю. И не могу не сопротивляться.

— Тебе чрезвычайно повезло, прелестная кузина, — возразил Джеймс Стюарт. — Я никогда никого не любил. И не знаю, что это на самом деле значит. Меня вырастили люди — те, которые кормили, одевали, обучали и приструнивали меня. Из своего детства я не помню ни единого доброго слова или ласки. Единственным человеком, который проявлял ко мне какую-то нежность, была моя старая нянечка.

— Тогда мне и в самом деле тебя жаль, Джеми, потому что любить по-настоящему — это и значит жить полной жизнью. Тебе трудно потому, что ты никогда не имел ничего своего. Но когда в Шотландию прибудет юная королева, она станет только твоей. А потом один за другим пойдут дети — что ты, Джеми! Не успеешь оглянуться, а у тебя появится уже целая семья, и ты будешь ее любить, а она — тебя.

— Спасибо, Кат. Ты меня обнадеживаешь. — Король улыбнулся и продолжал: — Тебе, дорогая, и в самом деле место у меня при дворе. Ты знаешь, что сказать своему королю. Я с нетерпением жду приезда королевы, но сейчас...

Он снова мягко толкнул графиню на подушки и, отыскав ее рот, стал целовать со вкусом и умением.

Первым позывом Катрионы было вырваться, освободиться от его хватки, но затем она внезапно осознала, что король был прав. Если бы Патрик сейчас вернулся, его мало бы заботило, сопротивляется она или соучаствует. В любом случае он разгневается на нее.

Ее тело уже устало от борьбы и болело. «Я не люблю этого мужчину, — подумала Катриона, — но такого напора я больше не выдержу».

Король прекратил целовать и посмотрел ей в лицо. Их глаза встретились.

— Я никогда не буду любить тебя, Джеми, и мне очень стыдно за то, к чему ты меня принуждаешь. Но я уступаю вам, мой сеньор.

— Пока не прибудет королева, — быстро проговорил он.

— Милорд! Вы погубите мой брак! Вы не сможете скрыть от Патрика, что спите со мной.

— Смогу, если его здесь не будет. Ни один мужчина в здравом уме не захочет, отведав твоей сладости, остаться всего лишь на одну ночь. Я ушлю Патрика в Данию вместе с эскортом сопровождать королеву. Наша связь навсегда останется тайной от двора. Твоя репутация не пострадает. Гордость твоего мужа — тоже.

Катриона поняла, что должна этим довольствоваться. Больше с ним спорить она не могла.

— Спасибо, милорд, — прошептала графиня.

В ответ король склонил голову и принялся страстно целовать ее трепетное тело, начав с пульсирующей жилки на тонкой шее. Затем его рот опустился ниже, к тугим белоснежным грудям с острыми сосками и округлому животу с родинкой, венчавшей сладостную расщелину. Неожиданно Джеймс резко перевернул женщину и овладел ею таким способом, каким Патрик Лесли никогда даже и не пытался. От потрясения у Катрионы перехватило дух, и она услышала, как король хрипло пробормотал:

— Вот место, где Гленкерк до меня не бывал.

Руки короля пребольно сжали ей груди, и она поразилась тому, как быстро Джеймс их возбудил. Мужчина и женщина тихо лежали рядом.

— Надеюсь, — сказал Джеймс Стюарт, — что королева не приплывет слишком быстро. Любовь моя! Ты великолепна! Теперь понятно, почему Патрик все эти годы не гулял.

Голос Катрионы задрожал:

— Патрик никогда не делал со мной такого!

— Знаю. Там ты была девственницей. Но тебе понравилось, не так ли, Кат?

— Нет!

Он засмеялся:

— Да! Понравилось!.. Гленкерк обращался с тобой нежно, любовь моя. Я научу тебя многим вещам, включая и то, как меня ублажить.

Король поднялся, налил им обоим по бокалу вина и подкинул в огонь дров.

— Скоро твой Патрик вернется из аббатства Мелроуз. Неделю спустя он отправится вместе с другими знатными дворянами встречать мою невесту и сопровождать ее сюда. Не гляди же так печально, любовь моя. Нам с тобой предстоит чудесный месяц, а может, даже два.

15

Графиня Гленкерк задумчиво сидела перед зеркалом, а Эллен причесывала ее густые волосы цвета меда. На госпоже были только белая шелковая нижняя юбка и блузка с глубоким вырезом. Леди была испугана, растеряна и не знала, что делать. Патрик приехал, он уже во дворце отчитывается перед королем. Когда наконец муж появится в их покоях, заметит ли он что-либо необычное? Графиня молилась, чтобы не заметил.

С двенадцатого августа прошла уже неделя, и все эти ночи Джеймс Стюарт спал с ней. Видит Бог, она его не поощряла! После первой ночи она даже бежала из дворца в свой городской дом. Король тихо, но твердо приказал ей вернуться. В отчаянии она доверилась своему любимому свояку. Адам выслушал, покачал головой и сказал:

— Ничего не поделаешь, Кат. Что король хочет, то и берет, и случилось так, что он хочет тебя.

— А если мне уехать домой, в Гленкерк, Адам? Он же не будет преследовать меня там?

Адам Лесли искренне пожалел Катриону. Своевольная и упрямая, она, однако, любила Патрика, и страдание, которое выпало ей, было несправедливым. Тем не менее ничем помочь ей он не мог.

— Ты не имеешь права без разрешения Джеми оставить двор, Кат. И ты это знаешь.

На ее лице появилось дерзкое выражение, и Адам продолжил безжалостно:

124

— Ты не можешь подвергать опасности Лесли, Кат, из-за того, что тебе не угодно становиться любовницей короля. Джеймс выбрал тебя. Он также оказался настолько добр, что согласился скрывать вашу связь. Если ты ослушаешься его, он нас погубит! Боже мой, женщина! Ты же не девственница, чтобы выторговывать хорошую цену за свою невинность! Ведь тем, что хочет Джеми, Патрик уже хорошенько попользовался!

Катриона сразу возненавидела свояка.

— Ты не скажешь Патрику?

— Нет, Кат. Не бойся, — проговорил Адам уже добрее. Помолчав, он добавил: — Спасибо, Кат, что мне доверилась. Мне очень жаль, искренне жаль, девочка, что ничем не могу помочь, но если понадобится снова поговорить, то я тебя жду.

Графиня кивнула.

— А кто-нибудь еще знает?

— Только Эллен, — ответила она.

А верная Эллен колебалась. С одной стороны, ее мучило страдание госпожи, а с другой — распирало от гордости: ведь Катриона оказалась настолько прелестна, что привлекла самого короля!

— Если вы, мадам, не украсите ваше лицо улыбкой, то он подумает, что что-то не так, — резко заметила женщина.

Катриона подскочила.

— О Боже, Элли, я чувствую себя такой скверной!

Служанка отложила расческу, которую держала в руках. Встав на колени рядом со своей хозяйкой, она подняла к ней лицо и сказала:

— Сделанного уже не воротишь, мадам. И перестаньте думать только о себе! Подумайте о графе, моя малышка. Подумайте о семье Лесли. О детях. Если вы хотите покоя в вашей жизни, то этот эпизод должен остаться в тайне. А если вы не соберетесь с силами, то все выплывет наружу.

По щекам графини заскользили две слезинки. Эллен подняла руку и смахнула их.

— Король может трогать ваше тело, миледи. Но он не может притронуться к вашей душе, — проговорила она тихо.

— Когда ты успела стать такой мудрой? — спросила графиня.

Прежде чем Эллен успела ответить, дверь широко распахнулась и на пороге появился Патрик Лесли. Катриона вскочила и бросилась к нему в объятия. Эллен незаметно удалилась, а граф нашел рот жены и принялся проникновенно и страстно целовать, все крепче и крепче прижимая к себе ее тело. Катриона взмолилась:

— Патрик! Я дышать не могу!

Граф поднял ее и уложил на кровать. Катриона смотрела, как он снимал сапоги и сбрасывал другие одежды, а затем вытянулся рядом с ней на кровати. Притянув жену к себе и обняв, Патрик оттянул вниз ее блузку и поцеловал прелестные груди.

— Я безумно скучал по тебе, — прошептал граф, наслаждаясь исходившим от жены теплом. Кат поуютнее устроилась рядом с ним, благодарная за то, что он вернулся, и надеясь, что он сумеет уберечь ее от новых посягательств короля.

Патрик приподнял голову.

— Для чего ты одевалась? — спросил он.

— Очередной проклятый маскарад в честь датской невесты, — ответила она.

— Думаю, что, приняв во внимание мой приезд, Джеми без нас не заскучает.

Патрик стянул с нее юбку. Лицо Катрионы осветила улыбка, и она заключила мужа в свои объятия.

Но Джеймс Стюарт заскучал.

— Не вижу Гленкерка с женой, — заметил он с безразличным видом своему кузену графу Ботвеллу. — А Патрик сегодня вернулся из Мелроуза.

— Меня это не удивляет, — отвечал Ботвелл. — Полагаю, что Гленкерк затащил жену в постель. Если бы она была моя, а я бы неделю отсутствовал, то я так бы и поступил. — Он плутовски ухмыльнулся. — Самая добродетельная женщина при дворе! Жаль, ваше величество, а?

— Учитывая нравы большинства придворных дам, — почему-то резко сказал король, — думаю, что леди Лесли вносит свежую струю. Я намереваюсь сделать ее дамой спальни моей супруги.

«Ох-хо-хо! — подумал Ботвелл. — Кузен Джеми явно заинтересовался прекрасной графиней. Но как искусно он скрывает свое вожделение! Держу пари, что только я, знающий его как облупленного, заметил это». Граф довольно усмехнулся про себя. Поскольку Джеймс Стюарт проявлял ласковую привязанность к окружающим — а это оказывались большей частью мужчины, — то его считали гомосексуалистом. Грубая правда, однако, заключалась в другом — просто король с младенчества привязывался к каждому, кто был рядом. Стюарты были любвеобильны. Но до недавнего времени не находилось рядом с монархом достойной женщины, на которой он мог остановить свое внимание.

В романтическом порыве Джеймс наполовину уже заставил себя влюбиться в свою белокурую невесту из Дании. Но Ботвелл знал, что королю требовался кто-то именно сейчас. И если этой «кто-то» оказалась графиня Гленкерк — что ж, прекрасно. Она не была честолюбива и не плела интриг. Однако граф не думал, что королю светили какие-нибудь надежды. Дама казалась вполне довольной своим красивым, любящим, хотя и скучноватым мужем. Действительно жаль. Катриона Лесли выглядела роскошным созданием, явно предназначенным для любовных утех. И Ботвелл сомневался, пробудил ли ее Гленкерк вполне.

А Джеймс Стюарт тяготился присутствием на этом вечере. Когда он смог удалиться, не вызывая неприличных толков, то так и сделал, позволив церемонно уложить себя в постель. Затем он вызвал своего прислужника. Этот парень не имел цены, поскольку был немым, но не глухим. Его звали Барра, и он знал все секреты короля.

— Я буду в тайном коридоре, — сказал Джеймс. — Запру дверь изнутри. Твой ключ у тебя?

Барра поднял свой ключ.

— Хорошо. Не позволяй меня никому беспокоить. Если случится что-то непредвиденное, приходи один.

Немой понимающе кивнул и вышел нести стражу у входа в королевские покои.

Заперев дверь спальни, Джеймс подошел к камину и тронул небольшое резное украшение. Взяв с канделябра, стоявшего на каминной доске, зажженную свечу, король отсчитал шесть шагов, нажал на стену и прошел сквозь образовавшуюся амбразуру в коридор. Там он остановился и подождал, пока дверь снова закроется, а потом торопливо зашагал по тайному ходу до самой цели. Воткнув свечу в подсвечник, висевший высоко на стене, монарх приподнял маленькую заслонку и вперил взор в комнату, открывшуюся за ней.

Патрик Лесли стоял возле стола нагишом и наливал вино в два бокала. «Боже, — подумал Джеймс, — он и в самом деле красив. И подвешено у него неплохо, хоть и не так здорово, как у меня».

Король увидел, как граф прошел к измятой постели. Там лежала обнаженная Катриона. Она лениво потянулась за бокалом. Патрик лег рядом.

— Господи, голубка, как же мне тяжело разлучаться с тобой! — воскликнул граф.

— Тогда поедем домой, Патрик! Ты был прав, когда говорил, что нам не следует связываться со Стюартами.

— Почему же, милая? Мне казалось, что тебе здесь нравится.

— Нравилось. Но теперь эти люди, что живут при дворе и кормятся с него, меня пугают. Я хочу уехать в Гленкерк вместе с тобой.

— Мы не можем сейчас это сделать, голубка. Я не сказал тебе, потому что не хотел омрачать нашу встречу, но Джеми попросил меня отправиться в Данию с группой знатных людей, чтобы сопровождать юную королеву сюда. Я не мог отказать ему. Через неделю мы отплываем.

Катриона выругалась. Графиня и раньше знала, что Джеймс задумал услать ее мужа подальше от столицы, но не ожидала, что это произойдет так скоро. Она надеялась, что успеет разрушить замысел короля.

— Ты отправишь меня домой, Патрик, так ведь?

— Я и хотел, моя милая, но король попросил, чтобы ты осталась при дворе. Он хочет, чтобы ты стала дамой спальни его жены. Джеймс ценит тебя, голубка.

Она в ловушке! Ее снова поймал в ловушку Джеймс Стюарт! Граф поставил свой кубок и, затянув Катриону под себя, стал ее жадно целовать.

— У меня всего несколько дней, мадам, — сказал Гленкерк, — а потом я должен буду тебя покинуть. И пройдет еще два месяца, если не больше, прежде чем мы снова увидимся.

Большие руки Патрика ласкали ей груди, бедра. Катриону не надо было понуждать. Она пылко отдалась мужу, не подозревая, что за ними наблюдает король.

А Джеймс Стюарт не мог оторвать глаз от сцены, которая перед ним развертывалась. Когда сплетенные тела любящих одновременно достигли оргазма, то монарх внезапно почувствовал, как жесткий орган у него в паху обмяк и вниз по ноге брызнула липкая жидкость.

— Я не стану терпеть это целую неделю, — прошептал король. — Посольство в Данию отправится немедленно.

Прикрывшись личиной пылкого жениха, Джеймс отправил свое посольство три дня спустя. Катриона поняла, почему у нее так скоро отрывают мужа, и пришла в ярость. А граф Ботвелл, подозревая обо всем этом, потихоньку посмеивался над королевскими капризами.

Справедливо полагая, что Катриона сердится на него, Джеймс не приближался к своей своенравной любовнице целых два дня. На третий день, однако, Барра осторожно передал служанке графини цветок розы — знак, что в эту ночь Джеймс придет. Эллен известила свою хозяйку.

— Я не приму его! — яростно закричала Катриона.

— Замолчите! — оборвала ее Эллен. — Вы хотите, чтобы об этом знал весь мир?

Катриона безудержно зарыдала, а Эллен, предчувствуя беду, срочно отправила слугу за Адамом.

До его прихода, пытаясь успокоить свою хозяйку, Эллен успела влить ей в рот несколько глотков виски.

— Я наложу на себя руки! — в истерике кричала графиня.

— Чудесно, — сказал Адам. — Это вызовет гораздо меньший скандал, чем открыто отвергать ухаживания короля.

— И ты позволишь мне это сделать, так, Адам?! Разве у тебя нет никаких чувств к Патрику? Ведь он любит тебя! — вопрошала Катриона.

— Именно потому, что люблю брата, я и пришел. И представь себе, каково же ему будет вернуться из Дании и увидеть, что все его владения конфискованы в пользу короны? Включая жену, которую он обожает? Боже мой, Кат! Король уже поимел тебя! Отчего же этот нервный припадок?

— Я не хочу быть ничьей шлюхой! Это мое тело! И я хочу иметь на него хоть какие-то права!

— Так вот: у тебя их нет! — закричал Адам, в ярости хлопнув ладонью по спинке стула. — Ты принадлежишь Лесли и должна делать то, что служит семье. Черт возьми, Кат! У меня тоже есть чувства. Я ненавижу одну только мысль, что Джеймс Стюарт спит с женой моего брата, но я знаю, что, если бы король пошел прямо к Патрику и попросил тебя, Патрик бы не отказал. А так по крайней мере ему не обязательно знать. Выполняй свой долг Лесли, Кат.

Он совсем ничего не понял...

Виски немного успокоило Катриону, и ей стало ясно, что выбора не было. В любом случае король воспользуется ею по своему желанию.

— Я уже совсем в порядке, — заверила она Адама. — Сама не знаю, что на меня нашло. Полагаю, это потому, что скучаю по Патрику. Ты знаешь, мы никогда раньше не разлучались.

Адам облегченно закивал.

— Тогда я отправлюсь домой.

Он улыбнулся Катрионе. Слава Богу, она больше не собиралась ничего затевать.

— Поцелуй за меня Фиону, — тихо сказала графиня. Она помолчала, а затем, не в силах удержаться, добавила: — И лучше держитесь подальше от двора, Адам, а то как бы Джеймс Стюарт не захотел чего-нибудь новенького. Уж твоя-то жена выполнит свой долг перед семьей...

Адам поспешно покинул свояченицу, но ее язвительный смех еще долго звучал у него в ушах.

16

От выпитого виски Катриона чуть-чуть опьянела.

— Сколько времени? — спросила она у Эллен.

— Второй час, — ответила та.

— Посплю до ужина. А тогда меня разбудишь. Вернусь сюда в десять. Приготовь ванну. Положи на кровать свежие простыни и позаботься, чтобы хватило дров для камина. Да, не забудь — в шкафу должно быть вино — и красное, и белое.

Положи еще фруктов и сыра. И марципан — король без ума от марципана.

В одиннадцать часов вечера король прошел по потайному ходу в спальню графини Гленкерк. Катриона поднялась с кровати и медленно пошла навстречу.

— Стой!

Она замерла, и Джеймс какое-то время внимательно рассматривал свою несговорчивую любовницу. Темно-золотистые волосы графини были присобраны и закреплены маленькими золотыми шпильками с жемчугами. Ее изысканная ночная рубашка была скроена с явным расчетом на то, чтобы соблазнять. Сшитая из бледно-зеленого шелка, она имела длинные ниспадающие рукава и глубокое V-образное декольте. Корсаж казался нарисованным на теле — так он облегал роскошную грудь и подчеркивал тонкую талию. Сквозь шелковую юбку просматривались жемчужные тени бедер и ног.

Катриона гордо встретила взгляд монарха. Она была столь прекрасна, что король почти боялся прикоснуться к ней. Однако желание оказалось сильнее благоговения, и он притянул Катриону в свои объятия.

Янтарные глаза короля не отрывались от изумрудно-зеленых глаз графини. Когда его руки крепко обвились вокруг ее тела, Джеймс почувствовал, что Катриона слегка дрожит, и обрадовался, приняв это за благоговение перед ним, мужчиной и королем. Казалось, он держал ее так целую жизнь. Потом монарх наклонился и поймал своим ртом ее губы. Одной рукой он убрал из волос Катрионы золотые шпильки, и волосы рассыпались по ее плечам благоуханным облаком.

Джеймс потянул за тонкую шелковую ленту на поясе у графини, и рубашка, легко распахнувшись, скользнула на пол. Ни слова не говоря, Катриона повернулась, подошла к кровати и легла. Король заставил себя раздеваться помедленнее, но едва он оказался в постели, как разом потерял терпение. Катриона заметила это, но удержала монарха:

— Я не шлюха, чтобы брать меня быстро, Джеми.

— Ну-ка, ну-ка! А я-то думал, что ты все еще сердишься на меня!

— Сержусь! Ты поступил весьма нелюбезно, что так скоро отослал Патрика.

— Дорогая Кат! Я три ночи стоял в этом проклятом проходе и смотрел, как вы с мужем ласкали друг друга. Больше выдержать я уже не мог. Ты что, хотела, чтобы я вошел в эту дверь и попросил твоего мужа подвинуться?

Ошеломленная Катриона не нашлась что ответить. Ее возмутило, что кто-то посторонний вторгался в ее интимную жизнь с Патриком. «У меня к тебе большой счет, Джеймс Стюарт, — подумала она горько, — и однажды я его сведу».

Губы короля сомкнулись на ее соске, и он жадно засосал. Рука монарха настойчиво проникла меж ее ног, разыскивая мягкую и чувствительную тайную плоть. Он ласкал графиню с изощренным умением, возбуждая ее непереносимой нежностью своих пальцев. Через несколько минут Катриона корчилась от страсти.

Она намеревалась наказать Джеймса холодностью, но по мере того, как возрастало ее собственное желание, Катриона начала понимать, что самое большое зло, какое только она может причинить королю, — это оказаться самой сладострастной женщиной из тех, что тот когда-либо встретит в жизни. Она погубит его для других женщин!..

Катриона знала, что, как только юная Анна Датская прибудет в Шотландию, монарх посвятит себя ей. Превыше всего Джеймс Стюарт желал иметь супругу, принадлежащую ему одному, а с ней и семью. И он был не такой человек, чтобы поставить все это под угрозу.

Однако подросток-девственница вряд ли могла сравниться с такой опытной зрелой женщиной, какой была Катриона. Совсем не развратная, но хорошо обученная Патриком, графиня была чувственной и страстной натурой. Теперь она использует свой опыт, чтобы отомстить Джеймсу Стюарту. Переместив свое прелестное тело, Катриона ловко скользнула под короля и нежно обвила руками его шею.

— Джеми, — прошептала она. — Люби меня, Джеми, милый.

Король не поверил сначала своим ушам, но, приподнявшись и опустив на нее свой взгляд, он увидел сияющие глаза и вожделеющие губы. Джеймс не стал сомневаться в своем счастье и овладел устами, которые ему предлагались. Они оказались мягкими и податливыми и привели сиятельного любовника в неистовство.

Бедра графини послушно раздвинулись, а тело выгнулось навстречу его напору. Катриона крепко обвила короля ногами, и всякий раз, как Джеймс входил в нее, язычок графини выстреливал у него во рту. Монарх дико возбудился и уже не в состоянии был себя сдерживать. Однако же несколько минут спустя, когда Катриона задвигалась под ним, он снова испытал вожделение. Она вновь и вновь нашептывала его имя, словно молебствие. Король обезумел от страсти, и на этот раз он сдерживал себя до тех пор, пока любовница тоже не ощутила себя на седьмом небе.

Обессилевшие, они лежали на кровати, тяжело дыша. Наконец король сказал:

— Ты пугаешь меня, Кат! Ты совсем не походишь на простую смертную, ибо никакая женщина не способна любить так, как ты только что любила меня!

— Да что вы, милорд? Разве я вас ублажила?

— Да, любовь моя, ты потрясающе меня удовлетворила. Какая-нибудь магия?

Вспомнив, что Джеймс был страшно суеверен, Катриона закусила губу, чтобы не рассмеяться.

— Нет, милорд, я использую только чары своего тела.

Встав, она потянулась, а затем прошествовала к буфету.

— Белое или красное, милорд?

— Красное.

Графиня наполнила рубиновым вином два хрустальных бокала. Вернувшись к кровати, она протянула один королю. Задумчиво потягивая напиток, монарх спросил:

— Это Патрик тебя научил так любить?

— Да, — тихо ответила Катриона.

— И ты никогда не знала других мужчин?

— Нет, Джеми, никого. По рождению я — Хэй из Грейхевена. Наш дом стоит на отшибе, и, кроме моих братьев и кузенов Хэй и Лесли, у меня не было встреч с внешним миром. Я пришла к Патрику девственницей.

— А велика ли твоя семья?

— Четыре брата — один старший, три младших. И мои родители еще живы.

— Тебе повезло, милая.

— Однако это только часть семьи, — напомнила графиня. — Не забывай, что у меня муж и шестеро детей. — Катриона открыто взглянула на короля. — Ваше величество, когда королева, ваша невеста, прибудет из Дании, я отправлюсь домой, в Гленкерк, к детям. Пусть вы и король, но я не позволю вам разрушить мою семью! Я люблю Патрика Лесли, и я люблю наших детей. Иначе я бы скорее наложила на себя руки, чем отдалась вожделению другого мужчины!

Джеймс ухватил ее за волосы и притянул к себе.

— И однако, мадам, вы отвечаете на мои ласки и будете отвечать до тех пор, пока мне это нравится.

— Отвечаю, — с вызовом ответила Катриона, — потому что Патрик научил этому мое тело.

— Все ли Лесли являют в постели подобные образцы добродетели? — язвительно спросил король.

— Если послушать их жен и девок нашего округа, то так оно и есть. Моя кузина Фиона была очень беспокойной и легкомысленной женщиной. Но с тех пор, как она вышла за Адама, брата Патрика, ни разу не гуляла.

— Фиона Лесли, — припоминал король. — Ах да! Знойная, с золотистыми волосами, серыми глазами и атласной кожей цвета слоновой кости. Видел эту девку, но не знал, что она тебе родственница. Возможно, как-нибудь вечером я приглашу вас обеих.

— Разве тебе не хватит одной такой женщины, как я, Джеми? — И, оттолкнув короля назад на подушки, графиня умело его поцеловала. Рука Катрионы скользнула монарху между ног. Под шелковистым жаром ее настойчивых и умелых ласк он не замедлил возбудиться, но прежде чем успел пошевелиться, чтобы полезть на любовницу, Катриона взяла дело в свои руки и сама взобралась на Джеймса, торжествующе встретив его удивленный взгляд. Она уселась на нем верхом, как на лошади, и прямо-таки поскакала, резко всаживая в ясновельможные бока свои округлые колени. Такого Джеймс Стюарт не испытывал никогда и ни с одной женщиной. Он протестующе бился под ней, но она только посмеивалась. — Как вам нравится, когда вас насилуют, милорд?

Король так и не сумел вырваться из железного обхвата этих сильных и горячих бедер, и, к страху своему и стыду, Джеймс почувствовал, что изливает в нее свое семя яростными струями. Катриона, обессилев, рухнула на него. Разъяренный монарх перевернулся и задвинул графиню под себя. Ее глаза озорно сверкали, а рот смеялся. Слегка отшлепав упрямицу, сладострастник изумился, потому что вдруг почувствовал, как в нем снова просыпается желание. Он тут же вонзился в любовницу, да так, что та закричала от боли. И тогда Джеймс несколько утешился мыслью, что причинил ей страдание.

— Из всех женщин, с которыми я спал, ты, Катриона Лесли, возбуждаешь меня больше всех. Но если ты когда-нибудь еще раз сделаешь мне то, что сделала сегодня, я изобью тебя до посинения. Я не девка, чтобы со мной обращались таким образом!

— Прошу прощения у вашего величества, — покорно отвечала Катриона. Но в голосе ее почему-то звучало мало раскаяния. — Время от времени, — продолжила она, — Патрик желает, чтобы я любила его таким способом. Он уверяет, что возбуждается, когда играет с моими грудями, когда...

— Когда я захочу тебе всунуть и при этом поиграть с твоими сиськами, то поимею тебя по-гречески, — прервал ее король. — Это, кстати, я и намереваюсь сейчас проделать!

— Нет, Джеми!.. Проклятие! Пожалуйста, только не это! Ненавижу это! Не-ет!

Теперь уже посмеивался король. Джеймс хотел наказать ее еще сильнее и нашел, как это осуществить. Катриона испытает такой же стыд, какой испытал он. Силой перевернув графиню на живот, король немедленно овладел ею, безжалостно тиская прелестные груди. Он испытывал удовольствие от того, что Кат плакала и пыталась вырваться из его рук. Когда он наконец кончил, строптивая леди выглядела сильно подавленной, и Джеймс чувствовал, что он снова над ней господин.

Несколько часов они проспали. Затем, возбудившись зрелищем обнаженной любовницы, встрепанной и сонной, король овладел ею снова. На этот раз он сделал это с нежностью. Потом, глядя на нее сверху, сказал:

— Сегодня вечером, моя кошечка, я задержусь. Приду ближе к полуночи.

Взяв марципан с тарелки на ночном столике, он надел халат и исчез в двери потайного хода.

Катриона, истощенная до крайности, откинулась на подушки. Она прислушалась к своему измятому и израненному телу и даже засомневалась, что сможет подняться и пойти.

Но — и тут графиня, засыпая, улыбнулась — если она сумеет все это выдержать и дальше, то скоро у Джеймса Стюарта накопится достаточно воспоминаний, чтобы навсегда сжечь ему душу. Никакая другая женщина уже не сумеет удовлетворить короля. Такой будет ее месть. И Катрионе не приходило в голову, что сиятельный любовник может просто не отпустить ее.

Несколько часов спустя в комнату заглянула Эллен. То, что она увидела, определило ее действия.

— Сегодня утром графине нездоровится, — объявила она обеим младшим горничным Катрионы. — Вот вам на двоих серебряная монета. Прямо за городом — ярмарка. Можете пойти, но сразу пополудни возвращайтесь.

Эллен заперла двери покоев и, вернувшись в спальню, села рядом со своей хозяйкой, занявшись вязанием.

Катриона проснулась поздно.

— Сколько времени? — спросила она.

— Третий час, — ответила Эллен. — Боже милостивый, миледи! Что он вам сделал?!

— Все, — устало отвечала Катриона. — Где Силис и Юна?

— Я отослала их, потому что увидела, в каком вы состоянии. Они скоро вернутся.

— Я хочу ванну. Горячую-горячую ванну!

— Нельзя так каждую ночь, — с укором заметила Эллен.

Катриона печально улыбнулась.

— Да, нельзя. Но не пугайся, Эллен. Этой ночью мы с королем только примеривались друг к другу. Теперь он знает мою мерку, а я — его!

Полтора часа спустя графиню Гленкерк можно было увидеть за городом, она ездила верхом в окружении шести вооруженных всадников. Простой народ, знавший репутацию добродетельной графини, восхищался прекрасной наездницей и показывал дочерям как пример.

Весь конец лета и начало осени Катриона Гленкерк блистала при дворе Джеймса Стюарта. Не было такого дворянина, молодого ли, старого ли, который не желал бы ее. Но гордая леди Лесли не уступала никому. Она оставалась мягкой, очаровательной, изящной, остроумной и — недоступной. Адам Лесли искренне восхищался свояченицей.

— Никто, — сказал он, — никто никогда не догадается, что ты спишь с королем. Патрик гордился бы тобой.

— Сомневаюсь, — сухо ответила Катриона. — Кстати, тебе следует получше приглядывать за Фионой. Джеймс назвал ее знойной девкой. И мне кажется, что он совсем не прочь ее поиметь. — И Катриона обрадовалась смущению Адама.

— Сколько времени еще не будет юной королевы? — перевел разговор Адам.

Катриона помрачнела.

— Они один раз уже выходили в море, но столкнулись с необычайно жестокой бурей. Насколько я знаю, их кораблю пришлось зайти в Осло, и там они ждут, когда море успокоится. — Катриона понизила голос: — Говорят даже о черной магии. Нескольких женщин уже допрашивали. Джеми начинает тревожиться. Я не удивлюсь, если он сам отправится за невестой.

— И оставит Шотландию? — недоверчиво переспросил Адам. — Но зачем? Пусть пошлет своего главного адмирала.

— Ботвелл не поедет. Он заявляет, что обеднел из-за штрафов, которые Джеми наложил на него во время их последней ссоры, и не имеет денег на такую экспедицию.

Адам засмеялся.

— А он нахален, этот пограничный лорд! Не боится снова навлечь на себя гнев его величества. Ты и в самом деле думаешь, что Джеми поедет?

— Да. В конце концов, он хочет заиметь свою жену, а не чью-то другую.

Катриона улыбнулась — ведь именно она и настроила короля. Уже десять недель она делила ложе с Джеймсом. Впервые в его унылой жизни ночи наполнились теплом, появилось даже какое-то ощущение уюта. Женщина, которая спала рядом с ним, была нежной, доброй и щедрой. Она уверяла, что и его брачное ложе доставит ему такие же наслаждения. И конечно же, не минует монарха приятная обязанность производить детей. Датская королевская семья отличалась многочисленностью, и его будущая супруга Анна, без сомнения, окажется плодовитой. Подумать только, всего через год Джеми может уже стать отцом!

И чем больше славословила Катриона, тем более страстно и скорее желал Джеймс Стюарт соединиться со своей невестой. И, не имея больше сил терпеть, король отдал распоряжения, как правительству работать в его отсутствие. Оставив регентствовать своего кузена Френсиса Стюарта Хепберна, графа Ботвелла, двадцать второго октября 1589 года Джеймс Стюарт отплыл из Ли в Осло. Ему сопутствовала удача. Дули свежие бризы, ярко голубели солнечные небеса, а море словно приветствовало монарха. Он быстро достиг Норвегии.

После отъезда короля Катрионе больше не было смысла оставаться при дворе, и она стала подумывать о возвращении в Гленкерк. Джеймс, однако, перед своим отъездом потребовал с нее обещания не покидать столицу до того, как он привезет юную Анну. Графиня согласилась, посчитав, что с появлением датчанки освободится от его ухаживаний. Катриона страстно желала Патрика и волновалась, столь ли он одинок, сколь и она.

17

Когда в начале ноября король Джеймс прибыл в Осло, то был встречен своими же дворянами, посланными сопровождать королеву. Они эскортировали нетерпеливого монарха к дому, в котором остановилась датская принцесса. На громоподобный стук выбежал перепуганный слуга, и, оттолкнув его, Джеймс Стюарт ворвался внутрь, крича, что желает немедленно видеть свою невесту.

Короля спешно направили в гостиную на второй этаж. Он легко взбежал по ступеням. Влетев в салон, Джеймс закричал:

— Анни, любовь моя! Это твой Джеми! Поцелуй меня, девочка! Я приехал забрать тебя в Шотландию!

Перепуганная принцесса, хоть и очень усердно изучавшая прежде английский, не смогла, конечно, разобрать, что сказал этот дикий мужчина, так внезапно представший перед ней. С выражением явного неудовольствия она отступила назад. Тогда вперед выступил граф Гленкерк и на медленном английском языке, без акцента, произнес:

— Ваше королевское высочество, дозвольте мне честь представить вам его милостивое величество короля Шотландии Джеймса Стюарта.

Принцесса опустилась в изящном реверансе. Король был моментально очарован. Невеста оказалась даже милее, чем на портрете. Анна Датская, лишь немного уступавшая Джеймсу в росте, покорила монарха шелковистыми желтоватыми волосами, небесно-голубыми глазами и розово-белым цветом лица.

На ее подбородке была небольшая расщелинка, а когда девушка смеялась, то с обеих сторон ее рта, свежего, как бутон розы, появлялись две восхитительные ямочки. Вся она дышала юностью и невинностью, и перед Джеймсом сразу же прошли все те картины, которые ему рисовала Катриона и которые должна была принести ему супружеская жизнь.

— Ваше высочество, его величество хотел бы приветствовать вас поцелуем, — продолжил граф.

Анна Датская даже не посмотрела на короля. Она обратилась прямо к Гленкерку:

— Пожалуйста, передайте его величеству, что воспитанные датские дамы не целуют джентльменов, пока не выйдут за них замуж.

Одарив собравшихся новым реверансом, она сделала знак своим фрейлинам и покинула гостиную.

Король остался стоять с разинутым ртом, глядя невесте вслед. Затем он выругался.

— Боже! И с этой ледяной девицей меня повязали?!

Хотя многие из его придворных уже успели познать на опыте неразборчивость датских дам, никто не осмелился проронить ни слова; наконец подал голос Патрик Лесли:

— На самом деле, кузен, это милая девчушка. Просто вы застали ее врасплох. Думаю, что она испытала неловкость и девическую робость. Несомненно, она желала встретить вас в парадном одеянии, а не в простом платье, которое было на ней. Как мужчина, который женат уже много лет, скажу, что женщины придают весьма большое значение своему внешнему виду, особенно при первой встрече.

Придворные согласно забормотали. Несколько смягчившись, Джеймс сказал:

— Катриона шлет тебе свою любовь, Патрик. Я разрешил ей, пока мы не вернемся в Шотландию, съездить домой в Гленкерк.

Датские придворные сопроводили короля Джеймса в другой особняк, где ему предстояло жить до бракосочетания. А граф Гленкерк отыскал одну из фрейлин принцессы и попросил на следующую встречу с королем одеть невесту более изысканно.

Заочно Анну Датскую и Джеймса Стюарта женили двадцатого августа. Теперь их официально венчал пресвитерианский священник, прибывший из Шотландии вместе с королем. Бракосочетание происходило в местной церкви двадцать девятого ноября. Для шотландских и датских аристократов был устроен пир. Новая королева Шотландии превыше всего остального любила танцы и вечеринки. Празднество получилось веселым, и фрейлины королевы вдоволь позабавились.

Одна из них, госпожа Кристина Андерс, уже давно выделила среди шотландских дворян графа Гленкерка. Впервые эта дама увидела Патрика в самом начале сентября и тогда же решила его непременно добиться. То, что граф оказался женат, заботило госпожу Кристину мало. Она тоже была связана узами брака, третьего по счету, с мальчиком двенадцати лет.

Семнадцатилетняя Кристина Андерс, изящная малышка с волосами цвета позолоченного серебра и темными сапфировыми глазами, казалась морской богиней в миниатюре. Десятилетней ее выдали замуж за старого графа, который питал слабость к маленьким девочкам. В тринадцать лет юная дама овдовела, и тогда ее выдали за человека средних лет, который любил лишать юных девушек невинности. А Кристина все еще была девственницей.

После того как ее второго супруга убил разъяренный крестьянин, госпожа Кристина быстро женила на себе мужнина наследника, мальчика, которому едва минуло одиннадцать. Тут-то она и обрела свободу в личной жизни. Поручив малолетнего мужа наставнику и оставив обоих в поместье, госпожа Андерс, не испытывая недостатка в деньгах, отправилась в Копенгаген. Здесь она возобновила знакомство с принцессой Анной, подружкой детских игр. Естественно, что, когда принцессу обручили с королем Шотландии, Анна попросила свою старую подругу стать одной из ее фрейлин. Отказываться было немыслимо.

Хотя не один мужчина уже домогался Кристины, она избегала любой постоянной связи. Дама наслаждалась обретенной свободой. Однако ее пристрастия в любовных утехах оказывались весьма изощренными.

Граф же Гленкерк не оставался в неведении относительно намерений госпожи Андерс. С тех пор как Патрик Лесли женился, он не уходил из постели своей прелестной супруги. Теперь, однако, предстояло провести без нее долгую холодную зиму. Граф любил жену, но и святым он не был, а женщина, которая так явно предлагала себя, казалась очень соблазнительной.

На королевскую свадьбу Кристина Андерс постаралась явиться во всем своем блеске и очаровании. Бархат цвета темной ночи оттенял и золото ее волос, и белизну кожи. Чем увлеченнее фрейлина танцевала, тем больше разрумянивалась. Она нарочито не замечала графа Гленкерка, и это его очень забавляло. Патрик сыграл бы с ней игру пожестче, но он решил переспать с датчанкой уже сегодня. Если прелестница разочарует, то он с легким сердцем от нее откажется, отнеся свой грешок на счет свадебной горячки. А если нет, то может начаться восхитительный роман.

Подловив миг, Патрик вступил в фигуру, а когда несколько минут спустя танцующие остановились, Кристина Андерс оказалась прямо напротив графа. Обвив рукой ее талию, он склонился к фрейлине:

— Вино, мадам?

Дама кивнула, и он принес.

— Сегодня? — спросил граф напрямик. Застигнутая врасплох, Кристина молча кивнула.

— Во сколько?

— В одиннадцать, — тихо проговорила она.

Улыбнувшись, граф поклонился и отошел. А Кристина, расположившись в кресле, стала медленно потягивать вино. Все оказалось так легко. Жаль только, что при дворе у нее нет собственных комнат, чтобы принять графа. Фрейлины спали при своей госпоже, словно в общей спальне. Но как только королева отойдет ко сну, можно будет потихоньку подняться и отправиться к Патрику Лесли. При этой мысли сердце дамы учащенно забилось: судя по манерам, граф окажется искусным любовником.

Тут подошла Маргарет Ольсон.

— Шотландскому жеребцу невтерпеж покрыть свою кобылу, — тихо сказала она. — Пора укладывать королеву.

Кристина рассмеялась.

— Какая же ты сука, Маг! Хорошо, поспешим. К тому же у меня сегодня свидание с лордом Лесли. — И госпожа Андерс гордо улыбнулась.

— Он большой и красивый, — одобрительно произнесла Маргарет. — А я никак не решу, с кем переспать. Предложили и лорд Хоум, и лорд Грей.

— Попробуй эту неделю одного, а следующую — другого. Скоро они все поплывут обратно в Шотландию, а нам придется ехать домой.

— Я не поеду, — сказала Маргарет Ольсон. — Буду сопровождать королеву. Она только что меня попросила об этом и тебя тоже попросит. Так что будь поласковее с любовником, он еще тебе пригодится в Шотландии.

— У него там жена, Маргарет.

— Знаю. Я слышала, что говорят мужчины. Она будто бы красива и упряма. Ее также называют Добродетельной графиней. И эти сведения, дорогая, должны пойти тебе на пользу.

Пересмеиваясь, обе фрейлины поспешили к своей госпоже.

Шквалом развевающихся юбок королева Анна и ее дамы покинули зал, а вслед за ними с криками ринулись молодые люди. Оказавшись в безопасности королевских покоев, фрейлины повалились кто куда мог, безудержно хохоча. Графиня Олафсон, которая в свои неполных двадцать четыре года была из них самой старшей, попыталась было навести хоть какой-то порядок, прикрикнув:

— Дамы! Дамы! Его величество вот-вот будет здесь, а сделать еще надо очень много. Карен, встань снаружи у дверей и посторожи. Когда заметишь короля, скажешь. Инге и Ольга, позаботьтесь о постели. Маргарет и Кристина, поможете мне раздеть ее величество.

Фрейлины засуетились, подготавливая и комнату, и юную королеву к появлению пылкого жениха. Надушенные простыни подогрели, королеву раздели и облачили в прелестную ночную рубашку из белого шелка, вышитую серебром и золотом. Пока Маргарет и Кристина убирали в шкаф ее свадебное платье, графиня Олафсон усадила невесту и причесала ее длинные желтовато-белокурые волосы.

Внезапно в спальню ворвалась Карен.

— Идет, ваше величество! Король идет со своими людьми, — закричала она.

Анну поспешили водрузить на кровать. Откинувшись на пышные подушки, она сидела с распущенными волосами, вся залившись румянцем, смущенная и немного напуганная. Дверь распахнулась, и шумная толпа дворян обоих дворов не то втолкнула, не то внесла в комнату короля.

— Ваше величество, его величество!.. — пробормотал пьяный лорд Грей.

— Посмотрите, джентльмены, — торжествующе произнес Джеймс Стюарт, — моя нежная жена Анна поджидает меня в нашей кровати, как и подобает доброй жене! Разве это не предвещает нам хороший брак?

Фрейлины королевы захихикали, а придворные короля поспешили затащить его за стоявшую возле кровати ширму, где раздели и облачили в шелковую ночную рубашку. Они помогли Джеймсу взобраться на кровать, где он расположился рядом с юной королевой. Появился слуга, который поднес собравшимся серебряные кубки, наполненные вином, чтобы выпить за здоровье их величеств. Наконец, устав от нескончаемых шуток и благодушного веселья, придворные удалились, оставив короля и королеву предаваться любви.

В наступившей тишине Джеймс повернулся к супруге и сказал:

— Ну а теперь, мадам, мне бы хотелось получить тот поцелуй, что я просил три с половиной недели назад.

Анна робко и нерешительно подняла свои девственные губы навстречу мужу. Прикоснувшись к ним губами, Джеймс постепенно стал усиливать нажим, одновременно опрокидывая жену на подушки. Распахнув ее ночную рубашку, он с удовольствием принялся разглядывать свежее, девственное тело, принадлежавшее теперь только ему одному. Анна что-то бормотала, пыталась слабо возражать, но король ни на минуту не переставал целовать и ласкать жену. От поцелуев и ласк желание росло и в юной королеве, и она лежала тихая и покорная, плотно закрыв свои голубые глаза.

Ей нравилось то, что делал Джеймс, ей нравилось ощущать покалывания, пробегавшие вверх и вниз по ее позвоночнику, а потом трепетавшие где-то внутри. Она стала подумывать, нельзя ли и ей сделать что-то такое, от чего Джеми почувствовал бы себя столь же хорошо. Потом, когда она узнает мужа лучше, надо будет спросить у него.

Усадив супругу, Джеймс через голову стянул с нее рубашку и небрежно бросил на пол. Потом поднялся и сорвал рубашку с себя. Изумленная Анна вытаращила глаза. Между ног у мужа она увидела клубок красноватой шерсти, а из середины этого клубка торчал огромный живой предмет, который подпрыгивал и нацеливался прямо на нее. Взвизгнув, королева отпрянула, закрыв глаза руками.

Джеймс несказанно удивился:

— Я ведь еще не воткнул его в тебя, Анна, любовь моя.

— Воткнуть в меня?! Зачем?!

На лице короля появилась легкая досада.

— Тебе никто не рассказал об обязанностях жены?

— Мне сказали, что я должна подчиняться своему господину во всем, — прошептала она.

Джеймс облегченно вздохнул.

— Правильно, любовь моя. Ты должна подчиняться мне во всем. Так вот, это, — и он ухватился за свой орган, — это мой мужской корень, а у тебя между ног есть маленькая сладкая дырочка, куда я его вставлю. Тебе понравится, Анни, обещаю. Это так приятно!

Король никогда не имел дела с девственницей, но уже воспылал вожделением и не собирался допускать, чтобы глупая девчонка помешала его удовлетворить.

— Мне будет больно? — спросила королева, ибо где-то на задворках памяти у нее возникли пересуды старших сестер, и там было что-то, что никак не удавалось сейчас точно вспомнить.

— Да, — ответил Джеймс сухо, — но только в первый раз, любовь моя.

— Тогда нет, — решительно заявила королева, — не люблю боли и не хочу, чтобы ты всовывал в меня эту безобразную штуку. — Анна указала на его орган и вздрогнула.

Джеймс растерялся.

— Это право супруга! — возразил он.

144

Анна надула свои пухлые розовые губы.

— Нет, — твердо повторила она.

Глаза Джеймса коварно блеснули.

— Очень хорошо, моя сладкая, — сказал он, снова забираясь к ней в кровать. — Тогда мы только немного поцелуемся и пообнимаемся.

— Да, на это я согласна, — довольно проговорила юная королева.

Джеймс нежно притянул жену к себе в объятия. Глубоко целуя Анну, он начал умело ее ласкать, пока супруга не стала у него извиваться в неистовом возбуждении. И прежде чем королева-девственница успела опомниться, король уже взобрался на нее и, направляя сам себя, втиснулся внутрь.

У королевы перехватило дыхание, она билась под ним, брыкалась, извивалась всем телом, пытаясь скинуть с себя наглеца, но от всех ее стараний он только еще глубже в нее входил. И тут внезапно отпрянул назад, а затем с силой пронзил ее чуть ли не насквозь. Анна завизжала от непритворной боли, но муж закрыл ее рот своим. Он все качал и качал, не обращая внимания на теплую струйку, которая стекала по внутренней стороне ее бедер.

Когда боль немного отступила, Анна неожиданно для себя почувствовала, что начинает наслаждаться происходящим. Она все еще сердилась на мужа-обманщика. Затем тяжело двигающееся над ней тело внезапно напряглось, несколько раз дернулось и рухнуло на нее. Анна почувствовала странное разочарование. В наступившей тишине часы на каминной доске пробили одиннадцать раз.

В другом крыле здания, в покоях графа Гленкерка, огонь горел и в прихожей, и в спальне. Патрик Лесли стоял перед камином в прихожей и раздумывал, правильно ли сделал, пригласив госпожу Андерс. Он виновато признавал, что его вполне могла бы удовлетворить хорошая шлюха. Однако, заслышав, как за спиной открылась дверь, граф обернулся и обрадовался, что пригласил датчанку.

— Входите, госпожа Андерс.

На ней было то же самое платье, и при свете камина она была еще прелестнее.

— Не хочешь ли, дорогая, выпить со мной? Есть прекрасное белое — тонкое и сладкое. — Гленкерк нежно ласкал ее взором.

— Спасибо, милорд, — ответила Кристина и, встав рядом с его стулом, обратила свой взгляд на огонь.

Граф налил вина. Подав фрейлине бокал, Патрик наблюдал, как она пила его до дна. Опустившись на стул и протянув руки, Гленкерк усадил Кристину к себе на колени и поцеловал ее.

— Не будь со мной застенчивой, малышка Кайри, — сказал он.

— Как это вы назвали меня, милорд?

— Кайри. По-гаэльски Кристина будет Кайристиона. А «Кайри» значит «Кристиночка», а ты ведь совсем малышка.

Она прижалась к нему.

— Сколько тебе лет? — спросил граф.

— Семнадцать, милорд.

— Боже, мне тридцать семь! Я мог бы быть твоим отцом!

— Но ведь ты мне не отец, Патрик, — мягко сказала Кристина, еще теснее прижавшись к нему. Потянув его голову вниз, она страстно поцеловала графа. — Я пришла, чтобы ты любил меня.

Поднявшись с его колен, она неторопливо расстегнула свое темное бархатное платье. Затем настала очередь белоснежных нижних юбок, шелковой блузки и корсажа, украшенного лентами. Она шагнула из своих одежд, оставшись только в темных шелковых чулках, расшитых золотыми бабочками.

Юная датчанка невероятно возбуждала. Улыбаясь, граф медленно встал и последовал ее примеру. Вскоре и он стоял перед ней во всей красе — высокий и голый.

Кристина подняла глаза и приказала:

— Сними мои чулки.

Опустившись на колени, граф неторопливо скатал их по маленькой тонкой ноге, сначала один, потом другой, а затем снял. Фрейлина предвидела такое и заранее натерла душистым маслом свою свежевымытую кожу. Все еще не поднимаясь с колен, Патрик притянул ее к себе и уложил на пол перед камином. Кристина широко раздвинула бедра и протянула руки, чтобы обнять любовника. Датчанка оказалась горячей, нежной и графу невероятно понравилась. Она ловко двигалась под ним, и, прежде чем насладиться самому, Патрик дважды дал сделать это ей. Потом он скатился с нее, и они лежали, расслабившись, перед огнем.

— Ты считаешь меня бесстыжей, — тихо сказала Кристина своим хрипловатым низким голосом. — Но я тебя хотела, Патрик Лесли. Я никогда прежде не была ничьей любовницей, но хочу быть твоей.

— Почему же? — Графу польстило, но и дураком он не был.

— Потому что хочу именно тебя и потому что должен же у меня в жизни быть мужчина. Первый мой муж был стариком, у которого обычным способом это не получалось. А второй, когда лишил меня девственности, совсем ко мне охладел. Третий муж у меня — ребенок, и я могу делать что пожелаю. А я желаю стать твоей любовницей.

— Только пока я здесь, — ответил граф. — Когда я вернусь домой, дорогая, тебя для меня не станет. Сейчас я могу с тобой спать, но не заблуждайся, малышка Кайри, я люблю свою жену.

— Я согласна на эти условия, Патрик. Но поскольку на этом полу дьявольски холодно, то, пожалуйста, давай перейдем на кровать.

Граф встал, поднял Кристину на руки и, перенеся в спальню, положил на кровать.

— Я боялся, что зима окажется долгой и холодной, Кайри. Но теперь, пусть и долгая, холодной она уже не будет, — сказал Патрик и забрался в постель к любовнице.

18

Впервые за всю свою замужнюю жизнь Катриона Лесли оказалась предоставленной самой себе. Она заперла свой эдинбургский дом, сказав миссис Керр, что приедет обратно, когда снова соберется двор. К ужасу начальника гленкеркской стражи, графиня задумала немедленно, без должного эскорта, отбыть домой.

— Нас всех перережут по дороге, и это ясно, как ад, — ворчал Конолл Мор-Лесли.

147

— Ставлю пять золотых монет, что мы приедем в целости и сохранности, — смеялась в ответ Катриона.

— Боже! Мадам, граф спустит с меня шкуру, если с вами что-то случится!

— Оставь ее в покое, брат, — сердито вмешалась Эллен. — Ей нужно домой, потому что, знает она это или нет, от Гленкерка хозяйка напитывается силой. Вряд ли граф вернется до весны, а с детьми ей будет не так одиноко.

Эскорт, однако, составился вполне приличный. Узнав о намерениях графини, Френсис Стюарт Хепберн, граф Ботвелл, вызвался сопровождать ее лично.

И могла ли она отказать любимому кузену Джеймса Стюарта и регенту Шотландии.

Френсис Стюарт Хепберн был высоким красивым мужчиной с темными золотисто-каштановыми волосами, элегантно подстриженной короткой бородкой и пронизывающим взглядом голубых глаз. Этот воспитанный и просвещенный человек неудачно родился, опередив свое время. Его поразительные знания, глубокие и разнообразные, и необычайные научные эксперименты ужасали суеверных людей — как образованных, так и необразованных. Сам же он, переходивший то в старую церковь, то в новую, не был особенно религиозен. И потому, может быть, те несчастные женщины, что пытались разнообразить свою жизнь играми в черную магию, иногда называли лорда Ботвелла своим предводителем. Словом, шептались, будто Френсис Хепберн был колдуном. Он им не был, но слухи зачастую оказываются весьма живучими.

Катриона знала, что сплетни эти — совершенная глупость, однако сам лорд Френсис Хепберн, отличаясь мрачноватым чувством юмора, забавлялся, ничего не отрицая. К тому же это нагоняло страх на Джеймса, который то любил Френсиса, то ненавидел его. А сам Френсис, хоть и любил кузена, как, бывает, любят неуклюжую охотничью собаку, временами просто не мог удержаться и не поиграть на нелепых страхах короля.

Чаще всего Джеймс восхищался Френсисом и все бы отдал, чтобы стать похожим на своего высокого и уверенного в себе кузена. Поэтому, желая произвести впечатление на Ботвелла, он рассказал ему о своей связи с графиней Гленкерк.

148

Френсис тогда поздравил кузена, но в глубине души был потрясен. Он имел на своем веку многих женщин — и замужних, и незамужних, но никогда никого не принуждал так, как принудил король жену графа Гленкерка. А то, что ее принудили, Ботвелл понял чутьем, ибо хорошо чувствовал людей. И хотя графиня старалась выглядеть как ни в чем не бывало, проницательный вельможа заметил у нее под глазами слабые тени и услышал пустоту в ее смехе.

Из учтивости Ботвелл постарался стать ей другом и доверенным лицом. И это графу удалось. Но случилось нечто, для него непредвиденное. Он влюбился в графиню Гленкерк, и ему пришлось скрывать это как от нее, так и от своего ревнивого кузена-короля.

А у Катрионы никогда прежде не было друга-мужчины, и ей чрезвычайно нравилось общество Френсиса Хепберна. Он оказался для нее источником знаний, а графиня редко встречала кого-то, с кем можно было поговорить на ученые темы. Поскольку все полагали, что их отношения оставались невинными, то двор посчитал эту дружбу чудачеством чистой воды. Кто только не посмеивался, наблюдая, как самый распутный придворный затевает умнейшие беседы с одной из самых красивых женщин во дворце.

Родословная графа Ботвелла пестрела знаменитыми именами. Отцом ему приходился Джон Стюар — настоятель Колдингема и внебрачный сын Джеймса Пятого, чья дочь Мария, королева Шотландии, и начала произносить свою фамилию как Стюарт. Именно это произношение в конце концов и утвердилось в королевской династии. Так что у Френсиса Ботвелла с Джеймсом Стюартом был один дед. Мать графа, леди Джанет Хепберн, являлась единственной сестрой Джеймса Хепберна, последнего графа Ботвелла, то есть третьего мужа Марии Стюарт. Он не оставил законных наследников, и его титул с поместьями перешли к племяннику Френсису, который в знак уважения прибавил фамилию дядюшки к своей.

Джон Стюарт умер, едва только сын вышел из пеленок, и теперь Френсис имел лишь незаконнорожденных брата и сестру. Мать снова вышла замуж, и уже в раннем детстве на мальчика перестали обращать внимание, а потом отправили получать образование во Францию и в Италию.

Ему еще не исполнилось и двадцати, а он вернулся в родную Шотландию элегантным мужчиной, просвещенным и уверенным в себе. Его быстро женили на вдовствующей леди Маргарет Дуглас, дочери могущественного графа Агнуса, которая была немного старше Френсиса и уже имела сына. Маргарет не любила своего второго мужа, а он не любил ее. Брак был заключен по расчету, и супруги покорно и равнодушно принялись рожать детей, чтобы поддержать род. Ни капли привязанности между ними так и не возникло, и Маргарет Дуглас с облегчением наблюдала, как ее чувственный, любвеобильный муж искал и находил другие постели. В своей она его не хотела.

И вот, захватив эскорт из пятидесяти свирепых и необузданных пограничных воинов, граф Ботвелл отправился сопровождать графиню Гленкерк домой. Нельзя сказать, что Конолл пришел от этого в восторг, но главным было доставить леди в целости и сохранности. По приезде в Гленкерк Катриона настояла, чтобы Ботвелл остался погостить хотя бы ненадолго. И если сначала он намеревался пробыть там всего три или четыре дня, то в конце концов задержался до Двенадцатой ночи.

Поскольку вдовствующая графиня приходилась отцу пограничного лорда кузиной, то гостя и самого почли за кузена и приняли как члена семьи. Гленкеркские дети называли его дядюшкой Френсисом. Мальчики, словно восторженные и преданные щенки, не отступали от него ни на шаг, а девочки просто возмутительно с ним флиртовали. Ботвелл всем этим наслаждался, поскольку его собственные дети были научены своей матерью любить и слушаться только ее одну, и граф не питал к ним родственных чувств. Даже младшие братья — Гленкерки обращались с ним запанибратски, как с товарищем, и называли его кузеном. Этот мужчина ходил вместе с ними на охоту, гулял по девкам, играл в кости и пил вино. Жить в такой обстановке настоящей семьи ему в жизни никогда еще не доводилось, и он наслаждался.

Когда граф Ботвелл наконец уехал, а это случилось на следующий день после шестилетия Колина Лесли, то испытал при этом огромное сожаление. Но его оставили в Шотландии за главного, и время отдаваться своим слабостям было исчерпано. Прежде всего Ботвелл был человеком порядка и долга. Накануне отъезда он вручил Катрионе маленький меч из дамасской стали с изящной ажурной рукояткой из флорентийского золота, усыпанной мелкими полудрагоценными камнями.

— На день рождения вашему старшему сыну. Это ведь будет в следующем месяце.

— Ох, Френсис! Как чудесно! Джеми это наверняка понравится, хотя я знаю, что еще больше он хотел бы, чтобы вы были здесь.

— Я бы и сам того хотел, Кат, но я и так слишком долго предавался удовольствиям. Взбодритесь, дорогая! Зима скоро кончится, и Патрик не замедлит вернуться домой.

— Джеймс Стюарт настоял, чтобы, когда он привезет королеву, я возвратилась ко двору, — сказала Катриона, нахмурившись. — Я не раз говорила Гленкерку, что не хочу больше детей, но, клянусь, Френсис, когда милорд вернется домой, я сделаю все, чтобы понести. Единственный способ отделаться от ухаживаний короля — это остаться здесь, в Гленкерке. Но я не получу такого разрешения, если только у меня не вырастет живот!

Френсис Хепберн по-родственному ее поцеловал и ускакал навстречу долгой и одинокой зиме. Потому что настало серое, холодное, унылое время. И если бы Катриона не любила своих детей, то она, наверное, сошла бы с ума.

Джеймс Лесли отметил свой двенадцатый день рождения, и хотя мальчик расстроился, что отец, казалось, позабыл про него, подарок Френсиса Хепберна это ему восполнил. А от Патрика уже много месяцев не было никаких вестей. Катриона страшно по нему тосковала, хотя и была уверена, что с мужем все в порядке. Хуже всего приходилось ночами. С тех пор как она видела его в последний раз, прошло уже семь долгих месяцев. Одна в их огромной кровати, Катриона горько плакала и клялась себе, что, когда Патрик приедет наконец домой, она послушается его и больше никогда не вернется ко двору. Любимый оказался прав, не надо было связываться со Стюартами. Что это им принесло? Разлуку и позор!

Пришла прекрасная весна. Склоны гор вокруг Гленкерка покрылись желтым и белым, а на пасхальное воскресенье по-летнему светило солнце. Прибыл гленкеркский курьер, ездивший вместе с графом в Данию, и привез целый мешок посланий. На одном из них даже стояла королевская печать, и когда его вскрыли, то обнаружили официальную бумагу с назначением графини Гленкерк придворной дамой при личной спальне королевы. Вместе с ней была вложена записка, наспех нацарапанная рукой самого Джеймса Стюарта, в которой монарх извещал, что ожидает, вернувшись, увидеть ее при дворе.

Нетерпеливым жестом Катриона отбросила королевские послания в сторону и потянулась за письмом мужа. Оно было коротким, почти безличным, и графиня испытала разочарование.

«Любимая, — писал Патрик, — к тому времени, как ты прочтешь эти строки, мы, вероятно, уже будем на всех парусах плыть домой. Здесь у нас прошла долгая и холодная зима, когда я очень скучал по тебе. Бракосочетание короля пришлось совершить в Осло, но на Рождество мы отправились в Данию — и с тех пор все время пребывали здесь. Передай Джеми, что я привезу ему сюрприз на день рождения, который пропустил. Посылаю свою любовь тебе и всем нашим детям. Твой преданный муж Патрик Лесли».

Это совсем не напоминало письмо мужчины, жаждущего свою любимую женщину, и Катриона пришла в ярость. «Ублюдок, — подумала она раздраженно, прикинув — то ли завел постоянную любовницу, то ли просто заваливал подвернувшихся шлюх. — Если у него была любовница, то она не могла не принадлежать ко двору. Останется ли теперь эта девка в Дании или приедет с ними?»

— Скоро узнаю, — проворчала она. — Проклятие! Хорошенькое получилось положение!

Катриона желала забеременеть, чтобы избежать домогательств короля. И однако, сумей она этого добиться, придется уехать домой в Гленкерк, оставив Патрика при дворе забавляться с любовницей. Что ж, тут был только один способ. Придется отделаться от шлюхи.

1 мая 1590 года Джеймс Стюарт прибыл со своей королевой в Ли на флагманском судне конвоя из тринадцати судов. Дорогу к столице обступил простой народ, который приветствовал их громкими ликующими возгласами. Молодая красавица королева удобно расположилась в позолоченной колеснице, в которую было впряжено восемь белых лошадей, каждую из

них покрывала попона бледно-розового бархата, отделанного особым видом серого кроличьего меха.

— Вы были в Ли, Френсис. Скажите, что за девку подцепил Гленкерк?

Ботвелл улыбнулся волчьим оскалом, поразившись, как это Катриона вызнала столь скоро.

— Это госпожа Кристина Лидере, подруга детства королевы и придворная дама ее спальни.

— Чьей спальни? — возмутилась Катриона. — Ведь она уже по крайней мере на четвертом месяце! Проклятый Гленкерк! Я изрежу его на мелкие кусочки!

Ботвелл довольно усмехнулся.

— Уверен, вы найдете способ ему отомстить.

— Найду, — подтвердила она мрачно. А затем воскликнула: — Ох, Френсис, я так по нему скучала! Сколько месяцев я его не видела! Как же он мог?!

Граф Ботвелл обнял Катриону за плечи.

— Вероятно, потому, что был одинок и нуждался в вас. И тогда, чтобы приободриться, он и завел себе женщину. Не так уж это и страшно.

— Я тоже была одинока, Френсис. Я иссыхала в тоске по нему каждую ночь, что проводила одна, — даже когда со мной спал король.

— Вам не стоит себя жалеть, дорогая, — пытался утешить графиню лорд Ботвелл. — Возможно, ее тепла было достаточно, чтобы согревать Патрика в эту холодную зиму, но не может быть такого тепла, которое удержало бы его навсегда. Видите, как он глазами обыскивает толпу? Он ищет вас.

— Уверена в этом. Смотрит, не засекла ли я его с его шлюхой. Боже мой, Ботвелл! Посмотрите, как она льнет к нему! Я исцарапаю ей лицо в клочья!

Откуда-то из горла Френсиса Хепберна посыпались довольные смешинки.

— Если вы закатите сцену прилюдно, все будут жалеть бедную госпожу Андерс. В случае же, если вы приветствуете Гленкерка так, как и полагается добропорядочной супруге, то сочувствовать станут уже не ей, а вам. Моя жена всегда играет в такую игру, когда отважается на вылазку из Кричтена. Всем известно, что за верность и преданность вашему супругу вас прозвали Добродетельной графиней. Если вы действительно хотите отомстить ему, ведите игру до конца!

— Ботвелл, обожаю вас! Вы настоящий змий! — возликовала Катриона. — Как я выгляжу?

Голубые глаза Френсиса осмотрели графиню с явным одобрением. В этот прохладный весенний день на ней было очень простое, но элегантное платье из пурпурного бархата с длинными подобранными рукавами, кружевными манжетами цвета небеленого полотна и таким же жестким стоячим воротничком. На ее шее играли знаменитые розовые жемчуга: из четырех своих ожерелий сегодня она надела только два. Еще раньше она сняла тоже розовую, в цвет жемчугов, пелерину, отделанную соболями. Темно-медовые волосы, убранные в золоченую сеточку, удерживались золотыми заколками с жемчугом.

— Не глядите на меня такими озорными глазами, дорогая, — глухим голосом проговорил Ботвелл. — Меня не следует побуждать к тому, чтобы наброситься на вас. Если Патрик не схватит вас сразу же и не повезет домой, чтобы уложить в постель, он окажется еще большим глупцом, чем я полагал.

Вместе они дошли до приемной залы. Френсис Хепберн крепко сжал Катрионе руку, а потом легонько подтолкнул ее к двери. Слегка взбив свои юбки и в последний раз поправив прическу, графиня кивнула мажордому.

Она решительно шагнула в дверь и, горделиво приосанившись, прошла к подножию двух тронов. Вокруг зашелестели приглушенные шепотки. Не обращая на них внимания, Катриона изящно опустилась в реверансе, всего лишь на долю секунды склонив голову.

— Добро пожаловать домой, милорд король, и вы, дражайшая мадам. Счастлива приветствовать вас в Шотландии от имени всех гленкеркских Лесли.

Джеймс лучезарно заулыбался.

— Кат! Ты, как всегда, прелестна! Анни, любовь моя, это жена Гленкерка, я сделал ее дамой твоей спальни, она теперь будет тебе прислуживать.

Анна Стюарт опустила взгляд на графиню и пожалела свою подругу. Графиня была прелестна, а лицо ее выглядело добрым и нежным.

154

— Благодарю вас за ваше приветствие, леди Гленкерк, — сказала Анна.

— Сделаю все, что смогу, чтобы услужить вам, моя королева, — ответила Кат. А затем, прежде чем отойти, снова повернулась к королю: — У меня просьба, кузен.

— Говори, дорогая.

— Прошло уже почти девять месяцев с тех пор, как я в последний раз виделась со своим мужем, сир. Теперь, когда вы так счастливы в собственном браке, то, возможно, сумеете понять мои чувства. Пока что я смотрю на своего супруга только издали. Не позволите ли мне забрать его в наш эдинбургский дом всего лишь на одну эту ночь? — Графиня подняла голову и трогательно улыбнулась.

— Ох, Джеймс! — вмешалась королева. — Скажи — да! Я даю леди Лесли свое разрешение. Пожалуйста, дайте и ваше!

— Гленкерк! Где ты? — заревел король.

Граф шагнул вперед, и в это время Катриона заметила маленькую руку, которая попыталась его удержать. Короткий миг они с мужем смотрели в глаза друг другу, а затем Катриона бросилась в его объятия и страстно поцеловала. Патрику ничего не оставалось, как ответить тем же.

— Господи, Гленкерк! Веди ее домой в постель! — усмехнулся король.

Супруги повернулись к тронам и, поклонившись их королевским величествам, вышли из зала. Уже у самых дверей Катриона чуть повернула голову и внимательно посмотрела прямо в лицо Кристине Андерс. А проходя мимо Френсиса Хепберна, заговорщицы подмигнула ему.

— А почему, — обратилась королева к Джеймсу, — леди Лесли прозвали Добродетельной графиней? Я думала, что она холодная недоступная женщина и только выполняла свой долг перед мужем.

Король засмеялся.

— Боже!.. Да нет же, моя невинная Анни! Катриона Лесли страстно влюблена в своего мужа и всегда была влюблена. А Добродетельной графиней ее прозвали потому, что, в отличие от многих других женщин при этом дворе, она не хочет спать ни с каким мужчиной, кроме мужа. Катриона — вернейшая жена. У них шесть детишек. Я определил ее тебе в услужение, надеясь, что она будет оказывать на тебя хорошее влияние.

— Ох! — только и произнесла королева, еще больше пожалев Кристину Андерс.

— Френсис Стюарт Хепберн, граф Ботвелл! — выкрикнул мажордом, и королева повернулась к дверям, чтобы приветствовать следующего вельможу.

19

Очутившись наедине с Катрионой в экипаже, граф Гленкерк посмотрел на жену.

— Сегодня, Кат, ты держалась лучше, чем когда-либо.

— Ты что, хотел, чтобы я устроила сцену и набросилась на твою любовницу при всех?

— Мне очень жаль, милая. Я не хотел тебя обижать. Кто сказал тебе?

— Ты сам. Письмо, что я от тебя получила, совсем не было похоже на послание мужчины, тоскующего по своей жене. Даже в переписку с Кира ты вкладывал больше чувств! Всего одна весточка за все это время!.. Что, эта девка торговала своим товаром прямо на пристани, если, едва корабль пришел в порт, у тебя уже больше не оставалось времени, чтобы написать мне? Джеми страшно огорчился, когда ты забыл про его день рождения. Если бы Френсис не оставил ему свой меч...

— Френсис?

— Ботвелл, — разъяснила Катриона. — Он сопровождал нас домой в Гленкерк после того, как король покинул Эдинбург. Отец Френсиса, оказывается, с твоей матерью кузены, так что получается, что и он наш кузен. Ботвелл гостил в Гленкерке до самой Двенадцатой ночи. — В голосе Катрионы прозвучали теплые нотки: — Дети обожают его, а твои братья с ним славно поразвлекались. Знаешь, Патрик, он хороший друг, и он мне очень нравится.

— Вероятно, мадам, мне тоже стоит спросить, что вы здесь делали, пока я отлучался по королевским делам. Френсис Хепберн — известный повеса.

— Не мути воду, Патрик! Френсис — мой друг, и ничего более, и об этом даже не спрашивай! А ты, может, тоже скажешь,

156

что госпожа Андерс тебе всего лишь друг? А ребенок, что у нее в животе, разве не твой?

Граф имел несчастье зардеться, и Катриона рассмеялась:

— Патрик, Патрик! Только женщины Лесли владеют секретом предотвращения зачатия. И ты так привык ко мне, что потерял осторожность со своей шлюхой.

Осознав, что Катриона не слишком рассержена на него, Патрик испытал крайнее облегчение. Он не скажет жене, что Кристина Андерс его обманула, рассчитывая таким путем получить над ним большую власть. Любовные утехи с фрейлиной начали ему уже надоедать, и, поняв это, дама забеременела. Он было попытался убедить ее остаться в Дании, но Кристина не пожелала уходить с должности дамы при спальне королевы и пригрозила устроить скандал, если граф скажет Анне. Но об этом, ясное дело, жена от Патрика Лесли не узнает...

— Ты любишь эту девушку?

— Боже, да нет же! — взорвался он. — Проклятие, Кат! Из меня никудышный придворный, а в Норвегии и Дании я был одинок при огромном дворе Джеймса Стюарта. Представляешь, чем все они занимаются с утра до вечера? Играют в кости. Играют в разные игры. Меняют туалеты. Да-да. Одежда для них чрезвычайно важна!.. Ходят по девкам. Меня до сих пор удивляет, как часто они меняют любовников и любовниц. Это самые бесполезные из смертных! Если бы я не отыскал в Копенгагене одного из Кира, то просто сошел бы с ума!

— Кира?!

— Да, голубка. У них имеется банк в Копенгагене, и я таким путем присматривал за нашими делами. Хоть чем-то смог себя занять.

Представив себе, как бедняжка Кристина терпеливо ждала, а Патрик прослеживал путь своих кораблей с грузом, графиня засмеялась. Помедлив, она спросила:

— Ты уверен, что ребенок твой?

— Да, Кайри можно называть как угодно, но только не распутницей. Ребенок мой.

— Что ты будешь с этим делать?

— Признаю ребенка и позабочусь о нем.

— А его мать? Что ты будешь делать с ней?

— С самого начала я говорил ей, что люблю свою жену и что наша связь временна. Я так думал тогда и так думаю сейчас.

Они уже подъехали к своему дому, который находился совсем близко от Каннонгейта и дворца Холлируд. Катриона стремительно взлетела по лестницам, на ходу приветствуя миссис Керр, вышедшую навстречу. Граф остановился внизу, и слуги засуетились вокруг него.

Эллен ждала свою госпожу.

— Это правда? — спросила она. — Граф и в самом деле приехал с другой женщиной? Что ж! Теперь вы можете не чувствовать за собой вины.

Катриона мигом повернулась.

— Если ты когда-нибудь снова хотя бы даже намекнешь на это, то окончишь жизнь в одиночестве у себя в Крэнноге! Понимаешь меня, Элли?

Однако узы любви между госпожой и служанкой оставались сильны. Сознавая, насколько глубоко она задела Катриону, Эллен извинилась.

— Я, детка, наверное, становлюсь старой и глупой.

Катриона схватила руку служанки и крепко сжала. Затем глаза графини озорно сверкнули.

— В твоих сплетнях есть доля правды, ты, старая болтунья! Его любовница-датчанка состоит в свите королевы, и для бедного Гленкерка это весьма стеснительно. Она даже забеременела, чтобы попытаться удержать его. Бедный Патрик! Он столько лет женат на мне, что забыл, какими коварными бывают женщины!

— Вы простите его?

— Конечно. Он вернулся ко мне домой и весьма стыдится, что его застукали. Пусть он бросит свою датчанку, и я удовлетворюсь. А теперь, Элли, пожалуйста, позаботься о моей ванне. По-моему, эта новая ночная рубашка из черного шелка вполне годится для сегодняшнего вечера. Гленкерк получит такое приветствие, которое не забудет!

Эллен засмеялась.

— Пусть датчанка родит хоть троих сыновей, все равно против вас, миледи, она ничего не стоит.

Когда вскоре Патрик Лесли вошел в свою комнату, то обнаружил, что перед жарко растопленным камином его слуга приготовил большую дубовую ванну, над которой поднимался пар от горячей воды. Сбросив одежды, Патрик сказал:

— Сожги их, Ангус.

Затем граф забрался в ванну. Вода была слегка надушена. Его иссушенная зимой кожа впитывала эти сладостные вещества. Он принюхался.

— Мускус, — раздался вдруг голос Катрионы, и, подняв голову, Гленкерк увидел жену в дверном проеме, соединявшем их спальни. Она неспешно прошла по комнате и, сбросив свое черное шелковое одеяние, взошла по ступенькам. И спустилась к нему в ванну. Обвив руками его шею, Катриона вся прильнула к Патрику и стала жадно целовать. Ее маленький язычок, стреляя взад и вперед, обегал его рот, а руки под теплой благоухающей водой нежно ласкали тело.

Гленкерка не требовалось приглашать дважды. Только глянув на Катриону, граф сразу же возбудился. Опустив руки в воду, он накрыл ее ягодицы своими большими ладонями и приподнял их. Когда длинные и сильные ноги жены крепко обвились вокруг его бедер, граф вонзился в нее, одновременно услышав, как у Кат перехватило дыхание.

— Проклятие, Патрик! И зачем тебе надо было уезжать так надолго?!

Потом они лежали в своей огромной кровати, счастливые и довольные друг другом. Катриона спала обнаженной, уютно устроившись на сгибе руки Патрика. А он вытянулся, бодрствуя и размышляя, что же дернуло его связаться с Кристиной Андерс — любая чистая шлюха удовлетворила бы его, не создав при этом никаких сложностей.

В это же самое время во дворце Холлируд Кристина Андерс проклинала внебрачного ребенка, который рос внутри ее и от которого уже слишком поздно было избавляться. Попытка сделать это теперь могла кончиться ее смертью. Едва только взглянув на графиню Гленкерк, она сразу поняла, что в борьбе за Патрика потерпела поражение. И до чего же сказочно сыграла против нее графиня! Как леди Катриона сумела так скоро обо всем догадаться, оставалось для Кристины тайной, но то, что графине было все известно, не подлежало сомнению. Датчанка вздыхала и размышляла о том, что ждет теперь ее будущего ребенка.

Но долго задумываться об этом ей не пришлось. На следующий день графиня Гленкерк явилась во дворец исполнять свои обязанности придворной дамы при спальне королевы. Анна быстро привязалась к Катрионе, словно к очаровательной и сердечной старшей кузине. «Отсюда нечего ждать помощи», — решила Кристина, но неожиданно получила ее совсем с другой стороны. При первой же возможности графиня Гленкерк отозвала ее от остальных придворных дам и предложила прогуляться по роскошному парку, окружавшему Холлируд.

— На каком ты месяце? — с обычной прямотой спросила Катриона.

Кристина перепугалась, но, остановившись, подняла опущенное лицо и встретила спокойный взгляд этой высокой и прекрасной женщины.

— Мадам, не понимаю, что вы имеете в виду.

Катриона взяла девушку под руку.

— Выслушай меня, дорогая. Я замужем за Патриком Лесли уже двенадцать лет. У нас шестеро детей. И то, о чем я сама догадывалась, Патрик подтвердил. Итак, скажи, когда должен появиться малыш?

Самообладание Кристины было исчерпано.

— Осенью, — прошептала она.

— Не беспокойся, дорогая. Лесли заботятся о своих детях, а твой ребенок — Лесли.

— Внебрачный, миледи.

— Фи! — небрежно фыркнула Катриона. — Прадед Патрика, второй граф, стал отцом внебрачного сына, первого из Мор-Лесли. С тех пор они всегда нам служат. При этом Мор-Лесли уважаемы и достойны. Не тревожься, о твоем ребенке позаботятся. В этом смысле тебе повезло. Боже мой, девочка! Почему ты не выбрала холостого мужчину, который бы, возможно, на тебе и женился? Ты ведь из хорошей семьи.

— Я замужем, мадам. За третьим мужем, тринадцатилетним мальчиком. Даже если бы мой возлюбленный оказался свободен, то расторжение брака затянулось бы слишком надолго. Да и вряд ли кто-то поверит, что отцом этому ребенку приходится едва половозрелый мальчик. Я высоко ценю вашу помощь и с благодарностью принимаю ее, но мой сын, пусть внебрачный, не будет воспитан слугой. С обеих сторон он хорошей крови.

Катриона улыбнулась. Кристина Андерс сама вложила ей в руки оружие.

— Ты будешь хорошей матерью, дорогая, и Лесли позаботятся, чтобы твоего ребенка вырастили так, как этого заслуживает благородный незаконнорожденный. Однако если ты снова попытаешься завлечь моего мужа в ловушку, то я с позором отошлю тебя обратно в Данию, а твое дитя продам в рабство на Восток.

С этими словами графиня Гленкерк ласково похлопала девушку по руке и удалилась.

Кристину била дрожь. Она не сомневалась, что Катриона Лесли говорила совершенно серьезно и могла выполнить свою угрозу. Фрейлина не любила Патрика Лесли. Он просто внес в ее жизнь разнообразие. Поэтому Кристина и не собиралась вступать за него в битву с графиней Гленкерк. Она вполне удовлетворится тем, что о ее ребенке позаботятся. Не исключено, что граф действительно признался жене в своей неверности, но Кристина держала пари, что он не сказал обо всех тех подарках, которые ей сделал. Датчанка, довольная, засмеялась. Не так уж и плохо устроила она свои дела.

В тот вечер Катриона сумела на несколько минут остаться наедине с мужем.

— Я имела разговор с госпожой Андерс, — спокойно начала она.

Граф почувствовал себя неуютно.

— Я сказала ей, — продолжала Катриона,— что Лесли не бросают своих детей, и мы сделаем так, чтобы о ребенке позаботились. Но тебя она больше не увидит.

— Кат! Ты не имела права говорить ей это!

И тут графиня разъярилась:

— Будь ты проклят, Патрик! Я проявила к тебе терпимость, я отнеслась по-доброму к твоей шлюхе, но я не собираюсь делить тебя с ней!

Катриона повернулась к мужу спиной. Обвив руками, Патрик притянул к себе сердитую жену и, отведя ее темножелтые волосы в сторону, поцеловал в шею.

— Я никогда и не собирался метаться между двумя женщинами, — нежно проворковал он. — Да у меня и в мыслях нет снова связываться с Кайри. Но ведь она носит моего ребенка.

Сейчас ей одиноко, голубка моя. Не будь же злой. Это так на тебя не похоже.

— А я тоже была одинока, когда вынашивала Джеми.

— Да, но ты тогда укрывалась в надежном месте, у Фионы, с миссис Керр. Ты была в своей стране и в любой момент, когда бы пожелала, могла обратиться за помощью к полдюжине людей. У Кристины ничего этого нет. Она одна в чужом государстве, и если кто-то узнает о ее положении, то ей грозит неминуемый позор. Я собирался только предложить ей дружбу, если она того захочет. Ничего более.

Граф снова поцеловал соблазнительную шею жены и нежно обласкал ее мягкую округлую грудь.

— Дьявол тебя побери, Гленкерк, — процедила Катриона сквозь зубы.

Она повернулась, подняв к нему лицо. Его рот нашел ее губы, и графиня почувствовала, как слабеют ноги. Наклонившись, Патрик подхватил ее на руки и уложил на кровать.

— Нет, — неохотно протянула Катриона, — сейчас не можем. Мне нужно обратно к королеве.

Тут уже выругался он, и Катриона не смогла удержаться от смешка. С трудом встав на ноги, она пригладила свои юбки и, язвительно улыбнувшись мужу через плечо, оставила его в спальне остывать.

А Патрик Лесли про себя довольно посмеивался. Какая девка! Поймала его и удерживает вот уже целых двенадцать лет! Пусть упрямая, независимая, своевольная, может, даже слишком умная для женщины, но с ней ему никогда не приходилось скучать. Из всех женщин, каких он видел в своей жизни, Катриона по-прежнему оставалась самой обворожительной. Патрику никогда не приходило в голову, что именно те особенности жены, что более всего его расстраивали, составляли ее главное очарование.

Размышляя над событиями последних дней, Гленкерк осознал, насколько же ему повезло. Кристина Андерс оказалась прелестным развлечением, хотя было очень жаль, что она забеременела. По крайней мере фрейлина не устраивала сцен, и Патрик мысленно возблагодарил ее за это. Что же до жены, то тут граф облегченно вздохнул. Катриона могла сильно затруднить ему жизнь, но не стала этого делать. Она проявила невероятное великодушие.

Пока Патрик Лесли предавался размышлениями о своей жене, Катриона находилась в приемной королевы, где отбивалась от Джеймса Стюарта. Яростно защищаясь, графиня Гленкерк сумела выдернуть руку короля из своего корсажа.

— Проклятие, Джеми! Веди себя прилично!

— Не слишком-то ласково ты меня приветствуешь, Кат, любовь моя, — возмущался он.

Катриона изобразила реверанс.

— Добро пожаловать домой, ваше величество, — холодно проговорила она. — А теперь позвольте мне пройти, сир. Я опаздываю к королеве.

— Когда я смогу тебя увидеть?

— На людях — в любое время, сир. А наедине никогда! Хочу напомнить вашему величеству, что вы теперь женатый мужчина, а я всегда была замужней женщиной.

— Анни не ублажает меня так, как ты.

— Ее величество пока еще почти девушка, Джеми. Вам и предстоит научить ее тому, что вам нравится.

— А я не школьный учитель, — отвечал он угрюмо. — Так что давайте договоримся с вами, мадам, в какой час мы сможем быть вместе.

Катриона Лесли пристально посмотрела на короля, и ее глаза сверкнули зеленым льдом.

— Во времена вашей матери слово Стюарта чего-то стоило, — сказала она безжалостно.

Но прежде чем Джеймс успел ответить, открылась дверь в спальню королевы и показалась графиня Олафсон.

— Ах, леди Лесли! Вот вы где! Королева спрашивает вас.

Катриона снова опустилась в глубоком реверансе. Однако, минуя короля по дороге в покои королевы, она услышала его тихий голос:

— Вы дорого заплатите за эти слова, мадам.

20

У графини Гленкерк не нашлось времени, чтобы обдумать высочайшую угрозу. Она оказалась слишком занятой. Анну предстояло короновать прямо на днях. Спешно шились коронационные одежды, требовавшие множества утомительных примерок. Следовало затем подготовить королеву к торжественной церемонии. И какая же досада, что ее величество не отличалась сообразительностью! Красивая, невинная, очаровательная, великодушная — такой Анна была. Но ее также знали сумасбродной, пустоголовой, вспыльчивой и глупой.

К счастью, Катрионе Лесли не занимать было терпения, чтобы муштровать королеву. У нее также хватило мудрости превратить эти занятия в игру, чтобы Анне не было скучно.

— Если бы, — говорила Катрионе юная королева, — у меня в школе была учительница, подобная вам, то, возможно, я проявила бы большую склонность к учебе.

Катриона засмеялась.

— Чепуха, мадам. Вам не удастся меня провести. Вы же и сами уверены, что на коронации будете не просто хорошо смотреться — вы будете по-настоящему великолепны. Ваши подданные покорятся вашему обаянию.

Это был хитрый комплимент, и малолетняя королева, прихорашиваясь перед зеркалом, снова подумала, как сильно она любит прелестную графиню Гленкерк. Такая приятная дама!

17 мая 1590 года Анна Датская стала королевой Шотландии. В этот день она сыграла свою роль с очаровательной юношеской величавостью, которая тронула сердца даже провинциальных помещиков, спустившихся с высокогорий посмотреть на следующую мать династии Стюартов. Вечер в Скоуне после коронации прошел в безудержном веселье и удовольствиях роскошного пира, где подавались жареные кабаны, олени и овцы, а также говяжьи бока, беспрерывно поливаемые жиром во время приготовления их краснолицыми и потными поварятами. Была всевозможная птица — лебеди, утки, каплуны в сладком лимонно-имбирном соусе, фаршированные гуси, куропатки, тетерева, перепела. Были огромные миски сырых устриц и вареных креветок, мидий и других моллюсков с ароматными травами. Жареные лосось и камбала подносились на огромных золотых блюдах. Потчевали гостей и слоеной выпечкой с рубленым мясом, кроликом, плодами и орехами. Не забывали про копченые окорока и угрей. Серебряные чаши полнились артишоками в уксусе и молодым ве-

сенним салатом-латуком. Через равные промежутки на столах рядом со свежим хлебом стояли огромные горшки с маслом. А на закуску гостям предлагались сладкий крем из взбитых яиц с молоком, желе всяких форм и раскраски, апельсины, доставленные из Испании, пирожки с сушеными фруктами прошлогоднего урожая и ранние вишни из Франции. Эти лакомства шли к сырам, вафлям и маленьким бокалам гиппокраса с пряностями.

Рекой текли вино и эли, и развлечения не останавливались ни на минуту. Выступали, конечно, менестрели и жонглеры, дрессированные собаки и акробаты. Несколько раз по танцевальному залу проходили волынщики. Однако у Катрионы, вкусившей от яств весьма умеренно, разболелась голова, и когда Патрик подошел, чтобы повести ее танцевать, она взмолилась:

— Лучше выведи меня на воздух!

Они отправились прогуляться по садам, дышавшим прохладой майской ночи.

— С тех пор, голубка, как ты стала дамой при спальне королевы, я тебя совсем не вижу, — пожаловался граф.

— Знаю, — вздохнула Катриона в ответ и добавила умоляюще: — Я хочу уехать домой, Патрик! Ты оказался прав. Нам не следовало связываться с двором. — Она прильнула к нему. — Увези меня домой, любимый! Сейчас же!

Гленкерк прижал Катриону к себе и почувствовал прелестную сладость ее всегдашних духов. Он ласково погладил чудные волосы жены и остался в недоумении, не поняв, чем был вызван этот страстный, почти отчаянный порыв. Затем граф улыбнулся про себя. Хотя со времени его приезда прошло еще меньше месяца, возможно, Катриона уже зачала. Конечно, после рождения Мораг она решительно заявила, что больше детей иметь не намерена, однако женщины часто меняют свои планы. Граф снисходительно прижал к себе жену.

— Ты же знаешь, голубка, мы не можем так просто уехать домой. Теперь мы состоим при дворе и должны получить разрешение от их величеств. А для этого нужен хороший предлог. У меня его нет, а у тебя?

— Тоже, — печально отозвалась она.

— А ты уверена? Может, ты понесла?

— Слишком рано говорить об этом, Патрик. — Обвив шею мужа руками, Катриона подняла к нему лицо. — Подарить ли вам еще одного сына, милорд? Разве шести детей мало, чтобы обеспечить ваше бессмертие?

— Сыновей только трое, — поддержал шутку граф, — и к тому же так приятно их делать.

Он склонился и поцеловал ее жадные губы.

— Проклятие, Кат! Мне надоело делить тебя со Стюартами. Давай сделаем еще одного ребенка и уедем к себе домой в Гленкерк.

Снова найдя ее рот, Патрик принялся жадно целовать Катриону. Он так бы и продолжал это занятие, если бы за спиной его какой-то дерзкий голос не протянул:

— Возмутительно, Гленкерк! Да еще вдобавок со своей собственной женой!

Вздрогнув, Лесли разомкнули объятия и встретились с веселым взглядом Ботвелла.

— Что за дьявол... — начал было Патрик, но Катриона сама набросилась на Ботвелла:

— Френсис! Как ты мог?

Поймав ее яростно колотившие кулачки, он засмеялся, склонив к ней лицо.

— Жаль, что меня так не целует ни одна женщина.

Повернувшись к Патрику, Френсис Хепберн протянул руку.

— Гленкерк, я Ботвелл. Мы в некотором роде дальние кузены, и я завидую вам не только из-за вашей прелестной жены, но и из-за вашего чудесного выводка.

Патрик Лесли пожал протянутую руку.

— Так вы и есть граф-колдун. Рад наконец познакомиться. Должен поблагодарить вас за то, что вы проводили Катриону домой прошлой осенью.

— Мне это было в удовольствие, — ответил Ботвелл и добавил: — Однако я неспроста прервал ваше свидание. Кат, королева вас требует. Лучше поспешите, дорогая. Там большая суматоха по причине какого-то разорванного шва или чего-то вроде этого. И только леди Лесли может все поправить.

Вздохнув, Катриона поцеловала мужа. Дерзко показав Ботвеллу нос, она подобрала юбки и убежала. Френсис мрачно сказал Гленкерку:

166

— Если бы она была моей женой, Лесли, то я бы увез ее подальше от Стюартов и от их проклятого двора. Она являет слишком большой соблазн.

— Вы правы, — согласился Патрик. — Она и сама хочет уехать. В прошлом году я не смог принудить ее к этому, а тут вдруг она уже должна уехать. Не могу понять, что произошло. Но я рад.

— Тогда отвезите ее домой, черт возьми, и как можно скорее.

У Гленкерка не было времени обдумать совет Френсиса, ибо двор снова пришел в движение. Два дня спустя после коронации Анна Датская торжественно въехала в свою столицу, чтобы принять приветствие девяти Муз и четырех Добродетелей. Величественная процессия прошествовала по Хай-стрит и остановилась возле церкви Святого Деилеса, где королева со своим двором выслушала долгую нудную проповедь.

В тот вечер двор насладился еще одним гаргантюанским пиршеством, а Анну привел в восторг театр масок, восхвалявший прелести весны. При этом каждой из придворных дам назначили особую роль: они были цветами, птицами, деревьями, животными, стихиями и всем остальным, что соответствовало этому времени года. Единственным мужчиной во всей этой постановке оказался граф Френсис Ботвелл, облаченный в великолепные серебристо-белые одежды, поскольку он изображал очень веселый Северный Ветер. Получивший воспитание в Европе и проведший долгое время при французском и английском дворах, Ботвелл давно привык к подобным представлениям и не видел в них ничего недостойного мужчины.

Северному Ветру полагалась восхитительная обязанность — пытаться прогнать Весеннее Время, которое изображала сама королева Анна, порхавшая по залу в своих развевающихся розовых и нежно-зеленых одеждах. За ее величеством носилась еще целая стайка милых юных созданий, и все это вызывало буйную суматоху с беспрестанным весельем. Северный Ветер в конечном итоге оказался побежденным Южным Ветром, который был облачен в полупрозрачное бледно-голубое платье с серебряными блестками и который представляла графиня Гленкерк.

Королю уже до чертиков надоело это представление, хотя он и соизволил заметить, что у Южного Ветра была самая прелестная пара сосков, какие ему доводилось видеть. Джеймс Стюарт считал подобные развлечения глупостью. Королева, однако, пришла в восторг и осталась крайне довольна успехом своих усилий. А младшие дворяне радовались, что пришел конец нудному псалмопению времен регентства и холостяцкой жизни короля.

В ту ночь Катриона и Патрик спали вместе у себя в покоях. Доставляя радость друг другу, они старались зачать нового ребенка, однако не преуспели в этом. Неделя проходила за неделей, и Катриона уже совсем обезумела от отчаяния. Ей становилось ясно, что свежесть новой любви у короля проходила и этот серьезный молодой человек не обнаруживал со своей юной и ветреной женой ничего общего, кроме разве что страсти к охоте. Все чаще и чаще Катриона ловила на себе пристальный взгляд Джеймса и пугалась. Какую бы ненависть она ни испытывала к этому похотливцу, ему нельзя отказать. Он — король!

Затем Патрик объявил, что Джеймс Стюарт посылает его в Эрмитаж — готовить вместе с графом Ботвеллом пиршество на Двенадцатую ночь. Королева изъявила желание увидеть знаменитый замок пограничного лорда. Услышав о том, что мужу предстоит отлучка, Катриона поспешила к своей госпоже.

— Можно мне отправиться с ним, ваше величество? — любезно попросила она. — Что знают мужчины о необходимых женщинам удобствах? А раз леди Ботвелл никогда не покидает Кричтен, то помощи от нее ждать не приходится.

Королева засмеялась.

— Прямо неприлично, до чего ты любишь мужа, дорогая Кат. Конечно же — да! Да! Поезжай со своим красавцем Гленкерком. Я не стану тебя винить за то, что хочешь быть с ним. Теперь Кристина снова оправилась, и несколько дней я вполне обойдусь без тебя.

— Спасибо, мадам, — сказала Катриона, целуя руку королевы.

— Спасибо, что ты так хорошо позаботилась о моей давней подруге, когда она заболела, — произнесла королева со скрытым значением.

168

Катриона сделала реверанс и удалилась. А за дверьми радостно про себя посмеялась. Скандал с госпожой Кристиной Андерс удалось-таки приглушить. В октябре фрейлина разрешилась от бремени дочерью. Маленькую Анну Фиц-Лесли вверили молодой и здоровой крестьянской семье, жившей неподалеку от города. Теперь Анна Датская отплатила за великодушие графини Гленкерк, дав высочайшее позволение отправиться ей вместе с мужем по королевским делам.

Катриона и Патрик выехали верхом одновременно с Френсисом Хепберном, возглавлявшим ботвелловский отряд. Вечер был ясный и холодный. Небо, полное звезд, сияло яркой луной. Пустившись в путь вечером, всадники двигались всю ночь, лишь несколько раз ненадолго останавливаясь у безымянных таверн, чтобы напитаться теплом и грезами от дымного виски. Где бы они ни появлялись, графа Ботвелла и его людей ожидал сердечный прием. А в Холлируде тем временем, что-то мурлыкая в предвкушении удовольствия, Джеймс Стюарт пробирался по тайному ходу, соединявшему его спальню с покоями, отведенными Катрионе Лесли. В течение нескольких дней, по своим женским причинам, королева не сможет ему услужить. Патрика Лесли он услал вместе с Ботвеллом. И теперь король предвкушал, как заново откроет для себя графиню Гленкерк.

Дойдя до конца тайного хода, король распахнул дверь и вошел в комнату, где наткнулся на перепуганную Эллен, опустившуюся в низком реверансе.

— Где твоя госпожа?

— Уехала в Эрмитаж, ваше величество, — пробормотала, заикаясь, служанка.

— Я не давал ей разрешения уезжать со двора! За свое непослушание она будет наказана!

— Ее послала королева, сир.

— Что?!

— Королева послала миледи в Эрмитаж вместе с милордом Гленкерком и милордом Ботвеллом, — повторила Эллен. — Ее величество посчитала, что в приготовлениях к Двенадцатой ночи потребуется женская рука.

Джеймс сумел укротить свой нарастающий гнев. Сунув руку в карман халата, он нехотя вытащил золотой. Протянув его Эллен, король тихо сказал:

— Передай своей госпоже, что я ее не оставлю.

Он вошел в свой коридор, и потайная дверь за ним закрылась.

С облегчением вздохнув, служанка уселась на кровать. Теперь-то она понимала, почему ее госпожа уехала столь поспешно. Эллен ужасно не понравилось двуличие короля. На людях он строил из себя добродетельного мужчину и верного супруга, а сам потихоньку похотливо приставал к другой женщине. Ах, если бы только им уехать домой!

Это, однако, оказалось не так просто. Словно кот у мышиной норы, король внимательно следил за своей жертвой и выжидал возможность ее схватить. Джеймса мало волновало, что содеянное им Катрионе противоречило законам той самой церкви, которой он присягал. Ибо одно понятие не смогли стереть в королевском мозгу все суровые церковники, воспитывавшие Стюарта, и это было абсолютное понятие божественного права королей. Подобно пяти Джеймсам, правившим до него, этот монарх поддерживал законы страны и церкви лишь после того, как его собственные запросы были удовлетворены.

Пытаясь наказать короля, представляясь сладострастнейшей из всех, каких он знал прежде, Катриона невольно пробудила в нем чувственный голод, который теперь, кроме нее, насытить не мог никто. Холодность любовницы приводила Джеймса в ярость. То, что он мог погубить ее семью и даже, возможно, искалечить всю ее жизнь, не играло для короля никакой роли. Графиня Гленкерк была его подданной. Она принадлежала ему. Она ему подчинится.

Итак, подобно хорошему охотнику, каким он и в самом деле был, король осторожно подкрадывался к жертве и чувствовал ее страх. Когда двор находился в замке Эрмитаж, он сумел на несколько минут отделить Катриону от остальной толпы. Очутившись с королем наедине, Кат лихорадочно озиралась.

— Как бы я хотел взять тебя прямо здесь, за эти несколько минут, но, увы, не успею.

Она промолчала.

— Ловко же у вас получилось, мадам, — насмешливо продолжил король, — только почему ты убежала от меня, Катриона? Прежде чем прийти к тебе, я нарочно отослал Патрика.

170

И что же я вижу? Служанку, которая укладывает твои платья, и пустую холодную кровать.

Сердце Катрионы неистово билось, и сама она побледнела от смеси страха и ярости. Собрав все свое мужество, графиня подняла глаза на короля.

— Джеми, — твердо сказала она, — я не могу выразить это яснее. Я не хочу быть твоей любовницей. Пожалуйста, сир! Вы обещали, что, когда привезете королеву, освободите меня. Я люблю мужа, а он не такой, чтобы делить жену с кем-то другим. Даже со своим королем. Почему вы так со мной поступаете, Джеми? Ваша жена — прелестная свежая девушка, готовая учиться у вас искусству любви. Почему вы непременно хотите меня?

Король не ответил на вопрос. Вместо этого он негромко сказал:

— Я ожидаю, мадам, что, когда мы возвратимся в Эдинбург, вы примете меня без каких-либо дальнейших разговоров. Если же нет, то мне придется просить разрешения Патрика Лесли, которое, как вы знаете, он мне даст. Если, однако, вы придете добровольно, то мы по-прежнему сохраним нашу связь в тайне от остального света, включая вашего мужа.

На ее прелестных глазах заблестели слезы.

— Но почему, сир? Почему?

— Потому что, мадам, я того желаю, а я — король, — сказал Джеймс холодно и отошел.

Несколько минут она стояла без движения, вперив невидящий взор в горы Чевиот, синевшие за окном. Затем, почувствовав, что в комнате она уже не одна, Катриона мгновенно обернулась и обнаружила, что рядом стоит граф Ботвелл. Некоторое время они молча смотрели друг на друга, а затем граф, по-прежнему ни слова не говоря, протянул к ней руки. Бросившись в объятия Френсиса, Катриона горько расплакалась на его покрытой бархатом груди. Руки Ботвелла нежно обнимали несчастную леди, а по лицу его прошла судорога.

Когда Катриона немного успокоилась, лорд отпустил ее. Подняв к себе ее прекрасное лицо, он спросил:

— Что там с кузеном Джеми?

— Либо я уступлю, либо он скажет Патрику, — тихо призналась Катриона.

— Ублюдок! — прорычал Ботвелл. — Какая жалость, что он не вышел у королевы выкидышем!

— Не шуми, Френсис! — Она прикрыла ему рот ладонью. — Даже думать такое — уже предательство.

Ботвелл отвел ее руку и тихо выругался.

— Как жаль, что Бог не сделал меня тем колдуном, каким они все меня считают. Я бы послал кузена Джеми к семи дьяволам! Ах, дорогая, я не могу помочь вам, и никогда в жизни не чувствовал я себя таким беспомощным! — Он взял графиню за плечи и склонил к ней лицо. — Если когда-нибудь я смогу помочь вам — приходите. Не забудете?

После этого Френсис вынул из своего камзола шелковый платок и утер ей слезы. Тонкая рука Катрионы нежно тронула его лицо.

— Ботвелл, — сказала она мягко, — вы — лучший друг из всех, какие у меня были.

Катриона повернулась и ушла, а граф остался стоять в маленькой нише у окна.

Френсис Хепберн смотрел на знакомый до боли Чевиот и вздыхал. Впервые в жизни граф встретил женщину, которую мог любить, и надо же — не только он сам женат, но и она замужем. Еще хуже было то, что ее вожделел король. Ирония такого положения дошла до Френсиса, и он резко засмеялся. Снова жизнь сдала ему плохие карты.

21

Двор вернулся в Эдинбург и продолжил свои обычные увеселения. Долго и нудно тянулся январь. Два старших сына Лесли также прибыли ко двору, присоединившись к семье Эндрю Лесли, графа Роутса, бывшего одновременно главой рода. Катриона испытывала облегчение, видя хотя бы двух из своих детей.

В это же время Патрик Лесли решил наведаться домой, чтобы узнать о состоянии дел в гленкеркских владениях и повидать остальных детей. В отличие от жены, его не задерживали никакие официальные обязанности при дворе. Катриона, однако, не могла освободиться от услужения королеве. В отчаянии она пыталась предотвратить отъезд мужа, но Патрик снисходительно посмеялся над ней и даже поддразнил:

— Два года назад ты скорее умерла бы, чем поехала зимой в Гленкерк. Теперь я вижу, что ты готова идти туда даже пешком. — Поцеловав жену на прощание, граф успокоил ее: — Через несколько недель я вернусь, милая. Тебя обрадует, если я привезу с собой Бесс?

— Нет, милорд! Этот двор — не место для юной девушки. — Катриона подняла лицо к Патрику, уже сидевшему в седле на Дабе. — Езжай осторожно и скорее возвращайся!

В глазах жены было что-то, заставившее графа на миг засомневаться, стоит ли оставлять ее одну. Затем, посмеявшись над своими глупыми сомнениями, он склонился к Катрионе, поцеловал ее и уехал.

Этой ночью прислуживать королеве надлежало другим, и, спросив разрешения, Катриона отправилась в свой дом. Король не осмелится разыскивать ее. Графиня спокойно отдыхала у себя в городском особняке. Вскоре подошла ее очередь ночевать в передней королевы на тот случай, если Анне вдруг что-то потребуется.

В последний день Анна отвела ее в сторону.

— Я предпочла бы, дорогая Кат, чтобы в те ночи, когда тебе не приходится быть в услужении, ты все-таки не покидала дворца. Разве твои покои не достаточно удобны?

— Удобны, мадам. Очень удобны. Но я ухожу домой, чтобы мои сыновья могли со мной видеться, когда им позволяет служба.

Королева снисходительно улыбнулась.

— Ты хорошая мать, Кат, но ведь ты еще и дама при моей спальне. Мы устроим так, чтобы ты виделась с сыновьями, но, пожалуйста, оставайся ночью поблизости. Однажды я проснулась со страшной болью в виске, а тебя рядом нет. Надо было мне натереть его и вылечить.

— Как угодно вашему величеству. — Катриона присела в реверансе.

Графиня прекрасно знала, кому на самом деле хотелось, чтобы она не выходила из дворца.

Несколько дней спустя у королевы случилось месячное недомогание, и в тот же самый вечер в спальне графини Гленкерк появился король. Сначала Катриона попыталась уговорить его, но Джеймс отказался ее слушать. Он пошел на нее, а несчастной оставалось только изо всех сил отбиваться, нанося удары своими маленькими кулачками. Монарху даже показалось забавным и доставило удовольствие это укрощение строптивой леди, и он провел его безжалостно, поранив ей тело. Катриона пыталась уклониться от прикосновений своего мучителя, оттолкнуть его. Она ненавидела его безудержной ненавистью, которая усугублялась тем, что не находила выхода. Кат пришлось терпеть еще четыре ночи.

Каждое утро и каждый вечер она молилась о скорейшем возвращении мужа. Но не проходило и дня, чтобы король не улучил хотя бы нескольких минут, чтобы побыть с ней наедине. То, что женщина питала к нему отвращение, казалось, только распаляло его.

Однажды поздно вечером, когда Катриона раздевалась после вечерних увеселений, Джеймс показался в потайной двери. На ней оставались только белые шелковые нижние юбки, и в этом наряде она стояла перед трюмо, причесывая свои длинные темно-золотые волосы. Проскользнув к ней за спину, Джеймс одной рукой обвил ее за талию, а другой накрыл округлую грудь.

Катриона устало закрыла глаза, терпеливо и безропотно перенося ненавистные ласки. Теперь она уже знала, что отбиваться бесполезно. Но когда король погрузил свои губы в мягкую плоть ее шеи, до ушей Катрионы внезапно донесся слабый возглас. Открыв глаза, она с изумлением увидела в зеркале отражение мужа. Его лицо застыло от потрясения и обиды.

Никогда в последующие годы Катриона уже не сумеет вспомнить, произнесла ли она имя мужа вслух или просто молча обозначила его губами. Этого, однако, хватило, чтобы Патрик встряхнулся и произнес холодно:

— Прошу прощения, мадам. Я никак не думал, что вы принимаете гостей.

— Патрик! — закричала она. — Патрик, пожалуйста!..

Катриона вырвалась из объятий короля и сделала несколько шагов навстречу мужу.

За ее спиной Джеймс Стюарт посмотрел на графа Гленкерка:

— Кузен, я нахожу вашу жену очаровательной и наслаждаюсь ею уже некоторое время. Вы возражаете?

— Да, сир. Возражаю. Хотя от этого мало пользы, особенно учитывая, что дама столь уступчива. — Он повернулся к жене: — Надеюсь, дорогая, что за свою добродетель вы получили хорошую цену.

— Ладно, кузен, — успокоил его король. — Не гневись на Кат. Она превосходно выполнила свой долг перед короной.

Он обаятельно улыбнулся графу и, взяв его под руку, повел в прихожую.

— Давай немного выпьем, Патрик. Твоя жена держит отменное виски.

Катриона оцепенело продолжала готовиться ко сну. Она была рада, что на этот вечер отослала Эллен. Служанка, конечно, попыталась бы помочь своей госпоже, и это еще больше запутало бы дело. Сбросив с себя многочисленные нижние юбки, Кат через голову натянула шелковую ночную рубашку и легла на кровать. Из прихожей до нее доносился приглушенный шум голосов и звон хрустальных бокалов.

Она не заметила, как заснула, но вдруг почувствовала, как ее шлепнули по бедру, и услышала голос Патрика, невнятный от выпитого виски.

— Просыпайтесь, мадам шлюха! Вот вам два клиента!

Катриона в ярости вскочила на ноги.

— Ты пьян! Оба вы пьяны! Вон из моей спальни! Я не хочу видеть никого из вас!

— Мы не настолько пьяны, чтобы не смогли тебе вставить. Правда, кузен Джеми?

Схватив корсаж ее рубашки, Патрик разорвал его до самого шва, сорвал оба куска ткани и отшвырнул их на другой конец комнаты.

— Полезай в постель, дорогая добродетельная жена, и раздвинь для короля свои ноги. Ты это уже делала, и, по словам кузена, у тебя неплохо получалось.

Граф толкнул жену обратно на кровать, и, прежде чем она смогла возразить, король уже взобрался на нее и вонзился в ее протестующее тело.

Катриону застали врасплох, но сопротивлялась она изо всех своих сил, так что в итоге получилось жесточайшее изнасилование. Графиня бешено отбивалась под Джеймсом, но это только подогревало его желание. Король поспешил испустить семя. Скатившись со своей жертвы, он сказал:

— Твоя очередь, Патрик.

И прежде чем потрясенная Катриона осознала, что происходит, тот уже взгромоздился на нее, а затем вошел глубоко внутрь.

Она слышала свои вопли. Ее бедра еще были липкими от семени другого мужчины, однако Патрик все равно овладел ею. Возмущенная и оскорбленная, Катриона снова яростно сопротивлялась и за это оказалась избитой до потери сознания. Всю ночь граф с королем пили виски и по очереди насиловали ее, пока наконец, в самый темный предрассветный час, Джеймс Стюарт, едва держась на ногах, не вернулся в свои покои по потайному коридору, а пьяный-распьяный граф не впал в глубокий сон.

Сначала Катриона опасалась разбудить его и лежала тихо, боясь пошевелиться. Затем, убедившись, что муж крепко спит, она медленно сползла с кровати. Еле-еле проковыляв до камина, графиня пошевелила тлеющие угли, добавила растопки и нагрела над пламенем чайник. Налив воды в небольшой кувшин, она взяла кусок мыла вместе с грубой льняной тканью и принялась неистово тереть себя, пока не ободрала кожу. Потом Кат подошла к сундуку, стоявшему возле кровати, и отыскала там свои короткие шерстяные штаны, шелковую рубашку для верховой езды и суконный клетчатый камзол. Неторопливо оделась, натянула сапоги, взяла подбитый мехом плащ и вышла из комнаты.

Задолго до рассвета Катриона была в конюшне. Мальчик-сторож, наполовину закопавшийся в кучу соломы, крепко спал. Катриона не стала будить его. Она не рискнула взять свою любимую Бану, потому что на белоснежной кобыле оказалась бы слишком заметной. Выведя Иолэра из конюшни, она оседлала его и, накрывшись плащом, смело поскакала к главным воротам дворца.

— Вестник гленкеркских Лесли! — объявила она стражнику хриплым голосом.

— Проезжай, — бросил солдат, радуясь, что ему самому не надо было выезжать в такой ранний час.

Графиня поскакала на юг, забирая, однако, немного к востоку и избегая главных дорог. Она не ощущала ни жгучего холода, ни наступавшего рассвета. Ей не хотелось ни есть, ни пить. Несколько раз Катриона останавливалась, чтобы напоить лошадь и дать ей отдохнуть, а когда наступил вечер, то попыталась определить свое местонахождение. Осуществив это весьма успешно, путница направилась к небольшому монастырскому дому, где попросила убежища на ночь. Поднявшись на рассвете, она оставила монахине-привратнице золотую монету и, сев в седло, продолжила свой путь.

В полдень графиню заметили два всадника. Катриона пустила лошадь галопом, но, поскольку местность была ей незнакома, была быстро настигнута. Она оказалась лицом к лицу с двумя молодыми бородачами с пограничья, которые, глядя на нее, восторженно ухмылялись.

— Не знаю даже, что мне больше нравится, — сказал тот, что повыше. — Лошадь или женщина.

— Лошадь твоя, дружище, — ответил ему товарищ, — а я беру женщину.

— Попробуйте прикоснуться ко мне, и вы пожалеете! — крикнула Катриона. — Я еду в Эрмитаж к лорду Ботвеллу.

— Лорда вы в Эрмитаже не найдете, — заявил высокий. — Он в охотничьей избушке.

— Как далеко отсюда?

— Два часа верхом, милая. Но если вы хотите переспать с кем-нибудь из Хепбернов, то такую фамилию носил мой отец, и я с радостью сослужу вам эту службу.

Катриона выпрямилась во весь свой высокий рост и холодно отозвалась:

— Проводите меня к лорду Ботвеллу, а не то он узнает, что вы не только остановили меня, но и отказали мне в помощи. И тогда вам не поздоровится.

Что-то в ее голосе подсказало бородачам, что леди не шутит.

— Следуйте за нами, — сказал высокий.

Повернув лошадей, они пустили их в галоп.

Два часа спустя, как бородачи и обещали, впереди показался небольшой охотничий домик, спрятавшийся среди гор. Заслышав цокот копыт, кто-то распахнул дверь. На пороге стоял сам лорд Ботвелл. Высокий обратился к нему:

— Милорд, мы нашли эту даму примерно в двух часах езды отсюда. Она направлялась к Эрмитажу. Узнав, что дама искала вас, мы проводили ее сюда. Надеюсь, мы поступили правильно?

Ботвелл приблизился к Иолэру, вскинул руку и отвел всаднику капюшон плаща.

— Кат! — выдохнул он.

По ее щекам скатились две крупные слезы.

— Помогите мне, Френсис, — умоляюще произнесла Катриона, протянув к нему руки. — Пожалуйста, помогите мне!

Без чувств она рухнула с лошади в его объятия. Нежно взяв Катриону на руки, Ботвелл повернулся к ошарашенным бородачам.

— Вы правильно сделали, что проводили эту даму ко мне. Запомните: вы никогда ее не видели. Когда будет нужна моя помощь, я не откажу вам.

И он быстро зашагал обратно в избушку, неся на руках свою бесценную ношу.

Часть III

НЕКОРОНОВАННЫЙ КОРОЛЬ

22

В своей охотничьей избушке Френсис Хепберн жил один. Время от времени он бежал от суетного света и укрывался в каком-нибудь удаленном месте, обновляясь и душой, и телом. Таким образом Ботвеллу удавалось сохранять здравомыслие в обществе, которое то восхищалось им, то боялось его. Лорд любил зиму и наслаждался уединением уже несколько недель. Теперь его покой был нарушен окончательно и бесповоротно. Граф перенес лишившуюся чувств Катриону Лесли в свою хижину, поднялся с ней в спальню и бережно уложил на постель. Он стянул сапоги, чтобы не шуметь, затем обернул графиню в ее же подбитый мехом плащ. Подтянул одеяло и хорошенько ее укутал. Раздув большой огонь, Ботвелл положил кирпич греться на угли. Плотно занавесил все окна в комнате и зажег небольшую мавританскую масляную лампу, чтобы, придя в сознание, Катриона смогла увидеть, где находится.

Щипцами вытащив кирпич из углей, Ботвелл обернул его мягкой фланелью и положил спящей к ногам. После этого, налив в бокал немного крепкого виски, сделанного в его собственной винокурне, Френсис опустился на краешек кровати и стал натирать женщине запястья. Вскоре Катриона пошевелилась, и, бережно приподняв гостью, лорд поднес бокал к ее губам.

— Выпейте немного, дорогая.

Катриона так и сделала, и ее щеки снова окрасились румянцем.

— Не сообщайте Патрику, что я здесь, — сразу же взмолилась она.

— Не скажу, — пообещал Ботвелл. — А теперь, дорогая, отдохните. Вы совершенно измучены и продрогли до костей. Я хочу, чтобы вы закрыли глаза и уснули. А я буду внизу, слуг здесь нет, так что не тревожьтесь.

Лорд говорил сам с собой, потому что Катриона уже крепко спала. Поцеловав ее в лоб, Френсис оставил графиню и спустился по лестнице. Нижний этаж его дома состоял из одной большой комнаты с огромным камином, сложенным из камней. Комната была обставлена грубой неотесанной старомодной мебелью. Окна закрывали такие же старомодные портьеры, везде лежали шкуры животных. Ботвелл налил себе вина из графина, подвинул кресло к окну и сел.

Он задумался о том, что могло прогнать графиню Гленкерк из Эдинбурга. Несомненно, она пережила какое-то потрясение. Ботвелл немного изучал медицину у одного мавританского врача и теперь узнавал эти симптомы.

— Бедная девочка, — тихо проговорил он. — Что же, черт возьми, с ней стряслось?

Проснувшись несколько часов спустя, Катриона не сразу поняла, где находится. Она слезла с огромной кровати и в одних чулках прошлепала вниз по лестнице.

— Френсис, вы не спите?

— Нет, любовь моя. Подойди к огню и посиди со мной.

Катриона устроилась у него на коленях. Какое-то время оба молчали. Ботвелл придерживал ее легко, но вместе с тем покровительственно, и графиня прильнула к нему, с удовольствием вдыхая запах его кожи и табака. А сердце лорда отчаянно билось. Он всегда держал себя с Катрионой несколько небрежно и снисходительно, часто поддразнивал и задирал, пытаясь тем самым скрыть свои чувства. И это давалось ему достаточно легко, потому что они никогда прежде не оказывались слишком близко друг к другу. Теперь Френсис Хепберн боролся с собой, боясь испугать ее еще больше. Наконец в отчаянии он спросил:

— Вы не голодны? Когда вы ели в последний раз?

— Два дня назад. В прошлую ночь я остановилась в женском монастыре, но не смогла там есть. И утром — тоже.

— Тогда, дорогая, вы, конечно же, голодны. — Лорд мягко спустил ее с колен. — Сумеете ли вы накрыть стол, Кат Лесли?

— Быть графиней, милорд Ботвелл, не означает быть беспомощной. Конечно же, сумею.

— Мы поедим у огня, — весело предложил он. — Скатерть в этом сундуке, а тарелки и приборы вы найдете вон в той кладовой.

К изумлению Катрионы, несколько минут спустя Френсис вынес из кухни дымящуюся супницу и корзинку горячего хлеба.

— Садитесь, — велел он. — И ешьте, пока горячее.

Катриона собралась было из вежливости отказаться, но суп пахнул так вкусно! Это был густой бульон из баранины с ячменем, луком и морковью, приправленный, как она обнаружила, перцем и белым вином.

Ботвелл придвинул к ней толстый, с хрустящей корочкой ломоть горячего хлеба, с которого стекало масло, и наблюдал, забавляясь, как его гостья поглощала ужин. Когда Катриона доела весь суп, Френсис взял ее миску и снова отправился в кухню. Вскоре он возвратился, держа в руках две тарелки.

— Утром, до вашего приезда, я поймал лосося и нашел ранний кресс-салат, — гордо сообщил он.

Рыбу, нарезанную тонкими ломтями, Катриона ела уже медленнее. Ботвелла обеспокоило ее молчание, как и то, что она выпила три бокала бургундского.

Насытившись, Катриона откинулась на спинку стула.

— Где вы научились готовить? — спросила она.

— Мой дядюшка Джеймс считал, что мужчине требуются знания и такого рода.

Графиня ответила полуулыбкой и снова погрузилась в молчание.

— Что случилось, Кат? Можете ли вы поделиться со мной, дорогая?

После некоторого молчания Катриона подняла глаза. Боль, отразившаяся в них, ошеломила графа. Он поднялся, обошел стол и встал перед графиней на колени.

— Не надо говорить, если это слишком больно.

— Если я скажу сейчас, Френсис, мне не придется говорить об этом потом, и, возможно, со временем я смогу все забыть. — Она тихо заплакала. — Проклятый Джеймс Стюарт! Ох, Френсис! Он намеренно погубил мою жизнь! Я бы убила его, если б могла!..

И Катриона начала свой рассказ:

— Патрик уехал домой в Гленкерк, а я осталась одна. Мне совсем не к кому было обратиться за помощью. Я постаралась держаться подальше от короля, но этот похотливый лицемер подкрался ко мне, словно удав к кролику. Патрик вернулся из

Гленкерка и увидел, как Джеми меня лапает. Король мог бы меня спасти, если бы захотел, но вместо этого он стал рассказывать Патрику, какая из меня чудесная любовница, и представил все еще хуже, чем было на самом деле. Он даже не упомянул, что я не хотела. Затем оба они напились моего виски и изнасиловали меня. Ох, Боже мой, Френсис!.. Король вместе с моим собственным мужем! И не один раз, а снова и снова — всю ночь напролет!.. Они никак не хотели меня отпускать и заставляли делать такие вещи... — Катриона содрогнулась. — Ох, Френсис! Вы мой друг. Пожалуйста, позвольте мне остаться у вас.

Рассказ Катрионы ошеломил пограничного лорда. Ошеломил и устрашил. Джеймс Стюарт представлялся страшно мстительным — этому граф вполне верил. Но чтобы Патрик Лесли, человек, подобно и самому Ботвеллу, воспитанный и образованный, мог так жестоко истязать собственную жену, притом совершенно безупречную, — Френсис был просто поражен.

— Бедняжка моя, — ласково сказал он, — вы можете остаться у меня навсегда. — Встав, он притянул женщину к себе. — Кто видел, как вы уехали?

— Никто, если только они не опознают меня во всаднике, который поскакал из дворца в Гленкерк. Монахини, которые приютили меня прошлой ночью, и вовсе живут на отшибе. Во всяком случае, меня видели только привратница и еще та, что заботится о странниках. Обе — недолго. Других гостей в монастыре не было. А Патрик подумает, что я бежала в А-Куил.

Лорд обнял ее.

— Ах, дорогая моя! Мне так жаль!.. Ужасно жаль! Но не бойтесь больше. У меня вам ничего не грозит. Люди, с которыми вы приехали сюда, ни за что и никогда не признаются, что видели вас.

Катриона стояла, огражденная кольцом его рук, а затем медленно подняла к нему лицо.

— Люби меня, Френсис! Здесь! Сейчас же! Люби меня!

Граф молча покачал головой. Он понимал, что вызвало этот порыв. Катриона нуждалась в успокоении, нуждалась в уверенности, что сама выбирает себе мужчину. Ботвелл не знал, упростит он дело или, наоборот, еще более осложнит его, если подчинится такой отчаянной просьбе. Он любил Катриону, и он желал ее, но, Боже милостивый, не так же?

Графиня рассерженно отступила.

— Давайте же, Ботвелл! Вы же прослыли лучшим любовником в Шотландии!

Катриона разорвала на себе рубашку, распахнула ее и скинула. Ее прекрасная грудь предстала перед графом во всей ее прелести. Спустив бриджи и отшвырнув их, она с вызывающим видом пошла на лорда. Обнаженная, какой ее сотворил Создатель, она воспламеняла во Френсисе желание, и он с трудом себя сдерживал.

— Давайте же, Ботвелл, — меж тем не унималась она. — Любите меня, или вы, что, не мужчина? Если я оказалась достойна короля, то хороша и для вас! — Ее глаза блестели гневными слезами.

Если бы Катриона была мужчиной, то лорд просто ударил бы ее, но тут он обо всем догадался. Подобно ребенку, упавшему с пони, который должен сразу же опять сесть в седло, Катриона Лесли жаждала любви с мужчиной, который не унизит ее. И если не он, Ботвелл, то кто же?..

Френсис Хепберн не стал искать ответ. Схватив стоявшую перед ним женщину на руки, граф понес ее наверх в свою спальню и уложил на кровать. Быстро скинув с себя одежды, лег к ней.

И прежде чем Катриона успела это осознать, Френсис оказался внутри и овладел ею с такой нежностью, какую она никогда и не мечтала встретить у мужчины. Он ласково целовал и гладил ее, стараясь довести до высочайшего наслаждения. Никто прежде не любил ее так. Наконец, Ботвелл уже не смог сдержать своего желания и выпустил в нее сгусток кипящей страсти.

Катриона зарыдала, громко всхлипывая и давясь слезами:

— Я ничего не чувствую! Боже милостивый, Френсис!.. Я ничего не чувствую! Что же они мне сделали, если я ничего не чувствую?! — Ее стала бить дрожь.

Ботвелл заключил графиню в объятия и крепко прижал к себе. Рана, нанесенная ей, оказалась более глубокой, чем он полагал. Чтобы вернуть Катриону к жизни, потребуется время, но он это сделает.

— Не плачь, моя драгоценная, — тихо промолвил он. — Не надо плакать. Они тебя страшно обидели, и прежде чем ты оправишься, должно пройти время. Засыпай, любовь моя, со мной ты в безопасности.

Уже через несколько минут Катриона спала глубоким сном, дыша легко и ровно. Но Френсис Хепберн лежал не смыкая глаз, и гнев его разрастался с каждой минутой. Он снова пожалел, что не был настоящим колдуном. А то с удовольствием покончил бы с обоими своими кузенами.

Лорд прекрасно сознавал, что женщина, спящая в его объятиях, даже и сейчас, после всего случившегося, сохраняла привязанность к своему мужу. Не следует причинять ей новые огорчения, наказывая графа Гленкерка. С Джеймсом Стюартом, однако, все было совсем по-другому, и Френсису Хепберну предстояло долго и серьезно поразмыслить, какую же месть он уготовит кузену. Тем временем он предложил прекрасной графине свой дом и свое сердце.

В последующие недели Катриона укрывалась в охотничьей избушке Ботвелла. Слуг, чтобы разносить о них сплетни, здесь не было, и господа вполне управлялись по хозяйству сами. Когда Френсис Хепберн уходил со своими людьми в очередной пограничный набег, оставляя графиню одну дней на десять или даже больше, она не возражала. Кончалась зима, и Катриона наслаждалась одиночеством. Время хорошо лечило. Ботвелл не брал ее тело с того первого раза, и она не просила лорда. Но всякую ночь, что Френсис был с ней, Катриона спала, умиротворенная, в его объятиях.

Впервые в жизни граф Ботвелл страстно влюбился. Даже сознавая, что эта любовь может однажды оборваться, Френсис желал насладиться каждой минутой, что была им отпущена. Граф восторгался красотой своей гостьи, но даже если бы Катриона отличалась самой что ни на есть безобразной внешностью, он все равно любил бы ее.

Эта образованная леди, совсем не похожая на чуждую Френсису жену, могла вести с мужчиной беседу на самые разнообразные темы. И что еще важнее, Катриона сумела стать ему хорошей слушательницей. Она владела каким-то чарующим тайным даром: в разговорах с ней мужчина верил, что все, о чем бы он ни говорил и какие бы банальные мысли ни изрекал, представляет для внимательной собеседницы необычайный интерес. Мягкая и сердечная, Катриона обладала, однако, и задиристым чувством юмора — как раз таким, что было и у него. Ее красота оказалась только дополнительным достоинством.

Ранней весной, вернувшись из очередного набега в Англию, Ботвелл привез длинную, искусно сработанную золотую цепочку, украшенную мелкими топазами — от самого бледного до глубочайшего оттенка. Он надел ее Катрионе на шею.

— Теперь ты настоящая пограничная девка, — пошутил он. — Твой мужчина привез тебе трофей.

Катриона лукаво улыбнулась.

— С какой прелестной шейки ты ее снял?

Но Ботвелл только ухмыльнулся.

— Если уж так хочешь знать, то я освободил от нее одного ювелира, который имел чрезмерные запасы и при этом дал промашку, попавшись нам.

Граф наклонил к ней лицо и вдруг, не в силах себя сдержать, неожиданно притянул Катриону к себе и поцеловал. Она затрепетала, но не отодвинулась, а, взяв в руки голову Френсиса, в ответ тоже крепко поцеловала.

Его голубые глаза слились в пристальном взгляде с изумрудно-зелеными глазами Катрионы. Графиня стояла босая, поднявшись на цыпочки и обвив его шею. А руки Френсиса принялись нежно расстегивать на ней халат, а потом развели ее руки и стянули одежду, открыв прекрасную наготу. Взяв ее лицо в ладони, Ботвелл склонился и снова нежно поцеловал Катриону. Затем губами ласково прикоснулся к ее векам, щекам, шее.

Сильные руки мужчины заплутались в волосах цвета меда, а потом легли на плечи любимой. Рот, покрывавший поцелуями плечи Катрионы, заскользил вниз, на мягкие груди. Граф мягко опустился перед ней на колени, его губы перебрались к изящному пупку и дальше — к маленькой родинке.

Катриону била дрожь. Ноги ее подкосились, и она тоже рухнула на колени. Уста мужчины и женщины соединились.

— Скажи мне «да» или скажи «нет», дорогая, — хрипло пробормотал потрясенный Ботвелл. — Но только скажи мне это сейчас, ибо я открою тебе правду, Кат, моя нежная. Я хочу тебя так, как никогда не хотел никакую другую женщину! Я хочу тебя, а не твою тень!

— Ботвелл, — нежно прошептала Катриона, и он увидел, как засияло ее лицо. — Ботвелл! Я чувствую! Чувствую! Ох, милорд! Как же я тебя хочу!

Френсис потянул ее вниз на меховой ковер. В отблесках потрескивающего пламени он выпрямился над ней, торопливо стягивая с себя одежду. Обратив к нему улыбающееся лицо, Катриона что-то успокаивающе бормотала. Она была счастлива. Френсис Хепберн стал первым мужчиной, которого она сама выбрала за всю свою жизнь. Мужа назначила ей прабабка, а король принудил. И лишь Френсиса Хепберна Катриона выбрала сама. И очень сильно желала его.

Опустившись на колени, Ботвелл перевернул графиню на живот и поцеловал ее в шею. Ласковые губы обследовали плечи и проползли по всей длине позвоночника. Граф был непривычно нежен, и Катриона восторженно трепетала.

Перевернув возлюбленную на спину, Френсис принялся ласкать прелестную грудь. Под его изысканными прикосновениями она напряглась, а мягкие соски стали жесткими и острыми. Ботвелл погрузил свое лицо в долину меж ними, и его губы жгли Катрионе кожу. Она тихонько застонала. Граф улыбнулся с облегчением. Голова ее откинулась назад, а глаза были прикрыты. Она дышала быстрыми короткими вздохами.

За время своих многих странствий Френсис Хепберн обладал многими женщинами и многому у них научился. Теперь граф применил все свое умение с той единственной, какую по-настоящему любил, и искренне желал продлить ее удовольствие.

Целуя мягкую плоть грудей, Френсис чувствовал, как под его губами трепетно бьется сердце возлюбленной. Он поймал зубами сладостный сосок и слегка его укусил. Катриона снова застонала, и ее бедра начали двигаться в ритме любви. Губы Френсиса бродили по телу Кат.

— Френсис, — воскликнула она. — Боже мой, Френсис! Ты сведешь меня с ума!

— Ты и в самом деле хочешь, чтобы я прекратил, дорогая? — Его глаза смеялись.

Ответом Ботвеллу было молчание. Теперь он видел, до каких высот наслаждения может довести Катриону.

Френсис раздвинул ей ноги и, взвалив их к себе на плечи, нежно раскрыл ее нижние губы и поцеловал мягкую коралловую плоть. Один раз она неистово содрогнулась, однако не остановила его. Его язык и ласкал, и гладил, и щупал, а она кричала от наслаждения, выгибаясь всем телом. От этих движений граф воспылал и, когда уже больше не мог себя сдерживать ни мгновения, лег на нее и вонзил свой мужской корень в мягкое тело.

Катриона с радостью и наслаждением приняла его, обхватив своими длинными ногами его бедра и обняв его руками. Оказавшись внутри, он снова смог сдерживать себя. Их тела двигались вместе, в одном ритме, и каждое стремилось дать другому больше наслаждения. Затем Катриона страстно прошептала графу на ухо:

— Френсис! Я не могу больше сдерживаться!

Но Ботвелл принудил Катриону расслабиться, а после этого довел ее желание до еще более высокой точки. Страсть Френсиса бурей накатывалась на графиню, и она искренне поражалась, что кто-то мог доставлять ей такое блаженство. Так ее никогда не любили, и когда наконец лорд бросил Катриону в пучину оргазма, она закричала в восторженном изумлении, чувствуя, что блаженство переживает и он.

Все еще погруженные друг в друга, они лежали, глубоко дыша, взмокшие от затраченных усилий. Затем она вдруг закричала, искренне удивляясь:

— Боже мой, Френсис! Ты снова становишься во мне жестким?! Ох, да, любимый мой! Да! Да!

И все началось снова. Ботвелл и сам подивился на свое тело, ибо, казалось, он никак не мог насытиться этой женщиной. Однако и Катриона на этот раз была ненасытна. Одна страсть не уступала другой, и наконец они оба ощутили такое изнурение, что заснули там же, где и лежали, не заметив, что огонь в камине потух и становится холодно.

Ботвелл проснулся, почувствовав, что Катриона накрывает его одеялом. Он подтянулся, привлек графиню к себе и нежно поцеловал.

— Доброе утро, дорогая.

Лучезарная улыбка Катрионы успокоила его.

— Доброе утро, возлюбленный, — ответила графиня.

В это утро ум ее был ясен, ей не было стыдно. Она высвободилась из объятий Ботвелла.

— Я совсем замерзла, Френсис. Пусти меня, я разожгу в камине огонь.

Со смесью любви и восторга он наблюдал, как Катриона это делала. Через несколько минут весело плясало пламя, и она повернула к огню спину. Лорд вздохнул.

— Ах, моя хорошая! Я завидую пламени, которое греет твой прелестный зад!

— Ох, Ботвелл, — засмеялась Катриона, покраснев, и это было ей к лицу, — какой ты зловредный!

— Увы, дорогая, я такой. — Он поднял бровь. — Иди сюда, малышка, согрей меня. Под этим одеялом холодно и одиноко.

Она скользнула под шерстяной плед и притянула его к своему телу.

— А теперь, милорд, теплее?

Глаза Френсиса засверкали.

— От тебя разогреется и каменная статуя, и ты знаешь это, любовь моя нежная.

Ботвелл снова поцеловал ее.

— Где ты была, Кат? Где ты была все эти годы? — Лорд замолчал, вспоминая минувшую ночь. — Я люблю тебя, Катриона Маири, — сказал он. Графиня поразилась, что любимый знал имя, полученное ею при крещении. А он продолжал: — Я никогда не говорил женщине такого, да чтоб при этом еще так и думать. Но, Бог свидетель, я люблю тебя!

Ее глаза блестели от слез.

— Ботвелл! Ох, Ботвелл! Не люби меня! И как ты можешь любить меня? Любить женщину, которая спала с королем, а после бежала от праведного гнева своего мужа в объятия еще к одному мужчине. Как можешь ты любить меня?

— Но ты же спала с Джеми не по доброй воле, Кат. Королю невозможно отказать. Я бы убил его за то, что он тебя принудил.

— А Патрик? А мой муж?

— Его я бы тоже убил, если бы не знал, что это тебя опечалит. У него полное право гневаться, но не на тебя. А сделать тебе то, что он сделал...

188

— Ты бы не сделал мне этого, Френсис, если бы я была твоей женой?

— Если бы ты была моей женой, то Джеми не осмелился бы тебя принуждать. — Заметив ее волнение, он продолжил: — Но если бы и осмелился, то я бы убил его безо всякого колебания. Да, за такие любезности я бы забил его до смерти.

— Бедный Патрик, — тихо сказала Катриона. — Какое было у него лицо, когда он увидел, как Джеми меня ласкает... Боже! Он был ужасно огорчен.

Губы Ботвелла искривились.

— Так, что облегчил свое горе, напившись с Джеми и по очереди вместе с ним насилуя собственную жену! — Граф взорвался. — Оставь их обоих, Кат! Я давно уже собираюсь развестись с Маргарет. Теперь я сделаю это, а ты должна развестись с Гленкерком и выйти замуж за меня. Я люблю тебя! Я хочу тебя! И, видит Бог, я сумею уберечь тебя, моя любимая, от короля Стюарта.

Ошеломленная, она ответила ему долгим взглядом.

— А мои дети? — наконец выговорила она.

— Ты получишь у меня столько детей, сколько захочешь, а если тебе не обойтись без твоих малышей Лесли, то я с удовольствием их приму.

— Думаю, что у Патрика будет что сказать по этому поводу, — проговорила Катриона, скривив рот.

Голубые глаза посмотрели в зеленые.

— Я не хочу говорить о Патрике, — тихо сказал Ботвелл.

Его рот нашел ее губы, и она легко уступила. Хотя совесть слегка и беспокоила Катриону, ее чувства к Френсису Хепберну оказались значительно глубже, чем все те, которые она знала прежде.

Губы Ботвелла прикоснулись к ее лбу, к ее прикрытым векам, кончику маленького носа. От блаженства Катриона забормотала, граф засмеялся.

— Ну и забава, — проговорил он, поддразнивая. — Я пытаюсь разбудить в тебе самые глубокие страсти, а ты довольно мурлычешь, будто сытая кошка.

Катриона заулыбалась:

— Но это вашими стараниями я довольна, милорд.

— Прекрасно, — воскликнул Френсис, — ибо я намереваюсь продержать вас здесь весь день. Еще не было женщины, мадам, которую мне хотелось бы целый день продержать в постели.

— Но мы не в постели, Френсис, — заметила Катриона. — Мы на полу, под пледом, и если один из ваших великих пограничных воинов сейчас сюда притопает... — Она примолкла, но ее глаза озорно сверкнули, — то тогда, милорд, ваша уже и сейчас громкая слава станет поистине легендарной!

Прыснув со смеху, Френсис Хепберн вскочил и, вскинув Катриону себе на руки, понес ее наверх, где бесцеремонно бросил на кровать.

— На этот раз огонь разведу я, — сказал граф, нагибаясь, чтобы зажечь растопку.

— А получится ли у вас, милорд? — спросила она задиристо.

И тогда Френсис Хепберн, обернувшийся посмотреть на прекрасную графиню Гленкерк, понял, что если только что истекшая ночь была сладка, то день окажется еще слаще.

23

Наутро после своего возвращения во дворец Холлируд Патрик Лесли проснулся с жестокой головной болью, а во рту у него ощущался привкус ветхой фланели. Потянувшись за Катрионой, он сразу же вспомнил события предшествовавшего вечера. Это страшно его потрясло. Какое-то время граф лежал совершенно неподвижно, а воспоминания, словно огромные булыжники с горы, сыпались на него одно за другим. Сначала — Джеймс и Катриона. Затем он сам, король и снова Катриона.

— О Боже мой! — прошептал он. Поднявшись на ноги, Патрик нетвердыми шагами добрел до стены у камина, тронул резное украшение мраморной доски и печально наблюдал, как медленно открывалась тайная дверь. Снова закрыв ее, Патрик вернулся к кровати и ощупал то место в ней, где лежала Катриона. Простыни были ледяными, и граф понял, что жена ушла много часов назад. Заглянув в сундук, стоявший возле двери, он обнаружил, что исчез ее костюм для верховой езды. Часы на каминной доске пробили десять.

Быстро одевшись, Патрик отыскал капитана стражи.

— Я хотел бы поговорить со всеми людьми, стоявшими сегодня ночью в карауле. Когда они менялись в последний раз?

— В шесть утра, милорд.

— А до того?

— В полночь, сэр.

— Вот эти люди мне и нужны, капитан. Те, что заступили в полночь. Сколько их было?

— Шестеро. Двое у главных ворот, двое у задних и двое у хода для слуг.

На мгновение Патрик задумался. Обычный человек бежал бы задней или служебной дверью.

— Пришлите ко мне тех, которые стояли у главных, — сказал граф.

Раздираемый неистовыми чувствами, он не мог, однако, сдержать кривую усмешку удовлетворения, обнаружив, что оказался прав. Стражник сообщил, что за несколько минут до пяти часов утра именно через главные ворота проскакал «вестник к Гленкерку».

Через Барру, прислужника в королевской спальне, Патрик попросил Джеймса о срочной встрече. Граф дал ясно понять, что если не получит немедленную аудиенцию, то отправится к королеве.

И вот не прошло и часа, как Барра уже вел его по тайному ходу к королю. Джеймс все еще лежал в постели, проснувшись с не меньшим похмельем, чем Гленкерк. Патрик не стал терять времени.

— Вы помните, что мы сделали этой ночью?

Король зарделся.

— Я был пьян, — пробормотал он.

— И я тоже, — ответил ему кузен. — Но это не может служить оправданием для изнасилования. Знаете, она ускакала верхом в пятом часу утра. Я намереваюсь принести королеве извинения за жену, а после этого отправиться ее разыскивать. Когда найду, то встану перед ней на колени и буду молить о прощении. Могу лишь лелеять надежду, что получу его, и вовсе не уверен, что это произойдет. Памятуя, что мы с вами ей сделали, я не удивлюсь, если она откажется. Но отныне, кузен Джеймс, мы вернемся домой и станем жить в Гленкерке. Мы всегда останемся верны Стюартам, но ноги нашей не будет в этой выгребной яме, что вы называете двором.

Джеймс Стюарт кивнул:

— Даю тебе свое разрешение.

Во взгляде, который бросил на короля граф Гленкерк, ясно читалось, что его меньше всего заботило королевское разрешение.

Затем у Патрика вырвался вопрос:

— Была ли она согласной, Джеми? По доброй ли воле моя жена ходила у вас в шлюхах?

Последовало долгое молчание, а потом король опустил глаза и прошептал:

— Нет!

— Ублюдок! — тихо выругался Патрик. — Если бы ты был кем-то другим, я бы тебя прикончил!

Резко повернувшись, Гленкерк вошел в потайной коридор и закрыл за собой дверь. Ворвавшись в свою спальню, он обнаружил там Эллен, до смерти перепуганную его внезапным появлением из стены.

— Собери все, что наше. Мы выезжаем в Гленкерк и никогда не вернемся.

— Миледи... — начала было Эллен.

— Уехала сегодня утром, — перебил граф. — А теперь поспеши. Я хочу убраться отсюда пораньше.

Затем он отправился к королеве и сообщил, что вчера поздно ночью вернулся за своей женой. Их старшая дочь серьезно заболела. Катриона уже отбыла сегодня утром, попросив его принести извинения королеве. А поскольку до ее возвращения мог пройти не один месяц, граф Гленкерк предложил продать должность жены любой придворной даме — по выбору самой королевы. Он сам затем купит эту должность для назначенной леди, обогатив таким образом частные ларцы ее величества. Анна всегда нуждалась в деньгах, а предложение графа Гленкерка выглядело очень щедрым.

Королева, конечно же, с большим сожалением отпускала прелестную даму от своей спальни, но в последнее время Анну беспокоило, что вокруг оказывалось слишком много очаровательных дам.

Беспокоил Анну не муж, поскольку она весьма самонадеянно считала, что Джеймс Стюарт совершенно равнодушен к чарам других красавиц. Но хорошенькие девушки привлекали очень много мужчин, и среди придворных беспрестанно возникали осложнения. Анна решила отдать открывшуюся должность дочери лорда Керра, славной вдове, которой уже перевалило за тридцать, не слишком привлекательной.

Разделавшись с протокольными обязанностями, Патрик Лесли дал всем своим людям приказание — немедленно возвращаться в Гленкерк. Сам он выехал в родовое поместье в одиночку. Катриона уже имела фору в семь часов, и, нагнав ее, граф намеревался уладить разногласия подальше от любопытных глаз.

В пути граф снова и снова переживал прошлую ночь, ясно видя теперь все то, что его раненая гордость не позволяла раньше признать. Катриона умоляла увезти ее от двора, но двор стал нравиться самому Патрику, и он попросту отмахнулся от просьб жены. Принуждаемая спать с королем, она стыдилась этой связи и одновременно безумно страшилась, что муж обнаружит ее. Загнанная в ловушку, Катриона была совершенно беспомощна. Когда он вошел в спальню и увидел, что король ласкает ее обнаженные груди, то сначала испытал потрясение, а затем разгневался на жену. Так неверно оценить положение! Ведь за все прожитые вместе годы она ни разу не давала повода сомневаться в ней.

Теперь, оглядываясь в прошлое, Патрик снова видел ее испуганное лицо, взгляд, прикованный к нему через зеркало. Позже, когда они с королем по очереди ее насиловали, в этих изумрудных глазах отражались неверие, мука, ужас и, наконец, безразличие, которое было страшнее всего.

Патрик Лесли ехал прямо на северо-восток и в пути молился, чтобы жена уже ждала его в Гленкерке. Еще графа заботило, что сказать собственной матери и что — детям. Дети уже подросли и поймут, что у них с Катрионой что-то не так. Патрик благодарил судьбу, что оба старших сына находились в услужении. С младшими уладить все было гораздо легче, но с наследником Гленкерку встречаться сейчас не хотелось бы. Тринадцатилетний Джеми Лесли обожал свою красавицу мать, и между ними существовала особая близость. Катриона равно любила всех своих детей, но Джеми всегда был именно ее ребенком.

Когда несколько дней спустя показались башни Гленкерка, граф нетерпеливо пришпорил Даба, пустив галопом, и огромный вороной жеребец, почуяв дом, чутко отозвался на побуждение хозяина. Патрик поспешил отыскать мать. Маргарет, вдовствующая графиня Гленкерк, все еще оставалась одной из самых красивых женщин Шотландии. При виде своего старшего сына она поднялась и протянула к нему руки.

— Мой дорогой мальчик! Вот уж не ожидала, что ты вернешься так скоро! Что-то случилось?

Он вошел в эти уютные объятия, а затем, отведя мать к окну и усадив ее там, сел рядом.

— Я совершил ужасный поступок, мама. Ужасный по отношению к Кат. И возможно, я ее потерял.

Опустившись, Патрик склонил голову на колени матери и заплакал. Громкие, раздирающие душу рыдания, вырывавшиеся откуда-то из самых глубин его существа, были непереносимо тягостны. Широкие мужские плечи сотрясала дрожь.

Ошеломленная Маргарет Лесли нежно прикоснулась к его голове:

— Скажи мне, Патрик, скажи, что ты сделал Катрионе.

Несколько овладев собой, граф медленно и подробно рассказал матери о случившемся. Когда он дошел до изнасилования, Мэг прикрыла веки.

— Должно быть, Гленкерк, у нее еще сохранились чувства к тебе, — сказала старая графиня, — ибо я на ее месте, прежде чем бежать, вонзила бы в тебя нож! И сразу отвечаю на вопрос в твоих глазах — здесь ее нет. Почему ты решил, что она здесь появится?

— Но куда же ей еще податься, мама? В Грейхевен? В А-Куил?

— Нет. Хезер вчера была здесь и ничего не сказала. Ты же понимаешь, что если бы Катриона отправилась домой в Грейхевен, то ее мать вся извелась бы от беспокойства и сообщила бы мне. Нет ее и в А-Куиле. Братья Кат охотились неподалеку на волков, а вчера приезжали вместе с Хезер, чтобы подарить мне шкуры.

— Тогда где же она? Христос на небе! — взмолился Патрик. — Где же она спряталась?!

— Ты хочешь ее обратно? — удивилась Маргарет. — Но почему, Патрик? Можешь и дальше наказывать ее за то, что она не убила себя при первом же приближении Джеймса Стюарта. Разве не лучше жена мертвая и чистая, чем живая, но слегка подержанная? Господи, глупый мой сын! Нельзя же сказать, что Джеймс воспользовался правом сеньора на твоей девственной невесте! И почему же, именем небес, ты посчитал ее виновницей? Конечно, потому, что она всего лишь слабая и беззащитная женщина! Дурак! Разве Кат хоть когда-нибудь давала тебе повод для сомнений в верности? Никогда! С того самого дня, как она вышла за тебя замуж, ты помнишь ее любящей женой... Хотя теперь я задумываюсь, не обуревали ли бедняжку дурные предчувствия, когда она пыталась избежать брака с тобой. Она всегда была хорошей женой и хорошей матерью твоим шестерым детям. — Мэг встала и, охваченная гневом, принялась ходить по комнате. — Ты не заслуживаешь ее, Патрик! А теперь исчезните с глаз, милорд граф! Я не терплю глупцов, а вы — большой глупец! Вы мне отвратительны! Оттянув назад свои юбки, чтобы не касаться сына, разгневанная вдова выбежала из комнаты.

А Патрик остался стоять на том же месте, думая, что он отвратителен и самому себе.

— Итак, ты узнал, — донесся до него голос Адама.

Граф обернулся.

— А я и не знал, что ты здесь, — тупо проговорил он.

— Только что прибыл. Всю дорогу скакал по твоим следам. Эллен зашла ко мне перед отъездом из Эдинбурга. Как же ты все обнаружил?

— Вернулся в Холлируд и увидел, как Джеми лапает Катриону за голые сиськи. Ты знал? И Эллен тоже? Что же, я один при дворе не знал, что король спит с моей женой?

— Никто не знал, Патрик, кроме Эллен, потому что это ее служанка и потому что, когда Джеймс впервые представил Кат свой ультиматум, твоя жена пришла ко мне за помощью. Я никому не сказал, даже Фионе.

— Моя жена пришла к тебе за помощью, а ты послал ее в постель к королю? Так ты решил помочь?

Развернувшись, Патрик Лесли нанес своему младшему брату прямой удар в челюсть. Адам пошатнулся и отступил назад. Он поднял руку и потер раненый подбородок. Граф не отступал.

— Я убью тебя за это, брат! — Рука младшего Лесли метнулась к кортику и выхватила его из ножен. Адам наставил клинок на графа.

— Богом молю, Патрик! Послушай меня хоть минуту!

Гленкерк остановился.

— Король угрожал конфисковать наши поместья и пустить всех нас по миру. Он уже держал наготове заранее сфабрикованные обвинения. Джеймс упорно хотел поиметь Катриону и знал, что та будет защищать свою семью, чего бы ей это ни стоило. Твоя жена была в ужасе. Она не хотела спать с королем, но она не хотела и погубить свое и наше достояние. Ты знаешь, женщине не позволяется отказывать властительному сеньору. Ты хорошо это знаешь, Патрик! И даже если бы она отказалась, то Джеми все равно бы взял ее. И тогда что сталось бы со всеми нами? Да! Я велел Кат уступить королю. Другого выхода у нее не было. А если бы ты сам оказался в моем положении, то что бы ты сделал?

Руки Патрика опустились.

— Знаешь, Адам, что я сделал, когда нашел ее с Джеми? Я напился с королем, а затем мы вставляли ей по очереди. Всю ночь, брат. Пили и вставляли! Пили и вставляли! Она убежала от меня, брат. Я бы отдал свою жизнь, чтобы найти ее и попросить прощения!

— Боже мой! — воскликнул потрясенный Адам, еще даже не до конца поверив Патрику. — Что ты за глупец! Не думаю, что она вообще когда-либо простит тебя. Но я помогу ее найти. Видит Бог, ты не заслуживаешь своей жены. Где ты ее искал?

— В нашем доме в Эдинбурге. Здесь. Мама говорит, что ее нет ни в Грейхевене, ни в А-Куиле. Она явно не у тебя в доме, иначе бы ты меня известил. Так может быть, она отправилась в Сайтен?

— Я поскачу туда, — решил Адам, — якобы поздравить родителей Фионы. Если там получали какие-нибудь известия, то наша сестра Джанет будет знать и скажет.

Однако вскоре братья узнали, что Катриону не видели и в Сайтене. Не обнаружили ее и у старой Рут в деревне Крэнног. Все мыслимые возможности оказались тем самым исчерпанными. Даже обращение к Кира в Эдинбурге не принесло плодов. Со своих обширных накоплений Катриона ничего не снимала — ни лично, ни через посредника. Граф Гленкерк начинал по-настоящему беспокоиться. Жена исчезла больше месяца назад, не оставив никаких следов и не взяв с собой ничего на жизнь. И эта загадка имела только два ответа. Либо Катриону кто-то скрывал — но Патрику и Адаму не приходило на ум никакое имя, — либо она была мертва.

24

Френсис Хепберн проснулся в первый рассветный час и несколько минут лежал неподвижно, наслаждаясь тишиной, предваряющей пение птиц. Осторожно повернувшись, он посмотрел на Катриону. Словно маленький ребенок, графиня свернулась возле него клубочком. Во сне она выглядела такой невинной!

И тут Катриона открыла свои изумрудно-зеленые глаза и потянулась.

— Доброе утро, милорд!

Лицо, поднятое к Ботвеллу, светилось улыбкой. В ответ лорд тоже улыбнулся, подумав, до чего бы здорово было сейчас овладеть ею.

— Сегодня, Кат, у меня для тебя есть сюрприз. Мы с тобой поедем на прогулку верхом.

Ее глаза широко раскрылись от испуга.

— Патрик... — прошептала она.

— Патрик в конце концов все равно тебя отыщет, дорогая. Но вести дойдут до него еще не скоро. Он может проведать от кого-нибудь, кто тебя знает, а мои люди мне верны и не проговорятся. Даже если бы они увидели, как ты разъезжаешь голышом на лошади по всему графству, все равно бы никому не признались в этом.

Катриона залилась смехом:

— Прекрасно, дорогой, но мне понадобится новая одежда. Моя изношена, а я не хочу тебя позорить.

— Посмотри в сундуке у стены, Кат. Из последнего набега я привез кое-какие вещи.

Катриона пришла в восторг, обнаружив среди ботвелловских трофеев шелковое нижнее белье, несколько пар зеленых коротких штанов из чистой, тонко спряденной шерсти и пол-дюжины шелковых рубашек кремового цвета с жемчужными пуговицами. Нашелся также мягкий коричневый кожаный камзол с маленькими изящными пуговицами из полированного оленьего рога, окаймленного серебром, а к камзолу еще широкий пояс, тоже из коричневой кожи, с серебряной пряжкой, украшенной топазом. Но не прошло и минуты, как Катриона уже поняла, что всю эту одежду лорд заказывал пошить специально для нее. Она встала, повернулась к нему и тихо сказала:

— Ботвелл, ты так добр ко мне. Спасибо.

Лорд поднялся с кровати.

— Я принесу тебе воды, чтобы принять ванну, — пробормотал он хрипло.

Катриона преградила Френсису дорогу. Поднявшись на цыпочки, она обняла его шею руками и крепко поцеловала. Ладони Ботвелла начали гладить ее спину и мягкие, шелковистые ягодицы.

— Боже! Ну ты и девка! Не соблазняй же меня сейчас!

Но он уже вожделел ее. Подняв Катриону на руки, Френсис понес ее на кровать. Губы его снова нашли губы возлюбленной, тело нежно овладело ее телом. Катриона счастливо вздохнула, и Френсис Хепберн тихо засмеялся:

— Ведьмушка ты моя! И почему я тобой никак не могу насытиться?

— А я — тобой, любимый.

Потом они уснули, и когда проснулись снова, солнце стояло уже высоко. Ботвелл принес воды, и они помылись. Запустив руки в сундучок, Катриона взяла набор нижнего белья, отделанного тонкими кружевами, рубашку, короткие штаны, камзол и пояс. Когда она уже закончила свой туалет, то обнаружила, что и Ботвелл облачился в костюм, который гармонировал с ее одеждой. Графиня завязала свои пышные волосы зеленой бархатной лентой, и Френсис с улыбкой водрузил на ее золотистую голову маленький чепец из хепбернского пледа.

— Тебе нужны еще новые сапоги, любимая.

Глубоко запустив руку в сундук, Ботвелл извлек пару сапог, мягких, словно масло.

— Ты поищешь потом там и шелковые ночные рубашки с кружевами.

— Как ты это сделал, Френсис? Как? — Катриона натянула сапоги.

— Помнишь, я — граф-колдун?

Заливисто смеясь, они спустились по лестнице и вышли из избушки. Там уже стояли Иолэр — гнедой мерин Катрионы и Валентайн — огромный темно-рыжий жеребец Ботвелла. Целый день влюбленные скакали по нортумберлендским холмам, отделявшим Шотландию от Англии. Почувствовав голод, Френсис и Катриона остановили лошадей возле маленького коттеджа. Там Ботвеллу и его даме оказали самый сердечный прием. Они с радостью довольствовались теплым, только из печи, черным хлебом, свежим несоленым маслом к нему, да еще жареным кроликом и коричневым октябрьским элем.

— А вы неплохо здесь питаетесь, на границе, — заметила Катриона хозяйке.

Внешность этой крестьянки показалась вдруг ей до боли знакомой.

— Моим отцом был последний граф, Джеймс Хепберн, — засмеялась женщина, которую Ботвелл называл Магги. — Кузен Френсис следит, чтобы о нас не забывали, так ведь, любовь ты наша?

Граф улыбнулся:

— Так. Хотя выполнять все обязательства дяди Джеймса — задача не из легких.

— Которая к тому же, — лукаво бросила Магги, — осложняется твоим желанием превзойти его.

Все рассмеялись. Френсис поцеловал Магги в щеку. Затем он помог Катрионе взобраться в седло, сам вскочил на Валентайна и направился снова через горы. Однако избушку Френсис оставил в стороне.

— Хочу поехать в Эрмитаж, — объяснил он. — Там мой дом, и я хочу там видеть тебя. Поедешь со мной?

— Да, — просто ответила Катриона. — Мне не стыдно быть твоей женщиной, Френсис.

— Для меня ты не женщина, Кат. Для меня ты — жена... Может быть, это не по вашей церкви, возможно, другие мужчины смотрят на это иначе. Но когда Бог создавал нас такими, какие мы есть, он непременно имел в виду, чтобы мы с тобой были вместе. И я, дорогая, не намерен расставаться.

Они гордо въехали в Эрмитаж вдвоем, и тут Катриона обнаружила, что граф надеялся на ее приезд и исподволь готовился к нему. Катриону ожидали комнаты графини Ботвелл и ее спальня, которая соседствовала со спальней самого графа. Апартаменты гостьи были заново отделаны темно-голубыми бархатными портьерами, а на кровать постелили покрывала с вышитыми золотыми хепбернскими львами.

— Эти комнаты стояли пустыми с тех пор, как умерла мать графа, леди Джанет, — объяснила юная горничная по имени Нелл. — А еще раньше в этих комнатах останавливалась королева Мария. Но, миледи, какую же суматоху поднял граф, чтобы вам приготовили эти покои! Он сказал экономке, что не вполне уверен, приедете ли вы, но если все-таки приедете, то комнаты непременно должны выглядеть свежими и привлекательными. Одно только покрывало десять дней шила целая дюжина женщин!

— А леди Маргарет? — спросила Катриона. — Разве она не останавливается здесь, когда бывает в Эрмитаже?

— Нет, — ответила Нелл. — Ее милость не приезжает в Эрмитаж вовсе. Леди Маргарет не любит этот старый замок. Он пугает ее, потому что стоит слишком близко к границе. Первый ее муж был местный шотландец, из Букклуч. Леди пережила несколько набегов, и это ужаснуло ее. Когда она выходила замуж за графа Ботвелла, то заявила, что не приедет сюда никогда. Ей больше по нраву Кричтен. — Застеснявшись своей говорливости, служанка сказала: — Вы хотите принять ванну? Я скажу, чтобы ее принесли прямо сюда.

Нелл заторопилась и убежала, а графиня Гленкерк, оставшись одна, окинула спальню изумленным взглядом. То была квадратная комната, обшитая панелями, освещавшаяся двумя огромными окнами. Лицом графиня стояла к большому камину, сложенному из камней. Мраморную доску на нем украшала прекрасная тонкая резьба. За спиной открывалась дверь в прихожую, а по правую руку — в спальню Френсиса. На полированных до блеска дубовых полах лежали толстые турецкие ковры, в основном синих и золотистых тонов с примесью розового.

Мебели было мало, как и принято в шотландском доме. Возле двери в прихожую возвышался платяной шкаф, а напротив окон, у самой стены, стояла огромная кровать с ночным столиком. Между окон на круглом блестящем столе сияла серебром большая овальная ваза, полная кораллово-красных зимних роз. Дополняли картину удобные массивные кресла, поставленные у камина, и, наконец, разбросанные тут и там по комнате стулья.

Погрузив лицо в розы, Катриона вдыхала их пьянящее благоухание.

— Из моих теплиц, — горделиво сказал Ботвелл.

Катриона повернула к нему лицо. Ее глаза увлажнились, а темно-золотистые ресницы широко разошлись.

— Не перестаю благодарить тебя, Френсис. И все кажется, что благодарю мало.

— Ты принесла мне первое настоящее счастье, драгоценная любовь моя.

Граф заключил Катриону в объятия, и в них она почувствовала всю глубину и страстность его любви — так трепетно у нее под щекой билось сердце Френсиса.

Как же могла Катриона Лесли и дальше не замечать свои собственные чувства?.. Они накрыли ее огромной волной. Подняв глаза к красивому рубленому лицу графа, Катриона проговорила на одном дыхании:

— Я люблю вас, Ботвелл! Пусть Господь смилостивится над нами обоими, но, милорд, я люблю вас и предпочту умереть, чем быть разлученной с вами!

Из мощной груди Френсиса Хепберна вырвался вздох облегчения. Наклонившись, он овладел нежными устами, отдавшимися ему.

— Кат! Ох, Кат! — шептал он и еще крепче обнимал ее.

Но в этот миг вернулась горничная вместе с прислугой. Внесли высокий дубовый чан и несколько котлов с горячей водой. Ботвелл выпустил Катриону.

— Думаю, мы могли бы поесть в прихожей возле камина. До встречи, мадам.

Он вернулся в свою комнату, а она проследила за ним глазами. Приказав затем остальным слугам удалиться, Нелл принялась готовить ванну для графини. Поднявшись по ступенькам на чан, горничная взяла флакон с прозрачной жидкостью и пустила из него тонкую струйку в воду. Комната тотчас наполнилась запахом сирени. Служанка усадила Катриону в чан, а сама выбрала из ее гардероба простой шелковый халат бледно-лилового цвета с длинными ниспадающими рукавами и глубоким конусообразным декольте. После этого Нелл вернулась к своей госпоже, вымыла ее прелестные волосы и потерла ей спину. Обернув графиню в огромное полотенце, девушка усадила ее к огню и высушила волосы другим, грубым полотенцем. Потом расчесала их специальной щеткой и придала блеск куском шелка. Наконец, Нелл подрезала Катрионе ногти на руках и ногах и выщипала нежелательные волоски на теле.

Все это время Катриона молчала. Она любила Ботвелла, и он любил ее. Что с ними будет, она не знала. Слишком много других судеб было здесь замешано. Но пока все выходило не так уж и плохо. Нелл помогла графине облачиться в шелковое платье, застегнула под ее высокой и полной грудью жемчужные пуговицы и надела ей на ноги лайковые комнатные туфли.

— А где мой костюм для верховой езды? — неожиданно спросила Катриона.

— Вашу рубашку и штаны я отослала прачке, мадам. Все остальное — в платяном шкафу, а Уилл отправился в избушку за вашим сундуком.

— Спасибо, Нелл. Теперь можешь идти. Сегодня вечером ты мне больше не понадобишься.

— Благодарю вас, миледи, но позвольте, прежде чем уйти, позаботиться о том, чтобы убрали чан, и еще снять с постели покрывало.

Графиня улыбкой поблагодарила девушку, а затем вышла в переднюю и стала ждать своего возлюбленного. На столе она заметила поднос с графином, рядом с которым стояли два бокала. Желая утихомирить свое бешено бьющееся сердце, Катриона налила себе бледно-золотистого вина. Сложностей в ее жизни накопилось невпроворот, но сегодня она не хотела думать о них. Она хотела только Ботвелла, его одного. Она хотела, чтобы он обнял ее своими сильными руками, а ртом закрыл ее рот. Она хотела его смеха и его шуток.

Двое здоровых молодцов вынесли чан с водой из спальни, а затем вернулись забрать другой — из комнаты графа Ботвелла. Нелл удалилась, пожелав Катрионе спокойной ночи. Слуга графа Алберт тоже закончил приготовления и ушел. Катриона ждала.

Вскоре в дверях появился граф. На нем были надеты темные короткие штаны, белая шелковая рубашка, застегнутая до самой шеи, широкий кожаный пояс с золотой пряжкой, сверкавшей рубинами, и мягкие кожаные домашние туфли.

Катриона бросилась к нему. Но, удержав графиню на расстоянии, Френсис спросил:

— Это правда, что ты мне сказала?

Ее лицо осветила улыбка.

— Я люблю тебя, Ботвелл! Люблю тебя. Люблю! Уж теперь-то, милорд, вы мне верите?

— Да, верю, моя дорогая! Я только опасался, что мне могли пригрезиться твои слова. — Он притянул Катриону к себе, наклонился и нежно поцеловал в кончик носа. — Я так и знал, что это платье тебе пойдет.

— Его ты тоже подобрал в один из своих набегов? — лукаво подкольнула графа Катриона. — И вот ведь удивительно — прямо на меня.

Ботвелл засмеялся, довольный, и слегка провел пальцами по ее шее.

— Тут недостает лишь одной вещи. Повернись.

Катриона послушно повернулась к нему спиной, и граф замкнул на ее шее ожерелье из бледно-золотых жемчужин. Снова повернув графиню к себе, Ботвелл вдел ей в каждое ухо по такой же жемчужной серьге.

— Так, — с удовлетворением тихонько произнес он. — Совершенство стало еще прекраснее, если такое вообще возможно. И что бы ни случилось потом, они — твои. Френсис Хепберн, пятый граф Ботвелл, подарил их своей невесте.

Френсис смотрел на женщину с нескрываемым восхищением.

— Боже? У тебя же безупречная кожа, Кат! Я никогда не видел, чтобы жемчужины выглядели так блистательно!

Вошли слуги, неся серебряные подносы с едой. Граф церемонно подвел Катриону к столу и усадил. Ужин сегодня Френсис велел приготовить особый, проявив безупречный вкус. Они начали с холодных сырых устриц, которые Катриона обожала, а завершили слоеным пирогом с ранней земляникой из оранжерей Эрмитажа.

Катриона ела с видимым удовольствием. Ботвелла это забавляло, и он поощрял ее, предлагая один кусок пирога за другим, пока от пирога ничего не осталось. Когда графиня закончила трапезу и вымыла руки, лорд обратился к ней полушутя-полусерьезно:

— А теперь, мадам, вы должны заплатить за еду.

Подведя графиню к креслу, стоявшему возле камина, Ботвелл усадил ее.

— Хочу зарисовать тебя, любимая. Возможно, сделаю восковую модель, а потом изваяю тебя.

— Боже мой! Так ты ваяешь! Вот откуда пошла эта чепуха про восковых идолов! Вот почему говорят, что ты занимаешься черной магией! Ох, какие же дураки! Дураки и невежды!

Лицо Френсиса искривилось гримасой.

— О да, — согласился он. — Моим врагам хотелось бы убедить бедного простофилю Джеми, что я леплю его фигуру из воска, а потом втыкаю в нее шпильки.

Взяв мольберт себе на колени, он прикрепил лист бумаги и начал работу. Недвижимая, Катриона сидела и думала, сколь же ей повезло, что живет с ним. Она никогда прежде и не догадывалась, что существует такое полное счастье, и если бы Френсис попросил пойти с ним в пекло, то она сделала бы это, не произнеся ни слова. Его глаза ласкали ее. Катриона зарделась, подумав, что предпочла бы очутиться сейчас с ним в постели, а не позировать, застыв как истукан. Наконец граф отложил работу в сторону, и глаза Катрионы поймали его взгляд.

— Ты читаешь мои мысли! — воскликнула она.

Френсис лениво улыбнулся.

— Нетрудно же их прочитать, когда ты так явно краснеешь. Да и у меня они такие же. Пойдем, моя любимая, и ляжем в постель.

Граф встал и предложил Катрионе свою руку. Она поднялась.

— А что, Френсис? Тринадцать лет я жила с Патриком здоровой, довольной жизнью. Но с тобой... — Она запнулась, подыскивая слова. — С тобой все по-другому. Эта жизнь полнее.

— Ты всегда любила Патрика?

— Других мужчин я просто не знала. Грейхевен стоит на отшибе. Прабабушка обручила нас с Патриком, когда мне было всего четыре года. Он старше меня на девять лет, мы поженились, когда мне исполнилось шестнадцать. Тогда я даже сомневалась, хочу ли я за него замуж: он имел славу ужасного распутника и выглядел таким надменным!

Ботвелл про себя посмеялся, вообразив, как упрямая Катриона столкнулась с не менее упрямым Гленкерком.

— И все же, — продолжила она, — мы неплохо уживались. Он добрый человек, и я люблю наших детей.

— Но по-настоящему ты не любила его, — возразил Френсис Хепберн и добавил: — Однако твоя судьба оказалась лучше моей. Ты — здоровая женщина, испытывающая наслаждение от постельных утех. Моя же дражайшая графиня питает полное отвращение к плотской стороне замужества. Если бы у нее была возможность наложить лапу на мое состояние иным путем, чем рожая детей, то она бы давно так и сделала.

— Но твои дети? Ты, конечно же, любишь их, Френсис?

— В некотором смысле. Но Маргарет вырастила и воспитала их холодными и бесчувственными. У них нет очарования Хепбернов или Стюартов. Меня они просто терпят. Но для теплых отношений этого мало.

— Мне так жаль, любимый.

— Почему же? — улыбнулся Френсис. — Впервые в жизни я влюблен. Я влюблен в тебя, моя бесценная Кат! Пусть Бог мне поможет! Как же я люблю тебя! А ты, дорогая, тоже влюблена впервые в жизни. И я счастлив!

— Ох, Ботвелл, — прошептала она, — что же нам делать?

— Не знаю, Кат. У меня нет простых ответов, но решение я найду, это я тебе обещаю.

Обняв ее за плечи, Ботвелл повел Катриону в спальню. Бережно и ласково он снял с нее жемчуга и положил на стол. Затем расстегнул множество пуговок на бледно-лиловом халате, снял его и аккуратно положил на стул. Катриона вытащила шпильки, и густая тяжелая волна волос сразу обрушилась вниз. У Ботвелла перехватило дыхание от восторга: он не мог оторвать глаз от ее прелестной груди, которая отсвечивала золотом в отблеске свечей. Скинув туфли, Катриона босиком подбежала к нему, и ее тонкие, дрожащие от нетерпения пальцы расстегнули на нем рубашку и сняли ее. Затем, повернувшись, графиня прошла к кровати и легла, трепетно ожидая, пока он тоже скинет одежду и ляжет рядом.

А потом Ботвелл очутился с ней под периной. Притянув пышное тело графини к своему худому и мускулистому, он крепко прижал ее к себе. Они замерли, тепло их сливалось, и казалось, что так прошла вечность. Катриона спрашивала себя, испытывал ли Френсис такую же отчаянную жажду, которую испытывала она. Называть это вожделением ей не хотелось. Ее чувства были значительно более глубокими. Даже высший акт овладения не удовлетворил Катриону полностью.

Ботвелл вошел в нее, глубоко вонзившись в ее горячую пульсирующую плоть, и, напрягаясь, чтобы проникнуть еще глубже, вскричал:

— Ах, Боже! Этого мало!

Катриона заплакала от радости, узнав, что его любовь к ней была так же глубока, как и ее к нему.

25

Шло время, и зима перешла в раннюю весну, излюбленное время пограничных набегов. Уже не раз Ботвелл отказывался идти со своими людьми, предпочитая оставаться с Катрионой. Воинам его страшно недоставало, пока наконец внебрачный брат Ботвелла Херкюлес Стюарт не завел разговор об этом с графиней.

— Можно пойти и мне? — спросила тогда Катриона.

Гигант ухмыльнулся:

— Конечно, миледи. Если Френсис вам позволит.

— Ты владеешь саблей или пистолетом? — только и спросил Ботвелл, когда Херкюлес с Катрионой предстали перед ним.

— Вполне. Мой старший брат научил меня.

Лорд устроил ей испытание и, довольный, сказал:

— Пойдет.

Он дал Херкюлесу указание присматривать за Катрионой.

С тех пор графиня стала ходить в набеги вместе с Ботвеллом и его пограничными молодцами — сначала в ночь, а затем и средь бела дня. Не чувствуя страха, она с наслаждением билась с англичанами, и это приводило людей Ботвелла в восторг. Однако Катриона оставалась добра к женщинам и нежна с детьми. С границы вскоре стали приходить странные слухи — слухи о прекрасной даме, которая лихо скакала вместе с лордом Ботвеллом и его воинами.

Как-то раз к югу от Эдинбурга прогуливался верхом давний друг Ботвелла, лорд Хоум. Эти рассказы возбудили в нем любопытство, и он пожелал увидеть загадочную даму своими глазами. Хоум отправился один. Он не хотел, чтобы рядом были слуги-сплетники. Близился вечер; лорд подъехал к Эрмитажу, остановившись на несколько минут, чтобы полюбоваться величественным замком. Заслышав позади цокот копыт, он отъехал в заросли деревьев, затаился в ожидании. Лорд безошибочно узнал жеребца Ботвелла, Валентайна, однако скакавший рядом с ним гладкий гнедой конь был ему незнаком. Обе лошади направлялись прямо на него, но внезапно остановились в высокой траве почти перед самым его укрытием. Он легко узнал лицо Ботвелла и услышал, как тот воскликнул:

— Я выиграл, мадам! Платите штраф!

Ответом на слова пограничного лорда был мелодичный смех. Хоум нетерпеливо наклонился вперед, но женщина повернулась, он не смог разглядеть ее лицо.

— Назовите ваш штраф, милорд, — отозвалась дама ясным и звонким голосом.

Ботвелл озорно поднял бровь. Протянув руки кверху, он снял всадницу с лошади.

— Ох, Френсис, — снова засмеялась женщина.

Руки Хепберна обвили ее. Из укрытия Хоуму был виден только ее профиль, мало о чем ему говоривший. Но наблюдателя поразило выражение глубочайшей нежности и любви на лице его друга.

Полюбовавшись на свою возлюбленную, Ботвелл сказал:

— Боже, дорогая, как я люблю тебя! Едем домой. Будешь снова скакать наперегонки?

Лорд помог своей даме сесть в седло. И снова Хоуму не удалось разглядеть лицо женщины, потому что она сидела к нему спиной.

— Если я выиграю, Френсис, то расплачиваться придется чем-нибудь побольше, чем поцелуй!

Смысл ее слов был ясен, и Хоум изумился: «Боже! Что за женщина!»

А Ботвелл тихо засмеялся и ответил:

— Если только вы перегоните меня, мадам!

Он шлепнул гнедого коня по крупу, давая фору Катрионе. Потом сел на Валентайна и пустился вслед.

Некоторое время лорд Хоум еще оставался в своем укрытии. То, что он сейчас увидел, несколько ошеломило его. Он знал Френсиса Хепберна уже много лет. Одно время они даже были врагами. Но после того как юношеское тщеславие поубавилось, подружились. И Хоуму никогда прежде не доводилось видеть Ботвелла таким мягким и умиротворенным. Он достаточно ходил с Френсисом по девкам, чтобы знать, что тот никогда не принимал женщину всерьез. Даже свою холодную и сдержанную графиню Маргарет. Однако к этой женщине, Хоум был уверен, хозяин Эрмитажа относился совершенно серьезно. Оседлав свою лошадь, лорд стал спускаться по дороге к замку. Его любопытство было возбуждено до предела.

Во дворе замка Хоума встретил Херкюлес Стюарт, который приветствовал гостя и взял его лошадь.

— Пойду за Френсисом. Он только что прискакал и будет рад вас видеть.

Лорд Хоум подождал в передней, поухмылявшись про себя и размышляя о том, кто же все-таки выиграл скачки. Внезапно дверь распахнулась, и широкими шагами вошел Ботвелл. Он сердечно пожал руку Хоума.

— Боже мой, Сэнди! Как я рад тебя видеть! Что привело тебя в Эрмитаж?

Огромный Ботвелл поспешил заняться графином и двумя тяжелыми стаканами.

— Любопытство, Френсис, чистое любопытство. В Эдинбурге полно слухов, что в пограничные набеги с тобой ходит какая-то прекрасная женщина. Двор прямо-таки заинтригован этим известием. Должен ли я по возвращении объявить, что лорд Ботвелл опять над ними посмеялся? И что это просто парень в парике, да?

Ботвелл передал Хоуму стакан своего дымного виски и лениво улыбнулся:

— Хочешь с ней познакомиться, Сэнди? Хочешь познакомиться с моей дамой? Я, кстати, попросил у Маргарет развод.

Брови Хоума взметнулись вверх.

— Я сказал жене, что перепишу на детей все, кроме Эрмитажа, — продолжил Ботвелл. — А какие у тебя новости, Сэнди?

Александр Хоум задумчиво вдохнул запах виски, а затем отпил глоток.

— Следует ли мне понимать, что Френсис Хепберн, человек, которого называют некоронованным королем Шотландии, наконец-то влюбился?

Ботвелл не дал прямого ответа. Он потянул шнур звонка и обратился к вошедшему на зов слуге:

— Спроси миледи, не присоединится ли она к нам?

Несколько последующих минут мужчины провели в молчании. Наконец дверь отворилась.

Ботвелл вскочил навстречу прекрасной молодой женщине. Покровительственно обняв ее, он сказал:

— Сэнди, разреши представить тебе Катриону, леди Лесли. Кат, это мой старый друг Сэнди Хоум.

Лорд Хоум склонился над протянутой ему тонкой рукой, а подняв взгляд, увидал самые прекрасные глаза, какие когда-либо встречал. Услышав же имя их хозяйки, он чуть не упал.

Леди улыбнулась и нежно высвободила руку из его ладоней.

— Да, лорд Хоум. Я та самая Катриона Лесли, графиня Гленкерк. И да, лорд Хоум, я та, которая имеет славу Добродетельной графини.

Хоум зарделся.

— Мадам, я... — попытался он еще что-то сказать.

Она помогла:

— Вы удивлены, милорд, видя меня здесь. Пусть Френсис поведает вам правду, если того захочет. А теперь я должна поговорить с экономкой, чтобы она позаботилась о вашем удобстве. — Катриона повернулась к Ботвеллу: — Я велю подать обед в маленькой столовой.

— Ты составишь нам компанию, Кат?

— Да. — И она снова улыбнулась лорду Хоуму, а затем повернулась и вышла.

— Боже мой, Ботвелл! — вскричал Александр Хоум. — Катриона Лесли!.. А Гленкерк знает, что она здесь? Он объяснил, что жена отправилась домой ухаживать за больным ребенком, и даже продал ее должность при дворе.

— Хорошо, — ответил Ботвелл. — Я не позволю ей вернуться ко двору. И отвечу на твой вопрос, Сэнди: нет, Гленкерк не знает, где она. Она написала своему дядюшке, аббату Гленкеркского аббатства, и попросила его устроить развод.

— Как это произошло? — спросил Хоум. — Ведь Гленкерка с женой все считали счастливой парой. Проклятие, Френсис! Ты снова всех обдурил! Тогда ты заявлял, что не спишь с ней. Как же смеялись при дворе, когда слышали твои заверения о простой дружбе! Говорили, что Хепберн наконец нашел то, что ему надо, но она не хочет для него раздвинуть ноги, и вообще для любого мужчины, кроме своего мужа, и все это время ты спал с ней!

Хоум шлепал себя по ляжкам и ревел от восторга. Затем он услышал тихий голос Ботвелла:

— Нет, Сэнди. Это началось не так. Налей себе еще виски, и я расскажу, как все было на самом деле.

Александру Хоуму не пришлось повторять дважды, ибо Френсис Хепберн делал самое лучшее виски на границе, а возможно, и во всей Шотландии. Откинувшись назад в своем кресле, Александр слушал — сначала с изумлением, а затем со все большим ужасом, и, наконец, с возмущением.

— Да поможет мне Бог, — закончил свой рассказ Ботвелл. — Я любил леди Катриону с самого начала, но не надеялся отбить ее у Гленкерка. Проклятый дурак, выбросил такую драгоценность!

— Даже если вы оба получите свободу, — негромко произнес лорд Хоум, — Джеймс Стюарт никогда не позволит вам пожениться. Проклятие, Френсис! Ты же рос вместе с королем. Ты не можешь не знать, каким он бывает мстительным. А тебе вряд ли удастся скрыть от него, что разводишься с дочерью Ангуса. А Гленкерк? Когда ему сообщат, что жена требует свободу, и поведают, где она находится, граф прилетит с севера, словно буря. Он мог в минуту гнева потерять голову, однако, я убежден, что он по-прежнему любит свою жену и хочет получить ее обратно.

— Кат не вернется к нему, — твердо заявил Ботвелл. — Да я ее и не отпущу. Ты знаешь, что меня называют некоронованным королем Шотландии. Я не домогаюсь трона, хотя Джеми в этом не убедишь. Когда мы с Кат поженимся, то станем большую часть времени проводить в Италии. Я только хочу сохранить Эрмитаж для сына, которого она мне когда-нибудь подарит. Такую цену — изгнание с любимой родины — мы заплатим королю за наше счастье. Что же до графа Гленкерка, то он пойдет на наши условия, не то Кат пригрозит ему обо всем рассказать. Джеми этого ни за что не допустит. Он ведь не только король, но и глава церкви. Ах, Сэнди! Всю свою жизнь я ожидал счастья и наконец-то нашел его! Никогда прежде не думал, что такое возможно.

Лорд Хоум покачал головой. Все получалось слишком уж просто. Слишком. Однако он рассчитывал на Ботвелла, веря, что тому это удастся. Френсис Ботвелл никогда не знал покоя. Великий ум, далеко опередивший свое время, он постоянно был вынужден защищать себя от нападок самых разных мелких людишек. Любовь сделала его другим: лорд стал заметно спокойнее и выглядел менее грозным.

Александр Хоум знал Катриону Лесли только по придворным сплетням. Но он понимал, что женщина, так сильно повлиявшая на графа Френсиса Ботвелла, непременно должна быть весьма незаурядной. Сэнди ухмыльнулся. И проклятие, если Хепберну не повезло! Такая к тому же красавица!..

Поразмыслив, Хоум решил остаться в Эрмитаже и узнать побольше о графине Гленкерк. Он пробыл у Ботвелла весь конец весны — редкостного времени исключительно хорошей погоды, которая сохранялась и летом. Александр ходил со своим другом в пограничные набеги и испытывал такую же гордость за горянку-графиню, что и Ботвелл с его людьми. Хоума страшно трогал очаровательный ритуал, который влюбленные исполняли перед каждым выходом на дело. Ботвелл поворачивался к Катрионе и говорил ей:

— Я — Ботвелл.

Она тихо отвечала:

— Я — Лесли.

Однако они не осмеливались громко выкрикивать боевые кличи на английской стороне границы.

Всегда, когда они возвращались невредимыми через границу на свою землю, Френсис снимал Катриону с ее лошади и сажал перед собой на Валентайна. Одна сильная рука держала поводья, а другая обвивалась вокруг тонкой талии. Влюбленные ехали, ведя сокровенные разговоры.

Когда-то давно, в детстве, нянечка рассказывала маленькому Сэнди Хоуму о сказочной и чистой любви. Но когда он вырос и стал зрелым мужчиной, выяснилось, что в отношениях между знатными женщинами и мужчинами существовали только два пути. Первый был династическим, где брак заключался к наибольшей выгоде обеих брачующихся сторон и с желаниями участников этого союза никто не считался. Другим путем была похоть. Ни один из этих случаев не объяснял того, что произошло между графом Ботвеллом и графиней Гленкерк. Александр Хоум понял, что стал свидетелем настоящей любви.

Уверившись, что Катриона Лесли не была авантюристкой, пожелавшей воспользоваться его другом, Хоум распрощался с обитателями Эрмитажа и возвратился к себе домой в Херсел.

26

Дэвид Дуглас, граф Ангус, был тихим человеком и избегал всякого беспокойства. Он не любил сцен. А теперь граф находился у дочери в Кричтене и только что закончил читать письмо, присланное ей мужем.

— Итак, папа, что же мне делать?

Дуглас слегка содрогнулся. Голос Маргарет был резким и жестким. Он раздосадовал его, как и всегда.

— А что ты хочешь делать, дорогая? По-моему, ты уже приняла решение. Любишь его, Маргарет?

— Нет.

— Тогда что за вопрос? Он попросил у тебя развода, предложив отдать все, что у него есть, кроме Эрмитажа. Ты что, хочешь еще и Эрмитаж?

— Нет! Я ненавижу это место!

— Тогда дай ему то, что он хочет, дочь моя.

— Но почему Ботвелл просит развод именно сейчас? Он всегда довольствовался тем, что жил отдельно. Раньше о разводе и не заикался.

— Так ты ведь знаешь слухи, Маргарет. Говорят, что теперь, когда он ходит в набеги в Англию, с ним бок о бок скачет женщина. Возможно, он хочет жениться на этой таинственной амазонке.

— Достойная пара! — презрительно усмехнулась Маргарет.

— Послушай, дочь, — проникновенно начал Ангус. — Брось ты Ботвелла. Рано или поздно он схлестнется с королем в открытую. Они с Джеймсом всегда задевали друг друга. Я не хочу, чтобы тебя с детьми втянули в эту битву.

— Вы правы, отец, — сказала графиня Ботвелл. — И будет лучше, если я уже сейчас возьму все, что смогу. Вы можете позаботиться о том, как это устроить?

— Конечно, моя дорогая. — Дэвид Дуглас потрепал дочь по руке. Он был доволен: всегда можно рассчитывать, что Маргарет окажется холодной и разумной.

А в Гленкеркском аббатстве преподобный Чарлз Лесли размышлял над письмом своей племянницы, графини Гленкерк, в котором та просила получить развод от Патрика Лесли. Среди шотландской знати как одной, так и другой церкви развод не представлял ничего необычного, но все равно Чарлз Лесли возмутился — Катриона пожелала, чтобы ее отпустили! И это — после адских стараний, приложенных для женитьбы! И ведь все эти годы оба выглядели такими счастливыми! Зная, что Патрик находится в замке, он послал за ним монаха.

Первое, что заметил Чарлз Лесли, когда явился племянник, это то, что Гленкерк выглядел усталым и изнуренным. Что-то было очень неладно, и аббат удивился, почему не узнал об этом раньше. Ни слова не говоря, он протянул графу письмо и, притворяясь безразличным, стал разливать по бокалам бузинное вино. Искоса он посматривал на Патрика.

Лицо Гленкерка перекосилось от страдания и горя.

— Она не сообщила вам, почему хочет развестись? Хотя ее поступок справедлив. Но, видит Бог, дядюшка, я не хочу терять ее!

— Ладно, ладно, Патрик, — успокаивал племянника аббат, еще более изумленный тем, что увидел его таким расстроенным. Ведь тот всегда держался уверенно. — Не может же дело обстоять так плохо. Неужели из-за той датской девчонки, с которой ты переспал? Ведь из-за нее Кат не держит на тебя злобы.

— Нет, дядюшка. Она простила меня, и поэтому то, что я сделал Катрионе, вдвойне ужасно.

Чарлз Лесли попросил объяснений. Услышав их, он с ревом обрушился на племянника:

— Дурак! Глупый, надменный дурак! Как ты мог?! Больше мне ничего не говори. Я не позволю вернуться к тебе единственной дочери моей сестры!

Граф нервно возразил:

— Я не дам своего согласия, пока не поговорю с ней. Кто доставил вам письмо?

— Слуга Кира.

— Тогда я отправлюсь в Эдинбург, чтобы повидать Кира, — сказал Патрик, — и найду Кат. Если после разговора со мной она все еще захочет развестись... Что ж, тогда я дам свое согласие.

Граф Гленкерк тайно поскакал в Эдинбург. Он не желал, чтобы король узнал о его приезде. После той роковой февральской ночи Джеймс очень настороженно относился к гленкеркским Лесли. Граф объяснил миссис Керр, что о его появлении никто не должен знать. Приученная к чудачествам Лесли, экономка заговорщицки улыбнулась и кивнула.

Затем Патрик отправился в дом Кира на Голдсмитс-лейн. Его тепло приветствовали оба брата, и по настороженному сочувствию в глазах Бенджамена он заключил, что старший из Кира уже догадался о причине, которая привела его сюда. Когда любезности окончились и Абнер вышел, Бенджамен с графом сели перед огнем.

— Итак, Бенджамен, — начал Гленкерк, — где она спряталась на этот раз?

— Милорд, — ответил Кира, — мой дом служит вашему со времен вашей прабабушки, но эти сведения я разгласить не могу. Не могу даже сказать, знаю ли, где находится ее милость. Я не более имею право нарушить слово, данное ей, чем вам.

Патрик ожидал таких слов.

— Тогда, Бенджамен, не можете ли вы передать мое послание ее милости?

— Думаю, что да, милорд. Велеть ли мне принести пергамент с чернилами?

— Спасибо, друг мой.

Принесли письменные принадлежности, и банкир оставил Патрика в одиночестве. Граф сочинил письмо следующего содержания:

«Кат! Я не дам тебе свободу прежде, чем ты поговоришь со мной лицом к лицу. Если после этого ты все-таки пожелаешь развестись со мной, я не встану у тебя на пути. Я обидел тебя, но умоляю выслушать меня. Я, как и прежде, люблю тебя. Гленкерк».

Граф посыпал пергамент песком, свернул, капнул воску и скрепил своей печаткой. Выходя из комнаты, он вручил свиток слуге, ожидавшему у дверей.

— Передай это своему хозяину, парень. Скажи, что я буду здесь, в городе, у себя в доме.

Несколько минут спустя Бенджамен Кира вручал письмо вестнику.

— Отвези это леди Лесли в замок Эрмитаж. И смотри, чтобы за тобой не следили.

Катриона не желала встречаться с мужем, однако Ботвелл настоял:

— Ты не можешь быть уверена, что в душе больше не любишь его, пока не посмотришь ему в глаза и не произнесешь это. Ты могла бы встретиться с графом в доме у Кира. Остановись у кузины Фионы. Я тоже поеду в Эдинбург. Мне уже давно пора чем-то ответить на эти глупейшие обвинения — будто я занимаюсь колдовством против короля. Теперь подходящее время. К тому же, раз Маргарет согласилась дать мне развод, следует подписать бумаги.

— Как ты думаешь, Джеми знает о нас?

— Нет. И никто не знает, кроме Хоума. Поедем в город тайно. С собой можешь взять Херкюлеса, а когда прибудем в Эдинбург, он проводит тебя до самого дома кузины.

— А что, если ты мне будешь нужен, Френсис?

— Я это узнаю, дорогая. Не бойся. Мы поскорее постараемся завершить все дела и не успеем оглянуться, как будем целые и невредимые у себя в Эрмитаже.

Вскоре они выехали в Эдинбург и там расстались. Увидев кузину, Фиона Лесли пришла в восторг. Она сгорала от любопытства.

— Пообещай мне, — предупредила Катриона. — Пообещай, Фиона, не говорить Патрику, что я здесь. Он остановился в нашем доме, и если ты меня не приютишь, то мне больше некуда будет идти.

— Я бы тебе обещала, Кат, но ведь Адам непременно ему расскажет.

Когда зять вернулся домой, графиня встретила его лицом к лицу.

— Если ты сообщишь Патрику, что я здесь, то я скажу ему, что это ты посоветовал мне спать с королем, — пригрозила Катриона.

— Он уже знает, — ответил Адам, потирая челюсть.

— А ты сказал ему, что подложил меня Джеми, когда на самом деле он домогался твоей жены?

— Неправда! — взревел Адам.

— Да, неправда, но я скажу Гленкерку, что было именно так, и Фиона меня поддержит, правда, кузина?

— Да, — ласково подтвердила Фиона, и ее дымчато-серые глаза метнули мужу озорной взгляд. Адам Лесли возвел руки к небу.

— Ладно, вы, две суки! Вы победили. Ты получишь приют, Кат. А уж когда Гленкерк про это прослышит, то влепит мне опять по челюсти.

Катриона обвила зятя руками.

— Сядь, Адам. И ты тоже, Фиона. Я хочу серьезно поговорить с вами обоими.

Те сели. Посмотрев на кузину, Катриона сказала:

— Сейчас ты уже, наверное, знаешь от Адама, что Джеймс принуждал меня ложиться к нему в постель.

Фиона кивнула.

— Когда Гленкерк обнаружил меня с королем, — продолжила Катриона, — то пришел в страшную ярость. О том, что он мне сделал, я больше никогда не хочу рассказывать. Теперь я попросила у него развод, но он отказывается дать свое согласие, пока я не переговорю с ним тет-а-тет. Вот зачем я приехала в Эдинбург.

— Где ты была все эти месяцы? — спросила Фиона.

Кат улыбнулась:

— А этого, кузина, я тебе не скажу.

Адам Лесли что-то невнятно проворчал и встал, чтобы налить себе вина. Если не хочет говорить, то и не скажет. Но Фиона почуяла удивительную нежность в голосе кузины и с изумлением подумала: «Боже мой! Она же влюблена! Она влюблена в другого!»

Фионе отчаянно хотелось узнать имя возлюбленного Катрионы, но ей не приходил в голову ни один мужчина, с кем бы та дружила за пределами своей семьи. Однако она была решительно настроена любым путем вызнать это. Заметив помрачневшее лицо Фионы, Кат рассмеялась:

— Скажу тебе, кузина, но только не сейчас.

Пойманная на мысли, Фиона рассмеялась:

— Ты всегда была скрытной.

На следующий день к Кира явился вестник. Графиня Гленкерк посетит их дом в час дня для встречи с мужем, если Кира известят об этом графа Гленкерка.

Гленкерк прибыл вскорости. Ему не терпелось увидеть Катриону, ибо он полагал, что, когда объяснится и попросит у нее прощения, их разлука окончится. На пороге дома графа встречала юная служанка. Проведя его в комнату, где уже ожидала Катриона, она вышла, закрыв за собой дверь.

На графине Гленкерк было синее шелковое платье с высоким воротом и кружевными манжетами цвета небеленого полотна. Темно-золотистые волосы были собраны в тугой и строгий узел на затылке. Да, перед графом действительно была Катриона, однако в чем-то она выглядела другой.

— Патрик. — Ее голос прозвучал холодно, и в нем не слышалось приветствия.

Граф бросился к жене и внезапно остановился, увидев в ее руке кинжал, сверкающий драгоценными камнями.

— Только тронь меня, и я его применю.

— Голубка, прошу тебя! — взмолился Патрик. — Ты моя жена, я люблю тебя!

Но это были не те слова. Катриона горько рассмеялась:

— Ты не проявлял таких сильных чувств два с половиной месяца назад, когда вместе с королем насиловал меня целую ночь. Боже мой, Гленкерк! Тринадцать лет я была тебе доброй и верной женой! Ни разу за все время не давала тебе повода для сомнений. И, однако, застав меня в объятиях короля, ты сразу посчитал меня виновной просто потому, что я женщина. А разве мужчины никогда не бывают виновными?

Ее голос дрожал. Граф упал на колени и схватил подол ее платья.

— Кат! Кат! Простишь ли ты меня когда-нибудь? Наутро я проснулся и вспомнил все, что произошло. Боже, ты не могла ненавидеть меня больше, чем я ненавидел сам себя. Простишь ли ты меня, милая?

— Нет, Патрик! Никогда. Можешь ли ты представить, каково было мне? Можешь ли представить, что значит позволить другому мужчине овладеть твоим телом? Для мужчины любовь — дело плотское. Вы жаждете женщины, но едва ею овладеваете, как ваше чувство угасает. Женщина же переживает чувственный опыт. Ее страсть к мужчине кипит до акта любви, во время него и даже после него. Из-за Джеймса я чувствовала себя шлюхой. Всякий раз, как он в меня втискивался, я ненавидела его и молилась, чтобы ты, Патрик, никогда не узнал о моем позоре, ибо огорчить тебя было невыносимо. Если бы только ты, Патрик, проявил ко мне такое же милосердие, то я бы сейчас тебя могла простить. Но, застав в нашей спальне короля, ты наказал меня, вместо того чтобы защитить. Нет, милорд Гленкерк! Я не прощаю вас!

Он встал.

— А дети?

— Я хочу дочерей, — сказала Катриона. — Джеми и Колин уже у Роутса, Робби пойдет на следующий год. Можешь держать детей, пока развод не завершится. А после этого я хочу, чтобы они находились у меня. Ты сможешь видеть их, когда захочешь. Все они — гленкеркские Лесли. Ты — Патрик Гленкерк, и я не допущу, чтобы твои дети это забыли. Я не допущу также, чтобы они ненавидели своего отца, Патрик. То, что случилось между нами, их не касается.

— Вы очень великодушны, мадам, — язвительно произнес Гленкерк. — И раз уж мы все уладили, то, может быть, вы удовлетворите мое любопытство и наконец откроете, где скрывались все это время?

— Нет. Я не скажу тебе, Патрик. В ту февральскую ночь ты потерял всякое право на мою жизнь.

Катриона протянула руку к стене, где был шнур звонка, и приказала юной горничной:

— Пожалуйста, позаботьтесь, чтобы подвели мою лошадь.

Затем она повернулась к Патрику и холодно кивнула:

218

— Прощайте, милорд.

Уход Катрионы ошеломил графа. Как поверить в происшедшее? Он потерял ее. В прелестных изумрудно-зеленых глазах, что, глядя на него, всегда сияли, больше не чувствовалось любви. Он сам, своей волей погубил Катриону Лесли, а женщина, которая, подобно фениксу, возродилась из ее пепла, не была его женщиной и вряд ли ею когда-нибудь станет. Опустившись в кресло, Патрик обхватил голову руками и заплакал. Несколько минут спустя он покинул дом Кира и весь остаток дня и следующую ночь беспробудно пил.

27

Когда Френсис Стюарт Хепберн сдался своему кузену, то Джеймс совсем потерял голову. Он немедленно заточил графа в Эдинбургском замке. Король, будучи излишне суеверным, ужасно боялся черной магии. Канцлер Мэйтлэнд это прекрасно знал и, стремясь перешибить хребет шотландскому дворянству, сфабриковал против Ботвелла обвинения. Канцлер полагал, что, сломав пограничного лорда, он тем самым подавит всякое сопротивление Джеймсу Стюарту. К несчастью, знатные собратья графа весьма раздраженно восприняли эту попытку посягнуть на их влияние. Они отказались собраться, чтобы рассмотреть дело Хепберна. Правосудие зашло в тупик, потому что судить графа никто другой не мог.

Узнав, что Ботвелл заточен в Эдинбургском замке, Катриона пришла в отчаяние. Она ничего не могла предпринять. Страх перед королем не позволял ей связаться со своим возлюбленным, а где искать Херкюлеса, было неизвестно. Поэтому в ожидании известий Катриона затаилась у Фионы. Без Френсиса она из Эдинбурга не уедет.

Но совсем скоро пришла записка от верного Херкюлеса. На следующий день пополудни Катрионе следовало, надев маску, прийти в таверну «Роза и чертополох» и спросить мистера Прайора.

Она стала лихорадочно ждать этого часа.

В два часа на следующий день Катриона выскользнула из дома кузины и быстро зашагала по улице под моросящим июньским дождем. Такая погода была даже к лучшему, потому что прохожих встречалось мало. Войдя в таверну, она, как и было велено, спросила мистера Прайора, и ее провели в заднюю гостиную. Там оказался Херкюлес.

Катриона едва дождалась, когда уйдет служанка, и сразу набросилась на него с вопросом:

— Френсис?!

— Невероятно удобно живет в большом и хорошо обставленном покое из двух комнат, — ответил брат Ботвелла. — Ест и пьет все лучшее, что только можно купить за деньги. Любимец своих тюремщиков. Однако нерешительность Джеми уже начинает ему надоедать.

— Что делать мне? — взволнованно спросила Катриона.

— Френсис полагает, что слишком большая доза королевского гостеприимства может его утомить, — захихикал Херкюлес. — Поэтому вскорости он покинет Эдинбург. Можете ли вы спрятать его на несколько часов? Самое большее — на день.

— Да, могу. У кузины Фионы. Он знает этот дом. Мой зять Адам завтра уезжает в Гленкерк. Его не будет две недели, но не больше. Сумеет ли Френсис бежать за это время?

Херкюлес кивнул.

— За неделю, миледи.

— Я буду готова. Вы сможете тогда подать мне какой-либо знак?

— Мальчик принесет вам букет из диких красных роз и белого вереска. И это будет той ночью.

Херкюлес налил красного вина и протянул ей бокал:

— Выпейте, мадам, у вас усталый вид.

Катриона улыбнулась и приняла вино.

— Я места себе не находила, — призналась она. — Не знала ничего, кроме базарных слухов, и не осмеливалась расспрашивать слишком настойчиво.

Херкюлес взглянул на нее.

— И как это удалось моему брату-повесе? Как он добился того, что в него влюбилась самая прелестная и самая храбрая женщина этой дикой страны?

Он ухмыльнулся такой ботвелловской ухмылкой, что сердце Катрионы перевернулось.

— Ему всегда везло, этому дьяволу!

Графиня не смогла сдержать смех.

— Это мне повезло, Херкюлес. Мой Френсис — великий человек. — Она взяла со скамейки свой плащ. — Мне лучше сейчас уйти. Буду ждать вашего знака.

На следующий день Адам Лесли выехал из Эдинбурга, оставив жену с Катрионой в доме. Почти сразу же Фиона насела на кузину с расспросами, стремясь узнать имя ее возлюбленного. Катриона только рассмеялась:

— Нет, пока не скажу, Фиона. Но через несколько дней ты не только узнаешь его имя, но и познакомишься с ним самим.

От разочарования та лишь заскрежетала зубами. Два дня спустя пополудни в дверь дома постучал мальчуган. Передав горничной букет белого вереска и диких красных роз, он сказал:

— Для леди Гленкерк.

Издав восторженный возглас, малышка-горничная поставила букет в серебряную чашу и принесла его графине. Фиона удивленно подняла бровь.

— Очаровательно, — произнесла она. — Значит ли это, что я скоро познакомлюсь с твоим джентльменом?

— Сегодня вечером, — ответила Катриона. — Ты сможешь отделаться от прислуги?

— Уже, дорогая Кат. Сегодня канун Дня святого Иоанна, и все будут праздновать.

— Проклятие! — выругалась графиня. — Как же я сразу не догадалась! Фиона, скажи прислуге, что она может гулять и завтра. Пожалуйста. Сделай это ради меня. Милорд не захочет, чтобы его видел кто-то другой, помимо нас с тобой.

Фиона согласилась.

— У них у всех с похмелья голова распухнет от эля, вина и любви и толку от них не будет в любом случае. Ох, кузина! Я просто заворожена! Кто же этот мужчина?

— Ботвелл, — тихо сказала Катриона.

— Но он в тюрьме! — воскликнула Фиона, а затем ее дымчато-серые глаза широко раскрылись, и она хлопком закрыла себе ладонью рот.

Катриона засмеялась, но кузина скоро оправилась от изумления.

— Ну ты даешь! — покачала она головой. — Тебе и в самом деле постоянно везет. Сначала Гленкерк, а затем и сам пограничный лорд! — Глаза Фионы засверкали. — Что это за мужчина? — прямо-таки взмолилась она. — Он и в самом деле колдун? А в постели такой же, как и простые смертные?

Кат подавила приступ смеха, поскольку увидела, что вопрос был задан вполне серьезно.

— Нет, кузина. Френсис не колдун и не волшебник, и в постели он очень приятен, спасибо.

— Как ты с ним познакомилась, Кат?

— При дворе. Но тогда он был мне не любовником, а просто другом.

— У него есть жена, Кат.

— Он разводится с ней, а я развожусь с Гленкерком. В конце года мы поженимся, Фиона.

— А Гленкерк знает о Ботвелле? А король?

— Нет. Ни тот, ни другой. И ты ничего не говори, Фиона. Я не хочу, чтобы кто-нибудь знал прежде, чем мы с Френсисом сыграем свадьбу.

— А что нам надо приготовить? — спросила хозяйка дома.

— Еды, кузина. Когда Френсис в хорошем настроении, у него волчий аппетит, а тут он перехитрит Джеми с Мэйтлэндом в придачу и, наверное, будет ликовать.

Вечером, когда слуги покинули дом, леди принялись ждать. Катриона считала, что Ботвелл не станет бежать до позднего часа, когда празднества будут в разгаре, и она оказалась права. Лишь ближе к полуночи раздался стук в кухонную дверь. Кат бросилась открывать, и в комнату быстро проскользнули две фигуры, укутанные до глаз.

Сбросив плащ, Френсис Хепберн оглядел Катриону и насмешливо ухмыльнулся:

— Добрый вечер, дорогая.

Катриона шагнула вперед. На ее глазах блестели слезы.

— Ах, Ботвелл!.. — Внезапно она остановилась. — Чем это ты воняешь?

Он застенчиво фыркнул.

— Боюсь, что средство передвижения, выбранное мною для переезда из замка, оказалось не самым изысканным.

— Каким же?

— Повозка с навозом.

Она вытаращила глаза.

— Повозка с навозом?!

— Там было двойное дно, — объяснил Ботвелл, — и я в нем спрятался, а надо мной покоилось содержимое всех конюшен замка.

Катриона посмотрела на Херкюлеса.

— В шкафу есть ванна, — сказала она. — Пожалуйста, достань ее и наполни горячей водой для его светлости.

А Фиону, стоящую с вытаращенными глазами, она попросила:

— Достань какую-нибудь одежду Адама и отнеси в мою комнату. И не забудь, пожалуйста, пеньюар.

Херкюлес вытащил сидячую ванну, а Катриона стала греть воду. Когда чан был наполнен, она взяла у Ботвелла его одежду и бросила в камин. И прежде чем пустить его в ванну, провела на кухню и предварительно обмыла. Усадив графа в чан, она принялась тереть его жесткой щеткой и намыливать волосы.

— Слава Богу, никаких вшей, — были ее единственные слова.

Ухмыляясь, Ботвелл наконец выбрался из ванны и обернулся большим полотенцем.

Катриона заботливо усадила его к огню, чтобы высушить волосы. Фиона вернулась с длинным мягким халатом из легкой шерсти. Ботвелл немедленно в него облачился. Затем он поймал руку Фионы и поднес к своим губам.

— Леди Лесли, — сказал он тихим задушевным голосом, от звуков которого ее щеки зарделись, а сердце учащенно забилось. — Благодарю вас за гостеприимство. Надеюсь, что я не причиню вам неудобств.

— Принимать вас в доме — большая честь, — запинаясь, ответила Фиона. — Когда вы будете готовы, то пожалуйте к ужину в малую столовую.

— Вы, разумеется, присоединитесь к нам, — учтиво произнес Ботвелл, подавая ей руку.

На откидном столе кузины уже сервировали небольшой ужин — вареные креветки, окорок, ребра сырокопченой говядины, вареный каплун, горячий хлеб, несоленое масло, свежие фрукты, салат из зелени и одуванчиков. Были также черный эль, красное и белое вино и виски. Катриона, сама едва прикасаясь к пище, смотрела, как граф радостно набивал себе брюхо. Наконец он насытился и, откинувшись на спинку стула, потягивал виски.

Катриона сидела рядом, чтобы ухаживать за ним. Фиона расположилась вместе с Херкюлесом на противоположной стороне стола. Отодвинув свой стул назад, Ботвелл тихонько сказал графине:

— Иди, дорогая, сядь ко мне на колени.

Кат устроилась у него поудобнее.

— Ты скучала по мне?

— Да, — прошептала она. — Я так боялась!..

Граф отыскал своим ртом ее жадные губы и страстно поцеловал, ощутив, как прелестное тело возлюбленной оживает под его ласками.

— Боже, как я скучал по тебе, — пробормотал он ей в шею. — У меня были деньги на шлюх, но я не взял ни одной. Я оставался верен тебе, дорогая, а я никогда не поступал так ни с одной другой женщиной.

Она поймала его руки и прижала их к своей упругой груди. Ладонями Ботвелл ощутил ее твердые маленькие сосочки. Он встал, поднял графиню на руки.

— Мне очень жаль, дорогая, но сегодня я не могу ждать, — сказал лорд.

— И я не могу, Ботвелл, — тихо ответила Катриона. — Отнеси меня в постель. Я сгораю от любви.

Френсис охотно подчинился и пошел наверх по лестнице со своей прекрасной ношей.

Фиона зачарованно наблюдала всю эту сцену. Ей не были слышны слова, но нескрываемое желание, снедавшее кузину и Френсиса Хепберна, бесконечно поразило леди Лесли. Уже и сама она учащенно задышала, ее прекрасные груди раздулись, а пухлые губы стали влажными. Виновато подняв глаза, Фиона увидела, что Херкюлес понимающе ей улыбается. Она покраснела до корней своих золотисто-каштановых волос, потому что думала только об одном: «Этот медведь собирается соблазнить меня, и, видит небо, я отдамся».

Леди попыталась вернуться в мыслях к Адаму, но, к собственному ужасу, обнаружила, что не в состоянии даже вспомнить его лицо. Фиона быстро поднялась и бросилась к окнам, которые выходили в сад. И тут же она почувствовала пьянящий запах алых роз и разразилась безмолвным проклятием — ей показалось, что все в мире вступило в заговор против ее чувственности. Сам воздух был заражен страстью, созданной

Ботвеллом и Катрионой. Она пришла в ужас от собственного настроения и в то же время возликовала.

А Херкюлес уже оказался за спиной мятущейся леди. Он обвил рукой ее талию и притянул спиной к себе. Гость целовал мягкие обнаженные плечи, а потом его пальцы начали расшнуровывать корсаж ее платья. Поставив теперь Фиону лицом к себе, гигант стянул ей платье с плеч и наклонился, чтобы поцеловать полные чувственные губы. Язык, раздвинувший их, немедленно овладел ее ртом. Несмотря на свой немалый опыт, Фиона была в полуобморочном состоянии. Однако, чтобы изобразить сопротивление, она высвободилась, отступила и подняла глаза на своего нового знакомца.

— Сэр, — слабо возмутилась она, — я никогда прежде не изменяла Лесли.

— Восхитительно с вашей стороны, мадам, — протянул он. — А где тут у вас спальня?

— Наверху, направо.

Фиона вдруг осознала, что время возмущаться ушло.

Херкюлес поднял ее на руки, словно ребенка, и понес в постель. Когда они поднимались по лестнице, леди Лесли едва сдерживала улыбку. «Почему? — подумала она. — Почему я всегда в конечном счете оказываюсь с братом?»

В сером полумраке летнего солнцестояния Френсис Хепберн страстно любил Катриону Лесли, пока, изнуренные, они не уснули. Графиня проснулась на рассвете и, открыв глаза, обнаружила, что Ботвелл не спит, а смотрит на нее. Привстав, она притянула его голову к себе на грудь.

— Таким взглядом ты обратишь меня в пепел, любимый, — прошептала Катриона.

— Мне плохо было спать без тебя, Кат. Ты нужна мне, дорогая, постоянно. Я больше не расстанусь с тобой, — прошептал Френсис.

Слегка приподнявшись, Ботвелл склонился и посмотрел на лицо любимой. Оно было мокрым от беззвучных слез. Лорд нежно прикоснулся к ее щеке.

— Не плачь, дорогая. Пока мы вместе, нам с тобой ничего не грозит.

— А как долго, Ботвелл? Как долго? Я боюсь! Они не дадут нам быть счастливыми!

— Не надо, любовь моя. Не надо. Я сегодня же увезу тебя домой в Эрмитаж. Здесь слишком близко Джеймс Стюарт. Думаю, это тебя пугает.

Катриона прильнула к нему, прижалась всем своим стройным телом, и вот уже Ботвелл желал овладеть ею превыше всего остального. Он увидел, что и Катриона жаждала его снова и столь же сильно. Ее зеленые глаза засверкали, а мягкие округлые груди стали твердыми. Граф почувствовал, как трепещут ее бедра. Он тихо рассмеялся.

— Боже! Эта девка — как раз для меня! Ошибки быть не может. Я никогда раньше не встречал женщину, которая могла угнаться за мной — только ты!

Графиня снова притянула к себе его голову.

— Войди в меня, возлюбленный, — взмолилась она, и тут же его рот захватил ее губы.

Френсис глубоко проник в ее горячую мягкую плоть, напрягаясь, чтобы достичь еще большей глубины, и чувствуя, как напрягалась она, принимая в себя его кипучее семя. Как всегда — и такого у Ботвелла тоже никогда не бывало ни с какой другой, он снова отвердел внутри ее. Лорд постарался ублажить эту женщину, любившую, как он знал, только его, и которую он сам любил превыше всех других. И собственный беспредельный восторг Френсиса стал еще большим, когда он услышал ее ликующий крик.

Потом Ботвелл держал Катриону в своих объятиях, нашептывая нежные слова и покрывая поцелуями ее лицо, волосы, шею. Ему теперь всегда страшно недоставало ее. Он обнаружил, что нуждается в ней, как никогда раньше ни в ком не нуждался. Граф всегда был одиноким волком. Но теперь одинокий волк нашел себе пару. И чтобы уберечь ее, Френсису Ботвеллу предстояло биться с самим королем.

Когда наступил прекрасный июньский рассвет, в Эдинбургском замке неистово зазвенел колокол тревоги. Мгновенно проснувшись, Ботвелл сел на постели.

— Долго же они обнаруживали мое отсутствие, — ухмыльнулся он. — Что ж, у Джеми день испорчен.

Граф нежно похлопал Катриону по прелестному заду.

— Давай, Кат! Просыпайся! Раз уж мы едем в Эрмитаж, то я хотел бы прежде позавтракать.

— Я еще не проснулась, — пробормотала она, сворачиваясь в маленький клубок.

Но Френсис стянул одеяло и принялся осыпать ее тело поцелуями. Несколько минут графиня еще сумела это выдержать, но потом возмутилась:

— Проклятие, Ботвелл! Этими своими ласками ты и труп оживишь, — сказала она, слезая с постели.

Френсис с наслаждением наблюдал, как Катриона мылась, а затем натягивала на себя костюм для верховой езды. Графу доставила удовольствие золотая цепочка с топазами, надетая ею на шею. Это был его подарок.

— Поедим на кухне, милорд. Разбудить ли мне Херкюлеса, или вы сделаете это сами? Ставлю золотой, что ваш брат в постели у Фионы. Я точно знаю, что кузина оставалась верна Адаму в течение всей их супружеской жизни, но если она смогла вчера устоять перед этим здоровенным молодцом с его страстными взглядами, то я совершу паломничество в Иону!

Ботвелл отозвался громким смехом.

— Никакого пари, Кат! Если мой братец окажется не у нее в постели, то я пойду в Иону с тобой! Этот плут знает, как добиться своего!

Они выскользнули из своей спальни и на цыпочках прокрались к комнате напротив. Там было тихо. Катриона осторожно приоткрыла дверь и заглянула внутрь. Херкюлес сразу же проснулся и приветствовал их озорной ухмылкой. Обнаженная Фиона крепко спала, свернувшись калачиком на уголке кровати. Она выглядела очень растрепанной.

Катриона снова закрыла дверь, и ее рот задергался от беззвучного смеха.

— Я буду на кухне, — шепнула она Ботвеллу и легко сбежала вниз по лестнице.

Ботвелл вернулся в спальню, побрился и неспешно помылся, насколько это было возможно, над маленьким фарфоровым тазиком. После этого граф спустился вниз и обнаружил, что Катриона приготовила аппетитный завтрак из овсяной каши, холодного окорока и хлеба. Херкюлес уже восседал за столом, за обе щеки уписывая еду и запивая ее коричневым октябрьским элем. Френсис присоединился к брату. Подав мужчинам еду, Катриона села с ними и принялась есть со своим обычным аппетитом. Насытившись, граф отодвинул стул.

— Херкюлес, — обратился он к брату, — я хочу, чтобы ты проводил Катриону на окраину города в таверну «Лев». И жди меня там.

— Куда ты собрался? — спросила Катриона.

— У меня есть одно незаконченное дело. Не волнуйся, дорогая.

— Не надо, чтобы тебя видели, Френсис. Ты нарочно дразнишь Джеми.

— Никто не причинит мне вреда, любимая.

Он потянул брата с кухни. До Катрионы донесся только приглушенный звук их голосов, а затем смех.

Вздохнув, графиня собрала блюда, оставшиеся со вчерашнего вечера, и вымыла их в посудомойке. Все должно стоять на своем месте — нельзя дать слугам повод для сплетен. Когда Катриона закончила и вернулась на кухню, Ботвелл уже надевал свой плащ.

— Поцелуй меня, дорогая.

— Ты обещаешь, что будешь беречь себя?

— Ай ты, девка! Ну конечно! А ты минут через десять должна отправиться с Херкюлесом. И пригляди, чтобы Фиона держала язык за зубами.

Катриона засмеялась.

— Фиона не сознается даже в том, что тебя видела, а уж тем более что приютила. Адам изобьет ее до полусмерти. Ему-то известна слава твоего брата.

Ботвелл ухмыльнулся.

— Мы скоро снова будем вместе, любовь моя.

Секунду спустя он прошел через заднюю дверь на конюшни, где Херкюлес уже держал под уздцы пританцовывающего Валентайна.

Катриона вышла из кухни, неся поднос с вином, хлебом и медовыми сотами, и взбежала по двум пролетам лестницы в спальню Фионы.

— Проснись, соня! — позвала она кузину.

Та лишь что-то пробормотала и снова поглубже закопалась в перину.

— Я тебя покидаю, кузина. Нам с Ботвеллом сегодня нужно ехать домой в Эрмитаж.

Она поставила поднос на столик у кровати. Фиона сразу села.

— Боже мой! — воскликнула Кат. — Ты выглядишь словно замок, сдавшийся после великого сражения!

— Так я себя и чувствую, — ответила Фиона. — Херкюлес не посрамил своего имени. — Внезапно она покраснела. — Боже, Кат! Только не проговорись Лесли! Я никогда раньше не изменяла ему. Не знаю, что на меня нашло.

— А я знаю, — возразила Катриона, смеясь, — но не донесу на тебя, если ты не донесешь на меня. — Она наклонилась и обняла Фиону. — Будь так добра. А если тебе потребуется связаться со мной, то хозяин «Розы и чертополоха» сможет передать записку Ботвеллу.

— Да хранит тебя Господь, Кат, — напутствовала ее кузина.

А тем временем Ботвелл ехал верхом по городу, стараясь, чтобы на него обратил внимание всякий простолюдин. Следом потянулась толпа. Граф слышал позади себя возбужденные голоса.

— Это Ботвелл!

— Это сам пограничный лорд!

— Френсис Хепберн!

— Бежал от короля!

— Неужели Джеми рассчитывал удержать Ботвелла?!

— Держи меня, Мори, он такой же красавец, что и по слухам!

Граф проехал на Нижнюю Луку и остановил лошадь. Опасаясь острых копыт Валентайна, толпа сохраняла почтительное расстояние.

— Доброе утро славному люду Эдинбурга! — прогудел Ботвелл.

Толпа задвигалась, зеваки принялись весело пихаться и ухмыляться.

— Есть ли здесь кто-нибудь, — спросил Ботвелл, — кто захочет честно заработать золотую крону? Крону тому, кто приведет сюда ко мне королевского канцлера Джона Мэйтлэнда. Пусть он только придет за мной, и в тот же миг я покорно возвращусь в тюрьму!

Зеваки разразились восторженным гоготом, и сразу несколько человек побежали к дому канцлера. Однако несколько минут спустя они вернулись. Слуги канцлера заявили, будто его нет дома. Люди принялись насмешливо улюлюкать.

Затем Френсис Хепберн бросил им мешочек с золотыми кронами. Когда все успокоились, Ботвелл сказал:

— Скажите Мэйтлэнду, что если у него хватит смелости прийти за мной, то пусть ищет меня на пограничье, я буду его ждать. А моему кузену, королю Джеми, я изъявляю свою глубочайшую верность.

Валентайн встал на дыбы, а Хепберн прокричал:

— Я — Ботвелл! Ботвелл!

Никем не удерживаемый, он поскакал от Нижней Луки домой, а в ушах у него отзывалось восторженное одобрение толпы.

28

Но пока Ботвелл еще только скакал со своими сообщниками на пограничье, Джон Мэйтлэнд уже засел за работу, стараясь еще более опорочить его в глазах короля. Мэйтлэнд был блестящим государственным деятелем и, подобно другим политикам той эпохи, действовал по необходимости безжалостно. Он хотел, чтобы в Шотландии оставалась только одна власть — власть монарха, и тогда он, канцлер Джон Мэйтлэнд, сможет править страной через короля.

Уже много лет королям Стюартам досаждали их дворяне. Править Стюартам удавалось только вместе с ними. Шотландские монархи щедро дарили знатным родам своих внебрачных детей, а затем женили этих незаконнорожденных на отпрысках лучших семей, надеясь породниться с могущественными и независимыми кланами и, пользуясь их поддержкой, все-таки править.

Мэйтлэнд намеревался с этим покончить. Он сломит власть знатных смутьянов. Начнет с Ботвелла на пограничье, потом доберется до Хантли, пресловутого Северного Петуха. Если бы только, вздыхал канцлер про себя, великие вожди больше походили на представителей младших ветвей. На ум приходили граф Гленкерк и его кузен Сайтен, которые накопили большие состояния. Не вожделея политической власти, они хранили мир на своих землях, а в час войны с готовностью отвечали на призыв Стюартов.

230

Мэйтлэнд вызвал свой экипаж и поспешил во дворец Холлируд. Там канцлер обнаружил обезумевшего короля, которого не могла утешить даже королева.

— Как он бежал? — вопил король. — Как?! Как?! Ведь Эдинбургский замок неприступен! Значит, кто-то должен был ему помогать! Я хочу знать кто!

— Сир! Сир! Успокойтесь! Хоть никто и не видел, как бежал Ботвелл, его исчезновению, я уверен, найдется логическое объяснение.

— Никто не видел? — прошептал Джеймс. — Колдовство! Он снова прибегнул к черной магии!

Канцлер скрыл улыбку, довольный, что его тонкий намек не ускользнул от внимания короля. Но он не учел, что рядом находилась и королева.

— Чепуха! — отрезала она. — Убеждена, что канцлер и не подразумевает ничего подобного, так ведь, сэр? Ладно тебе, Джеймс! Неужели ты думаешь, что Френсис действительно вылетел из своего заточения верхом на помеле? Больше похоже на то, что он подкупил стражу. За деньги люди сделают что угодно.

— Его люди не сделают, — кисло молвил король. — Я уже пытался покупать у них сведения.

— Что ж, — признала, улыбаясь, королева, — Френсис — человек особый.

— Разве? — спросил Мэйтлэнд.

Его совсем не удивило, что королева оказалась среди приверженцев Ботвелла. Женщины всегда были весьма восприимчивы к чарам этого мужчины. Мэйтлэнд их не понимал.

— Да, — повторила Анна Датская, глядя канцлеру прямо в глаза. — Френсис Хепберн может своим очарованием даже утку выманить из воды.

— Желаю, чтобы его нашли! — снова завопил король. — Чтобы нашли и вернули!

— Будет исполнено, ваше величество. Это окажется нелегким делом, но все равно будет исполнено.

— Если бы вы сегодня утром пошли на Нижнюю Луку, то он бы уже снова был в тюрьме, — мягко сказала королева.

Фрейлины захихикали, а канцлер метнул на Анну ядовитый взгляд, который она предпочла не заметить.

— О чем это ты? — удивился король.

— Сегодня утром, Джеймс, лорд Ботвелл приехал на Нижнюю Луку и громогласно объявил, что вернется в тюрьму, если только господин Мэйтлэнд сам придет и заберет его. Слуги нашего канцлера ответили, что его нет дома. Но мне думается, что он все-таки дома был и, дрожа, затаился в своем кабинете.

Король ухмыльнулся, потом засмеялся и вот уже просто захохотал.

— Он перехитрил тебя, Мэйтлэнд, — ликовал Джеймс. — Вот это Френсис! Он отличный рыболов, и он вывел тебя на чистую воду, словно лосося! Он чертовски хорошо знал, что ты не осмелишься прийти за ним, и выставил тебя дураком!

— Его поступок — это оскорбление короне, — огрызнулся Мэйтлэнд. — Он подрывает достоинство вашего величества. Ботвелла следует сурово наказать.

— Он подрывает твое достоинство, Мэйтлэнд, — возразил король, но слова канцлера больно его ужалили. — Как бы ты наказал его? — спросил Джеймс.

— Конфискацией, — сразу ответил канцлер. — Конфискацией. Титулов. Поместий.

— Нет-нет! — вскричала королева. — Френсис — наш кузен, Джеймс. Я знаю, что он бывает безрассуден, что иногда надменен, но это самый добрый человек, какого я знаю. И он всегда был верным другом вашему величеству. Никогда не участвовал в заговорах против вас и никогда не лгал вашему величеству, как другие.

— Его обвиняют в колдовстве, Анни.

— Вот уж смехотворные обвинения! Никто же в них не верит! Ваши пэры до того ими оскорблены, что даже не хотят собраться на суд. Прошу вас, дорогой муж, не поступайте с Френсисом сурово. Он наш друг, а их у нас так мало.

— Мы должны примерно наказать этого прохвоста! — упорно возражал Мэйтлэнд.

— Сэр! — Королева в ярости выпрямилась. — Вы забываете свое место! — Она повернулась к королю: — Я бы очень расстроилась, сир, если бы вы жестоко наказали нашего кузена. Сейчас середина лета, жара, и, по-моему, он просто убежал купаться.

232

Анна представила отъезд Ботвелла таким незначительным событием! Джеймс размяк и обвил рукой талию своей хорошенькой жены.

— Дай мне подумать, любовь моя, — сказал он и, наклонившись, поцеловал ее.

Королева повернулась, медленно прошла к двери своей спальни и, открыв ее, задержалась на пороге.

— Пока еще не очень поздно, Джеми. Отошли господина Мэйтлэнда и возвращайся в постель.

Невинный, казалось бы, взгляд ее голубых глаз прельстил короля, и Джеймс почувствовал, как ответили его чресла.

Что ж, сейчас Джону Мэйтлэнду пришлось удалиться. Но не такой он был человек, чтобы легко отказаться от своего замысла. Королева выиграла первый бой, используя свои плотские чары, а такие приемы вызывали у Мэйтлэнда отвращение. Против Хепберна, подумал он, придется использовать нечто такое, что рассердит короля и продержит его гнев достаточно долго. Тогда конфискация осуществится.

Внезапно память услужливо подбросила ловкому царедворцу слух о женщине, которая этой весной ходила с Ботвеллом в набеги. Никто не знал, кто она и откуда, но все в один голос говорили, что это была удивительная красавица. И сегодня его шпионы донесли, что вместе с Ботвеллом на пограничье поехали его брат и какая-то прекрасная дама. Мэйтлэнд не знал, окажутся ли полезными сведения о ней, но почувствовал, что пренебрегать ими не следует. Поэтому он послал за одним из своих самых верных людей.

— Отправляйся в Эрмитаж, — приказал канцлер, — и вызнай, что там у Ботвелла за женщина. Мне мало дела, как ты добудешь эти сведения, но я должен получить их через неделю.

Несколько дней спустя человек вернулся и сказал своему взволнованному хозяину:

— Это леди Катриона Лесли, графиня Гленкерк.

— Ты уверен? — спросил удивленный канцлер.

— Я узнал это от ее личной служанки.

Шпион промолчал о том, что он хитростью выманил девушку из замка, долго пытал, вытянул из несчастной это имя, а затем перерезал ей горло.

Память Мэйтлэнда снова услужливо напомнила о себе. В последнее время канцлер платил спальному слуге короля и теперь послал за этим парнем.

— Что ты знаешь о Катрионе Лесли?

Барра написал ответ на бюваре, который висел у него на поясе.

«Была тайной любовницей короля, но от него сбежала. Джеймс все еще ее желает».

Оторвав листок от бювара, слуга передал записку канцлеру.

Джон Мэйтлэнд прочитал. Улыбаясь, он протянул Барре мешочек с золотом. Канцлер ликовал! Найдено именно то оружие, которым он погубит Френсиса Хепберна. Но следовало убедиться, что шпион не ошибся.

Несколько дней канцлер наводил справки, проявляя при этом крайнюю осторожность. Обнаружилась поразительная вещь: оказалось, что леди Ботвелл только что получила от церкви развод. Копая дальше, канцлер выяснил, что графиня Гленкерк также запросила развод — через своего дядю, аббата Гленкеркского аббатства. Тот представил ее прошение шотландскому прелату. Не в силах сдержать возбуждение, интриган поспешил в Холлируд. Но, когда его экипаж въехал на дворцовый двор, вельможа сумел немного успокоиться. Король ни в коем случае не должен догадаться, что кому-то стала известна его самая сокровенная тайна.

Мэйтлэнд прождал почти весь день и наконец-то остался с королем наедине.

— Я обнаружил, — сообщил канцлер, — занятную подробность из жизни Френсиса Хепберна. Мне стало известно имя последней любовницы вашего кузена — той, что ходит вместе с ним в набеги.

А Джеймс обожал сплетни.

— Не томи же, Мэйтлэнд, — нетерпеливо молвил он. — Кто она?

— Вот это поразительнее всего, сир. И я бы даже сказал, что из всех знатных женщин Шотландии она менее всего подходила для ботвелловской постели. Граф собирается жениться на ней, и леди Ботвелл только что получила развод от церкви. А леди, о которой я говорю, скоро тоже получит свободу.

— Да, Мэйтлэнд, это интересно, но кто же она?

— Графиня Гленкерк, сир. Леди Катриона Лесли. То прелестное создание, которое при дворе все называют Добродетельной графиней.

На какой-то кратчайший миг Джеймс Стюарт почувствовал, как его сердце остановилось.

— Кто, Мэйтлэнд? Кто, ты сказал?

— Леди Лесли, сир. Жена Гленкерка.

На короле совсем не стало лица, и Мэйтлэнд решил, что настала пора испросить позволения удалиться. Но на пороге его догнал приказ:

— Сегодня вечером будь во дворце.

Улыбаясь про себя, канцлер вышел. Ботвелл погиб. От вельможи не ускользнуло выражение страшной муки на лице Джеймса Стюарта.

А король принялся в ярости расхаживать взад и вперед по комнате. Френсис Стюарт опять оказался его Немезидой. Четырьмя годами старше Джеймса, он всегда выглядел крупнее, сильнее, смышленее. Обоих судьба одарила красотой, но и здесь Френсис с его суровой, почти богоподобной внешностью обошел кузена. Овладевая науками, Джеймс проливал семь потов, а Френсис впитывал знания, подобно губке, легко и без напряжения. За обаятельным Ботвеллом женщины ходили табуном, а Джеймс чувствовал себя с ними не совсем уютно, поскольку вырос в мужском обществе, куда дамы допускались редко. Короче, Френсис Хепберн был тем, кем страстно желал быть Джеймс.

Отобрав Катриону Лесли у короля, Ботвелл зашел слишком далеко. Этого Джеймс ему уже не простит. В своем горестном разочаровании король даже и не вспомнил о тех обстоятельствах, при которых Катриона от него сбежала. Сначала монарх предпочел знать только одно: очевидно, Катриона предложила пограничному лорду то, в чем отказала королю. Она отдала Ботвеллу свое сердце.

Теперь Джеймс обдумывал, как помешать влюбленным. Катриона не получит развод, об этом Мэйтлэнд поговорит с кардиналом. Сколь ни любим в народе кузен, он будет объявлен вне закона. Все его поместья, равно как и титул, конфискуются. Вряд ли Катриона останется с изгоем.

Джеймс гневался на Катриону Лесли. Какую честь он оказал этой почти безродной горянке! Сделал ее придворной дамой при спальне королевы! И как жестоко она разочаровала его! Оказалась совсем не лучше любой другой придворной дамы, что с легкостью раздвигают ноги перед каждым мужчиной.

Позднее, как и было приказано, к королю явился Джон Мэйтлэнд, надеявшийся, что не выглядит слишком обрадованным. Он намеренно придал лицу бесстрастное выражение. Король приказал канцлеру издать указ, что Френсис Стюарт Хепберн, пятый граф Ботвелл, лишается всех титулов, а его имения конфискуются. На следующий день королевский глашатай во всеуслышание объявил королевскую волю жителям Эдинбурга. Возмущенные горожане забросали вестника мусором. Они не желали видеть падения своего героя.

А Джеймс почувствовал, что попал в глупое положение. Королева перестала с ним разговаривать и заперла все двери в свою спальню. Леди Маргарет Дуглас пробилась в покои к монарху и принялась яростно доказывать, что тот не имел права конфисковывать ничего, кроме Эрмитажа. Благородная дама размахивала перед носом короля какой-то бумагой, из которой, по ее словам, неопровержимо следовало, что Ботвелл переписал все свои остальные поместья на старшего сына, законного наследника графа. Джеймс набросился на нее.

— Пока Френсис был у меня в милости, мадам, поместья принадлежали ему, и он мог делать с ними все, что заблагорассудится. Но поскольку теперь он в опале, то его собственность конфискована короной.

— Не надейтесь, что я выеду из Кричтена, — завопила Маргарет Дуглас. — Этот дом принадлежит мне и моим детям. Куда нам из него идти?!

— Идите хоть к вашему отцу, хоть к дьяволу, — огрызнулся король. — Мне нет до этого никакого дела. А теперь удалитесь, и при дворе вам впредь появляться запрещается.

Побежденная дама удалилась. Однако она не собиралась сдаваться — она придет опять и не допустит, чтобы ее старшего сына ограбили. Но, чтобы собраться с силами, ей требовалось время.

На следующий день Френсис Хепберн услышал, что король объявил ему войну. Он не знал в точности почему. Вряд ли потому, что убежал из Эдинбургской тюрьмы.

— Он знает, — подсказала Катрионе женская интуиция. — Он знает о нашей любви.

— Чепуха, — возразил Ботвелл. — Даже Джеми не может быть таким мелочным.

Но графиня знала, что была права. А когда несколько дней спустя к ним прибыл лорд Хоум, то его разговор с Френсисом подтвердил эти подозрения. Сэнди взял руку Катрионы и поднес к губам.

— Самая прекрасная и одновременно самая дорогая рука в Шотландии, — прошептал он.

Гость повернулся к Ботвеллу.

— Имею поручение от короля тебя забрать, — лукаво ухмыльнулся он, — однако, если у тебя нет настроения тащиться в Эдинбург по летней жаре, то я это пойму, и думаю, что и сам отдохну у тебя на пограничье.

— Что же так разъярило кузена Джеми? — спросил Ботвелл.

— Мэйтлэнд. Еще две недели назад он предложил конфискацию, но королева тебя защитила и напомнила неблагодарному о твоей верности и о твоей безупречной службе короне. — Хоум помрачнел. — Думаю, что все бы и обошлось, но, кажется, король вызнал, что Катриона здесь. Когда он поручал мне приехать в Эрмитаж и объявить тебя пленником короны, то при этом все время зудел о твоей похотливости и связи с некой придворной дамой. Я не осмелился расспрашивать его, Френсис, но убежден, что он имел в виду Кат. Откуда, черт возьми, этот мерзавец мог прознать?!

— Недавно в окрестном лесу нашли убитой девушку, которая была моей горничной с первого дня в Эрмитаже, — вмешалась Катриона. — Перед смертью ее жестоко пытали.

— Да, — подтвердил Ботвелл. — Ступни ног выжгли дочерна, а горло перерезали. Бедная девочка. А это мы вытащили у нее из сжатого кулака. Узнаешь?

Он сунул руку в карман и вытащил серебряную пуговицу. Хоум взял ее и кивнул.

— Один из мэйтлэндских людей. На пуговице эмблема канцлера. Убийца, вероятно, требовал рассказать о той женщине, что видели с тобой. Ублюдок! Нашел-таки оружие, чтобы погубить тебя!

— Меня ему не погубить, Сэнди. Но скажи мне, что с Маргарет и детьми?

— Они у Ангуса.

— Джеймс выгнал ее из Кричтена?! И она ушла? Господи, не поверю! Маргарет всегда любила это поместье.

Лорд Хоум засмеялся.

— Она просила короля, Френсис. Сказала, что тебе принадлежит только один Эрмитаж, потому что все остальное ты передал своему старшему сыну. Джеймс послал ее и детей обратно к Ангусу.

Ботвелл едва сдержал смех.

— Бедная Маргарет! Конечно же, ей должны вернуть эти поместья для моего наследника. Однако я уверен, что Ангус об этом позаботится. И даже полагаю, что ему не терпится выставить Маргарет из своего дома.

— А как быть с Эрмитажем, Френсис?

— Если Джеймсу нужен Эрмитаж, то пусть сам придет и возьмет, — сказал Ботвелл. — Есть две вещи на этом свете, которые я ценю превыше всего, — это мой дом и Катриона. Ни то, ни другое я ему не отдам.

Но Катриона перепугалась.

— Давай уедем из Шотландии, Френсис, — взмолилась она. — Джеми отобрал у тебя все, чем ты владеешь, а дальше возьмет и меня.

Но Ботвелл и думать не хотел о бегстве. Даже когда от Кира прибыл вестник с письмом от гленкеркского аббата: кардинал отказал Катрионе в прошении о разводе. Недовольный таким ответом, Чарлз Лесли сам отправился в Сент-Эндрю и лично объяснил его святейшеству положение дел. И вот тогда-то иерарх признался: через доверенного секретаря канцлера Мэйтлэнда ему сообщили, что, одобрив развод, духовенство тем самым нанесет королю величайшее оскорбление. Учитывая, в каком шатком положении сейчас оказалась Шотландии старая церковь, кардинал не захотел никоим образом усугублять трудности. И если Джеймс не сменит гнев на милость, то Катриона Лесли развод не получит. Равно как и не сможет выйти замуж за Френсиса Ботвелла.

Графиня опять взмолилась:

238

— Увези меня, Френсис. Во Франции церкви не придется отвечать перед королем Шотландии, и я смогу получить развод.

— Не бесплатно, дорогая.

— Я очень состоятельная женщина, Френсис, и сумею подкупить любого священника! Проклятие! Зачем мне деньги, если я не могу купить то, что хочу?!

Ботвелл засмеялся и обнял ее.

— Дорогая, балованная ты девочка, — сказал он с нежностью. — Даже если в угоду кузену Джеймсу мне придется покинуть Шотландию, то, прежде чем уеду, я все равно помирюсь с ним. Я еще должен сохранить Эрмитаж для сына, которого ты мне когда-нибудь подаришь.

— Ох, Ботвелл, не будь глупцом! Джеми никогда не позволит нам жить вместе. Прошу тебя, увези меня сейчас! Мне мало дела до того, будем ли мы в браке или нет, только бы оставаться вместе.

Но Френсис решил, что можно не торопиться. Он был человеком чести и к тому же пока еще не вполне понимал, что его кузен и товарищ по детским играм намеревался стать единоправным королем Шотландии, причем стать им во всем. Не понял граф и того, насколько Джеймс возжелал Катриону Лесли. Король хотел ее обратно. И если она не достанется ему, то не достанется и Френсису Хепберну.

Летом 1591 года Ботвелл вместе со своей прелестной возлюбленной и лордом Хоумом ходил в пограничные набеги. Впрочем, между Англией и Шотландией мир сохранялся. Король же этим летом отбыл из Эдинбурга в Линлитгоу, где родилась его мать, посетил далее Стерлинг, Фолкленды, а затем через Ферт-оф-Форт вернулся в столицу.

29

Граф Гленкерк стоял перед королем и еле сдерживал волнение. С той ужасной ночи прошло уже восемь месяцев, и за все это время Патрик ни разу не видел монарха. Джеймс поднял глаза.

— Почему ты настоял на этом разводе, Гленкерк? Я уведомил кардинала, что буду недоволен, если вы с Катрионой расторгнете брак.

— Сир, Кат желает получить свободу. Я видел ее в июне и понял, что ко мне она не вернется. Она стала совсем другой женщиной.

— Ты знаешь, где она сейчас, кузен?

— Нет, сир. Она мне не сказала.

— А я знаю, — тихо сказал король, наклоняясь над своим дубовым столом. — Она убежала от тебя, чтобы никто не мешал ей стать ботвелловской шлюхой. И кузен Френсис уже настолько одурманен, что развелся с дочерью Ангуса и хочет жениться на Катрионе. Но... он на ней не женится! Развода твоя жена не получит!

Ошеломленный Патрик Лесли не мог поверить своим ушам. Но тут ослепительной вспышкой у него в мозгу промелькнуло, как Катриона не раз говорила: «Френсис — мой друг, и ничего более...»

— А я, — продолжал король, — предполагаю через несколько дней заманить Ботвелла в Ли. Очень вероятно, что Катриона будет с ним. И я хочу, чтобы ты приехал и увез ее домой. Если она раскается в своем поведении, то сможет вернуться ко двору.

— Сир! Кат больше не хочет меня и не любит.

Король холодно посмотрел на графа.

— Мне нет никакого дела до того, любит она тебя или нет. Я хочу, чтобы ты увез ее домой. И я хочу, чтобы она осталась с тобой. А теперь, кузен, можешь удалиться. Мне надо работать.

Патрик Лесли вернулся в свой городской дом. Устроившись в библиотеке поуютнее, наслаждаясь веселым огнем камина и графинчиком старого виски, он принялся размышлять. Итак, Катриона бежала к Ботвеллу. Однако Гленкерк был уверен, что его, Патрика, она покидала, еще не будучи любовницей Френсиса Хепберна. Это, очевидно, произошло позднее, а теперь Ботвелл в нее влюбился, и до того сильно, что развелся с Маргарет Дуглас.

Но если кардинал не даст Катрионе развод, то она не сможет выйти замуж ни за кого другого. Патрик не знал, радоваться ему или печалиться. Предполагалось, что по приказу короля он отправится в Ли и похитит свою жену. После этого лорд Ботвелл, несомненно, придет со своими людьми на север, чтобы забрать ее обратно.

240

— Пусть будут прокляты эти Стюарты! — воскликнул граф во весь голос. Он по горло уже увяз в их дрязгах, и все из-за своей прелестной жены. «Ох, Кат! — тоскливо подумал Патрик. — Трое мужчин желают тебя, но иметь тебя может только один, и вовсе не тот, кого ты хочешь».

Гленкерк удивился, почему она не бежала со своим возлюбленным, когда узнала, что ее прошение отклонено. Но затем вспомнил все, что знал о Ботвелле. Прежде всего Френсис Хепберн был человеком чести, и это, несомненно, станет причиной его падения. Король человеком чести не был.

На следующий день Патрика вызвали к доверенному секретарю Мэйтлэнда, который сообщил, что лорд Ботвелл ожидается в Ли через два дня. Он всегда останавливался в таверне «Золотой якорь». Секретарь добавил также, что леди Лесли будет с ним.

Два дня спустя, 18 октября, граф Гленкерк сидел в частной комнате таверны «Золотой якорь» и ждал прибытия графа Ботвелла. Патрик представился кузеном пограничного лорда и сказал, что приехал с ним встретиться. Хозяин таверны посчитал, что всякого, кто знал о тайном приезде опального графа, видимо, уведомил сам Френсис Хепберн.

Гленкерк ждал в одиночестве. Он совсем не намеревался принуждать жену возвращаться. Патрик знал, что тем самым он ослушивается короля, но у него была своя гордость. В тишине туманного рассвета граф внезапно услышал, как на двор прибыл отряд всадников. Послышались шаги по лестнице, и дверь разом распахнулась.

— Доброе утро, кузен Френсис, — невозмутимо протянул Гленкерк. — Садись-ка со мной завтракать.

Френсис Хепберн удивился, но затем его лицо стало медленно озаряться улыбкой.

— Здравствуй, кузен Патрик, — ответил он и принял протянутую кружку с элем.

Мужчины сели лицом к лицу.

— Кат с тобой?

— Нет. Я оставил ее в Эрмитаже. Что-то в этой встрече мне показалось подозрительным.

— Да, — подтвердил Патрик. — Это ловушка, но у тебя еще есть время.

— А ты, Гленкерк, что здесь делаешь?

— Кузен Джеми послал меня за женой.

— Я не отдам ее, — тихо сказал Ботвелл, и его голубые глаза угрожающе засверкали.

Какой-то миг мужчины смотрели друг на друга, а затем Патрик негромко проговорил:

— Я все еще люблю Катриону, Френсис, но знаю, что потерял ее. Ради Бога, прошу — увези ее, и будьте счастливы оба, пока Джеймс не погубил вас.

— Мне надобно помириться с королем, Патрик. Я хочу, чтобы Кат стала моей женой, а Эрмитаж отошел нашим детям.

— Увези ее, Френсис. Однажды ты дал мне такой же совет, но я не послушал. Затем, когда увидел, как король лапает мою жену, я потерял сначала совесть, а потом и Кат. Не повторяй мою ошибку.

— Я никогда не сделаю Кат того, что сделал ты. Знаю, что ей пришлось испытать. Не одну неделю она снова и снова переживала это во сне. Боже мой, почему ты ее просто не убил?

— Если бы я убил, ты бы не познал нынешнего счастья, — рассердился Гленкерк.

— Один укол в твою пользу, — признал Ботвелл. Он встал. — Передай Мэйтлэнду: я сожалею, что не встретился с ним, Патрик. Скажи ему, что у меня, к сожалению, возникло срочное дело.

Френсис перебросил ногу через подоконник и весело ухмыльнулся:

— Отправлюсь-ка я домой, так будет безопаснее. Уведи к себе мою лошадь, Валентайна. Уверен, что у тебя с ней ничего не случится. — И он исчез.

Вскоре в таверне появился Джон Мэйтлэнд вместе с королевскими солдатами. Они увидели, как граф Гленкерк завершает обильную утреннюю трапезу.

— А другой где? — удивился канцлер.

— Возникла срочная необходимость, и ему пришлось удалиться, — ответил Патрик Лесли. В уголках его рта заиграла чуть заметная улыбка.

— А ваша жена?

— Ее с ним не было, Мэйтлэнд. Ваши сведения оказались неверны. Ботвелл понял, что его заманивают в ловушку, и оставил Катриону в Эрмитаже.

242

— Похоже, вас не волнует, что ваша жена подвизается в шлюхах у Ботвелла.

Прежде чем эти слова слетели с губ королевского канцлера, Гленкерк схватил его за горло. Одной рукой Патрик крепко держал министра за шею, а другой приставил кинжал к его животу.

— Смерть близка, господин Мэйтлэнд.

В ужасе канцлер только моргал.

— Разве ваша матушка не учила вас, господин Мэйтлэнд, не говорить плохо о тех, кто лучше вас? Какие бы сложности ни случались у меня с женой, они происходят от короля, и вы, господин Мэйтлэнд, это прекрасно знаете.

Нажимая на слово «господин», Патрик подчеркивал, что канцлер не имел никаких титулов, а все знали, каким это было у вельможи больным местом.

— Не думайте, — продолжал граф, — что я не вижу, как вы стремитесь усугубить эти сложности в собственных целях, а именно: чтобы покончить с лордом Ботвеллом и его влиянием, господин Мэйтлэнд. Что ж, мне совершенно нет дела до вашей политики. Моя забота сейчас одна — чтобы Катриона была в безопасности. — Он тряхнул канцлера. — Нет сомнения, господин Мэйтлэнд, что вы прекрасный политик, но вы совсем не разбираетесь в человеческой натуре. Вы воспользовались похотью, какой кузен Джеми воспылал к моей жене, и хотите распалить в короле зависть к Ботвеллу. Если бы вы не вмешивались, то Френсис и Кат давно бы уже состояли в браке и находились далеко от Шотландии.

От удивления Мэйтлэнд вытаращил глаза.

— Да, — проговорил Гленкерк. — Они соглашались на изгнание. А теперь вы, глупец, загнали их в угол, и, о Боже, как же Ботвелл будет драться за нее с Джеймсом! Сколько жизней и сколько денег погибнут в этой войне между коронованным и некоронованным королями!

Гленкерк оттолкнул канцлера. Мэйтлэнд потер горло, а затем сказал:

— Вы все еще ее любите, милорд. Не обязательно изучать человеческую натуру, чтобы это заметить. Как же вы можете так просто отпустить ее? Разве вы совсем не хотите, чтобы она к вам вернулась?

— Да, я хочу ее обратно, но она не хочет меня. И это, господин Мэйтлэнд, моя вина. Она любит Френсиса Хепберна, и если счастлива этим, то пусть его получит. — Граф печально улыбнулся. — Вы не понимаете таких вещей, да, господин Мэйтлэнд? Ладно, и пытаться не буду объяснять. — Он взял свой плащ. — Кстати, лошадь Ботвелла внизу. Я забираю ее. Еду домой, в Гленкерк. К детям. Передайте его величеству мои сожаления.

Гленкерк вышел из комнаты, и, когда он спускался, его шаги эхом отзывались в лестничном колодце.

А Френсис Хепберн изо всех сил спешил в Эрмитаж к Катрионе Лесли. Его раздирали противоречивые чувства. Ах, если бы только встретиться со своим кузеном-королем! Если бы только Джеймс согласился вернуть земли его старшему сыну! Если бы позволил кардиналу дать Катрионе развод. Тогда он, Ботвелл, пообещал бы увезти ее и покинуть Шотландию. Если бы Джеми понял их любовь, то, конечно же, им поспособствовал бы. Если бы!.. Если!.. Однако сначала следует убрать с дороги королевского канцлера. Его влияние на монарха становится опасным.

Но стояла такая прекрасная осень, что долго терзать себя было просто невозможно. Слегка затуманенные чистым пурпуром, сменяли друг друга восхитительно теплые дни. Ботвелл взял нового жеребца — огромного темно-серого коня по кличке Сиан, что по-гаэльски означает «буря». Как и ранней весной, влюбленные выезжали вдвоем; Сэнди Хоум уже отбыл в свои поместья.

Одиночество вдвоем приносило огромное наслаждение и Катрионе, и Френсису. Слуги в Эрмитаже чувствовали это и вели себя удивительно тактично. В холодные и ясные вечера, когда звезды казались невероятно яркими и близкими к земле, влюбленные садились перед огнем. Иногда они просто молчали, иногда говорили о том, что сделают, когда наконец король смилостивится и позволит им пожениться. Порой они вместе пели, и Френсис аккомпанировал на лютне. У него был глубокий баритон, а у нее — звонкое сопрано. Звуки их счастья разносились по всему замку, отчего слуги только понимающе улыбались. Никогда прежде они не видели хозяина

Эрмитажа таким спокойным и таким счастливым. А почему бы и нет? Леди Лесли была мягкой и нежной дамой, которая любила их господина всем сердцем.

Перед самым Рождеством Френсис Хепберн сделал своей возлюбленной самый лучший из подарков. Холодным и ясным декабрьским днем по аллее, которая вела к Эрмитажу, прогромыхал экипаж. Катриона с графом уже стояли и ждали. Накренившись, коляска сделала разворот и остановилась перед ними. Дверь отворилась, и из нее выпрыгнули четыре пассажира.

У Катрионы перехватило дыхание, а затем она бросилась вниз по лестнице навстречу четырем своим старшим детям, которые тоже стремились навстречу ей.

— Ох, дети мои! Мои прекрасные, прекрасные дети!

Графиня повторяла это снова и снова, а ее нежное и красивое лицо стало мокрым от слез. Обнимая сразу всех четверых, она посмотрела на Ботвелла. Он понял, что сделал то, что нужно. Переждав несколько минут, лорд медленно спустился по лестнице.

— Добро пожаловать в Эрмитаж, — приветствовал он четырех юных Лесли.

— Спасибо, милорд, — поблагодарил за всех четырнадцатилетний наследник Гленкерка. — Благодарим вас за возможность встретиться с мамой.

— Последний раз, когда мы виделись, Джеми, ты звал меня дядя Френсис. Не хочешь ли звать меня так снова? Или, раз ты уже почти мужчина, предпочтешь называть меня Френсисом?

Юный Джеймс переводил взгляд с матери на графа. Мальчик был в замешательстве.

— Моя мама — ваша любовница? — наконец выпалил он.

— Джеми!

— Нет, дорогая, не брани парня.

Ботвелл повернулся к молодому Лесли.

— Да, парень. Твоя мать — моя любовница. Она давно бы уже стала моей женой, если бы не король, который рассердился на меня и не дает ей разрешения на развод. Если бы она получила свободу, мы бы поженились.

— Ты больше уже не любишь папу? — спросила девятилетняя Бесс.

— Я люблю лорда Ботвелла, дочка. Но с твоим отцом мы остаемся друзьями. А теперь хватит, дети мои, здесь холодно. Пойдемте в дом.

Они провели детей в уютную комнату, где в камине уже пылал веселый огонь, а слуги подали разбавленное вино и сладкие кексы.

— Дайте же мне на всех вас посмотреть, — счастливо проговорила Катриона. — О Джеми! Как ты вырос! Когда я видела тебя в последний раз, ты же еще был ниже меня!

— Следующей осенью я пойду в Абердинский университет, — важно ответил мальчик. — А весной, когда пажом станет Роберт, я уйду от кузена Роутса.

— Я так горжусь тобой, — с нежностью произнесла Катриона. И сын настолько забыл о своей взрослости, что прильнул к ней и обнял.

А взгляд графини перешел на двух младших сыновей, семилетнего Колина и шестилетнего Робби. Колин, уже находившийся в услужении у графа Роутса, начал приобретать лоск маленького придворного — в отличие от младшего брата, который до сих пор жил в Гленкерке и пока оставался все тем же маленьким грубоватым горцем.

— А почему вы не взяли с собой Аманду и Мораг? — спросила Катриона.

— Они еще слишком юны, — ответил Робби с видом невероятного превосходства.

Бесс метнула на брата уничижительный взгляд, так напоминавший ее бабушку, что Катриона рассмеялась.

— Боже, дорогая! Как же ты похожа на Мэг! — воскликнула графиня. — Еще несколько лет — и ты станешь прелестна!

Бесс зарделась, и ей это очень шло.

— Бабушка Мэг сказала, что не вынесет, если на Рождество мы все уедем. И что вы поймете, если она оставит Аманду и Мораг на праздники при себе.

— Понимаю, золотко мое, и я так рада вам четверым! Сколько вы здесь пробудете?

— Нам с Колином надо вернуться к Роутсам в Эдинбург не позже чем через неделю после Двенадцатой ночи, — ответил за всех Джеймс. — А Бесс и Робби могут оставаться у вас до весны.

— Ботвелл, негодник! Что же ты мне не сказал? Нам придется нанять учителя! Нельзя же Бесс и Робби пропускать уроки целую зиму!

Граф засмеялся:

— Если бы я тебе сказал, то это уже не было бы сюрпризом. А что касается учителя, то я сам смогу давать им уроки.

Френсис Хепберн был в совершеннейшем восторге от того, что дети Катрионы приехали в Эрмитаж, и тут открылась новая сторона его характера. Он любил детей и всегда был добр с ними. Преодолев первоначальную неловкость, вызванную разладом родителей, юные Лесли быстро освоились и стали наслаждаться как Эрмитажем, так и обществом графа. «Как печально, — думала Катриона, — что Маргарет Дуглас посеяла отчуждение между своими детьми и их отцом».

А в ночной тьме, когда граф лежал, глубоко войдя в нее, он вскричал:

— Ох, нежнейшая любовь моя! Подари мне сына, подари детей, похожих на гленкерковских. Наших с тобой, любящих, которых мы воспитаем уже в новом веке.

Того же хотела и Катриона. О Боже! Как страстно она желала почувствовать у себя под сердцем ребенка! И если бы она могла надеяться, что, узнав о ее беременности, король смягчится, — она бы понесла. Но слишком хорошо зная злобность Джеймса, графиня выжидала, так как понимала, что теперь он использует ее в своей борьбе с Ботвеллом, а если у них появится ребенок — он станет в руках у монарха самой ценной картой. Нельзя было позволить ему получить такой козырь. Но сердце у Катрионы болело — так отчаянно ей хотелось ребенка от Френсиса Хепберна.

30

На Рождество, когда все обитатели Эрмитажа сидели за обеденным столом, прибыли два вестника, отмеченные гербами герцога Леннокса. Ботвелл оставил праздничный стол и уединился с этими людьми почти на час. Вернувшись, он тихо сообщил Катрионе:

— Рано утром я должен отправиться в Эдинбург. Не говори детям. Не хочу портить им праздничный день.

Граф закончил обед, а затем позвал мальчиков:

— Идемте, парни! Я обещал, что сыграем в керлинг. Кат, любовь моя, позаботься о ленноксовских людях. Бесс, а ты не хочешь тоже пойти и вдохновить нас на великие победы?

Катриона присмотрела, чтобы люди герцога были хорошо накормлены, а ночью легли спать в теплые постели. Позаботилась и об их лошадях. Затем, взяв свой плащ, графиня отправилась к небольшому лесному пруду неподалеку от замка, где граф играл в керлинг с ее сыновьями. Даже маленькой Бесс дали метлу, и она неистово носилась по льду. Ее темнокаштановые кудри летали по ветру, щеки раскраснелись, а карие глаза сверкали. Катриона не знала, кто больше сегодня наслаждался — дети или сам Ботвелл. Граф, очень красивый в своих юбках, играл вместе с Бесс против троих мальчиков. Катриона их всех подбадривала, и ее сердце наполнялось счастьем. Именно этого она хотела превыше всего на свете — быть вместе с Френсисом и своими детьми. И на короткий миг мечта осуществилась.

Тем вечером, проводив детей спать, они с Ботвеллом сидели в ее спальне, уютно устроившись в большом кресле перед камином. Долгое время оба молчали. Граф лишь рассеянно поглаживал прелестные волосы своей возлюбленной и наконец сказал:

— Леннокс сообщает, что канцлер Мэйтлэнд проводит рождественские праздники в Холлируде и уговаривает Джеймса назначить цену за мою голову. Какое дерьмо! Высоко же он метит, этот господин Мэйтлэнд! Завтра отправлюсь в Эдинбург и закрою это дело раз и навсегда. Если мне удастся встретиться с нашим кузеном-королем, то, возможно, я смогу переубедить этого упрямца.

— Пусть при вашей встрече присутствует королева, Френсис. Разве посмеет Джеймс допустить, чтобы Анна догадалась, почему он на самом деле отказывает мне в разводе. Датчанка молода и мягкосердечна. Она непременно вступится за нас, потому что любит и тебя, и меня. Если бы ты только сумел получить подпись короля на моем прошении — ведь, по словам дяди Чарлза, в Эдинбурге ждет представитель кардинала, который мог бы завершить эту тяжбу. Один миг слабости у Джеми, и мы успеем пожениться еще до того, как он переменит свое решение!

Ботвелл улыбнулся:

— А ты уверена, что вы, Лесли, не приходитесь кузенами Медичи? Какие комбинаторы!

Его руки уже начали блуждать по телу графини, и та сладостно вздохнула:

— Ты вернешься к Новому году?

Губы Френсиса нашли мягкий изгиб между ее плечом и шеей и поцеловали его.

— Не знаю, Кат. Если не смогу, то подарки детям у меня в шкафу, а тебе подарок... — Он запнулся. — Нет, не скажу, потому что хочу вручить его.

Лорд повернул Катриону к себе лицом, поцеловал, а затем поставил на ноги.

— Пойдем в постель, дорогая.

Катриона сдвинула с плеч узкие ленточки-бретельки, и ее вечернее платье скользнуло на пол.

— Тебя не будет очень долго, Ботвелл?

Она забралась в пуховую постель. Сняв халат, граф последовал за ней.

— Даже сам не знаю, сколько меня не будет, — сказал он хрипло. В нем уже росло желание.

На глазах у Катрионы выступили слезы, но Ботвелл смахнул их своими поцелуями. И потом, после любви, она рыдала в его объятиях.

— Что ты сделал со мной, Френсис? Почему я трепещу у тебя, как ни у кого не трепетала?

— И кричишь, и рыдаешь сразу? — переспросил он. — Да! Думаю, что это как-то связано с нашей любовью друг к другу. — И он нежно ее поцеловал. — Проклятие! Не хочу уезжать от тебя, даже на несколько дней!

Но он уехал, ускакал еще до восхода солнца. Окруженная ледяным декабрьским мраком, Катриона одиноко стояла у окна своей спальни, прижимая шаль к груди. Она смотрела, как уезжал возлюбленный, и все еще чувствовала на губах печать его твердого рта.

Глядя, как Френсис удаляется, Катриона молила Бога, чтобы король на этот раз смилостивился. Не надеялся же Джеми в своем упрямстве, что она когда-нибудь оставит Френсиса Хепберна! Возможно даже, думалось ей, король устал уже от этой борьбы.

Вечером 27 декабря Френсис Хепберн и Александр Хоум, сопровождаемые примерно сорока пограничными вождями и их приверженцами, проскользнули через конюшни герцога Леннокса и пробрались во дворец Холлируд. Первой их целью был Джон Мэйтлэнд. Но когда они поворачивали за угол, продвигаясь по длинному, плохо освещенному коридору, то спугнули пажа, который в ужасе закричал.

Услышав этот крик и топот многих ног, королевский канцлер укрылся в своей спальне. Леннокс дал приказ взломать дверь, а граф Ботвелл, лорд Хоум и Херкюлес, вместе с большей частью своих людей, проследовали дальше, пытаясь проникнуть в королевские покои.

А тем временем Мэйтлэнд спустил одного из своих слуг на веревке через окно и приказал ему звонить в колокол. Заслышав колокольный звон, жители Эдинбурга выбежали из своих домов и поспешили к королевскому дворцу.

Лорд Хоум потянул Френсиса за локоть:

— Уходим! Игра окончена!

Но Ботвелл в отчаянии возразил:

— Нет! Я должен добраться до Джеми. Проклятие, Сэнди! Я обещал Кат!

Херкюлесу пришлось применить всю свою исполинскую силу, чтобы повернуть брата к себе лицом.

— Послушай, ты, одурелый! Что с ней будет, когда я притащу твой труп? Уходим, слышишь? Придем в другой раз. — И он потащил упирающегося графа по коридору.

Катриона так обрадовалась, что Френсис вернулся домой живым и невредимым, что ее разочарование оказалось куда меньше, чем он предполагал. Но сам Ботвелл от ярости не находил себе места.

— Я хотел начать новый год, зная, что можно назначить день нашей свадьбы, — жаловался он.

— Не тревожься, любимый. Когда снова придет новый год, то все это, конечно, уже уладится, — утешала его Катриона.

Притянув к себе голову Френсиса, она страстно его поцеловала.

— Теперь никто не сможет нас разлучить, — шептала она неистово. — Мы принадлежим друг другу.

В Новый год граф Ботвелл раздал подарки прислуге, арендаторам и вассалам. Только к вечеру он смог наконец остаться с Катрионой и детьми. Юные Лесли, хоть и старавшиеся изо всех сил скрыть охватившее их радостное возбуждение, ждали подарки столь же нетерпеливо, как и любые другие дети.

Джеми едва поверил, что молодой жеребец-красавец рыжей масти, пританцовывавший во дворе замка, теперь принадлежит ему.

— Это сын моего Валентайна, — улыбнулся граф. — Я зову его Купидоном.

Бесс получила прекрасный плащ из бургундского бархата, отделанный бледно-серым кроличьим мехом, мягким и пушистым; маленькую золотую пряжку усыпали рубины. Начинающий царедворец Колин Лесли стал обладателем круглой золотой эмблемы клана, которую следовало носить на своем пледе. На ней сапфировыми глазами сверкал грифон. Роберту Лесли вручили щенка, родившегося десятью неделями ранее у любимой ботвелловской суки по имени Скай.

Дети пребывали на седьмом небе от радости. Бесс тут же облачилась в новый плащ. Колин нацепил эмблему себе на плечо, Роберт отыскал поводок для щенка, и они все вместе побежали вниз во двор — смотреть, как Джеймс впервые сядет на свою новую лошадь. Некоторое время Ботвелл и Катриона стояли у окна и снисходительно за ними наблюдали, а затем повернулись друг к другу.

Не говоря ни слова, Френсис подал Катрионе плоскую коробочку, которую она нетерпеливо открыла. У нее перехватило дыхание. На подушечке из белого атласа лежала тяжелая золотая цепочка с круглой подвеской. На этой подвеске, тоже отлитой из золота, был изображен огромный лохматый лев, стоящий на задних лапах. Он был обрамлен лентой, густо усеянной бриллиантами. Вместо глаз у льва светились изумруды, и его развевающаяся грива тоже сверкала и переливалась бриллиантами.

— Ты не возражаешь, если я отмечу тебя своим зверем? — спросил Ботвелл.

— Я горда тем, что буду носить льва Хепбернов. — Вынув подвеску из шкатулки, Катриона протянула ее графу. — Застегните ее на мне, милорд.

Потом Катриона оглядела себя в зеркале, неспешно подошла к столу и взяла последнюю оставшуюся там коробку. Она протянула ее Ботвеллу. Внутри оказался большой перстень-печатка с круглым изумрудом в золотой оправе.

— Изумруды означают верность и постоянство, — сказала Катриона тихим голосом. — Но подождите, милорд. У меня тоже есть для вас кое-что.

Опустив руку в кошелек, который свисал у нее с пояса, Катриона вытащила простое золотое колечко.

Ботвелл засмеялся. Из своего кошелька он извлек похожее кольцо и протянул его графине. Ее глаза закрылись, и из-под век скользнули две слезинки.

— Проклятие, Ботвелл! Я так хотела поскорее выйти за тебя замуж! Этот поганый Джеймс Стюарт! Как же я его ненавижу!

Лорд прижал Катриону к себе.

— Бедная моя любимая, — тихо и нежно проговорил он. — Мне это еще тяжелее, чем тебе. Как жаль, что наш налет на Холлируд не удался. Если бы Джеймс не был безобразно скуп, коридор освещался бы лучше, и этот чертов мальчишка не закричал бы.

Катриона не удержалась от смеха. Действительно, забавно казалось думать, будто только королевская скаредность и была повинна в их несчастьях. Немедленно уловив ее мысль, Френсис тоже разразился смехом. Однако смеялись они очень недолго...

Ранним утром 11 января в Эрмитаж прискакал изнуренный вестник. Король лично написал указ, обещающий награду всякому, кто убьет графа Ботвелла.

Потрясенные, они никак не могли поверить, что Джеймс Стюарт способен на такое. По словам вестника, после налета 27 декабря Мэйтлэнд внушил монарху сильный страх и убедил Джеймса, что кузен замышляет его убить, а самому сесть на трон и править вместо него. В конце концов, разве не называют Ботвелла некоронованным королем Шотландии? И если настоящий король вовремя проявит осмотрительность, то покончит с Ботвеллом прежде, чем тот покончит с ним самим.

Френсис Хепберн вскочил на коня и отправился прямо в столицу. Он желал уладить это дело лично с кузеном. Однако ему пришлось вернуться в Эрмитаж, ибо король с большим отрядом сам выехал за его головой. Преследуя Ботвелла, Джеймс загнал свою лошадь в болото и чуть было не утонул. Но положение оттого лишь осложнилось: снова пошли разговоры о колдовстве.

В последующие три месяца между королем и его кузеном наблюдался вынужденный мир, объяснявшийся суровой зимой. По всей Шотландии дороги завалило глубоким снегом. Катриона этому только радовалась. Хотя Джеймс с Колином вернулись к Роутсу, Бесс и Робби оставались с ней в Эрмитаже. В эти драгоценные месяцы графиня могла притворяться перед самой собой, представляя, что они — самая обычная семья. Бесс, любимица отца, правда, держалась с Ботвеллом более сдержанно, чем хотелось бы ее матери, но граф понимал это и обращался к юной даме с подчеркнутым уважением.

— Когда-нибудь и у нас будет своя девчушка, — нежно шептал он своей возлюбленной.

А маленький Робби Френсиса боготворил. Четвертый ребенок Катрионы — после него родились еще две девочки, — он был обычным средним ребенком в большой семье. Ни у кого никогда не хватало времени на этого мальчика, но в ту зиму для него нашел время граф Ботвелл. Он сумел разглядеть в шестилетнем Лесли смышленый, любознательный ум и прекрасную память. Часто к ним присоединялась и Бесс, особенно на занятиях по языкам.

Ботвелл и Катриона жили вместе уже год, и графу даже не верилось, что за какие-то двенадцать месяцев его жизнь так переменилась к лучшему. Хотя Френсис вел с монархом борьбу не на жизнь, а на смерть, он не сомневался, что если бы сумел с глазу на глаз встретиться с Джеймсом и поговорить, то все бы удалось объяснить. Когда наступит теплая погода, он снова попытается добраться до короля.

В начале апреля дороги снова открылись, и граф вместе с Катрионой отвезли юных Лесли в Данди, где Конолл уже ждал, чтобы доставить детей в Гленкерк.

— Ты уже никогда больше не вернешься к нам, мама? — спросила Бесс.

Катриона обняла старшую дочь за плечи.

— Послушай, Бесс, ты же знаешь, что, как только мое прошение о разводе будет удовлетворено, я выйду замуж за графа

Ботвелла и стану жить в Эрмитаже. Тебе ведь нравится Эрмитаж, да?

Девочка медленно кивнула и тут же добавила:

— Но больше всего я люблю Гленкерк. Если ты выйдешь замуж за дядю Френсиса, то кто будет моим папой?

Катриона Лесли еще раз увидела, как ее развод с графом Гленкерком отразился на детях. «И однако, — подумала она, — я была хорошей матерью и стану еще лучшей, когда выйду замуж за человека, которого люблю».

Она склонилась и поцеловала дочь в темную макушку.

— Ты задаешь глупый вопрос, Бесс. Твой отец — Патрик Лесли, и всегда им будет. Это уже ничто не сможет изменить. А граф станет твоим отчимом.

— Мы будем жить с тобой?

— Да, любовь моя.

— А кто будет жить с папой?

— Боже мой, Бесс! В Гленкерке осталась твоя бабушка, и дядя Адам с тетей Фионой тоже часто приезжают. А потом, может, твой папа найдет себе другую жену.

— Думаю, я лучше поживу с папой, — тихо промолвила девочка. — Если он лишится всех детей, то ему будет очень одиноко. Джеми с Колином уже уехали, и Робби тоже скоро уедет. Если ты заберешь из Гленкерка Аманду и Мораг, то у папы не окажется никого. Если только я не останусь.

Катриона сжала зубы. Бесс обнаруживала фамильные черты Лесли в самое распроклятое время.

— Давай поговорим об этом в другой раз, любовь моя, — только и сказала графиня.

Бесс спокойно взглянула матери в глаза и кивнула:

— Как пожелаете, мадам.

Катриона почувствовала, что это сражение она проиграла.

Конолл встретил их вовремя и был угрюм до грубости.

— Не стоит, Конолл, принимать чью-то сторону в битве, о которой ничего не знаешь, — резко бросила ему тогда графиня. Он покраснел.

— Как Элли?

— Хорошо. Она по вас скучает, миледи.

— Передай, что я тоже скучаю по ней. И хочу, чтобы, когда это дело уладится, она приехала ко мне в Эрмитаж.

— Скажу, миледи.

— И поосторожнее с моими ребятишками, — добавила графиня.

Она неспешно повернулась и поскакала туда, где оставила Ботвелла.

Коноллу пришлось признать, что пограничный лорд на сером скакуне и леди Лесли на золотисто-гнедом мерине выглядели прекрасной парой. Он даже ощутил непонятную печаль, увидев, как они подняли руки, прощаясь с детьми, а затем повернули коней и поскакали прочь.

31

Когда Джеймс Стюарт узнал, что пограничный лорд на севере, то сразу покинул дворец в Эдинбурге и поспешил в Данди. Но когда король туда прибыл, Ботвелл с Катрионой уже вернулись на погранично. Френсис все еще надеялся, что, оставаясь тихим и непритязательным, он сможет успокоить своего раздражительного кузена. Джеймса, однако, с одной стороны, подстрекал Мэйтлэнд, а с другой — беспрерывно осаждали то граф Ангус, то его дочь, добивавшиеся возврата конфискованных короной владений, и монарх чувствовал, что Френсис Хепберн постоянно ему досаждал.

Когда 29 мая собрался парламент, король осудил графа Ботвелла, заявив, что тот домогается трона, не имея на то никаких прав. Пусть они оба — внуки Джеймса Пятого, однако линия Ботвелла внебрачная. Затем Джеймс предложил парламенту подтвердить приговор, лишавший Френсиса Хепберна собственности.

Услышав об этом, граф Ботвелл искренне поразился. У них с Джеми всегда случались некоторые нелады, но он изо всех сил старался избежать открытого столкновения с королем. И то, что Джеймс обвинял его в притязаниях на трон, выглядело просто смехотворно. Царствовать в какой бы то ни было стране — вот уж чего он желал менее всего. Однако граф понял, что на самом деле замыслил кузен: не говоря об этом открыто, тот просил поддержки.

Но если бы дворянство знало, что король просто просит его поддержать, то он, возможно, и добился бы желаемого.

Но за всеми поступками Джеймса Стюарта лорды усмотрели деяния Джона Мэйтлэнда, а канцлера шотландская знать ненавидела. Поэтому члены парламента прямо-таки криками высказались в пользу Френсиса Хепберна и изъявили неповиновение королю.

— Он хочет погубить тебя, — сказала Катриона, — неужели в нем нет ни капельки доброты? Ведь все, что мы просим, — это только пожениться и жить в мире.

— Мэйтлэнд хочет расправиться со мной, Кат, а то, что Джеми спит и видит, как снова затащить тебя к себе в постель, совсем не облегчает дело.

— А если бы я вернулась к нему? Я бы скорее умерла, чем позволила ему прикоснуться, но если бы Джеймс согласился вернуть тебе собственность, то ради тебя, любимый, я бы это сделала.

Френсис резко притянул ее к себе.

— Я задушу тебя, девка, прежде чем разрешу какому-нибудь мужчине до тебя дотронуться! Я не отпущу тебя! Боже, дорогая, одна мысль, что мой кузен приблизится к тебе, приводит меня в ярость.

— Но я не хочу, чтобы из-за меня страдал ты, Френсис! О, любимый! Увези меня! Пожалуйста, увези меня, пока это не слишком поздно!

— Подожди еще немного, дорогая. Дай мне попробовать помириться с Джеми.

Испуганная Катриона прильнула к Ботвеллу. Подобно загнанному в угол животному, графиня чувствовала, как вокруг стягивается сеть. Затем она быстро стряхнула с себя это ощущение. Теперь Ботвеллу особенно требовалась поддержка, и не время было изображать слабую плаксивую женщину.

Пришло известие, что Джеймс Стюарт находится в Фолклендском дворце. Ботвелл выступил в путь со своими приверженцами, и Катриона Лесли сопровождала его. Между часом и двумя ночи 20 июня 1592 года ботвелловский отряд окружил королевскую резиденцию. К несчастью, стража успела предупредить монарха, и он скрылся вместе с королевой в укрепленной башне. К семи утра местные жители уже стекались ко дворцу, желая насладиться неожиданным развлечением. Ботвеллу с его людьми снова пришлось уйти. Их сопровождали приветственные возгласы селян, узнававших пограничного лорда.

2 июля появился указ о наборе рекрутов для преследования графа Ботвелла. Высочайшую волю презрели все до единого, и до конца лета Джеймс удалился в Далкит. 1 августа помещики Лоджи и Берли тайком провели Френсиса Хепберна во дворец, надеясь, что ему удастся во всеуслышание попросить у короля прощения.

Было решено, что лучше всего Ботвеллу попробовать перехватить Джеймса в прихожей у королевы. Королю никак не миновать эту комнату на пути к спальне жены. Френсис опустился на колени перед королевой. Он взял протянутую ему нежную руку, почтительно поцеловал, а потом перевернул и приложил губы к ладони.

— Плутишка! — засмеялась королева, выхватив руку.

Ее лицо зарумянилось, и сердце учащенно забилось. Подняв к ней глаза, Ботвелл улыбнулся и встал.

— Благодарю вас, мадам, за разрешение ожидать Джеми здесь. Я непременно должен помириться с ним. А он должен позволить кардиналу дать развод моей девчонке, чтобы нам пожениться. Катриона Лесли всегда верно прислуживала вашему величеству. Теперь же, когда Джеми наказывает меня, то страдает и она...

— Вы очень ее любите, да, Френсис?

— Мадам, я никогда прежде не знал такого счастья и такого покоя, какие Кат принесла в мою жизнь. Если бы только мне помириться с Джеми!.. Все, что мы просим, ваше величество, это спокойно жить в нашем замке. Мы бы даже могли уехать за границу, если таково будет желание короля. Я лишь прошу сохранить Эрмитаж для детей, которых Кат мне подарит. И которые не забудут, что они шотландцы — верные подданные Джеймса Стюарта, подобно нам с моей любимой.

Королева была явно растрогана.

— Я заступлюсь за вас, кузен. У Джеймса в голове все смешалось. Господин Мэйтлэнд запутывает его.

Анна села и похлопала по соседнему стулу. Граф воспользовался приглашением и тоже сел.

— Беатрис, — обратилась королева к леди Рутвен, — пожалуйста, присмотри за его величеством и позаботься, чтобы нас не застигли врасплох. — Она оглядела остальных фрейлин. —

А вы все можете заняться вышивкой или музыкой. Я желаю поговорить с графом наедине.

Фрейлины высочайшей спальни перешли на другой конец комнаты, а королева с Ботвеллом остались у окна.

— А теперь расскажи мне, кузен Френсис, как же у тебя началась эта великая любовь с графиней Гленкерк? Я полагала, что она любила своего мужа.

Граф осторожно рассказал Анне историю, которую придумал заранее.

— Мы с Кат подружились еще прежде, чем ваше величество прибыло в Шотландию. А с графом Гленкерком у нас дальнее родство. Вы ведь не знали, что ее мать — Стюарт? Признаюсь, Катриона меня всегда привлекала... Она образованная женщина, и мне всегда нравилось бывать с ней. В те дни между нами не случилось ничего неподобающего. Но время шло, ваше величество, и я обнаружил, что влюбляюсь в эту леди. Я скрывал свои чувства, ибо знал, что имею дело с женщиной строжайших правил. И представьте же мое удивление, когда я обнаружил, что и она тоже старалась перебороть себя. В конце концов мы не смогли уже больше сдерживать себя и таить свои чувства. Мы любим друг друга, — закончил он просто.

Глаза королевы блестели.

— А бедный Гленкерк?

— Он тоже любит Катриону, но смирился и отпустил ее.

— Возможно, — молвила королева, поглядывая в сторону Кристины Андерс, — граф сможет снова жениться. Недавно муж госпожи Андерс скончался от кори, и она опять овдовела.

Ботвелл сильно сомневался, что Патрик Лесли женится на Кристине Андерс, но ему была нужна поддержка королевы. Поэтому он только вежливо улыбнулся.

— Очень возможно. Но сначала он должен стать свободным, а король не позволяет кардиналу Сент-Эндрю подписать прошение о разводе.

— Я помогу тебе, Френсис, — сказала королева.

Тут появилась бледная как полотно леди Рутвен.

— Ваша милость, его величество стоит снаружи в коридоре. Он попросил передать вам, что где-то во дворце находится граф Ботвелл. Король говорит, что накажет любого, кто попытается привести графа в его присутствие.

258

Френсис Хепберн поднялся.

— Проклятие! — вскричал он, а затем повернулся к королеве. — Здесь есть еще какой-нибудь выход?

Королева провела графа в свою спальню и, открыв незаметную дверцу, показала узкую лестницу.

— Здесь ходит моя горничная. Спускайся до самого низа. Выйдешь на служебный двор.

На прощание Ботвелл снова поцеловал ей руку.

— Спасибо, мадам, и благослови вас Бог за вашу доброту.

И она ответила ему ласковой улыбкой:

— Я не забуду, Френсис. Иди с Богом.

Королева закрыла дверь и вернулась и прихожую. Она взяла свою вышивку.

— Беатрис, иди и спроси у короля, не собирается ли он провести в коридоре всю ночь?

Фрейлины захихикали, да и сама Анна закусила губу, чтобы не рассмеяться, потому что король появился в ее покоях не один, а с целой толпой стражников. Они бросились в спальню и принялись ворошить своими пиками под кроватью и за портьерами.

— Послушайте, сир! Что все это значит?! — возмущенно спросила королева.

— Анни, во дворце Ботвелл!

Анна приосанилась.

— Что ж, сир! Он, конечно же, не в моей спальне. Или это какие-то новые измышления господина Мэйтлэнда? Сначала он уверяет, что красавец граф Мори — мой любовник... А теперь это Ботвелл? — Анна повернулась к фрейлинам: — Распахните шкафы, дамы! Пусть король убедится, что мы не прячем тут никаких графов! — Потом она снова посмотрела на короля: — Когда закончите ваши глупости, то прошу забрать своих людей и удалиться. От всей этой суматохи у меня ужасно разболелась голова.

Разочарованный Джеймс Стюарт вернулся в свою пустую постель. Равно разочарованный граф Френсис Ботвелл вернулся в замок Эрмитаж. Он снова зажил тихо, надеясь рассеять страхи короля и утихомирить его гнев.

В октябре Джеймс снова снарядил небольшой поход на пограничье. Узнав об этом, Ботвелл с Катрионой немедленно покинули Эрмитаж и спрятались в надежном убежище — в той самой охотничьей избушке. Замок оказался открыт для короля, который уже не мог пожаловаться на неповиновение кузена.

И не успел монарх снова очутиться в Эдинбурге, как его опять подстерегла Маргарет Дуглас. В этот раз она решила обратиться к королю на людях, у самых главных ворот Эдинбургского замка, и возопила о милосердии к ней и к ее чадам. Во имя Всевышнего леди умоляла вернуть собственность Ботвелла его невинным детям.

Джеймс пришел в ярость. В какое же неловкое положение его поставили, да еще прилюдно! Он запретил назойливой даме появляться у него на глазах.

— Не представляю, как Френсис смог выдерживать ее столько времени! — посетовал король жене. — Ей совсем нет дела до бывшего мужа — только до его поместий.

Анна воспользовалась моментом, которого давно поджидала.

— Разве они не были счастливы? — спросила она с невинным видом.

— Какое там! Обычный брак по расчету. Хорошо, что он от нее отделался.

— В таком случае, любимый, почему же ты не позволяешь, чтобы кардинал разрешил развод леди Лесли? Ботвелл глубоко ее любит.

Король вздрогнул. Совсем не новость, что его ветреная малышка-королева знает о связи Ботвелла с Катрионой Лесли. Но вот что еще она знает?.. Джеймс решил быть поосторожнее.

— Леди Лесли — не девушка, Анни. Это мать шестерых детей. И если она ведет себя подобно легкомысленной девице, то ее надо приструнить.

— Но Джеми! Ведь граф Гленкерк согласен отпустить ее. А теперь, когда моя дорогая Кристина снова овдовела... О Джеми! Представляешь, она могла бы стать женой Гленкерка. И тогда моя маленькая крестница, Анна Фиц-Лесли, воспитывалась бы как подобает.

— Милая Анни, Лесли состояли в браке целых четырнадцать лет, и я не могу позволить, чтобы эту семью разрушил какой-то каприз. Что за пример это подаст двору? Нашей знати следует проявлять больше нравственности. Если я позволю Лесли развестись, то тогда любой мужчина, которому приглянется другая женщина, захочет развестись с женой, а всякая любовница будет ожидать, что любовник на ней женится.

Королева подумала, что Джеймс раздувал это дело гораздо больше, чем оно того заслуживало. К тому же Анна считала, что если король вознамеривался что-то изменить при дворе, то своим личным примером мог сделать это скорее и надежнее, чем отказывая в разводе людям, которые стремились пожениться. Ведь они-то как раз и не хотели жить во грехе. Однако, справедливо рассудила Анна, дальше спорить с мужем не имело смысла. Она была разочарована, потому что ей нравился Френсис и хотелось ему помочь.

В новогодний день 1593 года граф Ботвелл обратился за помощью к церкви, умоляя почтенных иерархов не отвергать его из-за королевского гнева. Граф нуждался в поддержке, однако их святейшества предпочли не заметить просьбы опасного вельможи. Престарелая королева Англии, однако, не осталась к нему равнодушной. Она позаботилась о том, чтобы пограничный лорд по крайней мере не испытывал недостатка в деньгах, и на всякий случай предложила ему убежище.

Елизавета Тюдор не любила Джеймса Стюарта, своего естественного наследника (которого, впрочем, официально таковым еще не объявила). Королева Англии не без оснований считала его медоточивым лицемером: говорил одно, а делал другое. И Елизавета никак не могла понять, за что он так внезапно возненавидел Френсиса Стюарта Хепберна. Насколько известно, граф Ботвелл всегда оставался верен шотландской короне.

Елизавета усмехнулась. Несколько лет назад Ботвелл посетил ее двор. Молодой еще, но — проклятие! Уже тогда блистательный и элегантный проказник. И умудренная возрастом и жизненным опытом королева понимала, что за всей этой историей явно что-то крылось, хотя до сих пор ее шпионы не могли раздобыть никакого объяснения. А поскольку королеве нравилось покапризничать, приятно было насолить Джеймсу еще и по другой причине — старая леди всегда потакала очаровательным придворным шалунам. И она решила поддержать пограничного лорда.

А меж тем зима снова заключила Катриону с Ботвеллом в свои объятия, и опять графиня испытала облегчение. На Двенадцатую ночь они устроили в Эрмитаже пирушку для окрестного дворянства. Хотя леди Лесли и не была женой графу Ботвеллу, местные помещики и их жены обращались с ней как с таковой. Они искренне и горячо возмущались недобрым отношением короля к своему герою и его возлюбленной.

Уже почти год, как Катриона не видела своих старших детей. Но приезжать в Эрмитаж им стало просто опасно. А своих младших графиня вообще едва знала и печально размышляла, помнят ли они еще ее.

Ботвелл также скучал по детям Лесли. Катриона умела превратить семейную жизнь во что-то теплое, наполненное счастьем. Лорд находил в ней отдых.

А пока они не могли пожениться, то собственного ребенка заводить не осмеливались.

Зима шла, и Катриона все более стремилась уехать во Францию. Наконец граф согласился, если до конца года ему не удастся уладить недоразумения с кузеном-королем, то они покинут родину.

32

Прознав, что его кузина, королева Англии, помогает деньгами графу Ботвеллу, Джеймс Стюарт срочно отправил письмо графу Роберту Мелвиллу, своему послу в Англии, чтобы тот уговорил Елизавету переменить свою политику. И раз уж речь об этом зашла публично, то ей пришлось уступить. Теперь опасность подстерегала Френсиса Хепберна по обе стороны границы. Но худшее было еще впереди.

21 июля 1593 года новым королевским указом подтверждалась конфискация имущества Френсиса Хепберна, пятого графа Ботвелла. Но теперь еще и его герб был расколот на части — эту церемонию произвели публично на рыночном перекрестке в Эдинбурге. Возмущенный герцог Леннокс вместе с другими знатными дворянами решил помочь опальному графу. Если Мэйтлэнд, рассуждали они, сумел натравить короля на его же кровного родича, то что же тогда могло быть с другими?

Ботвелл, сопровождаемый одним из своих братьев, в который уж раз поскакал в столицу. Его люди проникали в город по двое и по трое, пока незаметно Эдинбург ими не переполнился. Катриону оставили в Эрмитаже.

— Что теперь будет? — взмолилась она.

— Не знаю. Только бы добраться до Джеймса. Я смогу уговорить его вернуть земли, которые уже переданы моему наследнику. И принужу, если придется, разрешить тебе развод. А там, любовь моя, нам с тобой уже ничто не будет грозить.

— А если ты не доберешься до него, Френсис?

— Тогда, дорогая, наш путь лежит во Францию. Пусть Ангус сражается за своих внуков.

Катриона прильнула к нему, ее губы звали к поцелуям, а тело было мягким и податливым. Приняв приглашение, лорд со страстью ею овладел, а затем проспал несколько часов, заключив в свои объятия. Когда графиня проснулась, его уже не было рядом, и она испугалась.

24 июля 1593 года Джеймс Стюарт проснулся в тускло-серый рассветный час. В воздухе явно чувствовалась влага, и король прикинул, не идет ли дождь. Он услышал слабый звук, как будто по полу передвигали стул.

— Барри, это ты? — крикнул Джеймс.

Ответа не было. Сердце короля неистово забилось, а ночная рубашка взмокла от холодного пота. С величайшей осторожностью он выглянул за полог кровати.

— Доброе утро, Джеми, — приветствовал короля Френсис Хепберн.

Джеймс завизжал. Метнувшись на другой край постели, он соскочил на пол и стремглав кинулся к двери, ведущей в спальню королевы. Но дверь не поддавалась. И тогда дрожащий от ужаса Джеймс Стюарт, всем телом вжавшись в эту дверь, будто так он мог проникнуть сквозь нее, повернулся лицом к своему заклятому врагу. Некоторое время кузены безмолвно разглядывали друг друга. Один трясся от страха, стоя во влажной ночной рубашке, с растрепанными волосами и дрожащими губами, а другой — в красном пледовом килте, с обнаженной шпагой, был спокоен и уверен в себе.

Потихоньку Ботвелл приближался к королю. Король затрясся еще сильнее. Голубые глаза Френсиса сузились, и, схватив лицо кузена большим и указательным пальцами, он прорычал:

— Итак, мой славный мальчик. Ты говорил, что я посягаю на твою жизнь... Посмотри, я держу ее в руке.

Король покачнулся, готовый упасть в обморок.

— Боже мой, Джеми! Не убивать же я сюда пришел! — уже другим тоном произнес Ботвелл. — Соберись же с духом!

Глаза Джеймса завращались в глазницах, и он диковато глянул на кузена.

— Моей души тебе не видать, Френсис! Убей меня, если хочешь, но моей души тебе не видать!

— Боже! — взорвался Ботвелл. — На кой мне черт твоя душа, Джеми?! Я пришел наладить наши отношения. Я вовсе не желаю ни твоей жизни, ни твоей души, ни твоей короны, ни твоего проклятого королевства, Джеми. Я просто хочу получить назад собственные земли, чтобы передать их своему наследнику, и еще хочу жениться на леди Катрионе Лесли. Дай мне это, и если захочешь, то навсегда отделаешься от Ботвелла!

— Мэйтлэнд говорит, что ты вознамериваешься убить меня, — сказал король.

— Пусть Мэйтлэнд стоит скамейкой в конюшне, — выругался Ботвелл.

Несмотря на обуявший его страх, король рассмеялся. Пограничный лорд протянул руку и взял королевское платье.

— Оденься, Джеми. По-моему, ты замерз.

Потянув кузена от двери, Ботвелл помог ему облачиться в теплую одежду. Затем, по-хозяйски налив глоток виски, он дал ему выпить. На королевские щеки постепенно возвращался румянец. Заметив это, Ботвелл преклонил колена и протянул рукоятку шпаги своему властелину.

Этот простой поступок, казалось, успокоил монарха, и он даже испытал некоторое смущение.

— О, встань, Френсис, и спрячь свою шпагу.

Граф подчинился и, поднявшись, подбросил дров в огонь. Испросив высочайшего разрешения, он сел, и теперь кузены сидели напротив друг друга.

— Полагаю, — смиренно сказал король, — что мой дворец полон твоих людей.

— Да, — грустно ухмыльнулся Ботвелл. — И Леннокса, и Хоума, и Ангуса, и Колвилла, и Лоджи, и Берли, и Хантли. Я не так глуп, кузен, чтобы приходить к тебе в гости, не заручившись поддержкой двух-трех друзей.

— Они стоят за тебя так, как никогда не стояли за меня.

— Только из-за Мэйтлэнда, Джеми. Он вознамеривался отобрать их исконные права. Я для него — пробный камень. А эти люди прекрасно знают, что если паду я, то падение угрожает и им. Они верны самим себе.

— А кому верен ты, Френсис?

— Как и они... прежде всего себе и своим.

— Ты честен, Френсис.

— Я всегда был с тобой честен, Джеми, мальчик мой. Но теперь пришло время и тебе быть честным со мной. Я знаю, что с моими землями ты поступишь по справедливости. Они законно принадлежат мальчику Маргарет.

— Но разве он и не твой тоже?

— Я прихожусь ему отцом, Джеми, но моим он никогда не был. Как и никто из детей. Все они принадлежат Маргарет и Ангусу, но не мне. Поэтому Кат для меня так дорога. Она — моя, и когда у нас появятся дети, это будут именно наши дети.

— Нет, Френсис, они будут незаконнорожденными, потому что я никогда не дам своего позволения на твой брак с Катрионой Лесли.

Несколько мгновений в комнате было очень тихо, а затем Ботвелл спросил:

— Почему, Джеми?

— Ты был честен со мной, кузен, и я с тобой тоже постараюсь быть честным. Если я не могу заполучить Кат, то и ты ее не получишь.

— Боже мой, Джеми, неужели ты меня так ненавидишь?! Ты взял все, что я имел, ты разрубил мой герб на эдинбургском рынке. На этом свете у меня осталось только одно. Женщина. Зеленоглазая женщина, которую я люблю превыше всего. Если завтра я умру, то и тогда она не вернется к тебе. Что я сделал, что заслужил твою дикую ненависть? Это так ты отплатил за мою верность?

— Она любит тебя, — тихо произнес король, — и именно это я не смогу ей простить, Френсис. Я лежал между ее шел-

265

ковыми бедрами, но эта женщина не отдала мне ни крупицы себя. Я обладал ею, и ее прелестное тело отвечало мне. Так мне не отвечала никакая другая женщина. Но она не подарила мне ни капли своей любви. И теперь, после нее, ни одна из женщин не может меня удовлетворить, даже эта нежная маленькая пустышка, на которой я женился. Но тебе, кузен, Катриона открыла свое лицо любви. Чтобы быть вместе с тобой, она презрела приличия и обе церкви Шотландии. Из-за любви к тебе она, обожавшая своих детей, не видела их уже несколько лет. Я объявил тебя вне закона и отнял у тебя все, а эта женщина все равно осталась с тобой. Ни тебе, ни ей я не могу простить вашу любовь, Френсис. Я не могу приказать Катрионе любить меня, но я могу приказать не выходить за тебя замуж и могу позаботиться, чтобы это приказание было исполнено.

— Боже, Джеми! Неужели у тебя нет сердца?

— Любовь, — произнес король. — Я не понимаю смысл этого слова. Никто никогда не любил меня, и я тоже никого не любил, кроме Катрионы Лесли. По крайней мере я думаю, что испытываю к ней именно такое чувство. Однако и в этом не до конца уверен, потому что в любовных делах у меня оказалось очень мало опыта.

— Королева любит тебя, Джеми, и мне казалось, что ты тоже ее любишь.

— Нет, Френсис, она ко мне равнодушна. Черт возьми! У нас с ней нет ничего общего, кроме того, что вскоре, возможно, появится. Она беременна и этой зимой родит ребенка. Впрочем, ей нравится быть королевой.

Граф Ботвелл посмотрел прямо в глаза королю.

— За все годы, что мы друг друга знаем, Джеми, я мало тебя просил. Однако теперь... — Френсис преклонил перед королем оба колена. — Умоляю тебя, кузен! Умоляю разрешить мне жениться на Катрионе! Мы с ней уедем из Шотландии и будем тихо жить там, где ты прикажешь. Во имя Христа, не отнимай ее у меня!

Впервые в жизни Джеймс Стюарт ощутил свое превосходство над кузеном. Пограничный лорд оказался в его полной власти. Это было столь восхитительное чувство, что королю с трудом удавалось скрывать свою радость. Никогда раньше Ботвелл не выказывал ни единой слабости, а сейчас он стоял на коленях и умолял... И все это ради женщины! Просто женщины!.. Нет. Не просто женщины. Ради женщины необыкновенной. Хотя Френсис Хепберн тоже был мужчиной незаурядным, и они в самом деле подходили друг другу. Какое счастье, что он, Джеймс, предпочел не допустить их брак! Король опустил взгляд на кузена.

— Встань, Ботвелл.

Граф поднялся с колен.

— Тебя называют некоронованным королем Шотландии, и я знаю, что Катриона подходит тебе, как никакая другая женщина. К сожалению, существует правило, что короли и королевы далеко не всегда бывают счастливы в любви. И я не вижу причины, по которой у вас с Катрионой должно быть иначе. Даже если ты проползешь отсюда в ад и обратно на одних руках, то я все равно не изменю своего решения. Позабочусь, чтобы тебе вернули твои земли и почести. Они останутся в полном твоем распоряжении до тех пор, пока между нами мир. Но первого сентября Катриона Лесли должна приехать сюда, в Эдинбург, и возвратиться к своему мужу.

— Провались ты в ад, Джеми! — вскричал Ботвелл. — Она не хочет к Патрику Лесли, и я ее не пущу.

— Катриона вернется к Патрику, Френсис, потому что в ином случае я обращусь к Мэйтлэнду. И тот отыщет лазейки для того, чтобы я конфисковал земли и собственность не только гленкеркских Лесли, но и сайтенских, а к тому же еще и собственность грейхевенских Хэев. Ты ведь прекрасно знаешь, что Катриона не допустит, чтобы погибли сразу три ветви ее семьи. По той же причине наш добрый Патрик и примет ее обратно. А что до тебя, мой безрассудный кузен, то если ты попытаешься снова выйти из повиновения...

Король помедлил, чтобы потерзать Ботвелла, и тот впервые в жизни ощутил горечь поражения.

— Ладно, Френсис, — утешительно сказал король, — я же дал тебе столько времени, чтобы попрощаться. А ведь мог приказать ей вернуться через неделю. У тебя впереди, кузен, еще больше месяца. — И Джеймс наградил своего красавца кузена самой ласковой из своих улыбок. — Посмотрим, сколько раз в этот месяц ты сумеешь ее поиметь. Уверен, что это придаст вашим отношениям некоторую пикантность.

Ботвелл сжал кулаки.

— Сейчас я позову остальных, — сквозь зубы пробормотал он, — иначе я могу совершить цареубийство. Ты ублюдок, Джеми, настоящий ублюдок. Ты не знаешь, что такое любовь, и никогда этого не узнаешь. Ты обречен на одинокую жизнь, кузен, а в старости, — потому что если Стюарты избегают войн, то живут долго, — в старости никакие воспоминания не согреют твои холодные ночи. Мне жаль тебя, Джеми. У тебя низменная душа, и тебе всегда придется жить только с одним собой.

И прежде чем смешавшийся король успел ответить, спальню заполнили великие лорды его страны. Увидав всю эту толпу, король снова заволновался. Ботвелл предложил было им удалиться, но лорды не захотели, пока Джеймс Стюарт не согласился прилюдно издать указ о примирении с графом Ботвеллом и о прощении. Граф Ангус пришел в восторг — о его внуках позаботятся! И Маргарет покинет его дом!

Потом Ботвелл отправился в эдинбургский дом лорда Хоума. На сердце у него было муторно. Он понимал, что эту битву выиграть уже никак не сможет. Хоум предложил другу постель и свою готовность выслушать. Ничего больше Сэнди сделать не мог.

Совсем неподалеку, в другом эдинбургском доме, Патрик Лесли испытывал подобные же страдания. Он только что приехал из Холлируда, где король в личной беседе известил его, что первого сентября жена вернется в семью. То, что женщину принуждали, совсем не волновало Джеймса, но зато волновало Патрика Лесли.

Катриона, которую он все еще любил, теперь желала другого мужчину. Она жила с этим мужчиной уже два с половиной года и все это время пыталась развестись с Гленкерком. А он, Патрик, смирился с тем, что потерял жену, ибо считал, что больше ее не заслуживает, может ли теперь и он сам перенести это вынужденное воссоединение? Граф не был уверен, что выдержит его. Он устал, а его душа превратилась в клубок противоречивых и смутных воспоминаний. Несчастный муж тоскливо сидел один в своей библиотеке. День шел, а он пил и пил виски. Наконец он уснул.

Когда Патрик открыл глаза, был уже вечер. Он с удивлением обнаружил, что напротив сидит граф Ботвелл. Гленкерк дернулся, пытаясь подняться.

— Спокойно, кузен, — тихо проговорил Ботвелл. — Я пришел к тебе поговорить.

Поглядывая на серебристо-перламутровый пистолет в руке гостя, Гленкерк осторожно откинулся назад.

— Сегодня ночью я еду в Эрмитаж, — сказал пограничный лорд. — Не знаю, как смогу сообщить Катрионе о королевском указе, но прежде я должен убедиться, что ты будешь с ней добр.

— Черт возьми! Я тоже ее люблю!

Несколько минут они молчали. Затем Ботвелл сказал:

— Пока вы с Джеми на нее не набросились, этого не было. Ты ведь знаешь, Патрик? Даже когда король принудил ее, она оставалась верна тебе.

— Теперь знаю, — подтвердил Патрик Лесли. — Но скажи мне, Френсис, почему Катриона ушла к тебе, если до тех пор между вами ничего не было?

Ботвелл улыбнулся при сладком воспоминании.

— Мы дружили с ней, Патрик. Я знаю, это трудно понять, но когда у нее прошло первое увлечение двором, она обнаружила, что там скучно. Катриона и в самом деле была добродетельной графиней. Любовные игры — не для нее. И дворцовые сплетни тоже. Она слишком образованна для женщины, да и вообще для нашего времени. Я хорошо понимаю это, потому что и сам такой. Боже мой! Как славно мы беседовали! И как она слушала! И когда Кат обидели и перепугали, она захотела спрятаться там, где бы ее никто не смог отыскать. Я оказался ее единственным другом, и она пришла ко мне.

Снова в комнате повисла тишина, а затем Патрик негромко спросил:

— Когда она стала твоей любовницей, Френсис?

— Не сразу, — так же негромко ответил Ботвелл. Он подумал, что вряд ли Гленкерку следовало знать все подробности. — Это произошло, кузен. Это просто произошло. Боже мой!.. — Ботвелл подался вперед и решительно произнес: — Увези ее в Гленкерк сразу как сможешь. С ней будет не так-то легко, но, возможно, когда она окажется с детьми, то почувствует себя лучше.

Еще некоторое время мужчины провели в молчании. Патрик неторопливо поднялся и подбросил дрова в огонь, а потом подошел к шкафу, вынул еще один хрустальный стакан и налил себе и Ботвеллу по доброму глотку крепкого виски.

Теперь пистолет лежал у Френсиса Хепберна на коленях. Снова наклонившись вперед и держа стакан обеими руками, пограничный лорд проникновенно заговорил:

— Я люблю ее, Патрик. И хочу, чтобы ты понял это. Она зовет поехать за разводом во Францию, и я пообещал, что мы так и сделаем, если и в этот раз мне не удастся встретиться с глазу на глаз с Джеми. И как же я жалею, что повидался с ним!.. — Ботвелл замолчал, задумавшись, потом продолжил: — Я возвращаю тебе Кат потому, что не хочу иметь на своей совести разорение ее семьи. Но если когда-нибудь я услышу, что ты обошелся с ней жестоко, то приду непременно. И пусть мне придется выбираться из самой тьмы ада, но я все равно приду и заберу ее обратно.

Патрик был потрясен, увидев в синих глазах кузена обнаженное горе. Ему, мужу, хотелось сочувствовать любовнику жены! Но он нутром почувствовал, что если хоть чуть-чуть заденет кузена, то этот большой и сильный человек уже не совладает с собой.

— Френсис, — мягко начал Гленкерк. — Я всегда любил Катриону, с той самой далекой поры, когда нас обручили — а ей ведь было тогда всего четыре года. Думаю, и она тоже любила меня, потому что все ждали от нее именно этого, и еще потому, что никакого другого мужчину она не знала. Я же познал многих женщин, поэтому сумел оценить ту драгоценность, которую Мэм назначила быть моей. Если бы я не разъярился в ту ночь два года назад, то, уверен в этом, она и по сей день любила бы меня. Но что было, то было... А ты оказался достаточно мудр, чтобы разглядеть ее достоинства. И подобрал то, что я так беззаботно выбросил. Джеймс положил нам жить несчастливо, потому что несчастлив он сам. Если бы король по-настоящему любил Катриону, то желал бы ей счастья с тобой, как искренне желаю этого я. А вместо этого он вынуждает Кат возвратиться ко мне. Клянусь тебе, кузен, что на этот раз я буду ее лелеять! Может, она и не полюбит меня снова, но теперь ей ничего не грозит!

Ботвелл на мгновение прикрыл глаза, словно сдерживая слезы. Когда он снова заговорил, его голос прозвучал негромко и хрипло:

— Ты должен овладеть Катрионой, Патрик. Не пытайся с ней любезничать и не жди, когда она переживет свою обиду. Иначе ты никогда уже не сумеешь снова уложить эту женщину к себе в постель. Мы с Катрионой очень привязаны друг к другу, но ты сможешь облегчить ее боль, только если подаришь ей хоть немного любовной ласки. Но, черт возьми! Во имя милосердия, будь с ней ласков. Она — не крепостная стена, чтобы брать приступом. Обращайся с ней бережно и нежно, и ты увидишь, что получишь в ответ.

Гленкерк покраснел, но Ботвелл уже не заметил этого. Он встал.

— И еще одно, Патрик. Прежде чем покинуть королевство, я захочу ее повидать.

— Покинуть? — переспросил озадаченный Патрик. — Разве Джеми высылает тебя?

— Нет, тут он слишком хитер, но с этим коронованным ребенком мы в одной стране никак не сможем ужиться, кроме того, Джеймс не слишком склонен держать свое слово. Совсем скоро он уже начнет торговаться насчет тех условий договора, на которые согласился сегодня; а наш славный Джон Мэйтлэнд станет подстрекать его на новые подвиги. Патрик, будь уверен, со старым образом жизни в Шотландии покончено. Ангус, Леннокс и другие используют меня, чтобы бороться против короля. Не думай, что я этого не понимаю. После следующего боя мне непременно придется уйти. Это только вопрос времени. Но прежде чем отправиться в изгнание, я должен сказать Катрионе свое последнее «прости» — если только она, конечно, захочет меня видеть. Обещай, что ты ей это не запретишь.

— Боже мой, Френсис! Ты требуешь от меня слишком много-го!

Голубые глаза Ботвелла стали жесткими.

— Послушай, Патрик Лесли. Я мог бы прямо сейчас уйти из этой комнаты, поскакать в Эрмитаж, сказать, что я не видел Джеми, и уже в конце этой недели плыть во Францию. Когда до Катрионы дойдут какие-либо известия, она уже получит развод от услужливых французов, благополучнейше выйдет за меня замуж и понесет нашего ребенка. А твою семью разорят дотла. Кто у кого просит многого?!

Гленкерк поднял бровь.

— Если бы, Френсис, я считал, что ты и в самом деле так поступишь, то я бы сейчас убил тебя, — развеселясь, сказал он. — Однако, подобно мне, ты человек чести. И когда будешь уезжать, Кат увидится с тобой.

Он встал и протянул руку. Ботвелл принял ее. На какой-то миг глаза их встретились. Затем Ботвелл покинул комнату тем же путем, как и вошел — через окно. Патрик Лесли испытывал неизъяснимую печаль.

33

Ботвелл скакал всю ночь и все утро и прибыл в Эрмитаж только к полудню. С первого взгляда Катриона поняла, что граф привез плохие вести, но она не стала ни о чем допытываться, а повела Френсиса в их покои, сняла с возлюбленного дорожные сапоги и уложила его в постель. Он заснул сразу, а когда проснулся вечером, то был уже готов славный ужин. И лишь поев, Ботвелл заговорил про дела:

— Король приказал тебе первого сентября вернуться к Гленкерку.

Катриона стремительно повернула к нему лицо, и в ее глазах отразился ужас.

— А если ты ослушаешься и не сделаешь этого, — внешне спокойно продолжил граф, — то Джеми заберет и земли, и собственность не только гленкеркских и сайтенских Лесли, но и грейхевенских Хэев.

— Пусть!

— Кат!..

— Пусть! Без тебя я мертва.

Он крепко обнял ее.

— Кат! Кат! Подумай, девочка моя! Ну, подумай! Сколько у тебя детей?

— Шесть.

— А у твоих кузенов теперь их сколько?

— По меньшей мере три десятка.

— И у тебя самой десятка два кузенов, а еще ведь есть и твои братья, и поколение твоих родителей, и Мор-Лесли. Боже мой, Кат! Ведь это почти сотня людей!.. А потом, дорогая, следует подумать и о моих детях. Все эти ни в чем не

272

повинные люди окажутся погубленными — и дети, и старики тоже. Нет, любовь моя, ни ты, ни я не сможем построить нашу жизнь на обломках наших семей.

— Не гони меня, Ботвелл, — жалобно прошептала она. — Лучше уж мне умереть.

— Если мы с тобой сбежим, если попытаемся каким-то образом ускользнуть от Джеми, он разорит всех наших родственников. Насчет этого король тверд. Он хочет, чтобы мы понесли наказание, и он сумел отыскать самую изощренную пытку, какой станет пытать не только нас с тобой, но еще в придачу и Патрика Лесли. Твой муж все еще очень любит тебя, Кат. Не бойся к нему возвращаться.

Она подняла глаза.

— Как ты можешь мне такое говорить, Френсис?

— Потому что должен! Господи!.. Кат! Мне невыносимо все это! — Его хриплый голос прерывался от боли и муки. — Ты же жизнь моя, девочка!

Они оба заплакали. Пограничный лорд и его возлюбленная прильнули друг к другу и рыдали, пока не выплакали все слезы. Потом вместе поднялись, держась друг за друга. Френсис, как всегда прежде, поднял Катриону на руки и понес наверх, в спальню.

Ночью графиня проснулась и обнаружила, что рядом никого нет. На какой-то миг Катриона испугалась, пока не разглядела, что Ботвелл стоит возле окна, глядя на пейзаж, залитый лунным светом. Френсис обернулся, и стало видно его лицо, мокрое от слез. Катриона притворилась спящей, сознавая, что, если любимый увидит, что она за ним наблюдает, это только усугубит его страдания. В ее груди билась тупая боль. Она закрыла себе рот ладонью, пытаясь заглушить крик, поднимавшийся из горла.

В последующие несколько дней ни Ботвелл, ни Катриона не могли вынести даже нескольких минут друг без друга. Им оставался только один месяц, и сознание этого, как и предвидел король, уже само по себе было невыносимой пыткой. Наконец, Катриона приняла решение, которое должно было облегчить им последние недели.

— Я хочу поехать в избушку, — объявила она. — Я пришла к тебе туда. И если уж мне приходится уходить, то пусть это будет оттуда.

Ботвелл уже рассказал ей, что вдобавок ко всему король лишил его права появляться на расстоянии десяти миль от Эдинбурга, а также запретил провожать графиню с пограничья. Ее привезет лорд Хоум.

Теперь граф послал своих слуг в Чевиот, чтобы убраться в доме и завезти туда снеди. Они будут жить, как жили в самом начале, — одни, наедине друг с другом. Когда влюбленные в последний раз выехали из Эрмитажа вместе, у них оставалось уже только три недели. Ни Ботвелл, ни Катриона не стали прощаться со слугами, ибо не смогли бы это выдержать. Договорились, что лорда Хоума, когда тот приедет за Катрионой, примет Херкюлес и проводит к месту встречи.

Лето кончалось, и вечера становились все прохладнее. Они ездили верхом, гуляли в лесу и по полям, молча сидели на скрытом выступе утеса, откуда обозревали пограничные долины и наблюдали, как воспаряют орлы в потоках западного ветра. Ночи проходили в любовных ласках, и такого полного блаженства, как в эти часы, ни один из них не знал прежде. Оно, однако, имело горький привкус, ибо каждый осознавал, что близится день расставания.

Однажды утром графиня спустилась из спальни как раз в тот миг, когда Ботвелл входил в дом.

— Прости, Кат, — сказал он, подняв рыбину, — я поймал лосося и нашел немного позднего салата.

И тут графиня разрыдалась. Она вдруг вспомнила, что в самый ее первый день в этом домике Ботвелл сказал ей почти те же слова. Когда это осознал и сам Ботвелл, то выругался, а потом повторил ругательство: сегодня отпущенный им срок истекал. Этот день должен был стать их последним. Наконец, овладев собой, Катриона посмотрела на лорда сквозь мокрые ресницы.

— Полагаю, что запах, который доносится из кухни, от бульона из ягненка?

Френсис кивнул. И таким скорбным было его лицо, что Катриона не могла удержаться от улыбки.

— Чисти свою рыбу, Ботвелл, — уже спокойно сказала она, — но я хочу съесть ее попозже. Какая сегодня погода?

274

— Тепло. И возле речки я нашел лужайку, полную маргариток. Пойдем купаться!

Ее зеленые глаза лукаво сверкнули.

— Ну, если только потом ты приласкаешь меня среди маргариток.

— Да, — медленно произнес Френсис, а его голубые глаза были спокойны и неулыбчивы.

Она бросилась к нему на грудь и прижалась.

— О Ботвелл! Я этого не вынесу!

Огромные, сильные мужские руки крепко обняли ее и отпустили.

— Иди одевайся, девочка моя. Я почищу рыбину и положу нам с собой хлеба и сыра.

Они медленно ехали верхом под этим почти осенним солнцем. Долины внизу сияли, окутанные бледно-пурпурной дымкой. Катриона и Френсис не спеша искупались в холодной речной воде, а затем он овладел ею. Она заливалась смехом, а над ними, лежащими среди благоухающих цветов, жужжали толстые ленивые шмели. Потом влюбленные ели хлеб и сыр, которые Ботвелл положил в переметную суму, пили белое вино из фляги и пробовали ранние яблоки. Но очень скоро солнце склонилось к закату, и настало время ехать домой. По пути она тихо спросила:

— Когда завтра мы встречаемся с лордом Хоумом?

— Через два часа после рассвета, — ответил он, глядя прямо перед собой. А затем услышал ее шепот:

— Так скоро...

Позади них солнце уже опустилось в горячем оранжевом зареве. Словно в насмешку, на быстро темнеющем небе засияла Венера. Лошади легко нашли обратный путь в избушку Ботвелла, и, пока граф кормил животных и давал им воду, Катриона приготовила ужин. Они ели молча, пока графиня не нарушила молчание:

— В ту первую ночь у нас было бургундское.

— Да, и ты напилась.

— Сегодня тоже хочу напиться.

Ботвелл обошел вокруг стола и поднял ее, чтобы встать лицом к лицу.

— Нет. Я хочу, чтобы ты помнила все, что случилось между нами, особенно сегодня.

Катриона тихо заплакала.

— Мне больно, Френсис! Болит сердце!

— Мне тоже больно, любимая. Но Джеми Стюарт никогда не узнает, как он губит меня, отнимая единственное, что мне дорого. Наша боль должна остаться с нами. Ох, Катриона! Нежная моя, нежная любовь! Хочу, чтобы ты не забывала ни единого мгновения нашей любви, потому что она станет в будущем моей опорой.

— Теперь ты останешься один, Френсис. Кто будет присматривать за тобой?

— Херкюлес, дорогая. Вряд ли он окажется достойной заменой самой прекрасной женщины Шотландии, но... — Ботвелл запнулся и с нежностью вытер слезы с ее щек. Помолчав, он продолжил: — Боже мой, Кат! Не плачь, драгоценная моя любовь. Благодарю Бога, что Джеми хотя бы возвращает тебя Гленкерку. Патрик позаботится о тебе.

— Конечно, — горько ответила Катриона. — Если он будет заботиться обо мне столь же ревностно, как и раньше, то не пройдет и одного-двух месяцев, как я опять стану королевской шлюхой!..

— О нет, любовь моя! Такого уже не случится! Патрик обещал мне.

Графиня широко открыла глаза.

— Ты видел Патрика? Когда?

— Месяц назад, когда Джеймс приказал мне отдать тебя. Я должен был удостовериться, что Гленкерк будет заботиться о тебе как следует. Мне надо было знать, Кат, что он по-настоящему хочет тебя, ибо в ином случае я бы не позволил тебе к нему вернуться. Граф очень тебя любит, дорогая. Даже зная, что ты принадлежишь мне, все еще любит. Не бойся идти к Патрику Лесли.

Катриону охватила дрожь.

— Он захочет овладеть мной, — прошептала графиня. — А я лучше пойду в монастырь, чем позволю какому-то другому мужчине прикоснуться ко мне.

Ботвелл тихо рассмеялся.

— Нет, Кат. Ты создана для любви. Без ласки твое прелестное тело засохнет и погибнет. Не стыдись же этого и не отказывайся ни от чего.

Притянув графиню к себе, Ботвелл скользнул рукой под шелковое платье и обласкал мягкие и нежные груди. Наполовину прикрыв свои изумрудные глаза, Катриона довольно забормотала.

Лорд засмеялся снова.

— Вот видишь, дорогая, — с улыбкой обратился он к Катрионе, убирая руки.

Френсис был нежен, как всегда, невероятно нежен. Он целовал ее, расслаблял этими поцелуями и одновременно ловко и быстро раздевал. Затем, не отпуская губ Катрионы, поднял ее на руки и понес в спальню.

Оказавшись в постели, графиня притянула Френсиса к себе и скользнула руками к нему под одежду, лаская его широкую грудь и спину. Потом стянула с возлюбленного рубашку и снова, прижав его к себе, коснулась своими упругими сосками его гладкой обнаженной груди. Ботвелл только вздохнул от наслаждения и почувствовал, как его член напрягся от испытываемого желания. Катриона ослабила объятия и призывно прошептала:

— Спеши, любимый!..

Граф быстро сбросил с себя оставшуюся одежду и глубоко вонзился в пульсирующую плоть, теплую и влажную. Катриона напряглась, чтобы принять его, и зарыдала от разочарования, когда он уже не смог войти глубже. И какая же началась сладостная пытка! Френсис то погружался до самого конца, то выходил, и так до тех пор, пока она не взмолилась прекратить, — настолько томительным становилось ее желание. Но Ботвелл не захотел. Он довел ее до таких вершин блаженства, о каких она и не ведала, а он все еще растягивал их мучительное наслаждение. Когда же наконец его страсть излилась в нее бешеным неудержимым потоком, графиня почти лишилась чувств. Оба затихли.

От возбуждения у Катрионы кружилась голова, а сердце неистово стучало. Уши полнились звуками прерывистого всхлипывания, и постепенно до нее дошло, что это был ее собственный плач. Обняв возлюбленную своими огромными и сильными руками, Ботвелл принялся ее укачивать как ребенка. У лорда и самого в голове стоял шум. В ужасный миг протрезвления Френсис осознал, что через несколько часов отошлет эту женщину из своей жизни — и, возможно, навсегда.

Понемногу их дыхание стало спокойнее. Катриона откинулась на подушки и притянула Ботвелла.

— Почему ты дожидался сегодняшней ночи, чтобы сделать мне это, Френсис?

Граф ничего не ответил.

— Вам, мужчинам, все так легко, — продолжила она. — Вы живете по строгим правилам чести, которые не оставляют места для сердца. Завтра ты вручишь меня Сэнди Хоуму, тот передаст Джеймсу Стюарту, который, по всей вероятности, попытается меня поиметь, прежде чем передать Патрику Лесли, который полезет на меня, потому что я его жена и он имеет право. Ты почувствуешь сожаление оттого, что меня потеряешь. Сэнди будет сожалеть о той неблагодарной роли, которая досталась ему в этой печальной драме. Джеймс Стюарт почувствует похоть, смешанную с капелькой вины, недостаточной, впрочем, чтобы остановить все то страшное, что с нами происходит. А Патрик Лесли ожидает моего возвращения с неуверенностью и опасением, которые он попытается скрыть, изображая из себя повелителя. — Катриона задумчиво помолчала. — И где же тут я? Я снова остаюсь одна, а вы все играете в ваши мужские игры — у кого больше чести. А я свою честь принуждена вручить человеку, которого не люблю. И по-прежнему буду желать тебя, Ботвелл!.. Вы все, конечно же, так благородны, так блюдете свою честь! Но только почему мне придется ощущать себя шлюхой? Уж лучше бы умереть, но даже и в этом мне отказывают.

— Не желай смерти, — севшим от волнения голосом ответил граф. — Единственное, что удерживает меня в здравом уме, это сознание, что у Гленкерка ты будешь жива и здорова.

Ботвелл поднялся и сел в постели. Его глаза горели гневом.

— Мне нет дела до чести, и если бы я думал, что мы с тобой сможем построить совместную жизнь, не разорив наши семьи, то я увез бы тебя этой же ночью. Но скажи, станешь ли ты счастливой, зная, что мы погубили Гленкерк, Сайтен и Грейхевен? Что бы ты ни ответила мне сейчас — я в это не верю. У моих детей по крайней мере есть Ангус и Дугласы. А вы, Лесли, всегда держались сами по себе. Да, вы могли

278

взять к себе какого-нибудь чужака, но при этом всегда стремились сохранить в целости ваше богатство, поэтому-то нынче у вас и нет никаких связей.

— Нам и не требовалось, — возразила Катриона. — Наше богатство всегда было нашей силой.

— А теперь — нет, дорогая, теперь это скорее ваша слабость. Джеймс Стюарт использует его как оружие против вас и против меня. Я люблю тебя, Кат. Очень люблю. Люблю всем сердцем, как никогда не любил другую женщину. И когда ты уйдешь, от моей жизни останется одна пустая оболочка. У меня никогда ничего больше не будет.

— Разве мы уже никогда не увидимся?

— Придет день — через полгода, а может, через год или два, когда мне придется покинуть шотландцев, прежде чем я уеду, мы встретимся, если ты все еще пожелаешь видеть меня. Патрик обещал.

Катриона снова зарыдала, и Френсис снова прижал ее к себе, ласково поглаживая длинные распущенные волосы. Все было сказано. Изнуренные, они заснули, но еще несколько раз до рассвета просыпались. Френсису пришло уже время вставать, но она ухватила его за руку и взмолилась:

— Еще раз, мой законный муж...

И тогда с невероятным изяществом граф снова ею овладел. Его рот искал мягкую плоть ее грудей, живота, бедер. Френсис нежно вошел в нее, и они быстро достигли взаимного удовлетворения. Затем, как всегда изумленный этим, он снова стал твердым внутри ее. И на этот раз он не стал спешить, до конца наслаждаясь ее прелестным телом, и опять они задремали.

Когда Катриона снова проснулась, Ботвелл был уже на ногах. Перед камином стоял чан с водой, над которой клубился пар. Ни слова не говоря, графиня поднялась и приняла ванну. Внизу Френсис расставлял на столе холодный окорок, овсяные лепешки и коричневый эль. Катриона попыталась было взять лепешку в рот, но по вкусу она показалась ей золой, и проглотить кусок удалось, лишь запив его глотком горького эля. Несчастная ощущала себя холодной, словно лед. Наконец Ботвелл сказал:

— Если мы хотим вовремя встретиться с Сэнди, нам надо выезжать.

Графиня подняла к любимому свои прелестные изумрудные глаза, и в них отразилась ее боль. Схватив Катриону, Френсис притянул ее к себе и раскрыл ей уста своим ртом, заглушив крик, готовый с них сорваться. На какой-то миг Ботвелл словно растворился в ней, в ее нежности, и, когда под его губами губы Катрионы разомкнулись и в рот к нему ворвалось ее теплое дыхание, граф застонал.

Внезапно Катриона отстранилась и, выбежав во двор, быстро вскочила в седло. Френсис не сразу двинулся с места. Затем, взяв себя в руки, последовал за ней.

День был сер, ползли грозные тучи. Тут и там на деревьях виднелись первые пожелтевшие листья. Встреча предполагалась на окраине города Тевистхед, у перекрестка Сент-Кутберт. Они ехали молча. Хотя Катрионе столько хотелось сказать возлюбленному — говорить она не могла.

Херкюлес, лорд Хоум и его люди уже ждали. Ботвелл пожал друзьям руки.

— Ты проследишь за ней, Сэнди? Не позволяй ей никаких глупостей.

В его голосе слышалась почти мольба, и Александр Хоум кивнул без слов. Ботвелл спешился и снял Катриону с лошади. Один долгий миг они стояли, глядя друг на друга. Он бережно и нежно взял ее голову в свои ладони.

— Ты позаботишься о себе?

— Да.

— И ты не винишь Гленкерка за это? Он хотел, чтобы ты была счастлива, хоть и не с ним.

— Я знаю.

— И не позволяй Джеми узнать, что он выиграл.

— Боже, конечно, нет! — взорвалась она.

— Я люблю тебя, Катриона Маири. Что бы ни случилось, помни это.

Взгляд ее изумрудных глаз загорелся.

— Я люблю тебя, Френсис Хепберн, и что бы ни случилось, я всегда — твоя. Джеймс может принудить меня вернуться к Гленкерку, но он никогда не сможет изменить мои чувства. Я всегда буду любить тебя.

Она притянула к себе его лицо и поцеловала долгим поцелуем. Затем вновь взобралась на свою лошадь и пустила ее легким галопом.

Пораженный увиденным, лорд Хоум бросил последний взгляд на графа Ботвелла и дал своим людям знак трогаться. Какое-то время Френсис Хепберн провожал их взглядом. А затем внезапно его плечи затряслись, и стоявший поодаль Херкюлес услышал мучительные сухие рыдания. Он застыл, беспомощный, не зная, что и делать. Никогда прежде Херкюлес не слышал, чтобы брат плакал.

Не находя сил думать о чем-либо другом, он обнял Ботвелла за плечи.

— Послушай, Френсис! Едем домой!

Ботвелл повернул лицо к брату, и тот, увидев в его глазах бездонную пустоту, невольно отшатнулся.

— У меня больше нет дома, Херкюлес. Она была моим домом... а теперь ее нет.

Часть IV

КАТ ЛЕСЛИ

34

Дождик моросил без перерыва, но Катриона настояла на том, чтобы ехали не останавливаясь до самого Эдинбурга. Графиня отказалась ночевать в таверне и только дважды пожелала устроить краткий привал, чтобы лорд Хоум с его людьми смогли освежиться и облегчиться. Печальная путешественница не брала в рот ни крошки, выпив за всю дорогу лишь чашку вина, которое, по указанию лорда Хоума, хозяин таверны приправил яйцами и пряностями. Кузен лорда, ехавший в этом же отряде, заметил:

— Надеюсь, тебе удастся доставить ее в Эдинбург живой. Позади у тебя Ботвелл, а впереди — король, и не хотел бы я оказаться на твоем месте, Сэнди, если с ней что-нибудь случится.

— Она доедет, — угрюмо сказал Хоум. — Хотя бы для того, чтобы иметь удовольствие плюнуть в лицо королю. Смелая же это девка — Кат Лесли.

В туманный и холодный предрассветный час всадники прибыли в Эдинбург. Тут уже лорд Хоум посчитал остановку обязательной.

— Кто-нибудь, — сказал он Катрионе, — должен сейчас отправиться во дворец и сообщить королю, что ты здесь. Он непременно хотел тебя видеть.

Катриона не стала спорить, и Хоум послал с этим поручением своего кузена, потихоньку дав ему наказ — заехать к Гленкерку и уведомить графа о прибытии жены, а только затем уже следовало направиться в Холлируд и оповестить короля.

Лорд Хоум проводил Катриону в свой городской дом, где прислуга разожгла для них теплый огонь и приготовила славный завтрак.

— Надо что-нибудь поесть, милая Кат, — озабоченно сказал Хоум.

— Сэнди, мне ничего в горло не лезет, но прикажи, пусть сделают еще этой винной смеси. И еще я хочу принять горячую ванну. Я совсем закоченела, да и не пристало появляться перед королем и вонять дорогой. Пусть кто-нибудь из твоих людей внесет в дом мою дорожную суму. Там смена белья.

Голос Катрионы был спокоен, просьба — разумна, но глаза ее лихорадочно горели.

Дав указания своим людям, Хоум обнял графиню и спросил:

— С тобой все в порядке, Кат?

— Не старайся проявлять доброту, Сэнди, — мягко отстранила она его. — Иначе я совсем сломаюсь, а я не могу себе это позволить, пока не увижу Джеми.

Перед камином установили сидячую ванну и отгородили ее ширмой. Маленькая девушка-горничная вынула из сумы брусок душистого мыла и помогла Катрионе принять ванну. Когда графиня вышла из-за ширмы, Хоум тихо присвистнул — и восхищенный, и пораженный.

— Господи, любовь моя! Неужели ты собираешься предстать перед Джеймсом в таком виде?

На ней было платье из черного бархата с глубоким вырезом и длинными узкими рукавами, отделанными красным кружевом. Выпуклые груди изящно облегал хеперновский плед, прихваченный на плече крупной золотой булавкой с сияющим изумрудом. На шее висела подвеска с золотым хеперновским львом, подаренная графине Ботвеллом.

— Ты что, думаешь, король будет возражать, если я покажу, кому отдано мое сердце? — спросила Катриона.

— Черт возьми, ты же сама знаешь, что будет! Ты ничего не добьешься, Кат, если будешь его дразнить!

— Но ничего и не потеряю, Сэнди! Он уже отнял у меня всю мою жизнь.

Лорд Хоум только покачал головой. Никакими разумными доводами леди Лесли ему было уже не убедить. И он просто подал ей бокал вина.

— Выпей это, дорогая. В предстоящей битве надо быть сильной.

Час спустя лорд Хоум наконец свалил с себя это бремя. Паж королевской спальни проводил графиню Гленкерк в личный кабинет Джеймса Стюарта.

На короле было платье до пят, надетое поверх ночной рубашки. Катриона присела в реверансе и, поднявшись, оказалась лицом к лицу с монархом. Янтарные глаза осуждающе глянули из-под полуприкрытых век.

— Мне не нравится ваше платье, мадам, — холодно сказал король.

— Я в трауре, сир.

— По кому?

— По самой себе, — ответила Катриона столь же холодно. — Я умерла вчера.

— Не ведите себя вызывающе, мадам! За ваше своеволие вас следует сурово наказать.

Катриона зло рассмеялась:

— Учите меня, ваше величество. Вполне позволительно быть вашей любовницей, но совсем непозволительно оставаться женщиной Ботвелла. Так?

— Я любил тебя, — тихо возразил Джеймс.

— Вы вожделели меня! И здесь не было ничего возвышенного, — бросила она в ответ. — И даже тогда, когда та нежная юная девушка стала вашей королевой, вы не удовлетворились и не стали себя вести пристойно. Вы пожелали снова вломиться в мою постель, хотя и знали, что это навлечет на меня беду. Я умоляла вас не разрушать мой брак с Патриком Лесли, а когда он застал вас за вашим постыдным делом, то вы представили все хуже, чем было на самом деле. Но, Джеми, я прощаю вам это, потому что, вынужденная бежать от вашей жестокости, я нашла Френсиса Хепберна. И влюбилась. Он стоит сотни таких, как вы, Джеми. И хотя вам и удалось оторвать нас друг от друга, даже смерть не прервет нашей любви, потому что она величественнее всех проклятых Стюартов.

Катриона отвернулась. А король Джеймс был ошеломлен ее яростью.

— Кат... — Он впервые произнес ее имя с нежностью. — Кат, любовь моя, не отворачивайся от меня. Я так жаждал тебя все эти месяцы. — Он тронул ее за плечо, и она вздрогнула.

— Во имя милосердия, Джеми, не прикасайся ко мне. Ты мне отвратителен.

Его рука поднялась и погладила блестящие темно-золотистые, заплетенные в косу волосы, которые графиня скрепила лентой.

— Прекрасные мягкие волосы. Помню, как они рассыпались по подушкам, когда я любил тебя. Или, подобно блестящей занавеси, ниспадали вокруг нас на постели. Они такие чудесные, такие чудесные, — ласково шептал король.

И тогда Катриона резко повернулась к нему, а он, очарованный, еще не веря своим глазам, увидел, как графиня протянула руку к безделушкам, что свисали у нее с пояса, и выхватила маленькие золотые ножницы. И прежде чем Джеймс успел остановить ее, Кат обрезала свою бережно заплетенную косу над самой лентой.

— Если тебе так нравятся мои волосы, Джеми, то получи же их, ибо это все, что ты когда-нибудь еще получишь от Катрионы Лесли!

Она бросила этот золотистый клубок прямо в короля. Лицо ее горело презрением.

Монарх в ужасе отпрянул. И именно в этот миг в кабинет вошел граф Гленкерк. Какое-то мгновение Джеймс и Патрик стояли бок о бок. Увидев их вместе, Катриона почувствовала, как неистово забилось ее сердце. Гленкерк первым понял, что ее испугало, и, прыгнув через разделявшее их расстояние, успел подхватить жену прежде, чем та осела в глубоком обмороке. Но он еще услышал ее крик:

— Френсис! Помоги!

Подняв Катриону на руки, Патрик сказал:

— Добрый день, Джеми. Когда Катриона оправится и сможет перенести дорогу, я увезу ее домой в Гленкерк. Если вы попытаетесь остановить меня, то, клянусь, я сам верну ее Ботвеллу, и к дьяволу все, что вы придумали!

Но Джеймс молчал. Он только во все глаза смотрел на шелковистую косу, оказавшуюся у него в руках. А Патрик Лесли, следуя за пажом, перенес свою все еще не пришедшую в сознание супругу в экипаж и приказал кучеру быстрее ехать в их эдинбургский дом. Там миссис Керр, увидев пропавшую хозяйку, сочувственно закудахтала и помогла раздеть ее и уложить в постель.

Вскоре Патрик с облегчением увидел, что жена просто глубоко спала. Заметил он и другое: как сильно Катриона была измучена — и душевно, и физически, хотя лорд Хоум и сообщил ему об этом, когда они покидали дворец. Весь день

Гленкерк просидел возле кровати спящей жены, наблюдая за ней. Он начал понимать, насколько глубока была ее любовь к Френсису Хепберну. И слыша, как Катриона разговаривает во сне, Патрик испытывал безумную печаль. Он не был уверен, что когда-нибудь снова сумеет завоевать эту женщину, он только еще раз осознал, как сильно любит ее.

Ближе к вечеру Гленкерк увидел, что Катриона скоро проснется. Выйдя в верхний холл, он позвал миссис Керр и велел принести поднос с каплуном, хлебом и маслом вместе с небольшим графинчиком сладкого белого вина. Когда Катриона открыла глаза, то увидела, как Патрик идет через комнату с подносом в руках.

— Добрый день, голубка, — нежно сказал он. — Как ты себя чувствуешь?

— Сколько я спала?

— Часов десять.

Поставив поднос на стол у кровати, Гленкерк взбил пуховые подушки и помог Катрионе сесть.

— Миссис Керр собрала тебе этот поднос. — Он поставил его жене на колени.

— Убери, я не могу есть.

Патрик пододвинул к кровати стул и сел. Он поднес крылышко каплуна к самому носу своей печальной супруги.

— Лорд Хоум сказал мне, что за всю дорогу с пограничья ты и крошки в рот не взяла. Скажи, когда ты ела в последний раз?

— Две ночи назад. — Катриона произнесла это так тихо, что граф едва расслышал.

— Ешь, — сказал он мягко.

Катриона подняла голову и внимательно посмотрела на мужа. Ее прелестные глаза наполнились слезами, которые потоком выплеснулись и разлились по щекам. Патрик сразу отложил крыло, которое еще держал в руке, и обнял Катриону. Он почувствовал, как женское тело в его объятиях стало жестким, но предпочел не заметить этого.

— Плачь! — приказал он. — Проклятие, Кат, плачь!

И тогда великое горе, которое эта женщина сдерживала в себе, разорвало ее душу и выплеснулось наружу. Она плакала, пока глаза ее не покраснели и не распухли и пока не осталось сил даже плакать.

И все это время Патрик сильно и бережно обнимал жену, что-то нежно бормоча ей вполголоса. А когда Катриона наконец затихла, он отодвинул ее от себя и шелковым платком вытер ее залитое слезами лицо. Однако стоило графу попытаться вытереть и мокрый нос, как она с гневом вырвала платок у него из рук.

— Я не дитя, Гленкерк!

— Нет, — согласно кивнул он, — не дитя.

— Боже мой! И как же ты можешь хотеть меня обратно, — возмущенно бросила Кат, — если знаешь, что я люблю его? И всегда буду любить только его!

Схватив графинчик, она плеснула себе вина. Дерзкий взгляд, брошенный Патрику, принадлежал настоящей Катрионе. Граф рассмеялся:

— Не напивайся, пока не поешь.

Гленкерк убрал графин с подноса и поставил на стол. Шагнув к двери, он снова позвал миссис Керр, и та вскоре принесла новый поднос, плотно уставленный сырыми устрицами, ломтями окорока, артишоками в масле, разнообразными бутербродами, яблоками, медовыми сотами. Венчал все кувшин красного вина.

Графиня опасливо наблюдала, как муж с удовольствием поглощал всю эту снедь, сама же она заставила себя съесть кусок каплуна и немного хлеба с маслом. Зная ее склонность к сладкому, Патрик положил жене на тарелку медовых сот и обрадовался, когда она съела. А затем, выпив весь графинчик белого вина, она взяла кувшин с красным и наполнила свой бокал доверху. Патрик поднялся и забрал вино из ее рук.

— Тебе будет плохо, Кат, и нет ничего отвратительнее, чем спать с пьяной женщиной.

Графиня широко открыла глаза.

— Уж не хочешь ли ты спать в этой постели? Нет! Нет! Нет! Нельзя быть таким жестоким, Патрик! Дай мне немного времени!

И тут настал тот момент, когда Патрик Лесли заставил себя сделать то, что должен был сделать. Он поразился, поняв, что Ботвелл знает Катриону гораздо лучше его самого.

— Ты моя жена, Кат, — тихо сказал Патрик, — и хочешь ты быть ею или нет, теперь это уже не важно. По закону ты принадлежишь мне, и хотя, возможно, уже не любишь меня, я люблю тебя очень сильно. Два года я был без тебя. И не намерен отказывать себе в удовольствии овладеть твоим прекрасным телом прямо сейчас.

Произнеся эти слова, граф неторопливо разделся. Потом он прошел к кровати и, стянув на пол одеяло, взобрался на постель. Катриона попыталась ускользнуть от него, спустившись с другой стороны кровати, но он легко поднял ее обратно. Медленно и осторожно Патрик притянул к себе яростно отбивающееся тело. Силой уложив ее голову на изгибе своей руки, он склонился и захватил губами несогласный рот. Ее губы были холодны и крепко сжаты. Гленкерк с нежностью раздвинул их губами, открыв путь своему языку, а его свободная рука гладила и ласкала груди, которые граф уже умело освободил от корсажа. Катриона только вздохнула: по ней уже прокатилась волна желания. В отчаянии она возобновила борьбу, потому что не хотела Патрика Лесли. Она хотела только Френсиса Хепберна, и даже сейчас ей слышался его дразнящий голос. Всего две ночи назад он говорил:

— Ты создана для любви. И не можешь отрицать этого.

Как и всегда, тело графини предавало ее, отзываясь на любовные ласки, когда она того не хотела. И все то время, пока муж наслаждался ею, сердце Катрионы стонало по Ботвеллу. Никогда раньше Гленкерк не проявлял такой нежности, и это несколько ее успокоило. Патрик ритмично двигался и наконец с криком достиг наслаждения. Катриона обнаружила, что, хотя тело ее и возбудилось, чувственно она осталась холодной. Патрик тоже это понял. Высвободившись, он заключил жену в объятия.

— Спи, — нежно приказал он.

Почему-то Катриона почувствовала себя уютно и быстро заснула.

Еще несколько дней они оставались в Эдинбурге, пока Патрик не уверился, что Катриона сможет хорошо перенести дорогу. Каждую ночь он овладевал ею, словно желая вновь утвердить свое положение. Наконец граф повез ее в Гленкерк. Они добрались домой неделю спустя, после одиннадцатого дня рождения Бесс. И казалось, недавняя именинница была единственной из всех детей, кто не особенно радовался встрече с матерью.

Джеми, наследнику Лесли, исполнилось уже пятнадцать лет, он приехал из университета на короткие каникулы. Ростом мальчик был выше отца, а по сочным взглядам, которые бросали на него девушки-служанки, Катриона поняла, что этот парень уже сведущ в искусстве любви. Эта мысль несколько обеспокоила графиню, поскольку ей самой был всего тридцать один год. Когда она обнимала сына, тот тронул ее непривычно короткие локоны и спросил:

— Что случилось с твоими волосами, мама?

— Я подарила их королю.

— Боже, ты вела себя с ним дерзко?

Джеми заметил боль в глазах матери и также увидел, что она пытается это скрыть. Обняв Катриону, он тихонько произнес:

— Не печалься, мама. Мы тебя любим и очень рады, что ты снова дома.

Колин и Робби получили отпуск у Роутса. Они кружились возле матери, словно маленькие щенки. Но совсем по-другому вели себя младшие дочери, шестилетняя Аманда и пятилетняя Мораг, которые просто оробели перед этой незнакомой женщиной, красивой и печальной, оказавшейся, по словам бабушки Мэг, их матерью. За несколько дней, однако, Катриона сумела завоевать привязанность этих двух девчушек. И только Бесс по-прежнему держалась отчужденно.

— Бесс к тебе ревнует, — весело сказала Маргарет. — Скоро она станет совсем взрослой и с недавних пор уже чувствует свою женскую природу. А тут появляешься ты — и Боже мой, Катриона! Тебе больше тридцати, и ты невероятно красива! Для бедной девочки это уж слишком. Она обожает Патрика, и он до сих пор баловал ее своим вниманием. А теперь мой сын почти все свое время проводит с тобой.

И совсем невмоготу стало, когда выяснилось, что ночные труды Патрика не прошли бесследно: живот у Катрионы вновь начал округляться. Несчастная графиня Гленкерк случайно услышала тогда разговор дочери со старшим сыном.

— По-моему, это отвратительно, — возмущалась девочка. — В ее-то возрасте! И это после того, что она сделала, когда распутничала с лордом Ботвеллом!

Послышался звук шлепка, и Бесс завопила:

— Ты меня ударил, Джеми! Ты меня ударил!

— Да, — ответил Джеми, — и, мисс Ревность, вы получите от меня снова, если позволите себе еще так говорить о маме. Мы не знаем, что случилось у мамы с папой, но я знаю, что она любит Френсиса Хепберна. И вернулась она сюда потому, что любит также и всех нас и не захотела дать королю нас разорить.

— Как ты об этом проведал? — насмешливо спросила Бесс.

— Знаю, потому что со мной в университете учится Джон Лесли, наследник Роутсов. И он подслушал, как его отец говорил его дяде, что, мол, Гленкерк получил свою жену обратно только потому, что король пригрозил, если только она не уйдет от лорда Ботвелла, он разорит всех наших родственников.

— И правильно сделал король, — злорадствовала Бесс. — Это благочестивый человек.

Джеми засмеялся недобрым смехом.

— Дура ты, сестренка. Нет, просто глупенькая маленькая девственница. Король вожделеет маму, и когда она ему отказала, то Джеймс принудил ее навсегда оставить лорда Ботвелла, пригрозив нам всем.

— Тогда почему она зачала ребенка от папы, если его не любит?

— Чтобы помириться с ним, так я думаю, сестренка. Наша мама — отважная и красивая женщина, и если ты не будешь вести себя с ней прилично, я тебя побью.

Катриона изумилась тому, сколько знал ее сын и каким Джеми оказался мудрым — в его-то годы. Она поняла также, что за Бесс придется внимательно присматривать. Девочка быстро взрослела, слышала достаточно всяческих полуправд, чтобы прийти в смятение. Катриона прекрасно понимала, что рассуждения дочери принадлежали не самой девочке, они были эхом взрослых голосов. И догадываясь, чьих именно, графиня решила предпринять некоторые шаги, чтобы выправить положение.

Когда Катриона убежала к лорду Ботвеллу, то ее самая верная служанка так и не узнала истинной причины ее поступка. Возвратившись в Гленкерк, Эллен приняла Бесс с рук вечно занятых Салли и Люси Керр. Шли месяцы, вестей от Катрионы все не приходило, и растерянность славной женщины обратилась в гнев. Она неблагоразумно выразила свои чувства перед юной впечатлительной девочкой. А теперь, когда вернулась ее госпожа, Эллен оставила Бесс и стала снова прислуживать самой Катрионе, усугубив тем самым огорчение и обиду своей маленькой госпожи.

Графиня заметила, что Бесс скучала по Эллен, и, хотя Катриона всегда очень ценила верную женщину, ее чрезмерная мелочная заботливость уже начинала раздражать. Казалось, служанка была убеждена, будто ее хозяйка совершила какой-то ужасный поступок и должна благодарить Бога, что Патрик Лесли простил ее. Катриона не стала бранить славную женщину, а, оставшись как-то раз наедине с ней, доверительно сказала:

— Элли, мне понадобится твоя помощь. Бесс достигла уже того возраста, когда ее надо направлять опытной рукой. Ты присматривала за девочкой, когда меня не было. Не согласишься ли ты снова взять ее под свою опеку? Она так к тебе привязана.

— Я с охотой сделаю все, что вы пожелаете, мадам, но кто позаботится о вас самих в вашем положении?

— Элли! Ты становишься старенькой и глупенькой. Это же не первый мой ребенок. Без служанки мне, конечно же, не обойтись, но полагаю, что твоя племянница Сюзан прекрасно сумеет тебя заменить.

— Да, — задумчиво протянула Эллен, представив свою невзрачную, но весьма рассудительную племянницу. — Сюзан — это не какая-то там вертихвостка. Она будет хорошо исполнять свои обязанности, а я стану ею руководить. Но не разумнее ли ей вместо меня прислуживать госпоже Бесс?

— По-моему, с тобой, Элли, Бесс будет чувствовать себя лучше. Я помню, что в детстве ты была со мной так добра, Элли. Но решай сама.

Как и предполагала Катриона, Эллен решила, что лучшей госпожой окажется Бесс. Повелевать молодой и не уверенной в себе девушкой было нетрудно. Катриону служанка зачастую переставала уже и понимать. Вновь преисполнившись сознанием своей значимости, она приняла девочку под свое крылышко и стала говорить о Катрионе добрее и лучше.

Графиня старалась уделять время всем своим трем дочерям. Аманда и Мораг вскоре совсем перестали робеть перед ней, и это радовало Катриону. Бесс, хотя и оставалась настороженной, проявляла большее дружелюбие и даже участвовала в играх, которые Кат затевала с малышками.

Через восемь месяцев после возвращения к Патрику у Катрионы начались родовые муки.

— Слишком скоро, — озабоченно сказал граф своей матери.

— А я удивляюсь, что она держалась так долго, — заметила Маргарет. — Не тревожься, сын мой. К ночи в этом доме будет на двух Лесли больше. Катриона носит близнецов, а рождение нескольких детей всегда происходит раньше срока. Я знаю это потому, что последние дети моей матери тоже были двойняшками, это — наше семейное.

Вдовствующая графиня оказалась права. Прежде чем 1 мая 1594 года зашло солнце, Катриона легко разрешилась сыном и дочерью. Мальчика окрестили Ианом, а девочку Джейн. Патрик пришел в неописуемый восторг, жена столь мудро назвала детей именами их бабки и деда по отцу. Перед тем как уснуть, Катриона покачала каждого из новорожденных, а затем тихо, но решительно объявила, что этих детей сама вскармливать не будет. Близнецам срочно нашли кормилиц.

В середине июня Патрика Лесли посетил Бенджамен Кира, и после беседы с ним граф решил отправиться в Лондон. Думая, что жена захочет совершить это путешествие вместе с ним, Патрик пригласил и ее.

— Меня не будет в Гленкерке с конца лета до следующей весны, любовь моя. Пожалуйста, поезжай со мной. Мы с тобой были вместе так мало.

— Нет, Патрик, — отказалась Катриона. — Ты обещал ему, что, прежде чем он покинет Шотландию, мы встретимся. И если, когда он меня позовет, я окажусь в Англии, то никогда больше его не увижу. Не проси меня ехать с тобой.

Граф и не стал, хотя ему больно было признаваться даже самому себе, сколь огорчил его этот отказ. Он-то надеялся, что рождение близнецов поможет Катрионе забыть пограничного лорда. И 15 августа Патрик Лесли выехал из Гленкерка в Лондон.

А 15 сентября графиня Гленкерк получила приглашение от Джорджа Гордона, могущественного графа Хантли, посетить его и его жену в их родовом замке. По слухам, Ботвелл находился на севере. Если в слухах была правда, то Катриона была уверена, что встретит его у Гордонов. 17 сентября графиня Гленкерк верхом выехала в Хантли.

35

Перемирие между королем Джеймсом Стюартом и Френсисом Стюартом Хепберном так и не удалось. Хотя 14 августа 1593 года король подписал соглашение, обязавшись простить своего благородного кузена вместе с его столь же благородными приверженцами и вернуть им все их поместья, титулы и почести, однако вскоре Джеймс испытал соблазн отказаться от своего слова. 8 сентября в Стерлинге состоялось заседание парламента, на котором он попытался переиначить обещания, которые дал в августе. 22 сентября король воспретил Ботвеллу и его сторонникам приближаться к его величеству на расстояние десяти миль, если только не придет вызов от самого монарха. И посмей эти люди ослушаться, они будут обвинены в государственной измене. Власть Мэйтлэнда не ослабевала.

Перчатка, брошенная королем, была, конечно, поднята Ботвеллом и его вооруженными соратниками. В начале сентября они собрались в Линлитгоу в то время, когда там находился и король. 22 октября Френсис Ботвелл был вызван на заседание Высшего Совета, чтобы отвечать на обвинения в государственной измене. Пограничный лорд не захотел явиться на эти слушания и подвергся осуждению. Несколько месяцев все оставались там, а потом, в начале весны 1594 года, Джеймс Стюарт дважды трубил сбор своему воинству, желая захватить кузена и устроить ему королевское правосудие. Внезапно лорд Ботвелл появился на окраине Ли с сильным отрядом. Он пришел, по его словам, сражаться с испанцами, о чьей недавней высадке ходили слухи. На самом же деле лорд хотел показать свою силу в надежде принудить кузена-короля договориться полюбовно.

Джеймс Стюарт двинулся из Эдинбурга на Ли, а Ботвелл спокойно отошел к Далкиту, словно его вовсе и не преследовали. Королю ничего не оставалось, как вернуться в столицу, проиграв кузену еще очко. Пограничный же лорд проскользнул затем в Англию, где потихоньку и залег, пока королеве Елизавете не пришлось заметить присутствие беглеца и изгнать его.

Теперь у Френсиса Хепберна было два пути. Он мог либо сдаться Джеймсу Стюарту, либо войти в сговор с северными графами. Чувствуя, что места в Шотландии для него уже нет, лорд Ботвелл отправился на север, желая увидеться с Катрионой прежде, чем покинет родину. Больше он никого видеть не хотел. Херкюлес был пойман еще в злосчастном феврале и тогда же повешен. Маргарет Дуглас с детьми вели себя так, словно его и не существовало. Оставалась только одна Катриона Лесли. Захочет ли возлюбленная увидеть его?..

Никто ничего не говорил Катрионе, но она сама шестым чувством поняла, что Ботвелл ждет ее в Хантли. Собрав дочерей, графиня объявила, что уедет на некоторое время.

— Но я скоро вернусь, мои милые, — обещала она, — и уже больше никогда не расстанусь с вами.

Когда Аманда и Мораг убежали играть, Бесс, которой было уже двенадцать, тихо спросила:

— Мама, Ботвелл в Хантли?

Первым побуждением Катрионы было ответить дочери, что это не ее дело. Но снова взглянув на Бесс, которая из ребенка превращалась в девушку, графиня передумала. Она обняла девочку рукой.

— Да. Думаю, что лорд Ботвелл сейчас в Хантли, — спокойно сказала она. — Не сердись, Бесс. Твой отец дал мне разрешение увидеться с Френсисом. Когда-нибудь и ты полюбишь. Возможно, тогда ты лучше поймешь свою маму.

— Я не буду любить никакого мужчину, кроме моего законного супруга и господина, мама.

Катриона рассмеялась и прижала к себе дочь.

— Как чудесно быть столь юной и столь уверенной, дорогая! Надеюсь, что, пока я в отъезде, ты станешь помогать бабушке и присматривать за сестренками и за близняшками.

Бесс взглянула на мать, а потом прильнула к ней.

— Ты не уедешь с лордом Ботвеллом? Вернешься домой? Не оставишь нас навсегда?

— Нет, дитя мое. Я вернусь. — К ее горлу подступил комок. — Вернусь к тебе, Бесс. Не тревожься.

Прежде чем Катриона уехала из Гленкерка, Маргарет захотела поговорить с ней наедине.

— Мой сын поступил с тобой ужасно жестоко, Катриона. Иди... Попрощайся навсегда с Френсисом Хепберном. Не спеши и оставайся с ним, сколько тебе будет нужно. Но когда ты вернешься в Гленкерк, ты снова должна стать доброй женой Патрику. Он понес уже достаточное наказание.

И вот, сидя в седле и сгорая от нетерпения, графиня Гленкерк скакала по горам, за которыми стоял замок Хантли. Эллен попыталась было увязаться за ней, заявляя, что племянница еще не имеет достаточного опыта, чтобы сопровождать госпожу в такой славный дом. Однако графиня, конечно же, не желала, чтобы старая служанка мешалась при ее свидании с Френсисом Хепберном. А Сюзан молода и слишком не уверена в себе — она поведет себя сдержанно.

Наконец показались башни Хантли, и сердце Катрионы учащенно забилось. Конолл подъехал к ней.

— Полагаю, вы не хотите, чтобы мы оставались, — сердито сказал он.

— Нет, — отвечала графиня. — В доме Гордонов мне не нужна защита Лесли. Моя бабушка была Гордон.

— Я имел в виду защиту не от Гордонов, мадам.

Катриона улыбнулась.

— Мне не требуется защита от милорда Ботвелла, Конолл. Это он скорее нуждается в защите от меня.

Помимо воли Конолл засмеялся. Он уже давно потерял надежду понять своих господ. А когда пытался, то только приходил в замешательство.

Они проследовали во двор замка, где уже стоял Джордж Гордон вместе со своей прелестной женой — француженкой Генриеттой. Спешившись, Катриона сердечно приветствовала их, но ее глаза беспокойно озирали двор. Лорд Гордон засмеялся.

— Он приехал часа два назад, Кат, и непременно захотел принять ванну. Сомневаюсь, чтобы он уже был готов тебя принять.

Но внезапно графиня увидела его на верхних ступенях лестницы, и какой-то миг, словно завороженные, они смотрели друг на друга. Не отводя взгляда, Катриона сделала несколько шагов вперед, но затем ноги отказались служить ей и стали подкашиваться. Мгновение спустя Френсис Хепберн был уже рядом с ней и подхватил ее в свои сильные руки. Его темно-голубые глаза буквально пожирали Кат. Потом он склонился, его руки обвились вокруг ее шеи, а губы нашли ее рот. И все вокруг — двор, лошади, прислуга, Гордоны, — все расплылось и исчезло, и они растворились друг в друге.

И тут Генриетта Гордон разрушила очарование. Она повернулась к мужу.

— Но, Джордж, почему ты не сообщил мне, что леди Лесли и лорд Ботвелл знакомы друг с другом? Я определила им покои в разных концах замка.

Френсис оторвался от Катрионы, и оба расхохотались.

— Ох, Джордж, — весело отозвалась графиня Гленкерк, — и как же ты просмотрел такую незначительную подробность?

Лицо Хантли приняло горестное выражение. Ботвелл поставил Катриону на ноги.

— Теперь уже можешь стоять, дорогая?

— Да, Френсис, все в порядке.

Пограничный лорд повернулся к очаровательной хозяйке замка и, взяв ее пухленькую ручку, улыбнулся малышке с высоты своего роста.

— А какой из этих двух покоев просторнее, Риетта?

— У леди Лесли. Я подумала о дамских платьях и обо всем остальном.

Графиня Хантли была чрезвычайно взволнована таким оборотом событий.

— Не соблаговолите ли вы в таком случае, — серьезно и вместе с тем любезно произнес Ботвелл, — приказать, чтобы мои вещи перенесли к леди Лесли? В конце концов, нам будет нужна только одна кровать. — Он повернулся к хозяину: — Джордж, вы извините нас, если мы исчезнем до ужина. Мы с миледи не видели друг друга больше года. Я знаю, что ты поймешь меня. — Обняв Катриону рукой, он повел возлюбленную вверх по ступенькам.

Генриетта Гордон смотрела на мужа с оскорбленным видом. Рассмеявшись, муж тоже повел ее в замок, а когда он поведал своей жене-француженке печальную историю лорда Ботвелла и Катрионы, то графиня была готова расплакаться.

— Ох, Джордж! Il est un cochon! Джеймс Стюарт — il est un cochon!* — возмущалась, волнуясь, Генриетта. И с этого мгновения она стала их союзницей.

Целый час Ботвелл нетерпеливо ждал, когда же наконец останется с Катрионой наедине. А слуги все сновали взад и вперед. Катриона приказала, чтобы ей устроили перед камином горячую ванну. Фарфоровый чан, украшенный рисунками из цветов, привел ее в восторг. Принесли горячую воду, и Сюзан засуетилась, отыскивая душистое туалетное мыло, пахнувшее гиацинтами. Френсис наблюдал, забавляясь, как бойкая маленькая служанка прогнала всех из комнаты, а затем попыталась то же самое проделать с ним. Он, смеясь, ухватил ее за талию и глянул сверху вниз. Под его озорным взглядом щеки девушки залил сочный алый румянец.

— Ты не Эллен, да? Ты слишком молода.

— Нет-нет, сэр, — смущенно ответила девушка. — Я — Сюзан, ее племянница. Моя тетушка теперь присматривает за молодой госпожой Бесс.

— Что ж, Сюзан, — доброжелательно сказал Ботвелл, — теперь ты пойдешь в залу для слуг и хорошенько поужинаешь. И если вдруг какой-нибудь из здешних парней станет тебя обижать, девочка, ты пригрозишь им, что они будут отвечать передо мной.

— Но, сэр, я должна помочь миледи помыться.

Мягко, но непреклонно Ботвелл вытолкнул служанку за дверь.

— Я сам помогу миледи принять ванну, Сюзан. И это будет не в первый раз. И не приходи, девочка, пока за тобой не пришлют.

Он запер за служанкой дверь, а затем повернулся к Катрионе, которая уже совсем обессилела от смеха.

— Ах, Ботвелл, проказник! Она ведь теперь будет рассказывать об этом всю свою оставшуюся жизнь! — веселилась графиня Гленкерк.

— Принимайте ванну, мадам, — приказал Ботвелл.

* Он — свинья! (фр.)

— Расстегни мне, — возразила графиня, поворачиваясь к нему спиной.

Руки Френсиса прошлись по длинному ряду маленьких серебряных пуговиц. Катриону позабавили эти трясущиеся пальцы сильных рук. Движением плеч она сбросила с себя бархатное дорожное платье для верховой езды и шагнула из него. Ниже оказались шелковая нижняя рубашка с глубоким вырезом, планшетка с ленточками, три шелковые нижние юбки и кружевные ажурные чулки с подвязками. Графиня расстегнула рубашку и сняла ее, но маленькую планшетку расцепил он. Обнаженная до пояса, она, не отрывая глаз, смотрела на любимого, и в этих глазах отражалось желание.

— Мойся, — повторил он хрипло.

Скользнув по бедрам, нижние юбки опустились вокруг ее лодыжек. Выступив из них, Катриона ногой откинула белую шелковую горку, лежавшую возле нее. Теперь она осталась совершенно голая; за исключением синих вязаных кружевных чулок и розовых подвязок, на ней не было ничего. Простонав, граф отвернулся. Она улыбнулась про себя, быстро скрутила чулки и сняла их со своих стройных ног. Когда Ботвелл снова обратил к ней лицо, Катриона уже уютно устроилась в ванне. Френсис сел рядом.

— Ты могла бы соблазнить целую толпу ангелов.

— Ты, наверное, был мне верен, Ботвелл, что так быстро возбудился. Я польщена.

Он скорбно глянул на нее.

— По правде говоря, я задирал всякую юбку, какую только мог, пытаясь затушить огонь, который ты оставила в моем сердце. Но я без конца терпел постыдную неудачу, потому что не переставал любить тебя, нуждаться в тебе. И не думаю, что когда-нибудь перестану.

— Ох, Френсис, — вздохнула Катриона в ответ. — Я страдала по тебе все эти долгие месяцы. Я тоже никогда не переставала любить тебя.

— И однако, — возразил граф почти желчно, — ты подарила мужу еще одного ребенка. Нет, даже двух!

Она рассмеялась. Серебристый звук разорвал тишину комнаты.

— Ох, Ботвелл, какой же ты глупец! Дети твои! Твои!

Он, казалось, не поверил.

— Ты не можешь знать наверняка, Кат.

— Могу, — ответила она. — Могу. О мой нежный лорд, разве не казалось тебе странным, что ты уже стал отцом стольких детей, я — матерью шестерых, а своих у нас с тобой не было?

Френсис кивнул, и Катриона продолжила:

— Когда Мэм вернулась с Востока, она привезла с собой секрет, как предотвращать зачатие. В нашей семье этот секрет знают все женщины. Но пока мы с тобой не состояли в браке, я не могла допустить, чтобы у нас появился ребенок. Когда король запретил мой развод, то я не осмеливалась вложить в руку Джеймса Стюарта новое оружие. Затем он приказал, чтобы мы расстались, и я поняла, что не могу расстаться с тобой, не получив от тебя что-то, что бы меня поддерживало. К нашему последнему дню я была уже больше месяца беременна, Френсис. А Гленкерк не стал ждать ни минуты и сразу же полез восстанавливать свои супружеские права. Так что он посчитал, что дети от него. Особенно когда узнал от матери, что близнецы в семье всегда рождаются преждевременно.

— Как ты их назвала?

— Иан и Джейн.

— По имени моих родителей?

— Да, но Патрик думает, что это из-за его бабки с дедом по отцу.

— А как они выглядят, мои малыши? На кого они похожи, Кат?

И снова зазвенел ее серебристый смех.

— Френсис! Но это пока только младенцы! Пятимесячные младенцы!

Увидев понурое лицо Ботвелла, Катриона попыталась что-то рассказать:

— Парень — с золотисто-каштановыми волосами и голубоглазый. Смышленый, могу тебе сказать, и очень требовательный. А его сестра — голубоглазая, как и он, и рыжевато-белокурая. Очень похожа на братишку по характеру. Кормилицы и прислуга обожают их, и оба совершенно очаровательны.

Именно это графу и хотелось услышать. Его глаза затуманились. Катриона почувствовала, как у нее перехватило в горле, и мысленно снова прокляла короля. Чтобы не расплакаться, она сказала:

— Подай мне это мыло, любимый...

Она принялась скрести дорожную пыль. Закончив, встала и выбралась из ванны. Френсис обернул ее полотенцем и принялся вытирать насухо. Наслаждаясь чудесным прикосновением его рук, Катриона только тихонько постанывала от наслаждения.

Она чувствовала, что Френсис вот-вот потеряет ту безупречную сдержанность, которой всегда так гордился, и сейчас она желала его, как никогда прежде. Повернувшись, Кат обвила его шею своими руками.

— А теперь, Френсис Хепберн, — тихо и страстно произнесла она, — возьми меня! Сейчас же! Сию минуту! Я больше года ждала, когда снова окажусь с тобой, и сейчас не время сдерживать себя.

Оторвавшись от него, графиня медленно прошла по комнате и забралась на огромную перину, отделанную кружевами и надушенную лавандой.

— А разве Гленкерк недостаточно часто любил тебя, что ты так нетерпелива, моя прелесть? — раздеваясь, поинтересовался Френсис.

— Гленкерк пользовался мной при каждой возможности. Но пусть мое тело и отвечает ему — ни разу, со времени нашей последней ночи, я не была на том седьмом небе, куда попадала с тобой, Френсис. Ох, милорд, я жажду тебя! — Она протянула к нему руки, и больше он ждать не стал.

Под теплым мягким одеялом Катриона с Ботвеллом тесно прижались друг к другу. Он уложил любимую на одну свою руку, а другой ласкал ее мягкую грудь, и затем смело принялся гладить круглый живот, упругие, трепещущие бедра и мягкие сокрытые места. Катриона задышала уже короткими прерывистыми вздохами, но внезапно, вывернувшись из рук графа, оттолкнула его на подушки.

Она склонилась над ним, и ее губы начали бродить по его длинному телу. Невероятно возбуждая, нежные алые лепестки ее губ прикасались к нему тут и там, спускаясь все ниже и ниже, пока, наконец, не достигли его раздувшегося мужского корня. И тогда Катриона мягко взяла этот орган в руки и нежно поцеловала пульсирующую розовую головку. Затем, взяв ее в свой теплый рот, всего на одно мгновение потянула. Дернувшись всем телом, Ботвелл вскрикнул, словно испытал страшное мучение. Катриона в испуге отпустила его, а потом посмотрела прямо в лицо.

— Я только хотела узнать, какой ты на вкус, любимый, — прошептала она.

Френсис снова затянул ее под себя и посмотрел на нее страстным взглядом.

— И какой же? — спросил он хрипло.

— С-с-соленый, — заикаясь, ответила Катриона, вдруг почувствовав робость.

Ботвелл тихо засмеялся. Быстро скользнув вниз, он очутился меж ее стройных ног, а там просунул руки ей под ягодицы и приподнял, чтобы тоже попробовать. Графиня вскрикнула — наполовину от радости, наполовину от стыда. Ей страстно хотелось, чтобы он взял ее таким способом, хотя и казалось, что это не совсем правильно.

— Сладкая! Сладкая! — послышался его шепот. — Боже, ты же сладкая, любовь моя!

Она почувствовала, как улетает в какой-то незнакомый нежно-золотой мир — мир исполнения желаний, куда не могла попасть с тех пор, как рассталась с Френсисом Хепберном. По низу ее живота стала разливаться желанная сладостная боль, твердый член вошел внутрь, и Катриона закричала от блаженства.

Потом, почти сразу, не разъединяя тел, влюбленные впали в глубокий счастливый сон. А когда Катриона открыла глаза, то увидела, что Ботвелл не спал, а смотрел на нее. Графиня улыбнулась и нежно притронулась к его щеке. В ответ Френсис схватил ее руку, нежно поцеловал ладонь и внутреннюю сторону запястья. Их глаза встретились, и Катриона затрепетала — так велика была глубина его чувства. Ее удивило и испугало, что два человека могут любить друг друга столь глубоко и сильно, как они.

Опершись на локоть, Ботвелл взъерошил ее темно-золотистые локоны.

— Что случилось с твоими роскошными волосами?

Катриона рассказала про свою встречу с королем, и Френсис изумленно покачал головой.

— Ты дерзила Джеми из-за меня?! Боже! Как это, наверное, его оскорбило! — Он обвил ее своими руками. — Ты моя девка! Ты стала ею с самого начала! Да? Боже, как мне жить без тебя? И так уже было трудно.

— Не хочу об этом думать, Френсис. Не сегодня. Не сейчас, когда мы вместе.

— Сколько ты сможешь пробыть со мной, дорогая?

— Пока ты в Хантли. Гленкерк в Англии до весны.

— Чертовски удобно, — пробормотал Френсис, — однако, когда он обещал мне, что мы увидимся, вряд ли он имел в виду нашу совместную жизнь. — Глаза пограничного лорда весело заблестели.

— Я сделаю как захочу, Ботвелл! — воскликнула Катриона. — Если бы у меня была уверенность, что семьи Лесли не коснется гнев Джеми, то бежала бы с тобой во Францию сейчас же! Они оба — и муж и король — знают это. Но, к несчастью, я прочно повязана этим родом. С тех пор как я вернулась в Гленкерк, они все на меня так и насели. Мой дядюшка Патрик, старый граф Сайтен, умер два года назад, но его вдова, не переставая, зудит, что мое бесстыдное поведение грозит бедой ее драгоценному графу Чарлзу, который женат на сестре Гленкерка Джанет. А когда я рассказала своей матери правду о моем разрыве с Патриком, то она даже отчитала меня: дескать, я не поняла и не оценила великую честь, оказанную мне Джеймсом Стюартом. Она, которая была девственницей до самой своей свадебной ночи, которая не знала за всю свою жизнь ни одного мужчины, кроме моего отца, заливалась насчет высокой чести стать любовницей короля! Мутит меня от всех них! От всех! Однако я повязана с ними и должна пожертвовать своим счастьем ради их благополучия. Но, любовь моя, жизнь моя, я не стану жертвовать этими месяцами, что проведу с тобой. Когда ты покинешь Шотландию, то я больше уже никогда тебя не увижу. Я знаю это. Я это чувствую! Мы обречены на разлуку, но все это время я проведу с тобой!

Руки Ботвелла сжали ее.

— Я знаю, что не совершил в своей жизни ничего, чтобы заслужить такую твою любовь, моя нежная Катриона Маири.

Часы над камином пробили пять, и она спохватилась:

— Боже милостивый! Мы опаздываем к обеду! Что подумают Гордоны!..

Она протянула руку и рванула шнурок звонка. Потом высвободилась из объятий Френсиса и встала.

У Ботвелла даже дух захватило от совершенства ее тела. Без длинных волос явственно выделялась прекрасная линия ее спины. У пограничного лорда было множество разных женщин, но ни одна из них и в подметки не годилась этой. Френсис никогда и ни перед кем не кичился своими успехами у дам, однако теперь испытывал необычайную гордость оттого, что Катриона его любила.

Тем временем явилась Сюзан и скромно поставила ширму, чтобы госпожа за ней оделась. Ботвелл вслед за ней тоже поднялся с развороченной постели, и приставленный к графу гордоновский слуга ринулся было прикрывать ему срамные части, но по горящим щекам Сюзан понял, что опоздал. Не в силах удержаться, Френсис подмигнул маленькой служанке, и та чуть не лишилась чувств.

— Проклятие, Френсис! Прекрати дразнить Сюзан! У нее даже пальцы уже не двигаются. Дитя мое, подвеску!

Ботвелл надел свою юбку, и Катриона оглядела его с головы до ног.

— Черт побери, Ботвелл! — весело отметила она. — У тебя самые красивые ноги, какие я когда-либо видела под юбкой.

Он плутовски ухмыльнулся.

— А у вас, мадам, самые красивые... — Встретив ее предостерегающий взгляд, он засмеялся: — Да-да, дорогая, они самые...

Не имея более сил, Катриона тоже рассмеялась:

— Ты несноснейший из несносных мужчин! Проводи меня к ужину.

Из своей башни они спустились в зал, где в одиночестве их уже ждали Джордж и Генриетта Гордоны. Граф Хантли справедливо посчитал, что Ботвелл и Катриона не обрадуются шумному обществу, и, кроме них, никого не было.

Джордж Гордон имел забавное прозвище — «Северный петух» и тоже приходился родственником королю Джеймсу Стюарту. Катриона познакомилась с хозяином замка еще при дворе, от которого тот свою жену-француженку мудро держал подальше. Маленькая и изящная, Генриетта Гордон обладала мягкими волосами цвета соломы и огромными золотисто-карими глазами. Она была достаточно образованна, имела очаровательные галльские манеры и доброе, отзывчивое сердце. Очень быстро они с Катрионой подружились.

Зная, что Ботвелл останется в Хантли на всю зиму, Генриетта предложила Катрионе тоже пожить у них. Затем она выяснила, что, хотя сыновья гостьи уже уехали из Гленкерка, дочери были там, и она пригласила их к себе на Рождество и на Двенадцатую ночь. Когда Катриона было засомневалась, не желая оставлять Мэг на праздники в одиночестве, Риетта сказала, что пригласит также и вдову.

В конце концов договорились, что на праздники приедут Бесс, Аманда и Мораг. Мэг же получила приглашение в усадьбу Форбз к младшему сыну Майклу и его жене Изабелле. Ей не часто удавалось их видеть, и она рассудила, что лучшего случая и не представится. «Одна только сложность, — писала в письме старая графиня, — близнецам тоже придется отправиться в Хантли — не оставлять же их одних в Гленкерке со слугами!»

Узнав об этом, Ботвелл пришел в неистовое возбуждение.

— Наши дети! — воскликнул он. — Я увижу наших детей!

— Тебе нельзя признавать свое отцовство, — предупредила его Катриона. — Никто никогда не сомневался в том, что их отец — Патрик Лесли. И я не могу позволить никому — даже тебе — ставить их будущее под угрозу.

Так Ботвеллу открылась новая сторона ее характера: мать, яростно оберегающая своих детей. Он обнял графиню.

— Судьба обошлась с нами не слишком-то ласково, да, Кат?

— Сейчас мы вместе, Ботвелл, — ответила она. Невысказанный вопрос: «Как долго?» — так и остался витать над ними. Ни Катриона, ни Френсис не смели его задать.

И пока вокруг отгорала осень, они воспользовались гостеприимством Гордонов. Нашлось то спокойное место, где они проведут последние месяцы вместе. Пусть лишь на короткое время, но можно было не вспоминать о всеобщей сваре, разгоревшейся вокруг Френсиса Стюарта Хепберна, и о той личной, которая разгорелась вокруг них двоих. Когда будущее настанет, они мужественно примут его. Но пока Катриона с Ботвеллом наслаждались своим счастьем.

36

Зелено-золотой сентябрь уступил место радужному октябрю. Ноябрь прошел унылым, совсем не похожим на предыдущие месяцы. Первый снег выпал поздно, на Святого Фому, и в тот же день приехали дети Лесли.

Старшая прибыла верхом на ласковой коричневой кобыле, а младшие вместе с прислугой — в экипажах, сопровождаемые верным Коноллом и пятьюдесятью всадниками. Двенадцатилетняя Бесс изо всех сил старалась выглядеть взрослой. На ней был элегантный костюм для верховой езды из бордового бархата, такого же цвета плащ, отделанный соболем, и маленькая шляпка поверх темных, аккуратно заплетенных и уложенных волос. Катриона никогда еще не видела ее с такой прической.

— Она trıs chic*, — проговорила Генриетта.

— И еще очень молода, — ответила Кат, и у нее перехватило в горле.

— Дочь не одобряет твое поведение, — засмеялась Генриетта, прикрыв рот пухленькой ручонкой, увешанной кольцами. — Молодые, в особенности девственницы, всегда ужасно нетерпимы!

— Да, — согласно улыбнулась Катриона, — и я была такой в ее возрасте. Бедная Бесс! Френсис ей нравится. Девочка ничего с этим не может поделать, но она любит своего отца и чувствует, что окажется ему неверна, если будет любезна с Ботвеллом. Как ей понять, почему я уже не люблю Патрика. А сама я не осмеливаюсь сказать ей правду, избегаю ее вопросов, а это малышку только еще больше обижает и смущает.

— А ты представь, подруга, что бы с ней было, если бы она узнала всю правду. Ладно, Кат, не волнуйся. Пойдем встретим твоих детей.

Когда Бесс увидела мать, ее серьезное юное лицо засияло. Забыв, что следует сохранять достоинство, она свалилась с лошади прямо в объятия Кат:

— Мама!

Графиня прижала дочь к себе. Затем, отпустив, ласково упрекнула:

---

* очень шикарна (*фр.*).

— Бесс, что за манеры! Сделай реверанс лорду и леди Гордон и лорду Ботвеллу.

Залившись розовым румянцем, девочка повернулась и, красиво приседая, по очереди приветствовала взрослых.

Генриетта Гордон расцеловала Бесс в обе щеки и сердечно с ней поздоровалась, Джордж Гордон пробормотал что-то подобающее. Но потом вперед шагнул Ботвелл и, взяв руку юной дамы, поднес к губам и поцеловал.

— Счастлив, что снова вижу вас, леди Элизабет, — сказал пограничный лорд, и его голубые глаза озорно сверкнули.

«Проклятие! — подумала Бесс. — Не хочу, а все равно он мне мил».

Аманда с Мораг, выбравшись из кареты, немедленно сделали изящные реверансы хозяину и хозяйке замка. Кат по очереди поцеловала дочерей. Наконец из второго экипажа появились сестры Керр, каждая с одним из близнецов на руках.

— Ах! — вскричала графиня Гленкерк. — Посмотрите все! Мои самые маленькие!

Она откинула покрывало с головы Джейн, из-под кружевного чепчика выбивались золотисто-каштановые локоны, на розовых щечках покоились темные ресницы. Девочка спала. Иан, однако, бодрствовал. Кат поразилась, как знакомо ей было выражение этих распахнутых синих глазенок.

— Проснулся, милый, — промурлыкала она мальчику и взяла его у Салли. — Иди к маме, мой малыш. — Потом Кат повернулась к пограничному лорду: — Ботвелл, подержи, пока я возьму мою Джейн. — Она проворно передала ребенка и тут же обругала графа: — Боже мой, Френсис! Он же не мокрый! Не урони! — Забрав у Люси малышку, Кат предложила: — Пойдемте в дом. Здесь слишком свежо для детей.

Френсис Хепберн пошагал следом, он казался взволнованным, но довольным. Как хитро придумала Кат, чтобы дать ему подержать сына! В большом зале Ботвелл присел у огня и усадил ребенка к себе на колени.

— Здравствуй, Иан, сынишка! — тихо произнес он. Мальчик серьезно посмотрел на взрослого, а затем, протянув толстый кулачок к склонившейся над ним голове, ухватил прядь волос и дернул.

— О-в-в-в-в-у-у-у-у-у-у-у, — заревел граф Ботвелл, но ликование младенца обратило его гнев в радость.

— Ты, маленький дьяволенок, — засмеялся он, и Кат поняла, что Френсис доволен сыном.

— Лучше сейчас отдать его няне, Ботвелл, — тихо сказала она. Граф повиновался.

— А как вам нравится сестренка, милорд?

Ботвелл взглянул на Джейн, которая теперь тоже проснулась, и лицо его озарилось улыбкой. К восторгу графа, малышка тоже робко улыбнулась в ответ.

— Она немного похожа на тебя, — сказал Френсис.

— Да, — ответила Кат, — хотя у нее рыжие волосы. Мэг говорит, что это цвет от Стюартов, но среди Лесли тоже есть рыжие.

Ботвелл жадно вглядывался в младенческие личики. В душе он проклинал Джеймса Стюарта. Сын и дочь вырастут Лесли, никогда не зная о своем истинном родстве.

Он отчаянно хотел этих детей и с грустью смотрел, как сестры Керр уносили их в детские комнаты Гордонов.

Рассвет на Рождество был холодный и серый. Ботвелл, который сообразно политике то и дело переходил из старой церкви в новую и обратно, прослушал в поместном храме католическую службу вместе с домочадцами Гордонов. Ощущая коленями холод каменного пола, он стоял рядом со своей возлюбленной и снова думал: «Почему же люди режут глотки друг другу за то, как поклоняться Богу? Даже если какой-то бог и есть, то что ему за дело?»

Однако, взглянув на лицо Кат, Ботвелл переменил свое мнение. Да, Бог есть. Единственная сложность только в том, что Он, видимо, склонялся на сторону короля, хотя почему Всевышний одобрял поступки Джеймса Стюарта, Френсис Стюарт Хепберн понять никак не мог. Просто какой-то недостаток вкуса!

В Шотландии Новый год и Двенадцатая ночь были самыми веселыми праздниками зимы. Накануне Нового года в замке устроили великое веселье с пиршеством, задавшим поварам работы на целых три дня. 31 декабря стояла морозная, но ясная погода, и Кат с Френсисом выехали на прогулку верхом.

Вернувшись уже к вечеру, они обнаружили, что на конюшенном дворе пусто. Все, от лорда до последней прислуги, отправились собирать дрова для полуночного костра. Но и Кат, и Ботвелл вполне могли позаботиться о своих лошадях сами. Они провели животных в стойла, не заметив, что сверху, с чердака, за ними наблюдала Бесс.

А дело было вот в чем. Пополудни, вслед за матерью, девочка решила, что ей тоже неплохо покататься верхом. Час спустя из-за холода она вернулась и обнаружила, что все конюхи исчезли. Отведя свою кобылу в стойло, Бесс расседлала животное, почистила его и покормила. Затем из любопытства она залезла на чердак посмотреть, что оттуда видно. С верха гленкеркских конюшен виднелись в ясный день даже озера и башни Сайтена. С чердака у Хантли оказались видны только горы, горы и опять горы. Разочарованная, Бесс уже собралась слезать вниз, но тут увидела, как в стойло входит мать, ведя за собой лошадей. Элизабет Лесли даже не смогла бы объяснить, почему сразу затаилась на чердаке, а не обнаружила свое присутствие.

Внизу взрослые тихо разговаривали об обыденных делах, о предстоящем празднике, о том, какие подарки приготовили детям, — Бесс узнала, что мать с Ботвеллом подарят ей жемчужное ожерелье, о котором она давно мечтала, а еще браслет, серьги и в набор к ним брошь с жемчугами и бриллиантами. На Двенадцатую ночь она получит плащ из рыси, гранатовые серьги и колье.

— Девочка растет так быстро, — вздохнула Кат. — Скоро придется подбирать ей подходящую пару. Джордж и Генриетта предложили, чтобы мужем Бесс стал их второй сын Эндрю.

— Она будет красивой женщиной, — заметил Ботвелл, — только держи ее подальше от двора.

Кат кивнула.

— С этим все в порядке. Бесс похожа на своих бабушек — предпочитает оставаться сельской мышью. И тот мужчина, за которого она выйдет, получит превосходную жену.

Будущая превосходная жена молча прихорашивалась в своем укрытии. А Ботвелл склонился над Катрионой и сказал что-то, что девочка не расслышала. Мать засмеялась и, схватив пригоршню сена, бросила в графа. Началась погоня; взрослые резвились, бегая туда и обратно, пока не упали со смехом на копну прямо под тем местом, где затаилась Бесс.

Чем занимались они на сене теперь, девочка не видела — надо было высовываться за край настила. Но звуки, доносившиеся до ее ушей, оказались страшно любопытными; пришлось осторожно лечь на живот и выглянуть. Юная дама имела лишь самые смутные представления о том, что происходит между мужчиной и женщиной. Открывшаяся внизу картина несколько просветила ее.

Мать лежала на спине в сене, ее бледно-фиолетовые юбки были задраны. Длинные стройные ноги, обтянутые пурпурными кружевными чулками, были раздвинуты, а между ними туда и сюда раскачивался лорд Ботвелл. Бесс не заметила ничего особо примечательного, поскольку оба действующих лица страстно целовались, одновременно тяжело дыша и нашептывая друг другу неразборчивые слова. Затем мать достаточно ясно вскрикнула:

— Ох, Ботвелл! Обожаю тебя! — И все затихло, слышалось только чавканье жующих лошадей.

Так вот, значит, какой была любовь! Странным образом Бесс не испытывала потрясения. Увиденное оказалось любопытным и объясняло те разговоры, что вели между собой служанки, когда думали, что она не слушает.

Лорд Ботвелл встал и поправил свою юбку, а затем потянул юбки матери и прикрыл ей ноги. Она тоже села и показалась Бесс как никогда прелестной — порозовевшая, с растрепанными золотистыми волосами.

— Проклятие, Френсис! Такое безрассудство! А что, если бы кто-нибудь сюда вошел?

— Думаю, он бы... сразу и вышел, — улыбнулся пограничный лорд. — К тому же, мадам любовь моя, я не слышал от вас жалоб.

Тут уж ответить было нечего, и графиня залилась звонким смехом.

— Всегда мечтала, чтобы меня изнасиловали на стоге сена, — призналась она, и он расхохотался вместе с ней.

Но вскоре Кат посерьезнела.

— Мне кажется, я не вынесу разлуки, любимый.

— Тише, дорогая. Не думай об этом. Давай насладимся тем временем, что у нас еще есть.

— Позволь мне поехать с тобой, Френсис! Пожалуйста, возьми меня с собой!

— Кат! — начал он терпеливо и очень нежно. — Милая, мы обо всем этом уже говорили. Нельзя же брать себе на душу разорение всех Лесли. И потом, любовь моя, теперь я беден. Джеймс забрал все, что у меня было. Как же нам жить?

— Джеймс наверняка теперь забыл про меня, потому что родился принц Генри. Говорят, он души не чает в этом ребенке. Конечно же, он смилостивится и над нашими детьми. Что же до пропитания, — о Френсис! Я сама по себе очень богатая женщина. Скажу только слово моим банкирам, и мои вложения и золото будут переведены в какую угодно страну!

Бесс возмутилась, услышав, что мать желает оставить семью. Ведь она обещала вернуться в Гленкерк! Девушка напрягла свой слух, чтобы услышать ответ Ботвелла. Ей не пришлось долго ждать.

— Никогда! — рявкнул граф. — Никогда не позволю, чтобы меня содержала женщина! А что Джеймс смягчится, то можете в этом разувериться, мадам. Король не отступит! Мои дети по крайней мере наполовину Дугласы и связаны кровью с могущественной семьей, которая защитит их. Но ваши Лесли женятся друг на друге. Кто вступится за Гленкерк, Сайтен и Грейхевен? Если только мы не покоримся кузену Джеми, он разорит их! Боже, любовь моя! Моя нежная любовь! Мне страшно и подумать, что тебя потеряю, но как строить жизнь на развалинах стольких семей?

Теперь Бесс отчетливо различала лицо матери, и трагическое выражение его было для девушки почти непереносимо. Кат стояла очень прямо. Приняв покорный вид, она сказала:

— Сожалею, милорд, что усугубляю ваши страдания. Только как же насчет неких лордов Ботвеллов, что превращают разумных женщин в безрассудных? Мария Стюарт потеряла не только свое царство, но и единственного сына из любви к вашему дяде Джеймсу. И я готова тоже пожертвовать всей семьей ради вас.

Френсис прижал ее к себе. Глаза у Кат закрылись; камзол Ботвелла пахнул мокрой кожей. «Иногда, — печально подумала графиня, — иногда я жалею, что не могу просто закрыть глаза и никогда больше не открывать. Как вынести жизнь без него?»

Потом Кат осознала, что Ботвелл окажется еще более одинок, чем она. У него не будет ни супруги, ни семьи, ни детей.

Без гроша в кармане он пойдет бродить по континенту, продавая свою шпагу тому, кто больше заплатит. Или станет жить на содержании у женщин. Всегда найдутся милашки, которые с радостью позаботятся о Френсисе. Так почему же он не позволит сделать это ей? Словно прочитав ее мысли, Ботвелл сказал:

— Нет, ни единого пенни, любовь моя. От тебя никогда, ибо я тебя люблю. С другими это не имеет значения.

Кат скорбно на него посмотрела, полностью овладев собой.

— Пойдем в дом и переоденемся к ужину, Френсис.

— Я никогда не перестану любить тебя, дорогая, — тихо произнес Ботвелл. И, отвернувшись, пошагал вон из конюшни.

— Ох, Христос! — услышала Бесс тихий возглас матери. — Дорогой Иисус, помоги мне быть смелее, чем я на самом деле. Теперь ему надо, чтобы я оказалась сильной. — И следом за Френсисом она пошла из конюшни.

А девочка осталась тихо сидеть на чердаке, ошеломленная услышанным. За последние полчаса она повзрослела, и почему-то это причиняло ей боль. Потрясло Бесс не столько зрелище матери с лордом Ботвеллом, соединившихся в крепком объятии, а скорее то, что любовь приносила им страдание. А ей-то казалось, что любовь всегда будет нежной и приятной. Если это чувство доставляло не удовольствие, а мучение, то зачем они ему следовали?

Бесс осторожно спустилась по лестнице, смахнула с себя предательские соломинки. Конечно, не попросишь мать все объяснить, но, возможно, потом ей удастся разгадать эту загадку. Теперь же надо было поспешить и поменять одежду, а не то она опоздает к новогоднему столу.

37

Праздники прошли. На горы спустилась глубочайшая зима. Дети Лесли давно уже уехали обратно в Гленкерк. Хотя король и узнал, что Ботвелл нашел прибежище у Гордонов, ему не донесли, что там со своим возлюбленным жила и графиня Гленкерк. Джеймс послал графу Хантли надменное письмо,

311

предлагая полное прощение, если тот передаст мятежного лорда для казни. Великий горский вождь дал указание накормить королевского вестника и устроить его на ночь. Наутро он велел привести этого человека к себе.

— Я хочу, — тихо сказал Джордж Гордон, — чтобы мой кузен король знал: эти слова исходят лично от меня. Я не верю, чтобы Джеймс хотел, пусть даже намеком, предложить мне нарушить законы гостеприимства. Поэтому я не верю, что письмо послано им.

Граф Хантли спокойно разорвал пергамент надвое и подал обе части королевскому вестнику.

— Возвращаю моему господину королю в надежде, что это поможет ему выследить дерзкого предателя, который столь вопиюще использует высочайшее имя для своих низменных целей.

Когда Ботвелл узнал о хитрости Хантли, то поблагодарил его за смелый поступок, но сказал:

— Теперь мне надо уходить. Это конец, и если Джеймс действительно желает моей смерти, то надежды нет. Мэйтлэнд думает, что выиграл. — И тут Ботвелл жестко засмеялся: — Он и в самом деле полагает, что, сломав хребет знати, станет править сам. Но если у него и в самом деле такие мысли, то такого глупца еще поискать! Те суровые люди, что воспитали короля, потрудились лучше, чем сами хотели. Пусть Джеми и суеверен, пусть трусоват, но на этой земле королем будет он один! Попомни мои слова!

— Обожди по крайней мере до весны, — возразил Джордж Гордон. — А потом, здесь Кат. Конечно, твоя графиня — отважная женщина, но это разобьет ее сердце.

Ботвеллу и не требовалось напоминать об этом. Они с Катрионой жили в выдуманном раю, притворяясь обычными людьми. Когда он поднялся, чтобы пойти к Хантли, она еще спала, но сейчас, наверное, уже проснулась.

Леди Лесли действительно уже не спала. Ее вырвало в тазик. Потом Ботвелл вытер графине рот влажным полотенцем и, прижав к себе, сказал:

— За это мне надо было бы избить тебя. — Кат не ответила, и он продолжил: — Моя глупая, глупая возлюбленная! Ты сошла с ума? Думаешь, они тебя там радостно встретят, когда ты явишься с раздутым животом? С нашим ребенком?

312

— Ребенок мой, — ответила Катриона, яростно глядя на него.

— Наш, Кат. Твой и мой. Когда Патрик в Англии, сомнений быть не может. Боже! Он же гордый! Не примет ребенка.

— Примет, — угрюмо возразила она. — Уж это он мне должен!

— Боже мой! — изумился Ботвелл. — Ты что, хочешь заставить его всю жизнь платить за один неблагоразумный поступок? Разве он уже не достаточно наказан?

— Нет! — сердито выкрикнула графиня. — Со временем, возможно, я прощу Патрика. Но никогда не забуду. Никогда! Этот неблагоразумный поступок, как ты сказал, стоил мне всего — счастья, душевного покоя. И какую роль в ваших играх играю я? Вам, мужчинам, так легко — у вас гордость, у вас проклятый кодекс чести! И вот вы и погубили меня все втроем. Патрик воспользовался мной как обычной шлюхой, чтобы удовлетворить свою раненую гордость. И хотят еще, чтобы я благодарила за то, что меня взяли обратно. Джеймс осквернил меня, это пятно мне никогда с себя не смыть. А ты, Френсис? — набросилась она на Ботвелла. — Что привлекло тебя ко мне вначале? Что Джеми хотел меня? Поэтому вы влюбились в меня, милорд? Чтобы утереть нос королю? Еще одна победа над венценосным мальчиком?

Ей хотелось причинить боль, как они все причиняли боль ей.

И прежде чем граф успел это осознать, его огромная ладонь взметнулась и шлепнула Катриону по лицу. Глаза графини залились слезами, но она не издала ни звука. А только осторожно прикоснулась к щеке и пощупала ушибленное место. От силы удара в голове у нее звенело, но все равно был слышен гневный голос Ботвелла.

— Я люблю тебя! — кричал Френсис, больно впиваясь пальцами в мягкую плоть ее рук. — Я любил тебя с самого начала, но ты была Добродетельной графиней, и я уважал твою непорочность. Видишь ли, любовь моя, я соблазнял лишь тех женщин, которые хотели быть соблазненными. И когда Джеми хвастался, что затащил тебя в свою постель, то мне становилось стыдно за него, и больно было представлять, какой стыд чувствовала ты... Затем Патрик и Джеймс оскорбили тебя, и я уцепился за эту возможность, которую они по глупости мне предоставили. Я люблю тебя! Ты избалованная, упрямая сука, но я люблю тебя, Кат! И так тяжело оставлять тебя, но знать, что оставляю тебя с моим ребенком в животе... — Ботвелл запнулся. Обхватив ее подбородок большим и указательным пальцами, он приподнял его. — Почему, дорогая? Почему ты сделала это?

— Потому, — тихо ответила Катриона, — потому что мне невыносимо терять тебя всего, любимый. Ты думаешь, оттого, что я спокойно заживу в Гленкерке, мне полегчает? Боже мой, Ботвелл! Это будет еще тяжелее — не знать, где ты, все ли у тебя благополучно или в чем-то ты нуждаешься. Когда мы расстанемся на этот раз, я уже не увижу тебя никогда в жизни. По крайней мере малыш сохранит мне надежду, Френсис, и постоянно станет напоминать о нашей любви. Понимаете это, милорд? Без ребенка я погружусь в мир мрака, ибо буду стараться бежать от того, что с нами случилось. Ребенок поможет мне сохранить рассудок.

— Когда Гленкерк скажет, что не позволит оставить маленького, то пошли наше дитя ко мне. Ухаживать за ним будет непросто, но меня утешит, если с кем-то я буду делить свое изгнание. И на этого ребенка не ляжет клеймо незаконнорожденного. Я юридически признаю его, чтобы он мог носить мое имя.

Кат рассмеялась:

— Тебе будет чертовски неловко, мой прекрасный возлюбленный, бродить по Европе с младенцем на руках. К тому же, милорд, у меня сейчас девочка. Я чувствую. С девочками мне вначале всегда отвратно. — На глазах у нее заблестели слезы. — Однажды в Эрмитаже, когда Бесс вела себя с тобой недопустимо грубо, ты обещал, что когда-нибудь у нас появится своя дочка. Вот она и утешит меня в моем одиночестве.

— И я никогда не увижу ее, — негромко произнес Ботвелл.

— Увидишь! Каждый год я буду посылать тебе миниатюру с ее портретом, и ты будешь знать, как она растет.

— Невеликое утешение, дорогая, — взамен ребенка, которого я никогда не подержу на руках. И так тяжело было тебя оставлять, но теперь... — Он запнулся. — Я не слишком возражаю против близнецов, поскольку Гленкерк считает их своими, и они вырастут Лесли; но эта бедная малышка... —

314

Он положил свою большую руку на живот Катрионы. — Кто позаботится, чтобы ее не обидели?

— Я, — тихо сказала графиня. — Нашей дочери никто не причинит вреда, Френсис. Клянусь!

— Если бы я был Патриком Лесли, — так же тихо произнес Ботвелл, — то, наверное, убил бы тебя.

— Граф Ботвелл, возможно, и прикончил бы свою неверную жену, но граф Гленкерк — нет, — уверенно заявила Катриона. — Патрик для этого слишком хорошо воспитан.

— А я нет? — Он весело поднял бровь.

— Нет, Френсис, нет! Если бы ты был воспитаннее, то не влез бы в эту свару с королем. Но только, любимый, не меняйся, потому что я люблю тебя таким, какой ты есть!

Он рассмеялся, но вскоре снова помрачнел.

— Не жми на Гленкерка сверх меры, Кат. Патрик любит тебя, и его мучает чувство вины за то, что он сделал. Но это мужчина, любовь моя. Ты хочешь запихнуть ему в глотку огромный кусок, и, боюсь, он его выплюнет.

Графиня кивнула, и у Ботвелла появилось странное ощущение, что она намеренно хочет быть безрассудной.

Казалось, беременность успокоила Катриону, хотя время расставания и приближалось. С Френсисом же происходило противоположное. Его страшно волновало, как он оставит любимую. И опять они спорили из-за денег.

Владелица огромного состояния, Катриона непременно желала передать свои деньги в распоряжение Ботвелла. Но Френсис был столь же горд, сколь она богата, и отказывался что-либо брать у нее.

— Глупец! — кричала ему графиня. — Без денег ты беспомощен, словно жук, перевернутый на спину!

— Перебьюсь, — коротко отвечал он.

— Ботвелл! Ботвелл! Послушай меня, любимый, Франция — не Шотландия и не Англия. У тебя там нет ни настоящих друзей, ни прибежища. Чтобы жить, нужны средства. Позволь мне помочь тебе. Деньги — не Патрика. Они мои! Оставленные прабабкой мне. Мной вкладывавшиеся на протяжении всех этих лет. Пожалуйста, возьми! Позволь, я велю Кира поместить их на твое имя в парижский банк.

— Нет, дорогая, — тихо отрезал Ботвелл, тронутый, однако, ее предложением и заботой. — Однажды я уже говорил тебе, что не могу принять ни одного пенни, потому что люблю тебя. Не позволю, чтобы в истории осталось записано, что Френсис Стюарт Хепберн любил деньги графини Гленкерк, а не ее саму.

— Увы, история никогда не помнит о влюбленных женщинах! Мое имя умрет вместе со мной. — Кат подняла к нему лицо. — Боже милостивый, Френсис! Как ты будешь жить?

— Буду сдавать внаем свою шпагу. Французским королям всегда сгодится лишний добрый клинок. Так найду кровать и набью себе желудок. Не волнуйся, любовь моя. Проживу.

— Сомневаюсь, — задумчиво проговорила Катриона, — чтобы кровать и пища одни удовлетворили хозяина Эрмитажа, Келсо, Колдингема, Лиддиздейла и Кричтена.

— Сначала придется обойтись, а потом построю себе более насыщенную жизнь. Способы есть.

— Да! — прошипела Кат, внезапно разъярившись. — Меж ног у какой-нибудь перезрелой герцогини! Держу пари!

Склонив к ней лицо, Ботвелл рассмеялся:

— Возможно, дорогая. Твоя любовь ко мне затмила то обстоятельство, что я безжалостный мужчина.

— Возьми деньги, Френсис! Устройся, молю тебя!

— Нет, Катриона, нет.

Она поняла, что проиграла. Дальше спорить было бесполезно, и, однако, она даст Кира указание выдавать графу столько, сколько понадобится, если только тот попросит. И король Франции получит щедрую взятку, чтобы Ботвеллу оказали добрый прием и обеспечили безопасность.

А тем временем в Эдинбурге король попытался подкупить одного торговца из друзей Френсиса, надеясь, что этот человек предаст мятежного лорда. Но господин Теннант поступил иначе — нанял судно, чтобы помочь Ботвеллу бежать во Францию. Оно будет ждать у мыса Рэттрей 18 апреля.

И хотя Ботвелл противился этому, Кат поехала вместе с ним. Графиня чувствовала себя прекрасно.

— Этого ребенка я не потеряю, — уверяла она и договорилась, что аббат Оленьего аббатства приютит их на ночь перед отплытием.

Во время прощания с Гордонами Генриетта шепнула Кат:

— Моя служанка Нора говорит, что три дня назад Гленкерк вернулся домой.

Кат знала, что еще с Рождества Нора гуляла с одним из солдат Лесли.

— Ничего не говори, — так же тихо молвила она в ответ. Генриетта кивнула.

Они выехали к побережью верхом с охраной из людей Гордона и к вечеру добрались до аббатства. Настоятель прямо дрожал от страха, вдруг король узнает, что он приютил графа Ботвелла! Однако бедный аббат был сильно обязан своему другу Чарлзу Лесли и теперь отплатил долг, дав на одну ночь прибежище графине Гленкерк и ее возлюбленному, лишенному ныне всяческих прав.

Устроившись в странноприимном доме, Кат сказала:

— Не хочу сегодня спать. Для этого у нас будет вся оставшаяся жизнь.

Ботвелл понял и привлек любимую к себе, чтоб ей не видеть слезы на его глазах.

В последнее время он наблюдал, как Катриона возводила защитную стену вокруг своих чувств. И, зная, что прощание будет спокойным, оттого любил Кат еще больше: прояви она хоть минутную слабость, он не смог бы ее оставить — как не смог бы жить, зная, что разорил Лесли. Что бы там ни говорили его враги, Френсис Стюарт Хепберн был человеком чести. И это его погубит.

Они провели ночь за разговорами, уютно устроившись перед пылающим камином. И лишь один раз — перед самым рассветом — он овладел ею. В последний раз его руки бродили по телу этой дивной женщины, с нежностью доводя ее до верха возбуждения. В последний раз она почувствовала внутри себя его твердость и отдалась тому восторженному блаженству, какое он всегда ей приносил. И когда все окончилось, Френсис склонился над ее быстро растущим животом и поцеловал его.

Еще затемно они выехали из аббатства и к рассвету достигли побережья. С утеса различим был корабль, качающийся на волнах, — черный силуэт в темном море на фоне зари. Подали сигнал; пора было спускаться, а от корабля отделилась маленькая шлюпка и пошла по направлению к берегу. Гордоновские люди незаметно расположились по берегу.

Кат и Ботвелл стояли рядом лицом к морю. Он обнял ее за плечи, но графиня даже и не почувствовала. Затем Френсис повернулся, чтобы видеть ее лицо, и больше не смог оторвать взгляда. Шлюпка подошла уже к самому берегу. Стянув с пальца сапфировый перстень с золотым львом, граф отдал его Катрионе.

— Для моей дочки, когда подрастет, — сказал он.

Кат беззвучно кивнула и положила кольцо в свой кошелек. Ботвелл с нежностью прикоснулся к ее щеке.

— Больше никого не будет, Кат. И никого никогда не было. Ведь ты это знаешь, да?

— Д-да, Френсис. — Ее голос слегка дрожал.

— Не печалься, любовь моя. У Гленкерка тебе ничего не грозит, — успокаивающе проговорил Ботвелл. А затем притянул Катриону в свои объятия и в последний раз завладел ртом, который он так любил. Почувствовав его жесткий язык, графиня растаяла, и все ее тело уже возмущалось судьбой. Ни один из них не думал, что поцелуй может быть так сладок. Наконец их вернул к действительности настойчивый голос:

— Милорд! Милорд! Нам надо поспешить. Уже рассвет, и скоро прилив обратится против нас.

Ботвелл неохотно отстранился от Катрионы, но синие глаза ни на миг не отрывались от изумрудных.

— Прощай, любимая, — сказал он тихо.

— Счастливого пути, дорогой милорд, — ответила она.

Френсис повернулся и, поспешно ступая по песку, пошел к шлюпке.

— Френсис!

Граф посмотрел назад и увидел, что Кат бежит к лодке. Он схватил ее простертые руки.

— Я люблю тебя, Ботвелл! Никогда не было никого, подобного тебе. И никогда не будет!

Ботвелл ответил ей нежным взглядом.

— Знаю, Катриона. Всегда знал. А теперь, дорогая, подари мне свою улыбку. Дай мне еще раз увидеть ту улыбку, что превращает меня в раба.

Это было ужасно трудно. Лодка отходила от берега, и их руки разъединились, но Кат улыбнулась возлюбленному своей лучезарной улыбкой и уловила его последние слова, доносившиеся сквозь шум волн:

— Я буду любить тебя всегда, Катриона Маири.

Кат стояла на мокром песке в это холодное апрельское утро и смотрела, как скользит по волнам утлое суденышко, уносящее пограничного лорда. Она увидела, что граф благополучно взобрался на борт корабля и тут же подняли якорь. Паруса быстро наполнились ветром, судно понемногу начало удаляться. А она все стояла и смотрела, до рези в глазах, а корабль уменьшился до маленького пятнышка на горизонте. Она даже не замечала, что волны давно уже лижут ее сапоги. Внезапно графиня услышала знакомый голос:

— Хватит, мадам! Пора возвращаться домой.

Она повернулась и увидела своего мужа; глаза его показались кусочками льда. Протянув руку, он грубо сорвал с нее плащ и презрительным взглядом оглядел выпирающий живот. Сила его удара повергла Кат на колени. Защищаясь, она обхватила себя руками и вызывающе посмотрела на Гленкерка.

— Только тронь ребенка, и Бог свидетель, я уйду за ним! И тогда тебе придется иметь дело с Джеймсом Стюартом в одиночку!

Грубо подняв ее на ноги, граф прорычал:

— Я позволил тебе распутничать с твоим любовником, но не признаю его ублюдка! Когда родишь, он исчезнет!

— Тогда исчезну и я, Патрик! — прокричала Катриона в ответ. — Если бы ты оградил меня от домогательств короля, то я бы осталась тебе доброй и верной женой. Но ты даже и не подумал, а я полюбила Френсиса. Теперь мне придется всю оставшуюся жизнь прожить одной, в разлуке с любимым. Но у меня будет этот ребенок, и я не позволю тебе отнять его! Прежде убьешь меня саму! А если попытаешься украсть ребенка, то заберу его и поеду вслед за Ботвеллом!

Она кричала все громче.

— Меня вынудили пожертвовать и моим счастьем, и все ради этих проклятых Лесли! И теперь ты пытаешься отнять у меня единственную живую память о Френсисе? Боже! Ненавижу тебя! Ненавижу!

Гленкерк с яростью ухватил ее за руку, больно вонзив свои пальцы.

— Сдерживайтесь, мадам, — тихо процедил он сквозь зубы. — Нет нужды оповещать весь округ о наших разногласиях. Продолжим этот разговор в Гленкерке.

Кат вырвалась.

— Говорить не о чем, Патрик.

Она начала взбираться по тропе на вершину утеса, где терпеливо ждала ее лошадь. И только тут графиня осознала, что люди Гордона исчезли, а на их месте стояли люди Лесли. Ею овладела внезапная усталость, и она бы споткнулась и рухнула на землю, если бы ее не удержала за локоть сильная рука Патрика.

— Двигайтесь, мадам. Ни к чему сейчас славной ботвелловской шлюхе падать и разбивать свое красивое личико. Мы едем прямо в Гленкерк.

— Это почти три дня пути, — возмутилась Кат.

— Так, — угрюмо подтвердил граф.

— Ты не убьешь ни меня, ни ребенка, Гленкерк. Я скакала с ним по пограничью.

Он ничего не сказал, но помог ей взобраться в седло. Изнуренная душой и телом, графиня нуждалась в отдыхе, но Патрик соглашался делать привал лишь на считанные минуты, чтобы люди могли облегчиться, а лошади передохнуть. С каждой милей она все больше бледнела. Один раз даже Конолл поднял голос:

— Во имя милосердия, сэр! Вы наверняка убьете ее. Позвольте же ей отдохнуть!

Но прежде чем муж успел ответить, Кат уже все решила:

— Нет! Мы едем прямо в Гленкерк!

Патрик бросил на нее сердитый взгляд.

— Здесь я распоряжаюсь, — заметил он.

— Поди ты к черту, Гленкерк, — ответила она безразлично и пришпорила коня.

Наконец отряд прибыл в фамильный замок. Патрик помог Катрионе спешиться, и она приняла его помощь, а затем, ни на кого не глядя, прошла в свои покои и без сил опустилась на пол.

Графиня так никогда и не узнала, что все время, пока она лежала в бреду, за ней ухаживал один Патрик. А граф снова увидел, какую ужасную боль причинили ей они с Джеймсом и даже Ботвелл. Кат, находясь в забытьи, вновь все пережила, и, сидя рядом, Гленкерк не мог не разделить эти переживания. На какое-то время жена даже вернулась в те ранние дни перед их свадьбой, когда она с робостью подарила ему свою невинность, а затем яростно отстаивала свои права.

Потом пришлось узнать, как ее принуждал король, и граф испытал удар, к которому оказался вовсе не подготовлен. Отвратительно было слушать, как Джеймс навязывал Кат извращения, а она упрашивала не принуждать ее. А затем Патрик пережил и само изнасилование, но увиденное глазами жертвы. Горько плача, Катриона села на кровати прямо и, уставившись на мужа невидящими глазами, простерла к нему руки, умоляя не подвергать ее позору. Гленкерк был опустошен.

Но самым болезненным для Патрика Лесли оказалось еще раз услышать от Катрионы о ее любви к Ботвеллу. Когда жена говорила о Френсисе, ее лицо имело какое-то новое выражение, совершенно отличное от того, какое Гленкерк всегда любил. Граф видел гораздо более прекрасную женщину — спокойную и зрелую. Что Кат с Ботвеллом обожали друг друга — это было очевидно, и Патрик, любивший ее с самого детства, до боли огорчился, узнав, что теперь леди Лесли могли удовлетворить только объятия Френсиса Стюарта Хепберна.

Гленкерка глубоко тронуло, что она пыталась отдать Ботвеллу свое состояние, но пограничный лорд отказался. Забавно, подумал Патрик, если бы они с Френсисом не полюбили одну и ту же женщину, то могли бы стать друзьями. Единственное, что не довелось услышать графу, — так это правду об отцовстве близнецов. Даже в беспамятстве Кат защитила своих детей.

Несколько дней спустя она снова пришла в сознание и тут же испуганно схватилась за живот.

— Не бойся, — одернул ее Гленкерк, — твой полукровка все еще у тебя.

И ушел, предоставив ее заботам слуг. Кат была крепким созданием, и силы ее быстро восстанавливались. На лицо вернулся румянец, и с каждой неделей графиня становилась глаже и пухлее. Она либо отдыхала, либо играла с детьми. Только Бесс, уже достаточно взрослая, понимала, что ребенок, которого мать носила в себе, был не от ее отца. Но Бесс не хотела больше с ней воевать и решила помириться, попросив стать крестной ребенка. Довольная, Катриона согласилась.

Мэг же помалкивала, не желая выбирать между упрямцем сыном и столь же своенравной невесткой. Оба были такие гордые! В конце концов вдова и вовсе укатила к своему младшему сыну и его жене на неопределенное время.

Граф Гленкерк оставался с супругой холоден, хотя и вежлив. Катриона отвечала тем же. Они были связаны не только церковью, но и королевским приказом. Положение казалось невыносимым.

В середине августа 1595 года графиня Гленкерк разрешилась от бремени своим девятым ребенком, дочерью. На следующий день Кат сидела в постели, принимая семью. Граф Гленкерк навестил жену только вечером.

Она уже отчаялась его сегодня увидеть и, оставаясь одна, кормила дочь. Патрик встал в дверях, наблюдая за женой, и на миг его лицо смягчилось. Затем Кат подняла глаза, и их взгляды встретились.

— Можно мне войти, Кат?

Она кивнула. Придвинув стул к постели, граф сел и стал смотреть, как ребенок жадно сосет пышную грудь. Вскоре девочка уснула, и, прежде чем Катриона смогла остановить мужа, Гленкерк забрал у нее ребенка. Он уложил малышку у себя на изгибе руки и стал рассматривать. Дочь Ботвелла была розовато-белой, с маленьким личиком-сердечком и влажными золотисто-каштановыми кудрями. На ее щеках лежали полумесяцем густые темные ресницы. Патрик видел на своем веку достаточно младенцев, чтобы понять, что эта будет большой красавицей.

— Какое ты ей дашь имя? — спросил он.

— Я об этом еще не думала, — ответила Кат.

— Вероятно, это будет последний наш ребенок, и я бы хотел назвать его сам, — сказал Гленкерк. У Катрионы глаза раскрылись от изумления.

— И как же ты ее назовешь? — робко осведомилась она.

— Френсис, — тихо произнес он. — Ее будут звать Френсис Лесли.

На какой-то кратчайший миг Кат подумала, что ослышалась, но внезапно глаза мужа потеплели, и он улыбнулся.

— Не стану просить у тебя прощения, Кат, — то, что я сделал, нельзя стереть или забыть. Но я не хочу, чтобы Джеймс Стюарт разорил нас вместе с нашими родственниками, как он разорил Ботвелла. Знаю, что ты уже больше не полюбишь меня, но разве мы не можем начать сначала и остаться друзьями? Я никогда не переставал любить тебя, милая, и сомневаюсь, что когда-нибудь перестану.

Она вобрала в себя воздух, и сердце ее взволнованно забилось. В горле поднялся жесткий комок, а веки обожгли слезы. Протянув руку, графиня взяла ладонь мужа и прижала ее к своей щеке. Потом подняла к нему лицо, и глаза ее засветились, словно изумруды.

— Ботвелл был прав, — тихо отозвалась она. — У тебя мне ничего не грозит.

Гленкерк уложил спящее дитя в колыбельку, а затем снова подошел к жене и взял обе ее руки.

— Мне повезло больше, чем ему, дорогая. Мне дали возможность попробовать еще раз.

Он снова улыбнулся, и Кат трепетно улыбнулась ему в ответ.

Она помирится с Патриком ради дочери и ради своей безопасности. Но до самой смерти она не забудет Френсиса Стюарта Хепберна, великого пограничного лорда, некоронованного короля Шотландии и ее, Катрионы, возлюбленного. Неистовый Ботвелл всегда будет жить в ее сердце.

КНИГА ВТОРАЯ

Часть V

БЕГСТВО ЛЮБВИ

38

Катриона Лесли тихо сидела перед камином в своей спальне, наблюдая пляшущие языки пламени и пытаясь разобраться в событиях последних недель. Муж был мертв или по крайней мере считался таковым. Она не могла, однако, представить Патрика мертвым и не чувствовала, что он умер. «Но что поделаешь, — вздохнула графиня, — факты неопровержимы».

Восемнадцать месяцев назад Патрик отплыл из Ли на корабле «Отважный Джеймс» во главе конвоя из шести судов: эта экспедиция отправилась в Новый Свет закупать меха, и, поскольку дело было для Лесли новым, граф сам решил проследить, чтобы оно оказалось успешным.

За отъезд мужа Кат частично винила себя. Хотя после рождения Френсис Энн они помирились и между ними не оставалось вражды, не оставалось также и ничего другого. С виду граф и графиня Гленкерк составляли идеальную пару. Но всякий миг Кат страдала по своему возлюбленному изгнаннику, графу Ботвеллу. Она ничего не говорила, но Патрик знал и беспрестанно проклинал себя за один миг величайшей глупости, стоивший ему любви супруги.

Почти год Гленкерк ходил с мыслью снарядить экспедицию в Новый Свет. Меха всегда составляли важную часть европейской моды, а те, что начали слабеньким ручейком поступать из Нового Света, были самого высокого качества. «Почему, — спрашивал Патрик, — наши корабли должны перевозить столь ценный груз для других, когда мы можем закупать меха сами и сами же продавать их в Европе?»

Так и было решено, что первые корабли Лесли отплывут ранней весной 1596 года, а за ними три месяца спустя отправится второй конвой под началом Адама Лесли. В надежде, что его отсутствие даст Катрионе время залечить раны и жена, возможно, станет думать о нем с большей любовью, граф Гленкерк решил возглавить экспедицию сам. А Кат даже приехала в Ли вместе со всеми их детьми, чтобы пожелать ему благополучного путешествия.

— Привезу тебе бобра на целый плащ, — весело пообещал Гленкерк. — Темный мех подчеркивает твою красоту. — И он с нежностью поцеловал Катриону.

— Береги себя, Патрик, и возвращайся поскорее, — ответила она.

— С тобой будет все в порядке, Кат?

Она улыбнулась, подняв к нему глаза, и на какой-то краткий миг граф увидел жену такой, какой она была до той ужасной ночи.

— У меня будет все в порядке, Гленкерк! — И изумрудные глаза озорно сверкнули. — Я вполне могу обходиться одна... если только это возможно с девятью детьми!

Так они расстались. У нее не было предчувствия беды, не казалось, что больше она его не увидит. Но шесть недель назад, в середине июля 1597 года, в Ли возвратился второй конвой Лесли, тяжело груженный роскошными мехами, но Адам Лесли не задержался даже, чтобы проследить за разгрузкой; безжалостно пришпоривая коня, он поскакал в Гленкерк с известием, что Патрик Лесли и шесть его кораблей так и не прибыли в порт своего назначения в Новом Свете.

Король немедленно узнал об этой трагедии и, даже не посоветовавшись с семейством, объявил юного Джеймса Лесли пятым графом Гленкерк. Кат пришла в ярость, хотя, конечно, замок должен был иметь хозяина. Но снова Джеймс Стюарт вмешивался в ее жизнь. А на этой неделе он прислал письмо, в котором оповещал, что ее траур не должен длиться более шести месяцев, а весной следует снова прибыть ко двору.

Зная побудительные мотивы, сокрытые под любезным монаршим славословием, Катриона разражалась то смехом, то бранью. Молодому графу приказывалось вскорости жениться, чтобы обеспечить наследование Гленкерка. «Слава Богу, — сказала Кат про себя, — что мы с Патриком еще два года назад предусмотрительно обручили Джеми с Изабеллой Гордон. Иначе бы и тут король вмешался!»

Но письмо на этом не заканчивалось. Поскольку мать Патрика, Мэг, все еще была жива, то именно Гленкерку выпала необычная честь иметь сразу двух вдовствующих графинь. И раз старшая жила в фамильном доме, то младшей предлагалось отбыть ко двору, чтобы молодожены свободно наслаждались супружеским уединением, а старая женщина — покоем.

Кат фыркнула. «Ты не обдуришь меня, Джеми! Раз Патрик исчез, а Ботвелл в изгнании, то думаешь, меня добьешься. Явись ко двору и оставь сына наслаждаться с молодой женой? Явись ко двору и отдай мне свое тело. Ублюдок ты! И ничего не говоришь о моих остальных детях. Что скажешь, если я приеду вместе с ними со всеми?»

Она оказалась в очень трудном положении и не могла просить у своего юного сына защиты от короля.

Но молодой граф был вполне осведомлен о причинах размолвки родителей. И теперь, увидев, как король снова пытается заманить мать в ловушку, Джеми стал искать способ освободить Катриону, не выказав открытого неповиновения королю. И ему показалось, что он нашел, как это сделать.

Когда Джеми ворвался к ней в покои, то Кат, подняв на него глаза, даже вздрогнула.

— Боже мой, ты так похож на Патрика. — У нее даже голос перехватило. Сын опустился перед ней на колени и тихо сказал:

— Я знаю, как тебе помочь, мама! Знаю, как мы можем отделаться от короля и не навлечь при этом на Лесли его гнев! И комар носа не подточит!

Кат положила руку ему на плечо, и в ее взгляде юный Гленкерк увидел скорбь.

— Джеми, любимый мой, спасибо. Но я в ловушке, и я не посрамлю памяти твоего отца, погубив его семью... нашу семью. Король хочет заполучить меня к себе в любовницы, и у меня просто нет выхода. Я должна ему подчиниться.

— Нет! Послушай меня! Король не знает, что я проведал о его двуличии. И что, если этой зимой, когда поженимся мы с Беллой и Бесс с Генри, то всей толпой мы, молодожены, отправимся ко двору. А тебя оставим здесь довершать траур. И когда вернемся, то обнаружим, что ты исчезла. Осталась только записка... сообщающая, что в надежде справиться со своей скорбью ты уехала во Францию навестить наших кузенов Лесли.

— А если, — подхватила Кат ему в тон, — сразу после твоего отъезда из Эдинбурга домой в доме Гленкерков появятся рабочие и примутся полностью его обновлять, то король и не заподозрит, что я не намереваюсь возвращаться. — Она захихикала. — А я тайно переведу этот дом на Беллу, а мою избушку, А-Куил, — на Бесс. И когда Джеми обнаружит, что птичка улетела, то он не сможет их конфисковать. Ты прав, сын мой! Если ты станешь изображать верного и любящего подданного, то Джеймс не осмелится тронуть ничего из того, что принадлежит Лесли. Он точил зуб на Ботвелла, на твоего отца и на меня. Но если король считает, что ты ни о чем не осведомлен, то он не сможет наказать тебя или твою семью. Гордость не позволит, да к тому же его очень заботит, чтобы англичане слышали о нем только хорошее. Старая королева так пока еще и не объявила его официально своим наследником, и она еще может предпочесть Арабеллу Стюарт, его кузину. Но, Джеми, тебе придется во всеуслышание осудить мое недостойное поведение. Даже Белла не должна знать о нашем заговоре.

Он ухмыльнулся.

— Да, мама. Ты и в самом деле бесчестная девица, но другой я тебе быть и не позволю! — А затем сын посерьезнел. — Тебе потребуются деньги. Я узнаю у Кира, каким образом лучше всего тайно их передать тебе.

— Не надо, Джеми, но спасибо, что подумал об этом. Просто не было случая тебе об этом сказать, но я сама по себе очень богатая женщина. И не позволю, чтобы Кира перекачивали мои деньги в Европу.

— А куда ты отправишься? — спросил юный граф, зная в душе, какой получит ответ. Кат поглядела ему прямо в глаза.

— Что ж, Джеми, я поеду искать Ботвелла. Если Френсис все еще меня хочет, то я стану счастливейшей женщиной на свете.

— По-моему, тебе не следует бояться, что пограничный лорд от тебя откажется. Я слышал, его недавно изгнали из Франции за то, что он убил человека на дуэли. Несчастный джентльмен поплатился за свои опрометчивые слова насчет некоей достойной шотландской леди, которая завладела помыслами Ботвелла.

— А где Френсис теперь? — спокойно спросила Кат.

— В Италии. Он попытался было пристроиться в Испании, но испанцы слишком религиозны, а двор у них весьма затхлый. Ты найдешь своего милого в Неаполе. Отправляйся к нему, мама, и будь счастлива! Выходи за него замуж, как вам обоим всегда хотелось. Гленкерк останется здесь, тоже твой, хотя не думаю, что ты испытаешь в нем нужду.

— А Френсис Энн?

— Побудет тут, пока вы твердо не устроитесь. Тогда пришлю ее к тебе.

— И Иана с Джейн тоже, — тихо сказала она.

Джеймс Лесли засмеялся.

— Всегда это подозревал, но отец, слава Богу, — никогда!

Под веселым взглядом сына Кат зарделась.

— Ты меня поражаешь, Джеми. Откуда в тебе столько терпимости?

— Просто ты всегда была нам хорошей матерью. Просто, пока король не затащил тебя силой в постель, ты всегда была доброй и любящей женой отцу. Просто та же горячая кровь, что течет у тебя в жилах, мама, течет и в моих. Я видел, как смотрели на тебя другие мужчины, а когда был пажом у лорда Роутса, то кое-что и слышал. Что бы тогда ни отняло у моего отца твою любовь, во всем я виню короля. Наверное, ты и сейчас мне об этом не расскажешь?

На мгновение графиня заколебалась, а потом сказала:

— Твой отец застал меня с королем. Он был возмущен и очень, очень огорчился. Король мог бы поберечь его гордость, но вместо этого принялся безжалостно расхваливать мои достоинства. Джеми увел отца в другую комнату. Там они несколько часов пили гленкеркское виски и разговаривали. А затем, когда оба сильно напились, то вернулись в мою спальню и...

На минуту Кат прервалась, и ее лицо побелело. Потом она тихо продолжила:

— Всю оставшуюся ночь, Джеми, твой отец вместе с королем насиловали меня по очереди. Несколько лет спустя я простила графа, но та ночь убила во мне любовь к нему. Я могла его понять и даже пожалеть, но убедить его в своей верности... — Она запнулась, не находя слов. — Он всегда был упрям, этот Патрик Лесли! Когда-то я его любила, Джеми, но наш брак

328

всегда вызывал у меня сомнения. Полагаю, мы слишком походили друг на друга... В ту ночь я бежала к единственному другу — к лорду Ботвеллу. Я хотела выждать — обрести какой-то покой, поразмыслить. Но мы с Френсисом полюбили друг друга. Остальное ты знаешь. А Джеймса Стюарта я презираю! Он изображает из себя доброго короля-христианина, идеального мужа, любящего отца. Увы, он лицемер и величайший сладострастник!

— А я-то думал, что он на женщин не обращал внимания, а предпочитал мужчин, — сказал Джеми.

— Нет, это притворство, под которым он скрывает свои настоящие желания.

— Как же отец мог с тобой так поступить?! Если бы я знал, то сам бы убил его!

— Джеми! Джеми! Твой отец уже безмерно пострадал за эту ужасную жестокость. Он приехал из Гленкерка, горя желанием быть со мной, а вместо этого увидел, как его полуголую жену ласкает король. Что бы ты ощутил, если бы это оказалась твоя Белла? Нет! Виноват тут Джеймс! Твоего отца — да простит его Бог — уже нет. Френсис — в Неаполитанском королевстве, и хоть мы и не осмеливаемся посылать весточки друг другу, но вскоре я отправлюсь к нему. Старая жизнь почти кончилась. Однако теперь наши помыслы должны быть заняты твоей свадьбой с Изабеллой Гордон.

— Но тебе надо подготовить отъезд, мама.

— Все будет в порядке, Джеми. Лучше, если ты больше ничего не узнаешь, чтобы как-то неосторожно меня не выдать. Когда я уеду и пока буду в опале у короля, ты сможешь тайно сообщаться со мной через Кира. — Она поцеловала сына в щеку. — Несмотря на всю мою любовь к Ботвеллу, я бы не оставила тебя, если бы не знала, что ты сможешь достойно носить свой титул и исполнять те обязанности, что ему сопутствуют. Усвой урок своих предков, Джеми. Только первый граф Гленкерк дожил до старческих седин. Большинство остальных связывались со Стюартами и умирали молодыми.

Если бы я когда-то так не настаивала, чтобы поехать ко двору, то, вероятно, ничего бы и не случилось. Твой отец — и будем справедливы к его памяти, Джеми, — твой отец предупреждал, что не надо иметь с ними дела. Я не захотела послушать, но ты — должен. Пусть дядя Адам руководит тобой в делах, и держись от двора как можно дальше.

— Но, мама, что случится, если вдруг на юге умрет старуха королева? Если наш король отправится в Лондон?

— Он это и сделает, Джеми. Король с нетерпением ждет, когда сможет покинуть Шотландию. Тогда дяде Адаму придется уехать в Лондон, чтобы представлять наши интересы, но вы с Беллой останетесь здесь. Гленкерком всегда должен управлять хозяин. Иначе имение погибнет. Научи своих детей любить эту землю, чтобы она никогда не осталась без Лесли.

— Ты говоришь так, словно уже больше не увидишь Гленкерк.

— Не увижу, Джеми. Не думаю, что король когда-нибудь простит то оскорбление, которое я ему нанесу. Будь уверен, случись мне ступить на английскую или шотландскую землю, пока правит наш кузен, меня быстро и тихо арестуют, заточат в тюрьму и — да, возможно, даже убьют. Когда я уеду, то это будет навсегда. Молюсь только, чтобы Френсис все еще хотел меня.

Джеймс Лесли фыркнул.

— Он хочет! Вот в этом я совсем не сомневаюсь. Боже! Как отчаянно он пытался удержать тебя! Если бы вы оба были менее достойными людьми... но вы пожертвовали собой ради нас, Лесли. Не надо более, мама! Хотя я во всеуслышание осужу вас, ты отъезжаешь с моим благословением и с моей любовью.

Кат наградила сына лучезарной улыбкой, и Джеми даже немного опешил.

— Господи! Мама! Если ты так улыбаешься тому мужчине, который доставляет тебе радость, то удивляюсь, как это тебя не похищали по меньшей мере сотню-другую раз!

Графиня счастливо засмеялась:

— Тысячу, мой бесстыжий юный лорд. А теперь давай отсюда, Джеми. Мне надо обдумать свадьбу.

Он повернулся, чтобы уйти.

— Джеми!

Он оглянулся и, пока мать вставала, выказывая уважение, не отрывал от нее глаз.

330

— Я весьма благодарна вам, милорд, весьма благодарна. Из вас получится прекрасный граф. Как же я жалею, что меня здесь не будет и я не смогу увидеть, как вы правите.

Юный Джеймс Лесли быстро поклонился и вышел.

39

Нареченная Джеймса Лесли, Изабелла Гордон, была младшей дочерью Джорджа и Генриетты Гордон, графа и графини Хантли. Поскольку имение Хантли было два года назад сожжено шайкой обнаглевших смутьянов, то свадьбу решили играть в Гленкерке. Кое-кто поговаривал, что выбор пал на Гордонов не потому, что они были католики — половина Шотландии все еще придерживалась старой веры, — а потому, что несколько лет назад они открыто приютили графа Ботвелла.

Но теперь король дал свое благословение этому браку и даже обещал почтить присутствием свадьбу, которую назначили на 20 декабря. Пропраздновав с Рождества до Двенадцатой ночи, молодая чета затем удалится на зиму в Эдинбург.

Как только все определилось, юная Изабелла приехала в Гленкерк. На этом настояла Катриона:

— Раз ей суждено быть хозяйкой этого замка, то пусть научится им управлять.

— Но, мадам, — возразила будущая графиня Гленкерк, хорошенькая и нежная девушка, склонная, однако, к лени. — Вы, конечно, всегда будете рядом и не откажетесь помочь.

— Нет, дорогая Белла. Король предложил мне вернуться ко двору, и я уеду жить в Эдинбург. Но здесь остается бабушка Джеми, и ты в любое время сможешь попросить у нее совета. Мэг знает Гленкерк лучше любого из нас.

Дамы сидели в уютной семейной гостиной. Вошел Джордж Гордон.

— Белла, дорогая, — вкрадчиво начал он, — не сбегаешь ли ты в детскую и не посмотришь, уложила ли няня спать самых маленьких?

— Да, папа. — Изабелла покорно встала и пошла выполнять просьбу отца. Однако она задумалась, о чем же здесь хотели поговорить, что ей не дозволялось слушать.

— Тебе нужна помощь, Кат? — спросил Хантли, когда дочь ушла. — Не говори мне, что Джеми снова осмелился приставать.

— Осмелился, Джордж. Мне даровано шесть месяцев, чтобы оплакать Патрика, а затем надлежит явиться в Эдинбург для вящего королевского удовольствия.

— Ублюдок! — выругался лорд Гордон.

— Не волнуйся, Джордж. Я последую зову сердца.

Граф Хантли взглянул на вдовствующую графиню Гленкерк, и его лицо медленно расплылось в улыбке.

— Боже! Какая же ты лиса! — А затем, уже более серьезно, граф добавил: — Он ведь не сможет мстить Джеми с Беллой, так?

— Правильно, Джордж. На какую причину ему сослаться во всеуслышание, чтобы преследовать двух молодых подданных, верных ему и невинных? Они же не знают истинного положения дел.

— И потому ты и попросила назначить свадьбу на эти дни?

— Так предложил его величество, Джордж. Ему казалось, что наследование Гленкерка должно осуществиться как можно скорее.

Гордон ухмыльнулся:

— Более вероятно, что он хотел как можно скорее затащить тебя к себе в постель.

Кат засмеялась:

— Бедный Джеми ужасно бы огорчился, узнав, сколь призрачны его надежды.

— А что тут от нас скроешь, Кат? Черт возьми! Нет в Шотландии такой знатной семьи, где бы Стюарты не залезали под юбку. Мы все кузены!

А Генриетта подалась в своем кресле вперед и тихо спросила:

— Что ты намерена делать, Кат?

— Не задавай мне таких вопросов, на которые я не могу ответить, Риетта.

— Но, Кат...

— Прикрой свой нежный ротик, женщина, — одернул ее муж.

И вот так, подготавливая на людях пышную свадьбу своему старшему сыну, Кат Лесли тайно готовилась бежать в Италию.

Тут ей с готовностью помогали банкиры Кира, многолетние деловые партнеры семейства Лесли.

В ближайшие несколько месяцев огромное богатство Кат будет переведено через Париж в римский банк Кира. Если французский король и мог сыграть заодно с шотландским, то папа римский — нет, особенно когда речь шла о благородной вдове-католичке, пытающейся оградить свою честь от домогательств первейшего еретика-протестанта Европы.

Было решено, что Катриона поплывет Северным морем и далее Ла-Маншем во Францию. Оттуда отправится в Италию по суше, так как морская дорога выглядела слишком опасной. Средиземное море кишело турецкими пиратами. У нее будут свой кучер, лакеи и охрана. В замке о приготовлениях графини знал один Коноллл Мор-Лесли, капитан стражи. Вокруг себя Кат хотела иметь только людей из Гленкерка; Коноллу и предстояло об этом позаботиться.

— Ладно, — сказал он угрюмо, — раз уж приходится выбирать между женой Ботвелла и шлюхой Джеми Стюарта, то Ботвелл — меньшее зло. Я помогу вам, госпожа Кат, но дайте мне время тщательно подобрать людей. Только католики. Протестанты почувствуют себя в Италии слишком неуютно. Неженатые, ничем не связанные мужчины, которым не к кому возвращаться, — они должны остаться с нами. Никаких юнцов — слишком горячие головы. Крепкие парни от двадцати до сорока лет. Никому не буду ничего говорить до самого отъезда. Меньше вероятность, что прослышит какой-нибудь королевский наушник. Кого вы возьмете себе прислуживать?

— Сюзан и, возможно, еще одну.

Служивый кивнул, даже не удивившись, что графиня все продумала заранее. Она походила на свою прабабку, Джанет Лесли, и никогда ничего не предпринимала, предварительно хорошенько не рассчитав. Слишком многие недооценивали ее ум и изобретательность. Капитан ухмыльнулся, и Кат это заметила.

— Что ты так весел?

На его суровом обветренном лице сверкнули голубые глаза.

— Потому что я бы отдал годичное жалованье только за то, чтобы взглянуть на лицо Джеми Стюарта, когда он обнаружит, что вы снова от него бежали!

— Ох, Конолл, — упрекнула его Кат и сама от души расхохоталась, — разве в тебе нет уважения к короне?

— К короне — есть! Но к кузену Джеми? Он либо слишком глуп, либо слишком упрям, если преследует женщину, которая так явно его не хочет. Неужели этими качествами и должен отличаться хороший король? Я не согласен.

— Но в своих королевских обязанностях он хорош, Конолл. Джеми грешит только в личной жизни. Ему никогда не было уютно со своими ближними.

Она повернулась к окнам, откуда открывался вид на горы.

— Ах, Конолл! Ведь все, что я хотела, — это жить в Гленкерке спокойной жизнью!

— Ба! — воскликнул старый воин. — Не пытайтесь обмануть себя. Вы всегда были слишком непоседливы. Ко двору тянуло не лорда Патрика.

Удрученное лицо графини остановило его.

— Ах, девочка, не стоит теперь из-за этого волноваться. Я ведь и сам Лесли, хоть и не с той стороны одеяла, и я знаю, что в этой семье дикими всегда были именно женщины.

Шла осень, и Катриона не упускала ни единой возможности покататься верхом по землям Лесли, оставляя приготовления к свадьбе в умелых руках Мэг. Но старая вдова всегда понимала Кат лучше, чем кто-либо другой, и однажды выехала на прогулку вместе с ней.

— День слишком славный, чтобы сидеть взаперти, — громко объявила Мэг, чтобы все слышали. — И если я еще раз выгляну из своего окна на эти поля с цветущими маргаритками, то уже сойду с ума. — Она взобралась в седло и, довольная, улыбнулась. — Боже! Я не каталась верхом уже, наверное, года два! Вперед, Кат! — И нежно ударила пятками по толстым бокам своей старой гнедой кобылы.

Кат поспешила следом, удивляясь, с чего это вдруг свекровь решила составить ей компанию. Минут пятнадцать они ехали молча, а затем Мэг пустила гнедую шагом и подождала спутницу. Кат повернулась к ней лицом.

— Итак, Мэг, что же заставило вас взобраться на старушку Брауни? Только не расписывайте мне, пожалуйста, ваши маргаритки!

Свекровь рассмеялась:

— Мне эта выдумка показалась изящной, но тебя не обманешь. До маргариток мне мало дела. А теперь скажи, Кат, когда ты нас покинешь?

Катриона даже не вздрогнула, а тихо сказала:

— После свадьбы Бесс и Генри.

— Ты поедешь к Френсису?

— Да.

— Семье это ничем не грозит?

— Надеюсь всей душой, Мэг. Поскольку король не знает, что Джеми осведомлен о наших отношениях, то вряд ли он посчитает юного графа ответственным за это бегство. Его величество разъярится, но сын выкажет еще большую ярость и гневно осудит меня, которая так позорно отвергла оказанную ей высочайшую честь.

Мэг снова рассмеялась:

— Итак, Джеми знает, что ты уезжаешь?

— Знает? Держите меня, Мэг! Он же сам это все и устроил! Я уже готова была потерять надежду и сдаться королю. Но Джеми полагает, что сама его невинность в этом деле и убережет нас, а другого случая бежать мне не представится. И он прав. Как сможет Джеймс теперь оправдать месть нашей семье? Мы ведем себя мирно, а гленкеркские Лесли всегда были верны короне. Только ныне я и могу бежать, не поставив под угрозу наш клан.

— А вдруг Френсис уже нашел себе новую любовь, моя дорогая? Его всегда ведь тянуло к женщинам, и он никогда не проявлял особого постоянства.

— Ко мне проявлял, — тихо ответила Катриона.

— Да, — согласилась Мэг. — Это так... Но он провел вдали от тебя уже почти три года.

— Он все еще меня любит, как и я люблю его. Я чувствую это.

— Но если, — не унималась старая леди, — все-таки не любит. Ты сюда вернешься?

— Не вернусь, пока меня домогается Джеми, Мэг. Я просто не могу быть королевской шлюхой. Если Ботвелл не захочет меня, то устроюсь жить во Франции.

— Захочет, — мягко возразила Мэг, — я только хотела убедиться, что ты осознаешь свой поступок. Есть много женщин, которые в твоем положении были бы счастливы стать любовницей короля.

— Если бы я любила Джеми, — отвечала Кат, — то тоже с радостью бы к нему пошла. Но я не из тех, кто может спать с нелюбимым, а король мне не мил. И не прощу ему того, что он причинил бедному Патрику. Так мог поступить только жестокий человек, а я ненавижу намеренную жестокость!

И тогда Мэг сказала нечто, отчего на прелестные глаза Катрионы набежали слезы:

— Ты уезжаешь с моим благословением, Кат, дорогая. Каким бы странным это ни показалось, я уверена, что Патрик бы сейчас одобрил твое решение. Он так никогда и не простил самого себя, ты знаешь.

— Но я простила его, Мэг. Я больше не могла уже его любить так, как раньше, но я простила. — Кат улыбнулась. — Джеми знает лишь, что этой весной я уезжаю. Так лучше. Со мной отправится Конолл. Еще Сюзан, хотя ей я пока ничего не сказала.

— Как ты распорядилась насчет детей, Кат?

— Колин с Робби останутся в доме у графа Роутса, пока им не исполнится четырнадцать. Затем, подобно Джеми, они пойдут в университет Абердина. После этого — путешествие по Европе и женитьба. Мы с Джеми только что закончили переговоры об этом с моим братом. После того как умер его единственный сын, он остался без наследника и должен выдать замуж четырех дочерей. Когда Колину исполнится двадцать, он женится на старшей. И, как наследник моего брата, станет следующим Грейхевеном. Год спустя Робби женится на другой дочери. Я отвела ему неплохие деньги и купила близ моей родной усадьбы отличный дом с хорошими землями; он будет вполне независим от Джеми. Аманду я обручила с наследником Чарлза. Моя дочь станет следующей графиней Сайтен.

Мэг вскинула брови.

— А мне казалось, что моя дочь Джанет рассчитывала женить сына получше.

Кат рассмеялась.

— Джанет не просто замужем за Лесли, она Лесли и по рождению. Пусть у ее сына есть какой-то титул, но у моей дочери — огромное приданое! И по странному совпадению

336

Аманда обладает несколькими сотнями акров пастбищ, которые нужны Сайтенам для их овец. Малышка же Мораг, — продолжила Кат, — станет женой Малькольма Гордона. У нее будет очень большое приданое и собственная усадьба. Даже младшие сыновья Гордонов неплохо устраиваются в жизни!

Глаза у Мэг засверкали, у нее перехватило дыхание.

— Боже мой, — воскликнула старая дама, — чем старше ты становишься, тем больше походишь на Мэм! — А затем она снова посерьезнела. — А малыши?! Что с ними? Ты же не можешь оставить самых маленьких!

— Джеми пришлет их, когда все образуется. Путешествовать со мной им будет небезопасно, да и меня задержат. Если король направит в погоню своих людей, то с детьми я стану уязвимой. Но это всего на несколько месяцев.

Мэг кивнула:

— Полагаю, так и в самом деле лучше.

Некоторое время они ехали молча. Затем свекровь опять спросила:

— Кат, я знаю, что не имею права, но... Иан и Джейн?

— Тоже от Ботвелла. Да, Мэг. Даже он не знал почти до самого изгнания. Расставаясь с ним в первый раз, я думала, что мы никогда уже не встретимся, и хотела его ребенка. Патрик же, едва заполучив меня тогда назад, сразу уложил в постель и не выпускал, пока не стало ясно, что я беременна. Он понял так, что близняшки от него, и я не стала ничего говорить.

— И правильно сделала, дорогая моя. Но бедный Френсис! Он уехал из Шотландии, зная, что покидает не только тебя, но и своих детей. Ах, моя Кат, вы оба заслуживаете счастья.

— Спасибо, Мэг. Вы всегда были мне хорошей подругой.

Старая женщина наклонилась в седле и, протянув руку, ухватила Катриону за локоть.

— Ты мне больше дочь, чем обе мои. Будь счастлива, Кат! Пожалуйста, будь счастлива!

40

Джеймс Стюарт нежно улыбнулся жене.

— Нет-нет, Анни! Об этом не стоит и думать. На свадьбу юного Джеймса Лесли тебе в Гленкерк ехать никак нельзя. —

И он ласково похлопал ее по округлившемуся животу. — Нет, мы не должны подвергать опасности нашего ребенка.

— Но это же перед самым Рождеством! — застонала королева. — Я не хочу оставаться без тебя на праздники.

— Я вернусь на Рождество и отпраздную его с тобой, Анни.

— У тебя не получится, если только ты не выедешь сразу после свадьбы, а это будет выглядеть весьма грубо!

— Тогда я не вернусь, — рассердился король. — Какая разница? Приеду на Новый год и на Двенадцатую ночь.

— Но в Дании мы всегда празднуем Рождество всей семьей!

Джеймсу это начинало надоедать.

— Ты не в Дании, Анни! Ты — королева Шотландии! — взревел он, и ее величество заплакала.

«О небо, — подумал король, — не могу же я позволить ей догадаться, почему не хочу ее брать с собой».

— Ну успокойся, успокойся, дорогая, — сказал он с выражением. — Не могу же я обидеть гленкеркских Лесли. Надо поехать на свадьбу молодого графа, особенно когда он женится на девчонке моего кузена Хантли. Эти Гордоны попортили мне немало крови, но я не дам им повода начать новую смуту и почту своим присутствием свадьбу их дочери. Однако сейчас зима, и дороги плохи. Прояви благоразумие, дорогая. Нельзя же тебе в твоем нынешнем положении трястись в экипаже по всей Шотландии.

— Ребенок, — только и фыркнула королева. — Это все, что тебе от меня нужно, Джеми. А я — королевская племенная кобыла.

— Пусть у нас будет много детей, Анни, — сказал Джеймс, — но где я еще найду такую, как ты?

Небесно-голубые глаза королевы заблестели от слез.

— Ох, Джеми, — сказала она сдавленным голоском.

Король обнял супругу.

— Давай больше не будем говорить об этих глупостях.

— Хорошо, Джеми, — уступила королева, счастливо вздыхая.

Но едва ли король услышал, потому что весь был поглощен мыслями об очаровательной Катрионе Лесли, которая скоро станет его.

338

С того дня, когда он в последний раз видел Кат, прошло уже больше четырех лет, и последняя их встреча вышла не совсем такой, какую мужчина ждет от желанной женщины. Но теперь графиня — вдова, и без защиты она должна стать более покладистой.

А Кат, ожидая прибытия короля, уже знала, чего ей ждать. Понимая, что ухаживаний Джеймса ей не избежать даже в собственном доме, она готовилась быть с ним ласковой и нежной. Настырному любовнику и в голову не должно прийти, что она собирается бежать. Так что даже с сыном нельзя будет говорить в открытую.

Свадьба меж тем приближалась, и Кат убрала свои вещи из покоев графа и графини Гленкерк. Нелегко было оставлять комнаты, которые принадлежали ей все эти годы, но уже через несколько недель их владелицей по праву станет юная Белла. Чтобы еще лучше замаскировать свои намерения, Кат решила потратиться и переделать будто бы для себя несколько комнат в покоях западной башни, где ее прабабка Джанет жила до того, как построила собственный замок в Сайтене. С тех пор башня не использовалась, и графине казалось, что она ощущает присутствие той, другой женщины.

— Итак, Мэм, — вздохнула она вслух, — вот я снова попала в переделку. Ты всегда предупреждала нас держаться подальше от Стюартов. Мое своеволие стоило нам всего, и теперь я должна либо бежать из дома, либо покориться вожделению короля. Что бы ты подумала обо мне, окажись сегодня здесь?

Она прошла к окнам спальни и окинула взором Гленкеркские горы вплоть до озера Сайтен и до Грейхевена, дома ее детства. Тут Кат представила, как прабабка ждала своего возлюбленного Колина Хэя, хозяина Грейхевена. «Что ж, — подумала графиня, — если Мэм могла нарушать приличия ради того, чтобы быть с любимым, то могу и я!»

Она вздохнула. «Ах, Ботвелл! Прошло уже почти три года с того ужасного дня: я стояла на мысе Рэттрей и смотрела, как тебя увозит от меня тот проклятый корабль. И за все это время мы не осмеливались даже написать друг другу. Не сомневаюсь, что в твоей постели перебывало много женщин, но нашлась ли среди них такая, чья любовь заставила бы тебя забыть Катриону Лесли? Боже! Пожалуйста! Нет!»

И когда в мучительном сомнении Кат закрыла глаза, то его лицо проплыло перед ней по ее темным векам. Это суровое лицо, любимое и дорогое. Темные сапфировые глаза, чувственный рот, прекрасные каштановые волосы и изящно подстриженная бородка...

Прислонившись к холодному камню, она представила бархатную твердость его широкого плеча, большую руку, ласково поглаживающую ее длинные волосы. Внезапно, впервые за все эти долгие месяцы, Кат заплакала. Плакала о Патрике Лесли и о тех счастливых годах, что они прожили, прежде чем Джеймс погубил их жизни. Плакала по потерянной невинности — и своей, и Патрика. Но более всего она плакала по лорду Ботвеллу, по мужчине, которого любила, безжалостно изгнанному с родной земли и ставшему бедняком из-за ревности сиятельного кузена. По Френсису, который любил свой замок Эрмитаж и свое пограничье и который вынужден теперь бродить из страны в страну — один и без друзей.

Но скоро, поклялась графиня, скоро она будет искать его по всей Европе и, когда найдет... А что, если он снова женился? В конце концов, даже Френсис может поступиться честью, чтобы прожить. Нет! Он не женился. Но когда она найдет его, то они поженятся, и тогда Джеми пришлет детей, и начнется спокойная жизнь до самой старости, вдали от придворных интриг.

Но прежде ей еще придется побороться с кузеном Джеми. Когда он прибудет на свадьбу, то немедленно приползет к ней в постель. Что ж — и тут графиня засмеялась сквозь слезы, — король встретит пылкую любовницу. Она, так привыкшая к любовным утехам, не имела мужчины с тех пор, как уехал муж, а прошло уже столько долгих месяцев. При всем ее презрении к Джеймсу тело ее иссыхало по мужской ласке. Что ж, теперь это уж она попользуется мерзавцем!

Отыскав старшего сына, Кат предупредила:

— Не позволяй королю догадаться, что ты знаешь о его ночных визитах ко мне в башню.

Юный граф поразился:

— Господи, мама! Неужели он осмелится, под самой нашей крышей?

Графиня только посмеялась:

340

— Осмелится? Он же король. Боже мой, Джеми, когда речь идет о его желаниях, Джеймс Стюарт осмелится на все! Не обманывайся насчет этого показного благочестия и образованности. Он блюдет внешний пиетет, потому что ублажает протестантскую церковь, и та не лезет в его дела. Образован, это да, но и суеверен, жесток и капризен. Никогда не доверяй ему, какие бы прекрасные речи он с тобой ни вел. Учись на моих ошибках, Джеми. Не связывайся ни с королем, ни со двором.

— Но как же нам вести себя со Стюартами, мама?

— Проявляйте верность в дни, когда королю или стране грозит опасность. Все остальное время держитесь на расстоянии. Когда вас заставят находиться при короле, выказывайте восхищение и любовь. Будьте любезны, но не льстивы. Джеми умеет быть весьма обворожительным, а его юмор даже забавен. Он не собирается играть злодея. Вы просто не должны с ним слишком связываться.

Джеми кивнул, но его лоб наморщился.

— Жаль, что он будет на свадьбе. Как ты думаешь, королева тоже приедет? Это по крайней мере могло бы его сдерживать.

— Не приедет, Джеми. Я слышала, что она снова понесла, и под этим предлогом король непременно оставит ее в Эдинбурге. Не тревожься, сын мой. Если я хочу бежать от Джеймса, то он должен увериться в моей покорности. Визит сюда успокоит его вполне. Вдова Гленкерка встретит гостя не без колебаний, но будет нежна. Я начну беспокоиться о моем положении, а он станет утешать меня и предложит полностью ему довериться. И как только развеет мои страхи, то уедет, ощущая себя очень мужественным и самоуверенным.

Джеми Лесли взглянул на мать с искренним изумлением.

— Вы самая хитроумная женщина, какую я знал, — ухмыльнулся он. — Не хотел бы я иметь вас врагом, мадам.

Кат тоже засмеялась:

— Странно, но однажды твой отец сказал мне то же самое.

За пять дней до свадьбы в Гленкерк прибыл Джеймс Стюарт. Короля приветствовали его дальние кузены Лесли и более близкие — Гордоны. Янтарные глаза на миг задержались на графине Гленкерк, облаченной в черное, и под этим взглядом Кат зарделась. Вместе с Мэг она провела его величество в покои, отводившиеся как раз на такой случай.

Взгляд Джеймса скользнул по огромным комнатам, каждую из которых согревало пламя отдельного камина.

— Весьма уютно, дорогая кузина Маргарет. Вы, Лесли, как-то умеете создать мужчине домашнюю обстановку. Надеюсь, что и остальные комнаты у вас столь же приятны.

— О да, Джеймс, — ответила Мэг. — Можно мне называть вас так? В конце концов, я гожусь вам в матери.

Легонько ухватив короля за локоть, почтенная леди подняла к монарху свое улыбающееся лицо. Ее глаза ласково засверкали, и Кат подумалось даже, не сходит ли старая с ума. С чего это она вдруг так разворковалась?

— Мне полагается, — продолжила Мэг, — жить во вдовьем доме, но почти все время я обитаю здесь, в замке. В южном крыле, где солнце греет мои старые кости. А покои графа — в восточном, чтобы солнце — такой обычай — будило его поутру и посылало исполнять свои обязанности.

«Христос на небесах! — подумала Кат. — И откуда только она выдумала такую чепуху?»

— Королевские же покои всегда располагались в западном крыле, чтобы не будить сиятельных гостей слишком рано, но после утренней охоты они находили свои комнаты залитыми теплым послеполуденным солнцем, — торжествующе закончила Мэг.

— Какой чарующий, какой тонкий обычай, — сказал король. Он повернулся к Кат, которая все это время не проронила ни слова: — Ты больше не живешь в покоях графа?

— Нет, сир. — Кат скромно смотрела в пол.

А Мэг все щебетала:

— Ох нет, Джеймс! Мы их переделали для маленькой Беллы. Покои Кат находятся как раз здесь, в западном крыле, — в башне! Она была любимой правнучкой своей прабабушки, а дражайшая Мэм жила как раз там. И вот когда Кат пришлось выбирать себе новые комнаты, она выбрала те, что принадлежали Мэм. И отсюда туда есть даже тайный ход.

— Мэг! Это же семейная тайна, — тихо возмутилась Кат.

— Ах, — манерно выдохнул король, — но ведь я член семьи, дорогая Кат. Скажи мне, тетушка Мэг, что это за тайный ход?

Мэг захихикала.

— Я не совсем уверена, — пропела она, — однако Кат должна знать. Послушай, дорогая, я ведь помню, как Мэм все смеялась насчет этой лестницы, она пускала по ней Колина Хэя, когда тот приходил на свидание. Уверена, ты знаешь, где вход, а выход как раз в те самые покои, так ведь?

Молодая вдова поколебалась, а затем негромко признала:

— Да. Так и есть.

Король старался не показать голосом свое нетерпение. Старая дама явно полюбила его и лукаво пыталась ему посодействовать.

— Ладно же, Кат, не стесняйся! Что это за тайный ход?! Есть здесь такой?

Катриона прошла к огню и нажала на розу, вырезанную слева от каминной доски. Отворилась небольшая дверца. Вынув из бра горящую свечу, графиня знаком показала следовать за ней. Кружа по холодной шахте, мерцающий огонек поднялся на два с половиной лестничных пролета. Затем Кат остановилась. Подняв руку, она ощупала лепнину на стене. Разом открылся проем. Шагнув через порог, они оказались в какой-то комнате, судя по всему, в женской спальне.

— Как мило! — только и выдохнула Мэг. А король просто улыбнулся.

— Если идти по ходу вниз, — пояснила Кат, — то вы выйдете в маленький дворик у подножия башни.

— Очаровательно, — молвил Джеймс. — А теперь, — и он взял у Кат свечу, — я посмотрю, смогу ли сам найти дорогу вниз.

— Мы оставим нашу дверь открытой, — сказала Мэг, — пока вы не выйдете в целости и сохранности. Тогда крикните, дорогой мой.

Король скользнул в дверь и начал спускаться.

Огонек пропал из виду. Наконец леди услышали крик:

— У меня все в порядке, тетушка Мэг, — и послышался щелчок закрывшейся двери.

Кат закрыла тогда и другую дверь, а затем, повернувшись к свекрови, воскликнула:

— Господи, мадам! Несомненно, вы всю жизнь занимались не своим делом. Вам надо было продавать девственниц в Хайгейте.

Мэг рассмеялась.

— По-твоему, он не подозревает?

— Нет. Единственное, что он понял, — это что вы на его стороне. Держите меня, Мэг! Теперь уж, когда я уеду, Джеми ничего не грозит! Король подумает, что все Лесли его обожают.

— А тебе и в самом деле надо ехать, дорогая. Как же он на тебя смотрит! О небеса! У меня от этого даже кровь стынет в жилах! Так тебя бы и сожрал! Тебе здесь с ним не страшно?

— Нет, Мэг, я уже привыкла и знаю, как с ним обращаться. На этот раз, однако, придется играть застенчивую и очень раскаивающуюся любовницу. Будет нелегко, но ничем нельзя показать, что я просто выжидаю время.

Кат прошла к гардеробу и вытащила темно-фиолетовое бархатное платье.

— Не думаю, что Патрик бы возразил, если на свадьбу Джеми я сниму с себя траур. — Она обернулась. — Проклятие, Мэг! Где же он? Не могу поверить, что он погиб, и, однако, если его корабль не прибыл в Новый Свет, то куда же он делся? Или я дура? Я просто чувствую за собой вину за его отъезд.

Мэг кивнула.

— И у меня то же самое. Конечно, я бы что-то ощутила, если б мой сын умер. Его как бы нет, и все-таки он есть. Но ты поезжай, Кат. Как ты думаешь, он когда-нибудь вернется?

— Не ко мне, Мэг. Я чувствую, что Патрик как-то ушел из моей жизни. Иначе я бы не смогла уехать, даже при том, что король ко мне липнет.

— Отдохни, дорогая, — ласково посоветовала Мэг. — Боюсь, что вечер у тебя будет долгим.

И прежде чем уйти, старая вдова обняла невестку. Кат даже не стала звать служанку. Она сняла свою темную одежду, легла на кровать и уснула беспокойным сном. А когда проснулась, то Сюзан уже деловито наполняла новую фарфоровую ванну.

— Как надушить, мадам?

— Сирень, — велела Кат, лениво потягиваясь. — Я надену фиолетовое бархатное, Сюзан. Когда ты там закончишь, то принесешь мою шкатулку с драгоценностями.

Несколько минут спустя она уже сидела, перебирая многочисленные украшения, и решала, что наденет. Ее взор оста-

344

новился на золотой филигранной цепочке, посверкивавшей крупными жемчужинами и аметистами. Кат приложила ее к фиолетовому платью и улыбнулась. Час спустя она уже была готова: искупана в надушенной воде, одета в фиолетовое платье с глубоким вырезом, и ее роскошные груди соблазнительно выпирали над кремовыми кружевами. Волосы цвета меди разделены пробором посередине, оттянуты назад над ушами и закручены в узел на затылке. Спереди эта прическа казалась очень строгой. Сзади же, охваченные розовато-лиловыми и белыми шелковыми цветками, волосы выглядели обворожительно женственными.

В тот вечер в большом зале Гленкерка обедало больше двухсот человек, включая гленкеркских Лесли, ведомых молодым Джеймсом, сайтенских — со своим графом, двоюродным братом Катрионы Чарлзом, и Хэев с ее отцом во главе. Ближайшие родственники насчитывали около девяноста пяти персон, не считая Мор-Лесли, внебрачную линию семьи. Присутствовали также многочисленные Гордоны, поскольку Джордж Гордон, граф Хантли, был главой клана. И, наконец, прибыл король со своей несчетной свитой. За всю жизнь Кат не видела замок таким переполненным.

За высоким столом король оказался между невестой и ее матерью. Какая досада — Кат сидела по другую руку от сына. Прекрасная графиня Гленкерк не испытывала недостатка в поклонниках. Но когда долгий ужин закончился и начались танцы, она отказывала всем кавалерам, говоря, что станет танцевать на свадьбе у сына, но не раньше. Ведь она все еще в трауре.

Так и сидела Кат, скромно наблюдая за гостями с возвышения. Король сначала танцевал с Беллой, затем с Мэг и напоследок с Генриеттой. Выполнив свой долг, Джеймс вернулся на помост и сел рядом с графиней. Паж вложил ему в руку кубок с охлажденным вином, и он со смаком отпил. Наконец сиятельный гость сказал:

— Как это возможно, мадам, что сейчас вы еще более красивы, чем четыре года назад? Я с ума схожу по тебе, Кат! И жажду остаться с тобой наедине!

— Ваше величество очень добры.

Он издал нетерпеливый возглас.

— Почему ты держишься со мной так чопорно, любовь моя? С той минуты, как я приехал, ты не сказала мне ни единого ласкового слова.

— У вашего величества надо мной преимущество, — тихо молвила Кат. — Мы расстались не самым лучшим образом.

Король засмеялся, про себя торжествуя.

— Разберемся со всем этим потом, любовь моя. А теперь улыбнись-ка мне. — И, протянув руку, Джеймс поднял ее лицо к своему.

Изумрудно-зеленые глаза встретились с янтарными, и графиня робко улыбнулась. Король почувствовал, как им овладевает желание. Он хотел Катриону, как хотел всегда, но на этот раз главенство надо было установить немедленно. Кат — страстная маленькая лисичка, но если уж она примет его как своего повелителя, то останется ему верна.

Примерно в полночь графиня, смеясь, объявила гостям, что желающие удалиться могут это сделать, а остающиеся пусть танцуют, пьют и играют до самого рассвета. Как и следовало ожидать, старшие по возрасту покинули залу. Однако король все сидел. Кат пришлось задержаться, чтобы пожелать гостям спокойной ночи, но наконец-то и она смогла уйти.

В спальне горничная сняла с нее платье, туфли и украшения и все убрала. Нагрузив Сюзан целой охапкой нижних юбок, графиня с задумчивым видом стянула с себя шелковую блузу и тоже отдала. Оставшись в одних чулках. Кат сказала:

— Отправляйся в постель, Сюзан. Уже поздно, и я могу сама все закончить. Встану поздно, так что не беспокой меня до полудня.

Девушка ответила реверансом и удалилась. Кат села на кровать. Сняв подвязки, отороченные кружевом, она скатала чулки. Расчесывая свои густые волосы, графиня вспоминала последнюю встречу с Джеймсом. Некоторое время спустя, изнуренная свадебными приготовлениями и мучимая воспоминаниями, она уснула. А проснулась от прикосновения чьего-то горячего рта к соску ее левой груди. Мигом проснувшись, Катриона увидела очень насмешливые глаза цвета янтаря. Затем вдруг взгляд короля посерьезнел, и Джеймс сказал:

— Вставай, Кат. Прежде нам надо уладить кое-какие дела.

Она в недоумении сбросила одеяла и встала с кровати совершенно голая. Глаза у короля сразу потеплели, но голос был холоден:

— Я согласен простить вам ваше прошлое дурное поведение, мадам. Но весной вы вернетесь ко двору и будете открыто жить со мной как любовница. Станете исполнять мои малейшие прихоти. Я не потерплю неповиновения, Кат! Ты принадлежишь мне! Понимаешь?

— Да, — прошептала она, ошеломленная его неожиданной яростью.

— Тогда падай ниц как рабыня и проси у меня прощения.

Ее чуть не вырвало.

— Джеми, пожалуйста! Неужели тебе надо подвергать меня такому позору? Я знаю, что ты мой господин, но не заставляй меня делать это.

— Кат, ты гордая женщина. И я не смогу поверить, что ты искренне мне покоришься, пока ты не сделаешь то, что я тебе приказал. Сколь бы тебе это ни было отвратительно. Если ты соглашаешься покориться, то надо начать с этого.

Хотя внешне Кат оставалась смиренной, внутри у нее все кипело. Если она откажется, то король не будет ей доверять. Придется уступить, чтобы развеять его страхи. Проглотив комок в горле, графиня склонилась, и ее голова легла на туфлю монарха.

— Простите меня, милорд король, — тихо сказала она.

На какой-то ужасный миг Джеймс поставил свою ногу на ее тонкую шею. Одним нажимом он запросто переломил бы ее. Кат закусила губу до крови, пытаясь не показать ни страха, ни гнева. «Ты заплатишь за это, Джеймс Стюарт! — подумала она. — Боже милостивый! Как же, надеюсь, тебе будет больно, когда я тебя брошу! Пусть это терзает и мучает тебя всю оставшуюся жизнь и пусть не встретится тебе другой женщины, могущей ублажать тебя, как я!»

Затем внезапно нога убралась, и Джеймс уже поднимал свою рабыню. Его улыбка была нежна.

— Прости, любовь моя, но мне надо было увериться, что на этот раз ты сдашься без боя. Нет на свете другой женщины, ради которой я пошел бы на такие хлопоты, но ты стоишь того, Кат. Боже! Ты возбуждаешь меня!

Он притянул графиню в свои объятия и, немедленно припав к ее устам, раздвинул ей губы и вторгся в рот языком.

Только все самообладание Катрионы позволило ей не оттолкнуть короля. Она нашла утешение в слезах, опустив голову и рыдая ему в плечо. Довольный, что на этот раз покорил ее по-настоящему, Джеймс стал великодушным. Он опустил любовницу на кровать, взял ее лицо в свои ладони и снова поцеловал. Его пальцы прикоснулись к ее пышной груди. Сжав в руках мягкую плоть, король наклонился, и его губы принялись бродить по ее телу.

С ужасной, ошеломляющей ясностью Кат осознала, что ничего не чувствует. Ее тело, которое всегда уступало сладостному напряжению любовных ласк, теперь не отвечало на них. В испуге она слабо брыкалась под королем. Джеймс же, приняв эти движения за проявления страсти, просунул колено ей между ног и вонзился в нее. И так был поглощен своим собственным желанием, что и не заметил, что она ничего не ощущала.

Кат мутило от страха, что Джеймс угадает ее мысли, и она выгибала навстречу ему свои бедра, шептала на ухо ласковые слова. Судя по всему, король ничего не видел вокруг себя, а когда его страсть разразилась в ней дикой бурей, она обхватила его своими руками и, прикрыв глаза, тихо замурлыкала что-то нежное.

Насытившийся Джеймс лежал на ней, тяжело дыша.

— Христос! — воскликнул он. — Никогда не встречал подобной девки, Кат! Ни одна не удовлетворяла меня так, как ты!

Король скатился на простыни, оперся на локоть и стал ее разглядывать.

— Тебе тоже было хорошо, любовь моя? Знаю, у тебя уже много месяцев не было мужчины. — Играя, он покусывал ее грудь. — Ублажил ли я тебя, Кат?

Графиня отвернулась, на какое-то время потеряв дар речи. Теперь она знала, что чувствуют все шлюхи мира. По лицу у нее катились безмолвные слезы. Но Джеймс снова перевернул ее на спину и нежно смахнул капельки с ее щек.

— Меня называют мудрым монархом, — сказал он, — но с девками я глупец. Последним держал тебя в объятиях и ласкал

Патрик. Вижу, что ты еще не смирилась с его смертью. — Руки короля обвились вокруг нее. — Я люблю вас, миледи Гленкерк. Мне страшно тебя не хватало, Кат. Страстно хотелось владеть тобой. Не плачь, милая. Патрик рад был бы узнать, что ты под моей защитой.

Она отвечала каким-то сдавленным звуком, который был сочтен за новое проявление горя. Король притянул ее еще ближе и слегка сжал. А выпустив, встал с кровати и прошел по комнате.

— Теперь, милая, я удаляюсь, ибо этот день изнурил тебя, я вижу. — Открыв тайный ход, он шагнул в него со словами: — Спи спокойно, моя прекрасная любовь.

И дверь за ним закрылась.

«Хоть один-то раз, — подумала Кат, — Джеймс ушел когда надо». Она лежала на спине, подложив руки под голову и разглядывая бархатный балдахин над кроватью. Что же с ней случилось? Она всегда считала свою чувственность каким-то проклятием, но теперь желала получить ее обратно! Только однажды в прошлом тело отказалось ей повиноваться, и это произошло после той ужасной ночи, когда Патрик с королем целую ночь насиловали ее разными способами. Но она в конце концов пережила. Что же случилось теперь? Было ли дело в Джеймсе? Или в ней самой? Королю оставаться здесь еще по крайней мере пять ночей, и что-то надо было предпринять.

Но что она могла сделать? Придется изображать страсть и молить Бога, чтобы Джеймс обманулся. Хотелось поговорить с кем-нибудь, кто бы понял ее положение, и помочь ей мог только один человек.

Хотя Адам Лесли поднимался рано, его жену пришлось будить горничной.

— Сюзан говорит, что госпожа Кат хочет поговорить с вами. Так! Вставайте, госпожа Фиона! Я приготовила вам платье! Поспешите! — подгоняла сонную леди ее служанка Флора.

С превеликими мучениями Фиону засунули в платье и повели по заброшенному коридору в западную башню. Там она обнаружила, что графиня ждет ее с большим нетерпением.

— Оставь нас, Сюзан! Когда ты понадобишься, я позову. Если кто-то спросит, то скажи, что я еще сплю.

Когда девушка закрыла за собой дверь, Фиона налила себе кубок разбавленного вина и сказала:

— По твоему виду не скажешь, что ты сегодня спала.

— Я и не спала.

Фиона развалилась на кровати.

— Дай угадать, — сказала она. — Снова король!.. Знаю, он все еще питает к тебе страсть. Прошлой ночью в зале едва взгляд мог от тебя оторвать. На этот раз ты от него не скроешься, Кат. Ясно как божий день, что он намерен тебя поиметь.

— Уже поимел, Фиона, — сухо молвила Кат, — и ушел счастливый. Только одна незадача. Я ничего не чувствую. Любовник он — лучше не надо, и Бог знает, мне это требовалось. Но я не сумела возбудить в себе никакой страсти. Прошлой ночью ему так не терпелось овладеть мной, что он не заметил. Но что будет сегодня? Боже, кузина! Что мне делать? Фиона, прости, но прежде чем ты вышла за Адама, у тебя было много любовников. Неужели ты испытывала страсть со всеми? Или с некоторыми притворялась? Я не умею притворяться!

— Чепуха, — рассмеялась Фиона. — Надо просто дрыгать бедрами и немного вертеть головой. Потом ты стонешь и тяжело дышишь. Обычно мужчины настолько поглощены своей похотью, что и не замечают, испытывает ли женщина наслаждение. Послушай, Кат, это ведь всего несколько ночей. После свадьбы он уедет. Держи его крепче и шепчи, как он чудесен, как тебе нравится то, что он делает. Ты понимаешь, кузина?

— Да, Фиона, но это совсем не на несколько ночей. Он приказал мне весной явиться ко двору.

— Черт возьми, Кат! Зачем мне об этом рассказывать? Ведь ты же не собираешься ехать. Ты сделаешь то, что сделала бы я в твоем положении. Ты убежишь к Ботвеллу! А если нет, то ты величайшая дура, какую я знаю! Чего же удивляться, что ты ничего не чувствуешь с Джеймсом, если у тебя был Френсис Хепберн? Вот тот-то уж настоящий мужчина!

Кат восторженно засмеялась:

— Я рада, что мы с тобой подруги, Фиона! Ты так все чудесно понимаешь! Но Боже мой! Прошлой ночью я так перепугалась! Джеми был в такой охоте, а я ничего не чувствовала!

Рот Фионы задергался, она развеселилась.

— И что же ты сделала?

— Я заплакала, а Джеми подумал, что это по Патрику. Он утешал меня тем, что Патрик бы обрадовался, увидев меня с ним! Ты можешь в такое поверить?

Фиона поперхнулась вином.

— Чудо еще, что дух Гленкерка не восстал и не пнул его по высочайшему заду! — Затем она сказала: — Что ж, начало неплохое. Если сейчас Джеми заметит у тебя какую-то неохоту, то подумает, что ты просто никак не можешь смириться с гибелью Патрика.

Но с лица Кат не сходила озабоченность.

— Действительно ли дело в Джеми, кузина, или что-то случилось со мной?

— В Джеми, — без колебаний ответила Фиона. — Ты же никогда не была холодной. Женщины Лесли вообще такими не бывают. О, мы с тобой проявляем нашу чувственность весьма открыто. Но не думай, что если наши вареные кузины выглядят такими чопорными и приличными, то они холодны. Мой бедный братец Чарлз прямо изнурен запросами дорогой Джанет, и я полагаю, всем известно, как твой брат время от времени убегает от страстной Мэри. Да, и я знаю из самого верного источника, что нашему кузену Джеймсу приходится услуживать Эйлис ежедневно, а не то она заигрывает с конюшими!

Обессилев от хохота, Кат повалилась на кровать.

— Ох, Фиона, — только и вздохнула она, — как теперь я смогу смотреть в глаза Джанет, Мэри и Эйлис и при этом не смеяться? Какая же ты славная сука, кузина! И откуда ты только все это узнала?

Фиона подняла свою изящно выщипанную бровь.

— Я никогда не изменяла Адаму, если ты подумала об этом, — молвила она, а затем ее щеки покраснели. — Хорошо... только раз, — тихо поправилась она. — Я просто такая женщина, с которой мужчины откровенны, Кат.

Какое-то время леди оставались в молчании, а потом графиня снова спросила:

— Я смогу это, Фиона?

— Если всякая может, — ответила кузина, — то и ты тоже! Отобрав у тебя одно счастье, Джеймс, не желая того, дал другое. Смелее, Кат Лесли! Пусть никто тебя теперь не остановит!

41

Приближался день свадьбы, и замок Гленкерк наполнялся приезжими. И куда их только помещалось так много! Граф Хантли был в Шотландии влиятельным человеком, а присутствие короля поставило на всем празднике особую печать торжественности. Гостей пришлось размещать во вдовьем доме, уже под самыми крышами замка. Кат разрешила даже некоторым дамам и их горничным спать у нее в прихожей. Ее собственная прислуга сгрудилась в комнате Сюзан, освободив еще две маленькие комнатки. Слуги, приехавшие с господами, спали по всем возможным углам и щелям.

К счастью, стояла хорошая погода, и гости могли проводить день на свежем воздухе, охотясь вместе с королем, который страстно любил это занятие. Кат не любила охоту и под предлогом свадебных приготовлений от нее отказывалась. Но Мэг с Гордонами и младшими членами семьи выезжали вместе с Джеймсом. Король был в восторге от старшей гленкеркской вдовы и прилюдно называл ее тетушкой Мэг. Каждый день она ехала с ним колено к колену, редко от него отлучаясь. Юный Джеми тоже в открытую восхищался его величеством, что монарху крайне нравилось. В этой здоровой простой семье Джеймс просто расцветал. И как только положение Кат в его жизни станет всем известным, он намеревался включить этих людей в число своих домочадцев.

К величайшему облегчению Кат, в последующие два вечера король оказывался слишком занят, чтобы наносить ей визиты. Она, конечно, не знала, что Джеми удавалось подсыпать в вино ему сонного зелья. И едва Джеймса Стюарта облачали в ночную рубашку, как он сразу погружался в беспробудный сон.

Однако 18 декабря король настоял, чтобы молодая вдова выехала с ним. Поскольку графиня терпеть не могла длинные по моде юбки для верховой езды, она надела то, что всегда надевала на прогулки верхом: короткие зеленые мужские штаны, высокие кожаные сапоги, кожаный камзол, белую шелковую рубашку, широкий пояс — и взяла с собой широкий, тяжелый леслиевский плед на случай, если будет очень холодно. За поясом у нее торчал кинжал с рукояткой, усыпанной драгоценными камнями, а руки облегали мягкие кожаные перчатки.

Мужчины, выехавшие вместе с ней, придерживались единого мнения: Катриона Лесли выглядела великолепно. У нее не только были красивые груди, выпиравшие столь же бесстыдно, как у какой-нибудь девушки, но оказалась еще и чертовски стройная нога. Женщины помоложе восхищались смелостью графини. Среди дам постарше некоторые нашли ее одеяние возмутительным, а другие позабавились, посчитав это явным чудачеством.

Хотя Кат и не терпела праздных развлечений, она скакала подобно юной Диане. Когда собаки готовы уже были растерзать добычу, именно Кат соскочила с коня и отогнала их своим маленьким, но грозным хлыстом из сыромятной кожи. Никто, правда, не знал, что она выучилась управляться с псами именно потому, что не желала видеть, как перегрызают горло прекрасным диким животным.

Убили всего трех оленей — двух самок и одного самца, — а Джеймс приказал уже заканчивать охоту. Когда он смотрел на леди Лесли, то в его глазах загоралось желание. Охотница возбудила в короле страсть, и, к ее смущению, он никак этого не скрывал. Теперь мужчины уже дерзко ее оглядывали, и Кат знала, о чем они думали: «Завалит ли графиню король?»

А женщины косились на нее с чувством, которое было сродни зависти, ибо, кроме своей прелестной королевы, Джеймс Стюарт в открытую не домогался ни одной женщины. Стать любовницей короля почиталось за честь. А Кат пришла в ужас. Она не желала, чтобы король при всех выказывал свои чувства к ней.

Чтобы разрядить обстановку, она повернулась в седле и, смело оглядев остальных, громким голосом объявила:

— Ставлю десять золотых, что ни один мужчина здесь не доскачет до замка быстрее, чем я на моем Иолэре! — И, резко взнуздав коня, Кат пришпорила его, пустив галопом.

За ней поскакало не меньше дюжины всадников, включая короля. Адам Лесли повернулся к жене, которая кусала губу, еле сдерживая смех.

— Она надеется охладить его пыл, — тихо сказала Фиона, — но только еще больше его разжигает.

Кат скакала, низко наклонясь над шеей Иолэра. Крупный золотисто-гнедой мерин двигался плавными скачками, легко уходя от преследователей.

— Вперед, мой огромный, мой золотой, — шептала она. — Никто не обгонит тебя!

И внезапно графиня увидела какую-то темную злобную тварь, которая подтягивалась сзади, нагоняя ее. Вороной жеребец короля! Джеймс — великолепный наездник, и он решительно настроен выиграть. Но не такая она женщина, чтобы уступить. Пусть король добивается победы!

С лесистых холмов на равнину, окружавшую замок, с грохотом выскочила дюжина лошадей. Воздух разрывали дикие горские кличи, и казалось, что летящие копыта выбивают искры из замороженной земли. На стены замка высыпали гленкеркские воины. Когда гнедой вырывался вперед, они криками подбадривали свою леди, а когда его обгонял вороной, то ревом выражали свое недовольство. И вот эти люди снова закричали — гнедой первым проскакал по опущенному мосту во двор замка, лишь секунду выиграв у вороного. Минуту спустя в ворота ворвались остальные всадники.

Кат легко соскочила с седла и бросила поводья конюшему. Она потрепала морду Иолэра и что-то прошептала ему на ухо. Взбежав по ступенькам, обернулась.

— Все золото, что вы мне должны, джентльмены, соберу вечером. — И засмеялась, увидев их лица. — Ах, Сэнди, — нашла она взглядом лорда Хоума, — ты же знаешь, как быстр Иолэр. Уж ты-то почему принял мой вызов?

— Думал, что этот проклятый мой новый серый поскачет не хуже, — проворчал Хоум.

Его ответ был встречен смехом, и Кат снова прокричала:

— В большом зале есть мясо и вино, джентльмены. Поешьте от души! — И скрылась в замке.

Смеясь и разговаривая, дворяне спешились и толпой поднялись в большой зал. Только налив себе в огромные кубки сладкого золотого вина и отрывая кусками мясо и хлеб, они заметили, что короля среди них не было. Оглядевшись, один из гостей заметил:

— Похоже, Джеми сегодня еще не наскакался.

— Да, — проговорил другой тихо, но отчетливо, — однако я бы предпочел поскакать верхом на той золотоволосой кобыле, нежели на этой его вороной бестии.

Раздался смех, а потом кто-то заметил:

— Держу пари, что кобыла еще необузданней жеребца.

— Но и нежнее, — раздался чей-то ответ. Звенел смех, и каждый из джентльменов старался скрыть свои мысли по поводу прекрасной графини Гленкерк.

А Джеймс Стюарт тем временем взбежал по лестнице в покои Катрионы и, разгневанный, прошагал к ней в комнату. На графине не оставалось уже ничего, кроме шелковой рубашки, и, в отличие от перепугавшейся горничной, она даже не выказала никакого удивления.

— Иди, дорогая Сюзан. Я позову тебя, когда понадобится.

Девушка выбежала из комнаты.

— Итак, Джеми?

Взгляд графини был надменен, и только бьющаяся жилка у нее на горле выдавала волнение.

— Лиса, — прорычал король с темным от гнева лицом. — Развратная лиса! Потащила за собой всю стаю, словно кобелей за сукой! Ты принадлежишь мне, Кат! И я не позволю никакому другому мужчине воображать, что он может найти у тебя между ног!

Джеймс уже не помнил себя от ярости. Одним рывком он разорвал на графине рубашку и толкнул обратно на кровать. Немедленно оказался на ней и коленом раздвигал ее бедра. Ошеломленная и одновременно рассерженная, Катриона попыталась отбиваться. Она впилась было в него ногтями, но король одной рукой схватил ее за запястья и поднял их высоко над головой. Она яростно корчилась под ним, но в ее несогласное и неготовое тело уже вонзился жесткий член. Кат заплакала от боли и возобновила борьбу. И тогда Джеймс опустил голову и безжалостно укусил ее за сосок. Она взвизгнула, но отбиваться не перестала. Однако сопротивление, казалось, только распаляло короля. Причиняя ей боль, он испытывал огромное наслаждение.

Испугавшись ярости, исказившей лицо Джеймса, графиня переменила тактику. Она перестала отбиваться, и ее бедра начали двигаться нежными размеренными движениями, которые так сводили короля с ума. Его хватка ослабла. Высвободившись, Кат обняла ненавистную голову и прижала к своим губам.

— Нет, милый, — прошептала она хрипло. — Не причиняйте мне боли, Джеми. Любите меня, милорд! Сейчас же!

И ее пухлый рот нашел его губы, требовательно вдавился в них, пока они не раскрылись, не впустили ее маленький язычок, который заскакал внутри подобно пламени.

Жестокость у короля обратилась в страстное желание, и он жадно попытался его удовлетворить.

— Ведьма, — прошептал Джеймс, зарываясь в шелковистую копну ее волос. — Всегда говорил, что ты маленькая ведьмочка! Ах, любовь моя нежная!

И он тихо лежал, слушая, как сильно бьется ее сердце.

А Кат с облегчением вздохнула. Джеймс и сегодня не заметил ее холодности. Причем даже похвалил усердие в любви:

— Христос! Любовь моя! Ты прямо вытягиваешь из меня все силы! — Он запечатлел жгучий поцелуй на ее груди там, где его зубы оставили слабый след. — Мне очень жаль, Кат. Я не хотел делать тебе больно, но ты возбудила во мне страшную ревность, любовь моя. Я не мог вынести, что они на тебя так смотрят! Такой любовницей, как ты, можно только гордиться, Кат. От одного твоего взгляда мужчины сходят с ума. Приезжай ко мне ко двору сразу после свадьбы! Я не могу ждать больше, моя сладкая.

У Кат перехватило дыхание. Вот этого-то она и боялась с самого начала. Подняв руку, она нежно тронула его лицо.

— Нет, Джеми, любимый мой, — едва ли прошло три месяца, как ты объявил Патрика мертвым. И если тебе нет дела до моей репутации, то мне — есть. После свадьбы Джеми надо будет заняться замужеством Бесс, а там уже до весны — рукой подать. Совсем скоро, милорд. Разве ожидание не сделает нашу любовь более нежной, Джеми? И не позволяй сплетникам говорить, что ты меня ставишь так низко, что даже не даешь мне времени до конца оплакать законного мужа. А придет весна — и никто не посмеет сказать, что я обесчестила Гленкерка, побежав за твоей милостью и за твоей защитой.

— Да, ты всегда была осмотрительной и осторожной. — В мурлыкающем голосе короля послышалось одобрение. — До чего же дивной ты будешь любовницей, Кат! К этому времени на следующий год твой живот уже распухнет от моего сына, и какой же это будет сын! Наше дитя! Я подожду, любимая, подожду!

Она нежно ему улыбнулась, подумав: «Сгнию в аду, прежде чем понесу твоего ублюдка, Джеймс Стюарт!»

Но теперь ей уже и в самом деле ничто не грозило. Когда на этот раз король покинет Гленкерк, она больше его никогда не увидит. И теперь графиня испытывала к нему почти ласковые чувства.

В ту ночь она снова избежала его домогательств. На следующую короля также удалось сдержать под тем предлогом, что был канун торжества и ей требовалось хорошо отдохнуть.

Свадьба Джеймса Лесли с Изабеллой Гордон удалась: залогом успеха оказались хорошая подготовка, богатый стол и чудесная погода. Прелестная невеста сияла, жених был красив и изыскан. Нескончаемой чередой подавались яства, предлагались новые и новые развлечения. Наконец Кат, Бесс и Генриетта увели Изабеллу от жениха и, преследуемые группой шумливых молодых людей, укрылись в покоях графа. Горничная сняла великолепное свадебное платье невесты и убрала его. Беллу немедля облачили в бледно-розовый ночной пеньюар, а лицо, руки и шею ей омыли теплой надушенной водой. И Генриетта расчесала ее длинные темные волосы.

— Помни, что я тебе говорила, — тихо сказала мать дочери.

Белла кивнула.

— А что ты ей говорила? — весело полюбопытствовала Катриона.

— Что она должна повиноваться Джеми во всем, что он ни пожелает, — просто ответила Генриетта.

— И ничего более? — с недоверием в голосе воскликнула Кат. — Риетта! Как же ты могла?

Маленькая графиня Хантли готова была расплакаться.

— Кат, я пыталась! Только вчера еще она была моей малышкой, а теперь ей вдруг пятнадцать лет, и она выросла! Я попыталась рассказать ей, что происходит между мужчиной и его женой на супружеском ложе, но она выглядела такой надменной... и я смутилась!

— Налей графине Хантли вина, — приказала Кат служанке. — Бесс, смотри за дверью. — Она повернулась к Изабелле. — Итак, моя девочка, ты знаешь, что случается между мужчиной и женщиной?

— Нет, свекровь, — прошептала невеста, опустив глаза.

— Боже мой! — воскликнула Кат. Но не успела более произнести и слова, потому что дверь распахнулась, и в комнату ворвалась толпа джентльменов, толкавших впереди себя жениха. Пока чаша с пряным вином шла по кругу, Кат сумела оказаться рядом с сыном. Дыша винными парами, он склонился поцеловать ее.

— Джеми, — тревожно зашептала графиня, — Белла совершенно невинна. Эта блаженная Генриетта оробела и не смогла поговорить с дочерью откровенно. Будь сегодня со своей девочкой нежен до крайности. То, что случится на первый раз, потом скажется на всем ее отношении к любви.

Сын тихо кивнул, и глаза его посерьезнели.

— Я понял, мама. Обещаю быть ласковым.

Тост подняли, шутки с пожеланиями прокричали, и спальня молодоженов освободилась ото всех, кроме жениха и невесты. В толпе выходящих король нашел Кат.

— Чтобы вернуться домой к Рождеству, я должен выехать наутро. Буду у тебя в комнате через час.

«Один только последний раз, — подумала она. — И после этой ночи я навсегда отделаюсь от тебя, Джеймс Стюарт».

Но что ей делать сегодня? Кат снова послышался голос Фионы: «Люби его, кузина. Ты знаешь как». Вернувшись в большой зал, она осталась там еще раз выпить за новых графа и графиню Гленкерк, а затем, пожелав гостям веселиться в свое удовольствие, прошла в свои покои.

Сама, ибо сегодня она отпустила Сюзан, Кат наполнила таз водой, подогретой в чайнике на камине. Плеснув туда надушенного масла, она сняла одежду и вымылась. Взяв маленькую щетку, погрузила ее в миниатюрный хрустальный пузырек с солью и почистила зубы. Наконец, надушила свое тело, касаясь пробочкой между грудями, шеи и мягкой внутренней стороны бедер. Платье выбирала очень тщательно, ибо Джеймсу придется помнить эту ночь всю оставшуюся жизнь. Кат надеялась, что эта жизнь будет долгой-предолгой.

Она выбрала изысканный кисейный шелковый наряд, скроенный по греческому фасону. Платье цвета весенней зелени сочеталось с ее глазами. Закреплено оно было только на одном плече, откуда ниспадало до самого пола волнующимися линиями. Когда Кат двигалась, оно мерцало, а сквозь тонкий шелк соблазнительно просвечивало женское тело. Это платье походило на те, что она надевала для Джеймса несколько лет назад. Графиня не сомневалась, что он вспомнит.

Обмакнув гребень в мускус, она живо расчесала себе волосы и закрепила их на голове несколькими черепаховыми заколками, концы накрутила на пальце в мокрые завитки. Королю всегда нравилось распускать ее локоны, и сегодня надо привлечь его внимание всеми возможными способами. Когда он наконец уйдет от нее, то должен думать, что провел самую восхитительную ночь в своей жизни.

Посчитав себя готовой, Катриона позвонила, и пришла горничная, чтобы развести огонь. Затем графиня отпустила ее на ночь. Оставшись одна, Кат устроилась, как смогла, на дубовой скамейке у камина и принялась ждать. Ее мысли улетели в те времена — а прошло-то всего несколько лет, — когда она была еще любимой женой. Все было так просто.

Скрип потайной двери вернул ее к действительности, и она вскочила на ноги, изображая приветливую улыбку. Король шагнул в комнату и, задув свечу, поставил ее на каминную доску. Его янтарные глаза оглядели стройное тело в полупрозрачном платье, на мгновение остановились на выпуклостях грудей.

Он молча прошел по комнате и так же молча расстегнул у Кат застежку на плече. Платье скользнуло на пол с легким шорохом. По одной вытащив у нее из волос заколки, Джеймс бросил их на толстый ковер.

— Встань перед трюмо, — велел он.

Кат без слов повиновалась и не удивилась, когда мгновение спустя король оказался рядом. Он снял уже свою кремовую шелковую рубашку и был так же наг, как и она. Графиня невольно полюбовалась на красивого мужчину с крепким мускулистым телом и донельзя развитыми половыми органами. «Все эти проклятые Стюарты слишком одарены природой», — горько подумала она.

На удивление твердой рукой Джеймс обвил ее и притянул к себе. Склоня голову, он запечатлел на ее плече жгучий поцелуй, а затем поднял руку и начал страстно мять пышные груди. Прикрыв глаза, Кат затрепетала от отвращения и вознесла мольбу, чтобы король принял это за желание. Она почувствовала, как одна рука ласкает ей живот и длинные пальцы проникают в горячее и влажное место. Извиваясь, она высвободилась из объятий, ухватила любовника за руку и повела в постель.

Ее рот скривился, она понадеялась, что король сочтет эту гримасу за улыбку любви, и заговорила хриплым голосом:

— Позволь мне ласкать тебя, Джеми, любовь моя.

И, толкнув его спиной на кровать, Кат встала над ним, нависая своими роскошными грудями. Янтарные глаза блестели похотью. Полусидя, Джеймс захватил губами розовый сосок, но она, смеясь, отодвинулась и приглушила все возражения, накрыв его рот своим.

Легкие поцелуи обожгли королю лицо, а затем, перемещаясь книзу, превратились в сладостное покусывание. Обласкав грудь, Кат перешла на плоский живот и двинулась ниже, пока ее губы не нашли мужской орган. Взяв его в свой горячий рот, она припала к нему, как младенец припадает к груди матери. Король застонал и задрожал.

— Боже, Боже! Ах, ты ведьма! — И он все стонал и стонал от наслаждения, а его тело выгибалось навстречу ее рту.

Когда член короля стал жестким и был уже готов входить в нее, она выпустила его и взобралась на трепещущее тело. Полуприкрытые глаза Джеймса остекленели от страсти, он приподнимался, чтобы ласкать ее груди, а Кат плавно двигалась на нем, пока внутрь ей не излилось пенящееся семя. Тогда, крепко обвив руками, король перевернул ее на спину и посмотрел сверху вниз.

— Однажды, — проговорил он осипшим голосом, — я сказал тебе, что не позволю, чтобы на мне скакали, словно на девке, но... ох, Кат! Я не знаю, любовь моя! Я не знаю! Когда весной ты приедешь ко мне, то снова будешь любить меня, как сегодня? Да, моя охотница, ты будешь ласкать меня нежно, так ведь?

Кат ничего не отвечала, а только поглаживала его длинную спину, обхватывала своими теплыми ладонями округлые мужские ягодицы и мягко их массировала. Король не замедлил снова почувствовать желание и, почти страдальчески рыдая от наслаждения, опять глубоко вонзился в нее. Окончательно изнуренный, Джеймс уснул затем глубоким сном счастливого человека. Он лежал на животе, отвернув лицо и небрежно перебросив через Кат одну руку. А она лежала на спине и долго не шевелилась. Затем, убедившись, что он не проснется, осторожно сняла с себя мерзкую руку и выскользнула из постели.

Накинув легкий шерстяной халат, она заползла на оконное сиденье и невидящими глазами уставилась в ночь. По ее щекам катились горячие слезы, а тело содрогалось от приглушенных рыданий. Опять она ничего не ощутила и исполнила свою роль подобно шлюхе. Но, что хуже всего, Джеймс ничего и не заметил. Король жадно принимал все, что она давала, даже не подозревая о ее чувствах и о том, что она обманывает. Патрик Лесли почувствовал бы и Френсис тоже, но те по-настоящему ее любили. Король же, несмотря на все его прекрасные речи, просто вожделел. Может, он и сам этого не сознавал, но на самом деле ему нужна была просто высокородная шлюха — удовлетворять те горячие желания, которые занудная датская королева удовлетворить не могла.

Подавленность проходила, и Кат начала испытывать жгучий гнев. Джеймс попользовался ею как девкой из борделя, и она ненавидела его бешеной яростью. Ее принудили так замараться, как ей никогда не забыть. Но при этом, однако, она получила отмщение, задуманное с самого первого дня. Память о прошедшей ночи останется с ним навечно, станет жечь его сны подобно каленому железу, и он будет просыпаться с болью в чреслах.

Улыбнувшись безжалостной улыбкой, Катриона встала. Скинув халат движением плеч, она снова забралась в постель и укуталась пуховым одеялом. Король все еще спал, тихо похрапывая. Опершись на локоть, она пристально поглядела на него, и губы ее изобразили слова, которые он так и не услышал: «Прощай, Джеми! И сгори в аду, прежде чем я снова тебя увижу!»

42

Гости отбыли на следующий день, и на праздники остались только семьи жениха и невесты. Впервые за многие годы Лесли и Хэи пробудут под одной крышей от Рождества до Двенадцатой ночи.

Это радовало Кат, но радость ее была с горьким привкусом. Она знала, что вряд ли когда-нибудь еще увидит их всех вместе, и смаковала поэтому каждый день. А ее злоба на Джеймса Стюарта росла и росла. Она все более полно осознавала, во что обойдется ей его вожделение.

Когда наутро король уезжал, то низко склонился над ее рукой и, перевернув, поцеловал ладонь и тыльную сторону запястья.

— Сладострастная ведьма, — прошептал он. — Ты сводишь меня с ума. До весны, любовь моя. Это будет самая долгая зима в моей жизни.

«И еще более долгая, чем ты думаешь, гнилой ублюдок», — подумала Кат, подняв к нему лицо и нежно улыбаясь.

— До встречи, Джеми, любовь моя, — тихо проворковала она.

— Прощайте, мадам, — сказал он громко, чтобы все слышали. — Благодарим вас за ваше несравненное гостеприимство!

И не успел он пересечь подъемный мост, как графиня побежала в свою спальню, сорвала с кровати простыни и запихнула их в камин. Неистово заплясало пламя, и повалил дым. Бедная Сюзан вытаращила глаза:

— А разве нельзя было их отстирать, миледи?

— Во всем свете не хватит воды, чтобы отмыть эти простыни, девочка моя! Отнеси подушки с периной в бельевую и обменяй на новые.

Потом она подобрала с пола свой изысканный пеньюар и тоже бросила в огонь. «Никогда более, — подумала Кат. — Никогда более мне не придется быть проституткой! Никогда!»

— Вытащите из гардероба ванну, — велела она двум слугам, принесшим дневной запас дров. — А затем натаскайте мне в нее воды! — И пока графиня сидела у окна, созерцая спокойный черно-белый пейзаж, за ее спиной горничные застелили кровать свежим бельем. Ванна понемногу наполнилась, и в комнате остались только они вдвоем с Сюзан, которая наливала в чан с горячей водой экстракт из диких цветов.

Кат встала и разделась. Обнаженная, она осмотрела себя в трюмо. У нее все еще хорошая фигура и, несмотря на то что ей за тридцать, живот все еще плоский, славные груди тверды, и на всем теле нет ни унции жира. Графиня шагнула в ванну и опустилась в теплую воду.

362

— Сюзан, принеси скамейку и сядь рядом, — велела она. — Я поговорю с тобой с глазу на глаз.

Девушка исполнила приказание и доверчиво взглянула в лицо своей госпожи.

— Скажи мне, дитя, у тебя есть возлюбленный?

— Нет, мадам. Есть несколько парней, с которыми я гуляю, но такого, чтобы приковать себя на всю жизнь...

— Ты хочешь выйти замуж, Сюзан?

— Не особенно, миледи. Если появится подходящий мужчина, то возможно. Мой папа говорит, что я такая же непоседа, что и моя прабабка, и когда-нибудь это доведет меня до беды.

Кат улыбнулась.

— А ты хотела бы повидать мир? — спросила она.

— О да, миледи!

— Сюзан, то, что я скажу тебе, — тайна, и, поскольку я знаю, что ты мне верна, полагаю, ты ее не выдашь. Король желает сделать меня своей любовницей, и хотя некоторые почли бы это за честь, я так не думаю. После свадьбы Бесс я покидаю Шотландию. Я никогда не смогу вернуться домой, хотя ты сможешь, если пожелаешь. Я хочу, чтобы ты поехала со мной.

— Вы поедете к лорду Ботвеллу? — прямо спросила девушка.

Кат кивнула.

— Хорошо! Теперь ваше место там. Я поеду с вами. Но одной служанки вам мало. Нельзя ли нам взять с собой мою маленькую сестренку? Ей четырнадцать. Ее зовут Мэй, и она страсть как восхищается вами. Я немного учила ее, так что девочка кое-что умеет.

Кат снова улыбнулась.

— Спасибо, Сюзан. Да, мы возьмем юную Мэй, но ты ничего не скажешь ей до самой последней минуты. Если только король заподозрит, что я собираюсь бежать...

Сюзан кивнула с мудрым видом. Разговор окончился, и она поднялась, чтобы позаботиться о теплых полотенцах. Кат взяла мягкую щетку и, стоя, принялась себя тереть. Затем она снова опустилась в воду и воскликнула:

— Так-то, Джеймс Стюарт! Вот вас и нет!

— Аминь! — произнесла Сюзан, увидев, что госпожа поднялась из ванны, и оборачивая ее пушистым полотенцем. Кат засмеялась счастливым смехом.

— Почему, Сюзан, мы так хорошо понимаем друг друга, хотя ты прислуживаешь мне всего лишь несколько лет? Твоя тетушка Эллен была у меня со дня моего рождения, а теперь так действует мне на нервы!

— Это потому, госпожа, что она приняла вас еще ребеночком. Трудно относиться к человеку всерьез, если вы меняли ему пеленки. Она лучше находит общий язык с леди Бесс. К тому же тетушка слишком стара, чтобы круто менять свою жизнь и отправляться бродить по свету.

— Да, моя чопорная Бесс вполне подходит для Элли. Боже мой, Сюзан! Еще каких-то неполных два месяца, и Бесс станет женой!

— Да, за нее можно не бояться. А как с остальными?

— О них тоже позаботились, и больше об этом говорить не будем.

Сюзан поняла намек. Она помогла госпоже одеться и отправилась делать другие дела.

Рождество в Гленкерке отпраздновали тихо. Была прекрасная полуночная месса в церкви аббатства. Потом все спустились в фамильный склеп под часовней и при свете свечей украсили его зеленью. Вслед за аббатом Чарлзом Лесли произнесли молитвы. Когда семья ушла, Кат осталась, сидя на небольшой мраморной скамеечке. В мерцающих отблесках свечи, в глубокой тишине, она набиралась сил. Ее глаза переходили от могилы к могиле, пока не добрались до большой медной таблички с надписью: «Патрик Пан Джеймс Лесли, четвертый граф Гленкерк, родился 8 августа 1552 года, погиб в море в апреле 1596 года. Оплакиваем любимой женой Катрионой Маири и их девятью детьми. Покойся в мире». Она почувствовала, как веки ей жгут слезы.

— Ох, Патрик, — прошептала Кат, — говорят, что ты погиб, а я не верю, хоть это и противоречит разуму. Я знаю, что ты никогда не вернешься сюда, Патрик. Джеми снова волочится за мной, и я должна либо бежать, либо навлечь позор на Гленкерк. Я уезжаю к Ботвеллу и знаю, что ты поймешь.

Она встала и перешла к могиле прабабки.

— Что ж, ты, великая хитрюга, — тихо сказала она, — даже в смерти ты сделала по-своему — я вышла замуж за твоего драгоценного Патрика и дала Гленкерку новое поколение. Но теперь уж, Мэм, все будет по-моему.

И тут по ее спине пробежал холодок, потому что ей послышался слабый смех. Послышался ли? Она прошла к лестнице. И, оглянувшись, улыбнулась.

— Прощайте, мои славные предки!

В канун Нового года погода была ясная и холодная. В небе ярко светили звезды и стояла полная луна. В ту ночь устроили великий пир, и волынщики столько раз обходили стол, что у Кат уже голова раскалывалась от шума. За несколько минут до полуночи все семейство поднялось на зубцы крепостной стены и стояло там на холоде, наблюдая огромные костры, пылавшие на окрестных горах. Шотландия приветствовала новый, 1598 год.

Одинокий волынщик мягко и неотступно наигрывал «Элегию Лесли». За горами отвечали волынщики Сайтена.

Кат не смогла удержаться, и по ее щекам покатились слезы. К счастью, никто их не заметил, кроме Джеми, который успокаивающе обнял мать рукой. Потом, когда они шли к большому залу, она улыбнулась ему мимолетной улыбкой и сказала:

— Надеюсь, ты будешь понимать жену не хуже, чем мать.

— Ах, мадам, конечно. Конечно же.

Она ласково рассмеялась:

— Какой ты славный шалун, Джеми. Твой отец гордился тобой так же, как я. И знаю, он был бы рад узнать, что Гленкерк оказался в надежных руках.

Сын ответил благодарной улыбкой и, отведя графиню в сторону, сказал:

— У меня есть для тебя чудесный новогодний подарок. Позволь мне вручить его сейчас.

И Джеми увлек ее по коридору в покои графа. А там, усадив на стул в прихожей, бросился в свою спальню. Минуту спустя он вернулся с плоской коробкой из красной кожи.

Какое-то время она разглядывала эту неоткрытую коробку, лежавшую у нее на коленях. То, что содержимое ее имело огромную ценность, не подлежало сомнению. Это была первая ценная вещь, которую ей дарил сын. «Еще одно доказательство, — грустно подумала Катриона, — что его отца больше нет». Стряхнув с себя эту печальную мысль, она открыла коробку и смогла уже только вздохнуть. На черной бархатной подкладке лежала самая прекрасная подвеска, какую ей когда-либо приходилось видеть. Украшение имело вид полумесяца, дополненного до круга ажурной работой, оно посверкивало мелкими бриллиантами и позвякивало крошечными колокольчиками.

— Джеми! Джеми!

Кат подняла подвеску перед собой на вытянутой руке, восхищаясь изумительной цепочкой.

— Точь-в-точь, как была у Мэм, — гордо заверил сын.

— Я никогда не видела, чтобы Мэм носила что-либо подобное ни с гленкеркскими драгоценностями, ни с султанскими, — заметила Кат.

— Ты права, мама! Она оставила свою подвеску в Стамбуле. Отец говорил мне. В ее спальне во дворце была изразцовая стена, по-моему, у камина. Она приказала сделать за ней тайник и обшить дорогими породами дерева. Там и хранила свои драгоценности. А когда ночью в спешке покидала дворец, то забыла про подвеску, которая лежала в самой глубине. Мэм говорила отцу, что всегда сожалела об этой потере. Султан отметил таким подарком рождение их первого сына, Сулеймана. И возможно, подвеска до сих пор еще там.

— Но откуда ты знаешь, что эта точно такая же, если никогда не видел ту?!

— Мэм не раз подробно описывала ее отцу. А он описал мне. Он часто говорил, что ты похожа на твою прабабушку — гордая, своевольная и вместе с тем мудрая.

— Спасибо, Джеми.

Внезапно сын снова превратился в мальчика.

— Я хотел, чтобы у тебя была обо мне хоть какая-нибудь память! — воскликнул он. Голос у Джеми чуть-чуть дрожал, и он едва мог скрыть волнение.

— Но почему же, дорогой, — возразила Кат, обхватив его лицо ладонями. — Я не забуду тебя! Ты мой первенец, и у нас с тобой больше общего, чем ты даже осознаешь. Когда ты еще только плавал в моем животе малюсенькой рыбкой, то я уже с тобой разговаривала. Ты давал мне силу.

Он рассмеялся:

366

— А о чем ты говорила, мама?

— О всяких глупых вещах, Джеми. — И Кат на мгновение замолчала. — Тебе нельзя будет приехать ко мне еще несколько лет, но как только король забудет меня, вы с Беллой сможете нас навестить.

Сын печально поглядел на нее и сказал тихо, но очень отчетливо:

— Пусть будет проклят Джеймс Стюарт в пылающем аду! — И, повернувшись, вышел.

Кат щелчком закрыла коробку с драгоценностью.

— Ты как эхо выразил мои чувства, сын, — сказала она и тоже пошла из комнаты.

На следующий день после Двенадцатой ночи молодые граф и графиня Гленкерк отбыли ко двору в сопровождении родителей Беллы. Остальные гости тоже разъехались. Через четыре недели выйдет замуж Бесс, и тогда Кат сможет свободно отправиться своей дорогой.

Из-за лорда Ботвелла между матерью и дочерью всегда оставалась некоторая натянутость. Плохо понимая размолвку родителей, Бесс, всегдашняя любимица отца, не задумываясь, приняла его сторону. Но теперь девушка была влюблена в своего будущего мужа, и это как-то ее смягчило. И Кат все думала, стоит ли говорить Бесс о предстоящем расставании.

Однако заговорила с ней сама дочь. За неделю до свадьбы она пришла к матери и сказала:

— Помню, ты мне говорила, что, когда я влюблюсь, пойму твои чувства к лорду Ботвеллу. Я тогда отвечала тебе подло. Но теперь я понимаю... в самом деле понимаю. Зачем тебе оставаться в Шотландии? Когда король был здесь на Рождество, то он глазел на тебя так, что я даже испугалась. Ты должна найти дядю Френсиса, мама, и уехать к нему. Только тогда ты окажешься в безопасности!

Кат обняла дочь.

— Спасибо, Бесс. Теперь я знаю, что ты понимаешь, и поеду с легким сердцем.

Глаза у Бесс широко распахнулись, и она раскрыла рот, собираясь что-то сказать, но Кат ласково прикрыла ей рот своей рукой.

— Когда-нибудь Джеми поговорит с тобой об этом, любовь моя.

— Да, мама, конечно, — сказала Бесс, улыбаясь.

«Какая жалость, — подумала Кат, — что мы подружились только теперь, когда должны расстаться».

Свадьба Бесс Лесли и Генри Гордона прошла тихо по сравнению с предыдущей. Присутствовали только близкие родственники. На торжества вернулись из Эдинбурга Джеми с блистательной Изабеллой, а два дня спустя они повезли молодоженов ко двору. Перед отъездом Бесс и Джеми пришли попрощаться с матерью наедине.

Сын был высок ростом и так похож на отца в его возрасте, что у Катрионы из глаз брызнули слезы. Бесс, сияющая от счастья, выглядела темноволосой смесью обоих родителей.

— Хочу, чтобы вы знали, — тихо сказала Кат, — что я очень люблю вас обоих. Как мне вас будет не хватать!

Они прильнули к ней, и Бесс заплакала.

— Нет, голубка, — возразила графиня, нежно поглаживая дочь. — Если молодая жена покажется печальной, то король может что-то заподозрить. Будь сильной, дочь моя, крепись и помоги мне выиграть битву у Джеймса Стюарта. Ему и в голову не должно прийти, что кто-то из вас что-либо знает.

Бесс совладала с собой.

— А другие? — спросила она.

— Я поговорю со всеми, кроме младших. Знаю, что возлагаю на вас тяжкую ношу, но, пожалуйста, Бесс, и ты тоже, Джеми, приглядите за ними вместо меня. Потом, когда жизнь наладится, вы все сможете меня навещать. Но теперь я должна уехать налегке. Вы понимаете меня?

Они кивнули, и Кат поцеловала каждого. Проводив детей до двери, она простилась с ними. А потом в этот же день, стоя на вершине главной лестницы замка, графиня весело им махала и горланила что было сил:

— Встретимся весной, дорогие мои! Передайте его величеству мое почтение и любовь!

Она стояла там и махала, пока кортеж не скрылся из виду, а затем вернулась в свою башню, чтобы поплакать в одиночестве.

Назавтра предстояло проводить младших — четырнадцатилетнего Колина и двенадцатилетнего Роберта. Колин уезжал в Абердинский университет, а Роберт — обратно, прислуживать пажом при доме графа Роутса. Поэтому вечером Кат собрала вокруг себя четверых своих детей, поведала им, что уезжает из Гленкерка, и объяснила почему. Озабоченная тем, что исчезнет из их жизни, ничего не объяснив, она решила все-таки им сказать, несмотря на риск. И поняла, что сделала правильно, когда девятилетняя Мораг тихо сказала:

— Я рада, что ты уезжаешь, мама. Король мне не нравится.

Десятилетняя Аманда кивнула в знак согласия.

— Да. Не беспокойся за нас, мама. К тому же ты прекрасно позаботилась о нашем будущем. Я с удовольствием стану графиней Сайтен.

Кат не смогла удержаться от смеха.

— Какой ты рассудительный, котеночек!

— Когда? — только и спросил Робби.

— Скоро.

Колин захихикал.

— Что же тут смешного? — спросила его мать.

— Жаль, что я уже не у Роутсов, — отвечал этот мальчик-мужчина. — Мне бы хотелось увидеть лицо кузена Джеймса — этого елейного похотника!

— Слава Богу, что ты не у Роутсов! — воскликнула Кат. — Ты бы наверняка меня выдал. — Но она засмеялась. — Конолл сказал почти то же самое.

И тут все дети возликовали.

На следующее утро мальчики уехали, и несколько дней Кат испытывала упадок духа. Она много времени проводила в детской, играя с оставшимися тремя малышами. Затем однажды вечером неожиданно появилась в спальне у свекрови. Мэг немедленно все поняла. Она без слов поднялась и обняла невестку.

— Так скоро?

Кат кивнула.

— Сейчас новолуние, и лучшего времени, чтобы уйти незамеченной, у меня не будет. Если я останусь еще, то уже не смогу бежать, Мэг. Даже сейчас меня раздирают сомнения.

— Тогда Бог тебе в помощь, дочь моя.

— Ох, Мэг! Вы всегда были мне ближе, чем родная мать. Я так буду по вас скучать! Попробуйте, пожалуйста, объяснить моим родителям.

— Хорошо, дорогая. Не думай слишком плохо о твоей матери. Она всегда жила в своем чувственном мирке, где единственным обитателем, кроме нее, был твой отец. Я объясню ей. И кто знает, может, когда все уладится, мы даже приедем к тебе в гости!

— Мои малыши... Вы приглядите за ними, Мэг?

— Конечно.

— И не дадите забыть меня, пока я не пришлю за ними?

— Нет, любовь моя. А теперь иди, Катриона. Иди, пока ты не расчувствовалась, а я не сделала какой-нибудь глупости.

Старая вдова нежно поцеловала невестку и потихоньку выпроводила из своих покоев.

Кат осталась какое-то время стоять в холодном и темном коридоре. «Я больше этого не увижу, — подумала она, и по щекам у нее потекли слезы. — Боже мой! Если кто-нибудь меня сейчас увидит, то как неловко будет объясняться».

Взмахом рук она вытерла свои мокрые щеки и обходными коридорами побежала в свои покои. Слуги, за исключением Сюзан и ее младшей сестры Мэй, были уже отосланы спать.

— Все готово? — спросила графиня у Сюзан.

— Да, миледи. Конолл и его люди обо всем позаботились. Он сказал, что выедем, как только вы вернетесь.

Служанка заторопилась увести Кат в спальню, где уже поставила чан с горячей водой.

— Кто знает, когда еще вам удастся принять ванну?

Кат слабо улыбнулась.

— Ты уложила в дорогу все, что я тебе наказала? И шкатулки с драгоценностями?

— Да, все готово. Если люди короля придут с обыском, то они увидят, что большая часть ваших платьев ждет здесь вашего возвращения. И как здорово будет купить вам новые во Франции!

Тяжесть потихоньку спадала у Катрионы с плеч.

— У вас с Мэй тоже скоро появятся новые платья, — пообещала она.

За час графиня оделась и была готова. И тут Сюзан, стоявшая за спиной, неожиданно нацепила ей на шею льва, подаренного лордом Ботвеллом.

— Я подумала, что вам следует помнить о том, к чему вы едете, а не о том, что оставляете.

Кат улыбнулась, внезапно почувствовав себя счастливой.

— Сюзан, я и не думала, что ты поймешь, какие чувства меня мучают. Спасибо, милая, что помогаешь мне в такое тяжелое время. Ты мне добрая подруга, и я этого не забуду.

Схватив свой меховой плащ, Катриона прошла к камину и нажала на резное украшение, открывавшее дверь в потайной ход.

— Посмотрите, девочки, чтобы дверь за вами закрылась плотно, — приказала она и, взяв свечу, шагнула в темный коридор.

Несколько минут спустя госпожа со служанками вышли у подножия западной башни, там ждал Конолл с тремя лошадьми. Кат вскочила на спину Иолэру, а Сюзан и Мэй сели вдвоем на одну из оставшихся двух. Конолл поскакал впереди и провел их так, что стража не увидела. На холме высоко над замком к ним присоединился такой многолюдный отряд, что Кат опешила.

— Господи! — воскликнула она. — Сколько их, Конолл?

— Полсотни. Не дам же я вам скакать по всей Европе с одной только дюжиной охранников. Вы можете себе позволить более достойный эскорт. — И, подняв руку, он дал знак, что путешествие начинается.

— Подожди! — велела графиня. Поворотив Иолэра, она поглядела назад на Гленкерк, темной громадой возвышавшийся на фоне еще более темного неба. На какой-то миг она заколебалась, мучимая последними сомнениями. Покинуть Гленкерк? Оставить детей? Покинуть Шотландию? Оставить почти все, что ей дорого? А затем прямо перед глазами у нее возникло похотливое лицо Джеймса, и она услышала его голос, тихий и вкрадчивый: «...и ты будешь делать мне то же, что и этой ночью...»

Рывком развернув Иолэра, Кат закричала: «Вперед!» — и пустила коня галопом.

Им предстояло отплыть с мыса Рэттрей, откуда уже так давно отплыл и Ботвелл. Поскольку «Отважный Джеймс» сгинул вместе с Патриком, то во Францию Кат отвезет нынешний флагман Лесли «Новая попытка». Графиня нашла это название чрезвычайно удачным.

Они ехали всю ночь, останавливаясь только дважды, чтобы дать отдых лошадям. На рассвете отряд устроил привал на развалинах замка Хантли. От поездки по ночной прохладе у Кат разыгрался аппетит, и она возрадовалась, когда один из воинов принес ей небольшого кролика, зажаренного на вертеле. Сюзан достала буханку хлеба, чашку и флягу, полную сладкого вина. Кат разделила все эти дары со своими служанками и сама с удовольствием набила себе желудок. Насытившись, она завернулась в свой тяжелый плащ и отошла ко сну у небольшого костра, разожженного на остатках давнишнего камина.

Когда она проснулась, уже перевалило далеко за полдень, и в лагере было тихо. Сюзан и Мэй посапывали рядом. Кат пролежала несколько минут, сонная и теплая, а потом опять заснула и открыла глаза уже почти вечером. Лагерь бурлил заботами о предстоящем ужине. Над кострами поворачивали на вертелах нескольких барашков, а на широком плоском камне, подогреваемом снизу небольшим костром, лежали только что испеченные хлеба. Подальше от тепла стояли несколько бочонков с элем.

— Конолл! Ко мне!

— Мадам!

— Откуда все это?

— Милорд Хантли приказал своим людям встретить вас и позаботиться, чтобы вы были сыты и ни в чем не нуждались на землях Гордона.

Лицо графини смягчилось.

— Что ж, благослови его Бог за это, — промолвила она. А затем озабоченно спросила: — Эля не много? Не хочу, чтобы люди слишком напивались, ведь потом ехать. Впереди у нас долгая ночь, и надо прибыть на Рэттрей до рассвета.

— Ровно столько, чтобы их порадовать, но не более того, миледи. Для вас тоже есть небольшой бочонок. Не забудьте наполнить на ночь вашу флягу.

Она кивнула и взяла оловянную тарелку, поданную Сюзан. Там были тонкие, сочные ломти мяса, ранний зеленый салат и горячий хлеб, с которого капало масло с медом. Рядом с графиней на земле поставили чашку с роскошной мальвазией. И снова Кат наелась от души. Потом, пока люди еще ужинали, она встала и обратилась к ним:

— Конолл рассказал вам о моем путешествии. Если кто-то из вас передумал, то теперь как раз время сказать об этом и вернуться в Гленкерк. Прошу только, чтобы дома вы хранили молчание о том, где я.

Ответом ей была тишина, и, оглядев гленкеркских воинов, Кат почувствовала, что на глаза у нее набегают слезы. Пытаясь сдержать себя, она просто сказала:

— Спасибо. Спасибо всем вам. — Через час они сидели уже в седле и ехали потом большую часть ночи. Еще задолго до побережья Кат почувствовала запах моря, и с каждой милей его соленое дыхание становилось все сильнее. Они прибыли на место задолго до срока, и Конолл посигналил в сторону моря фонарем, который как-то сумел засунуть в свои пухлые переметные сумы. Из темноты промигал ответ.

Капитан стражи подозвал к себе молодого человека, лицо которого показалось графине знакомым.

— Мой сын Эндрю, — сурово объявил Конолл.

Кат подняла бровь.

— И говорить не надо, милый. У тебя не нашлось времени, чтобы жениться на его матери, но Лесли всегда узнает своего. Я права?

— Да, мадам, — протянул он, и графиня рассмеялась. — Эндрю с десятью людьми пойдет с вами на «Новой попытке», — сказал капитан. — А я с остальными и с лошадьми отплыву на «Королеве Анне» из Петерхеда.

— А вы намного отстанете от нас? — забеспокоилась Кат. — Мне бы не хотелось высаживаться во Франции с таким маленьким отрядом.

— Мы прибудем даже раньше. «Королева Анна» полегче «Новой попытки» и немного побыстрей. Ваша карета, лошади, кучер и конюшие отправились три дня назад и будут вас ждать. Не беспокойся, девочка. Я тебя встречу на пристани.

Она сердечно ему улыбнулась.

— Прекрасно, Конолл. — Затем графиня обратила свою улыбку на молодого человека. — Итак, Эндрю Мор-Лесли, в Гленкерке недостало хорошеньких девушек, чтобы тебя удержать?

— Их слишком много, миледи... и столько же разъяренных отцов.

Кат засмеялась:

— А ты мне нравишься, парень!

Они спустились на песок встретить шлюпку. Лодка достигла суши, и матросы сразу выскочили, чтобы вытащить ее подальше на берег. На какой-то миг Кат улетела обратно во времени, вспомнив то утро, когда она стояла на этом же сыром, продуваемом ветрами берегу. Почти три года назад она прощалась здесь с лордом Ботвеллом, изгнанным с родины, и думала, что никогда уже больше его не увидит. Но теперь и она здесь готовилась начать путь в изгнание, на которое она сама себя обрекла.

От матросов отделился офицер и склонился над ее рукой:

— Старший помощник Малькольм Мор-Лесли к вашим услугам, миледи. Я сын Хью.

— Ты старший брат Сюзан и Мэй?

— Да, мадам.

— А разве капитан не Мор-Лесли?

— Сэнди. Парень Алана.

— Боже милостивый, Конолл. Ничего не скажешь, плыву под надежной семейной защитой!

— Так бы захотел и он, — пробормотал Конолл.

Кат протянула руку и потрепала капитана за локоть.

— Ты хотел поехать с ним, Конолл?

— Да! Но он не позволил. «Оставайся дома, Конолл, — сказал, — кому еще я могу ее доверить?»

— Боже мой! Не говори мне это в час моего отъезда!

— Мадам, если бы я думал, что граф вас не одобрит, то меня бы здесь не было. Но я здесь, и пока это зависит от меня, с вами ничего не случится.

И начальник стражи опять покраснел до корней волос, потому что Кат поднялась на цыпочки и крепко поцеловала его в щеку.

— Бог тебе в помощь, Конолл, — сказала она и последовала за Сюзан и Мэй, которые уже сидели в шлюпке.

Без лишних церемоний маленькая лодка отплыла в темноту к «Новой попытке». Затем графиню качнуло вверх, подняло над водой, а когда она снова открыла глаза, то уже очутилась на палубе, и ее приветствовал капитан.

— Я поместил вас и ваших девчонок в мою каюту, миледи. Там вам будет удобнее, — сказал он.

— Спасибо, кузен, — ответила графиня, и его красноватое обветренное лицо еще больше покраснело от удовольствия.

Он уже и раньше слышал о Кат Лесли, а познакомившись, увидел, какая это славная леди.

Признание их родственных отношений польстило капитану и к тому же добавило ему веса в глазах команды.

— Не соизволите ли отобедать со мной и с моими офицерами? — спросил он.

— С удовольствием!

Моряк поклонился.

— А теперь я займусь своими делами, мадам. Мой юнга Дункан проводит вас в ваши каюты.

«Новая попытка» — большая и ухоженная каравелла водоизмещением примерно восемьдесят тонн — несла целую дюжину пушек. Ее строили в расчете на скорость и маневренность, хотя и снабдили просторным трюмом. Каюты команды были сухими, теплыми и удобными, а для своего времени просто выдающимися. Рядом с ними располагался отдельный камбуз, и матросы, окончившие вахту, могли получить горячую еду и эль. Лесли требовали от своих людей беспрекословного подчинения и абсолютной верности, но зато хорошо им платили и заботились о них по-человечески. Поэтому те служили лучше, чем матросы других хозяев.

Дункан отвел Кат с горничными в большую каюту, расположенную высоко на корме. В стекла иллюминаторов графиня увидела, что звезды поблекли и небо светлело. Каюта была обставлена с удобствами, госпоже предназначалась большая кровать, а служанкам — две маленькие, на колесиках. На полу лежали турецкие ковры, на иллюминаторах висели бархатные занавески. Освещали помещение красивые медные лампы, а на дубовом столе стояли два графинчика вина: один — красного, а другой — золотистого.

— Вы покушаете, миледи? — спросил Дункан.

— На борту есть какие-либо фрукты, парень?

— Яблоки, мадам, и апельсины из Севильи.

— Принеси и тех и других, а еще сыра и хлеба.

— Ох, миледи, — жалобно простонала Мэй. — Я умираю от голода! Я бы съела целую миску овсяной каши, точно съела бы! С медом и со сметаной.

Кат засмеялась.

— Не сегодня, девочка моя. Если ты не хочешь, чтобы тебя сразила морская болезнь, то придется есть осторожно.

Позднее, когда служанки легли спать, Кат села на бархатном стуле у окна и стала смотреть, как удаляется шотландская земля. Сверху донеслось:

— Курс на Кале! Восток-юго-восток!

И другой голос эхом ответил:

— Восток-юго-восток!

Прекрасные изумрудные глаза до боли вглядывались в блекнущий берег. По бескровной щеке прокатилась слезинка, а потом еще одна и еще. Катриона плакала тихо, но горько, пока печаль не стала рассеиваться и графиня не ощутила, как ею овладевает радостное возбуждение. Позади она оставляла старую жизнь, но впереди лежало само оправдание ее жизни. Впереди был Френсис Стюарт Хепберн! И как же это выйдет неблагодарно — плакать по тому, что боги у нее отняли, когда они даровали ей так много!

43

Вестник, посланный королем Шотландии к младшей вдовствующей графине Гленкерк, не замедлил вернуться в Эдинбург.

— Что значит — ее там не было? — спросил король недобрым голосом.

— Старшая вдова говорит, что она уехала во Францию, и сама эта дама тоже крайне раздосадована. Похоже, что младшая леди просто скрылась однажды утром, не сказав никому ни слова.

Джеймс послал за графом Гленкерком и его сестрой, леди Элизабет Гордон.

— Вы знаете, где ваша мать? — без обиняков начал он.

— В Гленкерке, сир, — ответил граф без малейшего колебания.

— Она не в Гленкерке, — прорычал король. — Она во Франции!

На обоих лицах отразилось удивление, а затем Бесс сказала Джеми:

— Так она все-таки поехала! О, надеюсь, это ее взбодрит!

— Что вы имеете в виду, леди Гордон?

Бесс нежно улыбнулась королю, а затем сказала тем же доверительным тоном, каким разговаривала с братом:

— Да, сир, она говорила, что хотела навестить наших кузенов Лесли, которые живут во Франции. Видите ли, этот год был у нее ужасным. Сначала погиб наш отец. Затем Джеми женился и уехал ко двору, а потом вышла замуж я и тоже уехала. Колин учится в университете, а Робби — паж у Роутсов. Видите, сир, дома не осталось никого, кроме малышей. Она говорила, что может ненадолго съездить во Францию, а потом решила, что все-таки не стоит. — Бесс опять улыбнулась и пожала своими изящными плечиками. — Полагаю, она снова передумала. Мы, женщины, такие непредсказуемые.

Король тут даже развеселился и еле сдержал улыбку, но затем рот его снова напрягся в гневе.

— Этой весной она должна была прибыть ко двору.

— О да! — с воодушевлением сказала Бесс. — Это было последнее, что она нам сказала, когда мы уезжали из Гленкерка после моей свадьбы. Что весной увидит нас при дворе, а королю просила передать свое уважение и любовь.

Она повернулась к брату и устремила на него обличающий взор.

— Джеми! Ведь наверняка позабыл! Эх ты, птичья голова! Как же ты мог?

Лицо у молодого графа вмиг приняло смущенное выражение, и в уголках королевского рта заиграла слабая улыбка. Какая очаровательная семья!

— Благодарю вас, леди Гордон. Вы можете покинуть нас. Джеми, останься. Я хочу еще поговорить с тобой.

Бесс присела в изящном реверансе и выпорхнула из комнаты. Джеймс бросил резкий взгляд на молодого Лесли, но не увидел на его открытом лице ничего, кроме честности и восхищения. Король поджал губы и с расстановкой произнес:

— Твоя мать вызвала мое неудовольствие, Гленкерк. В некотором смысле она намеренно мне не подчинилась. — Юный граф выглядел искренне огорченным. — Я приказал ей быть этой весной при дворе. Я даже, — и здесь для большего эффекта Джеймс выдержал паузу, — намеревался сделать ее своей любовницей, и она это знала.

На молодом лице отразилось удивление, смешанное с недоверием.

— Сир! Какую огромную честь вы оказываете Гленкерку! Боже мой, сир! Что я могу сказать! — А затем: — Проклятие! Ее поведению нет оправданий! Я всегда считал, что мой отец ее избаловал. Но уверен, она скоро вернется. Мать своенравна, однако я не думаю, что она не подчинится.

Король казался довольным. Тут все было без дураков. Парень на его стороне. Теперь ей прятаться негде. Уж с этим-то Гленкерком не будет никаких хлопот. Граф полагал за честь, что Джеймс выделил его мать среди других — так и следовало!

— Я пошлю письмо моему доброму другу королю Генриху, чтобы твою мать отослали домой.

Джеми взглянул на короля искренним взглядом.

— Я тоже ей напишу, сир. Теперь я граф Гленкерк. Я почитаю мать настолько, насколько она заслуживает, но ей надо понять, что теперь мое слово — закон в Гленкерке, а не ее. Она, в конце концов, всего лишь женщина, и поэтому ее следует направлять на путь истинный. Ваше величество предложило ей свою защиту. Я не позволю бросаться вашими милостями.

Король почувствовал удовольствие, но, оставшись один, снова задумался. Она и в самом деле собиралась вернуться? Или не зря червь сомнений грыз глубины его души, и Кат снова от него бежала? Однажды он уже предупреждал, что сделает ее семье, если встретит отказ, но тогда муж еще был жив. Против Патрика не составляло труда сфабриковать обвинения. Но с молодым графом — другое дело. Причина наказания окажется слишком прозрачной, а последствия — ужасными.

Гленкеркские Лесли уже больше не были беззащитным кланом, лишенным влиятельных связей. А кузен короля Джордж Гордон, граф Хантли, досаждал по-своему не меньше, чем прежде Ботвелл. Этот не пожелает стоять в стороне и смотреть, как рушится счастье его дочери Изабеллы. Джеймс между тем не хотел восходить на английский трон, оставляя позади клановые раздоры. Да и с самим графом Гленкерком придется не легче. За то короткое время, что он провел при дворе, Джеми превратился во всеобщего любимца, он открыто восхищался королем и во всем его поддерживал. Как обвинить в коварстве и измене такого верного и очаровательного подданного? К тому же Джеймс тоже искренне привязался к своему новому придворному.

Развалившись на стуле, монарх поигрывал с ожерельем из бриллиантов и черных жемчужин, которое посылал графине с вестником. Джеймс был встревожен, но ему казалось, что она должна вернуться. Должна! Он не может — нет, не хочет и не станет жить всю оставшуюся жизнь, страдая по ней. Но что, если не вернется? Король вслух застонал. Должна!

44

«Новая попытка» выполнила переход от мыса Рэттрей до Кале без всяких происшествий. Капитан даже заметил, что никогда за все свои годы плавания он не встречал в Северном море таких славных устойчивых ветров, и тем более в конце февраля. А «Королева Анна» опередила «Попытку» на двенадцать часов, и Конолл со своими людьми уже ждал Катриону на пристани.

Для вящей безопасности начальник стражи решил, что четырехдневное путешествие до Парижа графине со служанками лучше совершить в карете. Ее эскорт производил внушительное впечатление. На облучке восседали два кучера, а сзади — два лакея. За экипажем верхом следовали четыре конюших, и каждый вел за собой еще по лошади, включая Иолэра. Возглавлял процессию Конолл с пятнадцатью людьми, а замыкал Эндрю вместе с еще пятнадцатью. С каждой стороны экипажа ехало по десять человек.

Подле Кат с ее горничными в карете находился еще один мужчина, и когда, высадившись в Кале, графиня увидела его впервые, то почти лишилась чувств. Конолл ухватил тогда ее за руку и резко сказал:

— Это его внебрачный брат. Он вырос здесь.

А молодой человек, по виду священник, шагнул вперед и поднес ее руку к своим губам.

— Не хотел вас так пугать, мадам. Мне всегда льстило, что я похож на Патрика. Но насколько — я не осознавал до самого сегодняшнего дня.

— Да, святой отец. Только вы блондин, а его волосы были темными. А так — вы прямо зеркальное отражение. И голос — его!

Узнав о приезде графини — а Кат послала вперед письмо своим двум дядюшкам, — священник приехал из Парижа, чтобы ее встретить. Ниалл Фиц-Лесли был единственным внебрачным сыном третьего графа Гленкерка. Когда Мэг была беременна последним ребенком, взор графа привлекла дочь помещика Раи, и джентльмен не сумел устоять перед ее роскошными и такими доступными прелестями. Девять месяцев спустя родился Ниалл.

Узнав о положении дочери, старый помещик отослал ее к своей сестре в Кэйтнесс. Там она и жила, пока не умерла десять лет спустя. Третий Гленкерк всегда заботился о своем внебрачном сыне, и когда Ниалл остался без матери, отправил его на воспитание к брату Доналду во Францию. Мэг так никогда и не узнала об этом грешке любимого мужа. И, поскольку граф официально признал ребенка, Ниалл смог получить церковный сан.

А Доналд Лесли из Гленкерка родился в своей семье третьим сыном, и ему пришлось самому устраивать свою жизнь. Вместе с кузеном, Дэвидом Лесли из Сайтена, который в своей семье был четвертым, они отправились служить наемниками и как раз на службе во Франции завоевали сердца двух юных наследниц больших состояний, тоже между собой родственниц.

Доналд женился на Рене де ла Прованс и стал отцом шестерых детей, родившихся вскорости один за другим, пятеро из них были мальчики, так что его тесть, месье де ла Прованс, обрел на старости лет усладу. И теперь, когда он умер, Доналд сам стал месье де ла Прованс.

Дэвид же Лесли — брат матери Кат — столь же удачно женился на Адели де Пейрак, единственной дочери престарелого месье де Пейрака. У этого Лесли родилось четыре сына. Оба шотландца согласились при заключении брака прибавить имя жены к своему собственному. Поэтому во Франции они были известны как Доналд Лесли де ла Прованс и Дэвид Лесли де Пейрак.

Кат никогда прежде не встречала ни дядюшку Доналда, ни дядюшку Дэвида: они покинули отечество еще до ее рождения.

— Вся семья с волнением ждет вашего визита, мадам, — сказал Ниалл. — Мы, конечно, понимаем, что вы все еще в трауре.

— Уже нет. Патрик этого бы не одобрил.

— Печально было узнать о его смерти. Я любил его.

— Вы его знали?

Священник улыбнулся.

— Да, знал. Когда он ехал домой в Шотландию, то неожиданно остановился в Париже, и запрятать меня куда-нибудь уже не успели. Я никогда не забуду выражения его лица, когда он меня увидел. Это было искреннее изумление. Потом Патрик засмеялся и сказал: «Братишка, я, конечно, должен тебя приветствовать!» Прежде чем он уехал, мы долго беседовали, и я узнал о смерти нашего отца. Брат продолжал оплачивать мое содержание у дядюшек, а когда я надел рясу, то он отложил денег на мой счет у Кира. Мужчина, помню его письмо, остается мужчиной, даже если он священник, и всегда должен иметь свои деньги. Ваш муж был добрым человеком. Я буду молиться за него.

— Да, он был добрым, — согласилась Кат. А затем посмотрела на Ниалла: — Святой отец, я бы желала вам исповедоваться. Заодно это ответит и на все те вопросы, что я вижу у вас в глазах.

Опустив окно, графиня подозвала ближайшего всадника:

— Передай Коноллу, что я хочу устроить привал как можно скорее.

Несколько минут спустя карета остановилась на поляне, окруженной густым лесом, и Сюзан с Мэй вышли поразмять ноги. Преклонив колена на мягком полу, Кат вложила свои тонкие белые руки в широкую загорелую ладонь священника. Так она и стояла почти час, рассказывая тихим голосом о событиях последних лет ее жизни.

В течение всего этого монолога лицо священника оставалось бесстрастным. Когда графиня закончила, он сказал:

— В глазах церкви вы, несомненно, жестоко согрешили. Но вы уже понесли гораздо большее наказание, чем требовал ваш грех, дочь моя. Ваше нынешнее бегство несет, конечно, угрозу здешним Лесли, ведь король Джеймс может попросить короля Генриха помочь вас вернуть. Думаю, однако, что его величество зря преследует вас, если вы так явно его не желаете. Только Бог знает, как прославился в любви Генрих Четвертый, но он никогда, насколько мне известно, не принуждал женщину. Джеймс Стюарт — несомненный варвар. Вы, полагаю, задержитесь ненадолго и тем предотвратите всякую угрозу вашим родственникам.

— Да, отец мой. Только куплю новые платья, потому что старые я почти все оставила в Гленкерке.

Священник улыбнулся.

— Восхитительный предлог для обновления гардероба, моя прекрасная кузина.

Кат рассмеялась:

— Но я и в самом деле хочу поспешить, потому что мне не терпится увидеть лорда Ботвелла.

Ниалл поднял графиню с колен.

— А теперь сядьте, мадам. Наше дело окончено. — Он улыбнулся. — А лорд знает, что вы едете?

— Нет. Я не смела писать до того, как выехала из Гленкерка. Собираюсь договориться с нашими парижскими банкирами, чтобы послать ему весточку в Неаполь.

— Думаю, он будет просто счастлив, — заметил священник. — Когда граф был здесь при дворе короля Генриха, то казался таким... таким... — Ниалл подыскивал нужное слово, — таким неполным! Понимаю, это звучит странно, но казалось, чего-то ему не хватало и чего-то не хватало в нем самом. Теперь я понимаю.

Лицо у Кат засияло, и Ниалл был ошеломлен этой внезапной вспышкой истинной красоты.

— Боже мой! Дорогая! Вы почти заставляете меня сожалеть об обете безбрачия! — сказал он. В карете зазвенел ясный женский смех.

— У вас, святой отец, определенно есть леслиевский шарм. И хорошо, что вы вошли в святую рать. По свету и так бегает слишком много похотников из этого семейства.

Отряд продолжил свой путь по Пикардии, въехал в Иль-де-Франс и наконец достиг Парижа, немедленно очаровавшего графиню. Кат поразило, насколько не похожей оказалась французская столица на Лондон, Эдинбург или Абердин. Она-то полагала, что все большие города были на одно лицо. И теперь ей стало понятно, почему нынешний здешний король, желая покончить с религиозными войнами, сменил протестантскую веру на католическую и при этом заметил: «Париж стоит мессы».

Кат предстояло остановиться у дяди Дэвида, чей дом находился в тридцати милях к юго-востоку от Парижа, близ королевской резиденции Фонтенбло. Когда они выехали на окраину города, то Ниалл указал кучеру дорогу, а сам поскакал вперед, чтобы известить месье Лесли де Пейрака о предстоящем прибытии племянницы.

Когда коляска с эскортом въехала во двор замка Пети-Шато, уже наступал вечер. Прежде чем грумы успели спешиться, у коляски оказались два лакея в ливреях, которые открыли дверь, опустили ступеньки и помогли графине сойти. Вперед вышел элегантный джентльмен. До чего же похож он был на ее мать! Улыбаясь, дядюшка расцеловал Кат в обе щеки.

— Добро пожаловать во Францию, Катриона! — Месье де Пейрак представил высокую темноглазую женщину: — Твоя тетя Адель.

Кат присела в реверансе.

— Рады видеть вас в Пети-Шато, — улыбнулась Адель де Пейрак. — Жаль, что ваш визит будет так короток.

— Чепуха, женушка! Катриона останется сколько пожелает.

— Я не смогу задержаться надолго, дядя. Я еду в Неаполь и должна добраться туда без промедления. Остановлюсь только, чтобы обновить гардероб в Париже и отдохнуть.

— Вам не придется возвращаться в город, — заметила Адель. — У меня есть прекрасная портниха, которая приезжает в замок. Мы пошлем за ней завтра утром. — И, крепко ухватив Катриону за локоть, она повела ее по главной лестнице в изысканно убранные покои.

Когда двери за ними закрылись, Кат вырвалась из тетушкиной хватки и, мигом повернувшись, сказала:

— Прекрасно, тетя, давайте поговорим!

Адель де Пейрак улыбнулась.

— Хорошо. Ты разумна. Скажи мне теперь побыстрее, зачем ты приехала во Францию? Надеюсь, ты не думаешь, что раз твой сын женился, то сможешь обосноваться у нас?

Кат не поверила своим ушам. Эта женщина, наверное, полоумная!

— Боже мой, мадам! Почему же я должна хотеть жить у вас?

— Не гневись, дорогая, — ответила Адель. — Мы все знаем, что вдове-графине гораздо труднее наслаждаться жизнью в качестве матери своего сына, чем в качестве жены своего мужа. Может, ты не поладила с молодой невесткой и пришлось убраться? Полагаю, быть бедной не так-то легко.

Кат подавила в себе страстное желание изо всех сил шлепнуть по этому самодовольному лицу.

— Мадам, — сказала она ледяным тоном, — не знаю, что навело вас на ложную мысль о моей бедности, но прошу позволения оповестить вас, что я очень богатая женщина. Я была богатой, когда выходила за Гленкерка, и еще более богата сейчас. И если бы захотела, то могла бы жить с сыном и его молодой женой, которая нежна и ласкова. Однако я предпочитаю снова выйти замуж. И еду в Неаполь именно за этим!

— А за кого?

— За лорда Ботвелла, — спокойно ответила Кат.

— Боже мой! Он же дикарь, хоть и весьма очаровательный, по крайней мере мне так говорили. — С этими словами Адель де Пейрак удалилась.

Сюзан фыркнула:

— Мы ей не нравимся, да, миледи?

Кат засмеялась:

— Нет, девочка, не нравимся.

— А сколько нам здесь придется прожить, миледи?

— Всего несколько недель, Сюзан. Еще зима, и я хочу немного обождать.

На следующий вечер Кат познакомилась с дядюшкой Доналдом и его женой Рене, которая столь же сердечно отнеслась к племяннице, сколь холодно повела себя Адель.

— Жаль, что вы не остановились у нас, дорогая Катрин. Адель не слишком гостеприимна.

Кат похлопала славную даму по пухленькой руке.

— Все хорошо, милая тетушка. Я пробуду всего несколько недель, а потом уеду.

Рене де ла Прованс наклонилась вперед и прошептала:

— Мне нужно поговорить с вами наедине и как можно скорее. Придумайте предлог, чтобы уйти в вашу спальню.

Немного спустя Кат обнаружила, что тетя Рене уже ждет ее.

— Это правда, Катрин, что вы богаты?

Кат закусила губу, чтобы не рассмеяться, ибо маленькая дама выглядела очень расстроенной.

— Да, тетушка, я богата.

— Ох, дорогая! Адель подумала сначала, что вы бедны, и только и ждет, что вы поскорее уедете. Сегодня, однако, кузина сказала мне, что вы богаты, и она намеревается женить на вас своего старшего сына Жиля.

— Это невозможно! — воскликнула Кат, ошеломленная и разгневанная. — Ведь я еду на юг, чтобы выйти замуж за лорда Ботвелла. К тому же мне казалось, что все в этом семействе состоят в браке.

— Жиль — вдовец, и, хотя он мне и племянник, должна сказать, что не очень его люблю. Он пять лет был женат на дочери моей подруги Мари де Мальмезон. И два года назад девушка наложила на себя руки. Прежде чем выйти замуж за Жиля, она являла собой самое нежное, веселое и светлое создание. Но потом вдруг стала тихой... и запуганной, всегда смотрела на Жиля, спрашивая одобрения каждого слова, какое скажет. Словно испытывала страх перед ним.

— Не опасайтесь за меня, тетушка Рене. Я не выйду ни за кого, кроме Френсиса Стюарта Хепберна.

— И тем не менее, дитя мое, берегитесь Жиля де Пейрака.

Вернувшись в главный зал, Кат познакомилась со своими кузенами де ла Прованс; это были пять очаровательных молодых людей с женами, а шестой оказалась восхитительная шестнадцатилетняя девушка по имени Маргерит, которую все звали Мими. Затем графине представили сыновей дяди Дэвида. Она быстро поняла, почему тетушка боится Жиля де Пейрака и не любит его, хотя остальные братья выглядели достаточно приятными.

Высокий ростом, темноволосый, старший из сыновей Пейрака имел, подобно матери, суровую, почти испанскую, внешность. Его черные глаза горели странным золотистым огнем, который вспыхивал еще сильнее, когда Жиль возбуждался. Он взял руку Катрионы, перевернул, чтобы поцеловать ладонь, и быстро пощекотал ее своим мокрым языком. Возмущенная, Кат вырвала руку. Она испытала ярость и отвращение как от самого поступка, так и от этих странных глаз, которые заглянули ей глубоко в декольте и медленно поднялись к лицу.

— У нас много общего, моя прекрасная кузина, — сказал Жиль де Пейрак. — Мы оба остались вдовыми в самом расцвете лет, и, — тут он выдержал паузу, — мы оба опытны...

Кат предпочла не заметить этих слов, ответила светской улыбкой и повернулась, чтобы поговорить с Мими. Но когда пришло время садиться обедать, графиня обнаружила, что Жиль оказался ее соседом. К огромному ее смущению, он изо всех сил ухаживал, выбирал самые лакомые кусочки и яства, чтобы положить ей в тарелку, и даже настаивал, чтобы она отпила из его чашки. Ей едва удалось сдержаться и не осадить наглеца. Быстро повернувшись к другому своему соседу, Катриона увидела, что это Ниалл Фиц-Лесли. Его глаза светились весельем, и она тихо сказала ему по-гаэльски:

— А вам не кажется, что тетушка неспроста посадила мне по одну руку своего мерзкого сына, а по другую — священника?

— Мысль о том, как ее любимый Жиль завладеет вашим состоянием, кажется старой даме очень соблазнительной, Катриона, — отвечал святой отец, а затем удивился: — Откуда вы узнали, что я говорю по-гаэльски?

— Вы упомянули, что несколько лет прожили в Кэйтнессе. На чем еще вы там могли объясняться?

Рассердившись, что его так подчеркнуто не замечают, Жиль де Пейрак спросил:

— Что это у вас за тарабарщина? Звучит очень противно.

Кат ответила ему холодным взглядом, а Ниалл спокойно объяснил:

— Мы разговариваем по-гаэльски, кузен. Мадам графиня беседует со мной о моей молодости.

Кат удалось до самого конца вечера увиливать от своего «пресмыкающегося» поклонника, а когда на следующий день приехала парижская портниха, графиня готова была и вовсе его забыть. Женщина привезла с собой трех помощниц и огромный набор тканей. Бросив один лишь взгляд на Кат, она уже возликовала:

— Ах, мадам графиня! Как приятно будет для вас шить! Боже мой! Какая тонкая талия! Какие великолепные груди! Кожа, глаза, волосы! Я вижу, что едва вы предстанете ко двору, как у нашего Вечнозеленого ухажера появится новая лю-

386

бовница. Когда я закончу работу с вами, то не найдется уже никого более восхитительного.

Кат залилась счастливым смехом:

— Сожалею, мадам де Круа, но придется вас разочаровать. Я не собираюсь являться ко двору, я еду в Италию, чтобы выйти замуж. И вы должны сшить мне платья по итальянской моде.

Лицо малышки-портнихи сразу померкло.

— А куда в Италию, мадам графиня?

— В Неаполь.

— Ах, — улыбка засияла вновь, — Неаполь! Климат умеренный, а знать — модна! Мы возьмем легкий бархат, хлопок, лен и шелк разной тяжести. Декольте будет очень, очень низкое, юбки текучие и летящие. Вы будете настоящим сказочным видением!

Она дала знак помощницам, и те немедленно принялись развертывать рулоны материи.

У Катрионы захватило дух. Никогда раньше она не видела таких чудесных тканей. Остановив взор на мягком сиреневом шелке, она кивнула на него и сказала:

— Для моего свадебного платья.

Мадам де Круа широко улыбнулась.

— Да! Но только для верхнего. Для нижнего мы возьмем ткань того же цвета и вышьем золотой нитью и жемчужинами. Рукава сделаем текучими, словно вода, и тоже оторочим вышивкой. Очень подходит для Неаполя. Конечно, если бы вы остались здесь и захотели бывать при дворе, то я бы скроила их облегающими на плече и запястье, а посередине — широкими, но... — портниха пожала плечами, — это для теплого города выйдет слишком душно. А теперь, мадам графиня, давайте снимем с вас мерку.

Одетая в одну сорочку, Кат взобралась на стул, а портниха и все три ее помощницы запорхали вокруг, переговариваясь на своем быстром парижском диалекте. Внезапно графиня почувствовала, что в комнате присутствует еще один человек, и, подняв глаза, увидела Жиля де Пейрака, который стоял в дверях, прислонясь к косяку, и жадно ее разглядывал. Не подавая виду, она сказала Сюзан по-гаэльски:

— Приведи Конолла, пусть уберет гадину.

Прошло несколько напряженных минут, а затем возле Пейрака появился Конолл. Тщательно выговаривая французские слова, он негромко сказал:

— Можно сделать это двумя способами, милорд. Либо вы тихо удалитесь по-хорошему, либо по приказанию миледи я вас уберу.

Ничего не ответив, француз повернулся и исчез. Конолл ушел следом.

— Как быстро вы будете шить? — спросила Кат у портнихи. — Сможете делать в день по платью?

— С тремя девушками смогу, мадам графиня.

— Тогда вызовите из Парижа помощниц, мадам де Круа. Пусть приедут два десятка лучших ваших швей, я заплачу им сама. Двенадцать будут работать над моими платьями; остальные займутся сорочками, ночным бельем, плащами, вышивкой и что там еще!..

Увидев на лице у портнихи недоверчивое выражение, Катриона улыбнулась.

— Пошлите кого-нибудь, кому доверяете, в банковский дом Жискара Кира и спросите, может ли мадам графиня Гленкерк позволить себе так швыряться деньгами. Вы увидите, что может. Я хочу уехать из Пети-Шато через две недели. — И, вздрогнув, Кат посмотрела в сторону двери, теперь пустой.

45

За два дня до отъезда графини в замок прискакал незнакомый всадник. Через час Катриону вызвали в библиотеку. Видно было, что Дэвид Лесли де Пейрак смущен и весьма обеспокоен. На стуле сидел, развалившись, элегантный господин, который при появлении Кат вскочил на ноги.

— Моя племянница, мадам графиня Гленкерк. Катриона, это месье маркиз де ла Виктуар.

Щеголь низко склонился и почтительно поцеловал ее руку, задержав на миг в своей. Его голубые глаза окинули графиню восхищенным взглядом, и он не смог удержаться, чтобы самую чуточку не пококетничать с ней; кончики маркизовых усов слегка задергались.

388

— Мадам, я ваш верный раб, — прошептал Виктуар, дыша фиалковым ароматом.

Катриона ответила звонким смехом, и ее зеленые глаза озорно засверкали.

— Вы мне вскружите голову такими любезностями, месье маркиз, — деланно возмутилась она.

Придя в восторг от этой прелестной женщины, не терявшейся к тому же в светской пикировке, гость произнес новую изысканную фразу:

— Мадам, мне выпало невероятное счастье. Король избрал меня, чтобы сопровождать вас в Фонтенбло.

— Ваш король желает меня видеть? Должно быть, здесь какая-то ошибка, месье маркиз. Я просто нахожусь проездом во Франции по пути в Италию.

— Вы вдова Патрика Лесли?

— Да.

— Тогда ошибки нет, мадам.

— Мне нужно время переодеться, месье маркиз. И, конечно же, мне нужен подобающий эскорт. Меня будут сопровождать обе мои служанки, мой духовник и мой начальник стражи со своими людьми. И естественно, мы поедем в моем экипаже.

— Ну безусловно, мадам. Все приличия будут соблюдены.

Прошел еще час, и Кат уже ехала по лесу из Пети-Шато в Фонтенбло. Пути было семь миль. По совету Ниалла графиня надела изысканное соблазнительное платье из темно-зеленого бархата, подчеркивавшее цвет ее глаз и белизну кожи. Очень глубокий вырез выставлял напоказ ее пышные прелести. Поверх она накинула плащ с капюшоном, сшитый из чередующихся полос темно-зеленого бархата и мягкого, тоже темного бобрового меха. Крупную золотую пряжку на шее украшал изумруд.

По дороге Ниалл тихим голосом давал наставления:

— Нельзя его недооценивать, Катриона. Генрих Наваррский очень хитер. Отвечайте на его вопросы прямо, но говорите только то, что ему следует знать. И не более. Он любит женщин, особенно поумнее и поживее. И сам тоже обладает сильным обаянием!

— Но что же, — беспокойно вопрошала Кат, — что же ему от меня нужно?

— Полагаю, Джеймс Стюарт обнаружил ваше отсутствие и надеется, что собрат-король поможет вас вернуть.

— Я не поеду обратно, Ниалл!

— Если Генрих хочет видеть вас именно поэтому, то попробуйте отговорить его, используя все ваши чары. Я знаю, вы можете.

— Святой отец! — возмутилась Кат. — Что вы мне советуете?

— Что бы ни было, вы хотите стать женой лорда Ботвелла или нет?

— Хочу! О, Боже милостивый, конечно, хочу!

— Тогда идите на все ради этой цели.

Несколько минут спустя они приехали в Фонтенбло. Маркиз де ла Виктуар подскочил к дверце коляски, готовясь проводить Катриону в покои короля.

— Ваши служанки и все остальные люди могут подождать здесь, — сказал он.

Ниалл легко выскочил из кареты. Глядя прямо в глаза маркизу, он тихо молвил:

— Пойду-ка я навещу своего старого друга отца Гюго, духовника короля. Буду готов вернуться по вашему приказанию, мадам графиня.

Кутаясь в плащ, Катриона проследовала за маркизом по лабиринту кривых полутемных коридоров. Наконец он остановился и, указывая на дверь, обшитую панелями, тихо произнес:

— Сюда, мадам.

А потом повернулся и исчез во тьме. Кат стиснула зубы и, тронув ручку двери, вошла в небольшую, прекрасно обставленную библиотеку. Сначала комната ей показалась пустой. Но тут из занавешенного алькова шагнул невысокий мужчина.

— Приблизьтесь, мадам графиня. Я вас не укушу.

Кат подошла прямо к королю и приветствовала его глубоким реверансом.

— Монсеньор, вы так любезны, что принимаете меня.

В уголках его рта мелькнула усмешка.

— Снимите плащ, мадам. Поговорим.

Кат расстегнула золотые застежки. Аккуратно положив плащ на стул, она снова повернулась к Генриху. У него было чувственное, красивое лицо с темно-карими бархатными глазами. Король оглядел гостью с явным одобрением. Взор его обласкал прекрасное лицо, а затем нескромно задержался на пышных грудях, выпиравших над вырезом платья.

— Великолепно! — выдохнул он наконец. — Мне вполне понятно страстное желание Джеймса Стюарта заполучить вас обратно, мадам графиня.

Хотя в глубине души Катриона и ожидала этого, потрясение оказалось слишком велико. Она слегка пошатнулась. Король мгновенно оказался рядом и обвил ее талию своей сильной рукой.

— Я не поеду обратно, монсеньор. Разве что в гробу!

Генрих расстроился.

— Ах нет, дорогая, я не могу такого допустить.

Кат снова закачалась, и король, подхватив ее на руки, быстро перенес в занавешенный альков на кровать. Его длинные тонкие пальцы умело ослабили шнурки корсажа. Налив в кубок немного янтарной жидкости, он обнял графиню рукой за плечи и заставил выпить.

У Кат перехватило дыхание, и она закашлялась.

— Боже мой! Виски!

— Отличное восстанавливающее средство.

Вдруг осознав, что сидит почти раздетая, Кат изо всех сил попыталась зашнуровать корсаж, но тут она вновь почувствовала головокружение и только откинулась назад. Король склонился над ней, мягко зажав между своими руками.

— Не бойтесь, дорогая. Я не заставлю вас ехать обратно к вашему королю. Совершенно ясно, что он вам отвратителен, а я никогда не думал, что стоит принуждать женщин. В битве полов нежная уступка гораздо очаровательнее изнасилования.

Карие глаза жгуче ее обласкивали, и Кат поняла, что краснеет. Она услышала его бархатный голос.

— Уступаете ли вы мне, дорогая? — спросил король, и она едва успела прошептать «монсеньор», как уста ей накрыл его горячий рот.

Готовая пережить то же, что и с Джеймсом, графиня с удивлением ощутила трепет. Тело расслаблялось. Глаза ее закрылись, и она глубоко вздохнула.

А Генрих негромко засмеялся, его тонкие пальцы быстро расшнуровали корсаж, обнажив гостью до талии. Рот короля спустился по ее стройной шее к шелковистым шарам грудей. Она не смогла остановить его, хотя какой-то краткий миг и пыталась, несмотря на возмутительно сладостные ощущения, которые на нее накатывали. Так было нельзя! Она его даже не знала.

— Нет-нет, дорогая, — ласково возразил король, вжимая ее спину в подушки. — Вы хотите этого не меньше меня.

И пораженная, Кат осознала, что король говорит правду. Она не знала его, однако ей нужно было его настоящее мужское тело, чтобы заново утвердиться в своей чувственности. С Джеймсом она ощущала себя шлюхой. С Генрихом Наваррским, почти что незнакомцем, снова чувствовала себя живой и женственной.

Губы мужчины чертили узоры по ее трепещущим грудям, шли ниже к дрожащему пупку. Широкие мягкие руки ласкали ее с таким умением, что дух захватывало, и она даже почти лишилась чувств. Эти руки проникли под ее пышные юбки, поглаживали атласные бедра, а затем перешли к самому сокровенному. Внутри нее накапливалось мучительное пульсирующее напряжение. Учащенно дыша, она закричала: «Монсеньор!», а когда жесткий орган вошел в нее, благодарно расплакалась.

Король двигался мягко, радуясь ее страстному ответу, с готовностью задерживаясь в ее теплой плоти и следя, чтобы она, ощущая миг своего великого наслаждения, обрела его вполне. Затем, вознеся ее в последний раз к высотам блаженства, Генрих и сам испытал его. Возбужденная этим искусным любовником, Кат лишилась чувств, а затем, не открывая глаз, погрузилась в расслабленный сон.

Несколько часов спустя, когда графиня проснулась, король сразу подошел к ней с бокалом охлажденного вина. Вспомнив, что произошло между ними, она зарделась и приняла подношение, опустив взгляд.

— Посмотрите на меня, дорогая, — нежным голосом приказал Генрих и рукой властно поднял ее лицо. — Мне жаль Джеймса, и, конечно же, я завидую моему другу лорду Ботвеллу, — сказал он.

Изумрудные глаза графини широко раскрылись, и она проглотила комок, поднявшийся в горле.

— Вы... Вы знаете Френсиса?

— Да, милая, знаю. Мы немало вместе поразвлекались, пока он по-глупому не убил на дуэли одного де Гиза. А у меня и так достаточно хлопот с этой семьей, и я вынужден был изгнать из Франции своего друга.

— Тогда вы, очевидно, знаете, что я еду в Неаполь, чтобы выйти за него замуж?

— Да, милая.

— И вы с самого начала не собирались препятствовать мне?

— Да, милая.

— О-о-о-о!

Кат раскрыла глаза от возмущения. В ярости она соскочила с кровати и отчаянно принялась снова себя зашнуровывать.

— Боже мой, монсеньор! Как вы могли? Как вы могли?

Генрих Наваррский не смог удержаться и рассмеялся заливистым смехом. Он ухватил маленькую ручонку, колотившую его по груди.

— А дело в том, чудесное вы создание, что в окружении целого двора, полного восхитительных, ластящихся красавиц, Френсис только и делал, что вздыхал да грезил о вас! Я не мог поверить, что существует такое совершенство. Но теперь, — и король улыбнулся, глядя на нее сверху, — я верю, дорогая моя!

Он поднял ее лицо.

— Вы же не расскажете моему доброму другу Френсису, что я так постыдно воспользовался вами? Ведь не скажете, милая?

Губы Кат задрожали.

— Вы несносный человек, монсеньор, — выговорила она Генриху, начиная помимо своей воли смеяться.

Пальцы хозяина алькова умело зашнуровали ей корсаж.

— Разве так было страшно наше деяние? У меня создалось впечатление, что вы наслаждались не меньше моего.

Их глаза встретились, и король услышал ответ:

— Наслаждалась, монсеньор, но по причине, о которой вы не подозреваете.

— Скажите же!

— На прошлое Рождество мой сын женился на Изабелле Гордон, и Джеймс Стюарт приехал в Гленкерк, чтобы проводить дни на охоте, а ночи — в моей постели. Когда он прикасался ко мне, я ничего не ощущала. Чтобы не оскорбить короля, я была вынуждена изображать чувства, которых не испытывала. После нескольких таких ночей я стала бояться, не случилось ли уж со мной чего-нибудь.

— А сегодня, — ухмыльнулся Генрих, — вы обнаружили, что с вами ничего не случилось, так?

— Да, — тихо ответила она.

— Я счастлив своим вкладом в ваше успокоение, мадам графиня, — сухо молвил король.

Катриона озорно улыбнулась.

— Не изображайте из себя обиженного, монсеньор! Это вы меня соблазнили!

Генрих улыбнулся тоже.

— Не буду отрицать, мадам, что мы провели восхитительные минуты. — Он прикоснулся пальцем к ее носу и вздохнул. — Но теперь вам надо ехать обратно в замок вашего дядюшки и готовиться к путешествию в Италию.

Кат схватила его руки и поцеловала.

— Спасибо, спасибо, монсеньор! Тысячу раз спасибо!

Король снова взял ее лицо в свои ладони.

— Вы очень любите его, да, милая?

— Да, монсеньор, люблю. Эти три года тянулись страшно долго и одиноко. Без него я жила лишь наполовину.

— А я подобных чувств ни к кому не испытывал, — вздохнул Генрих.

— Не думаю, что такая любовь выпадает многим, и не понимаю, почему выпало именно нам с Френсисом, но это так!

Генрих нежно провел пальцем по ее щеке.

— Как вы прекрасны, дорогая, со всей вашей невинной любовью, которая светится в этих чудесных зеленых глазах. Спокойно отправляйтесь к вашему ненаглядному повесе и передайте, что я по нему скучаю. Каким бы украшением вы оба стали для моего двора!

Взяв плащ Катрионы, король бережно накинул его на плечи. Потом за руку проводил до выхода и открыл дверь.

— Вот она, святой отец, жива и здорова.

Напоследок Генрих поцеловал ей руку и сказал:

— Прощайте, мадам графиня.

Дверь в комнату закрылась, и Кат осталась в коридоре одна с Ниаллом Фиц-Лесли. Священник отвел ее обратно к карете. А когда они уже спокойно ехали, спросил:

— Итак, мадам, вы уходите из лап льва невредимыми?

Графиня рассмеялась:

— Почти, святой отец. И все-таки мне понравился ваш король.

— Тогда вы свободны и можете продолжить путь к лорду Ботвеллу?

— Да, Ниалл. Свободна.

На следующий день обе семьи Лесли собрались попрощаться с Кат. После ужина графиня удалилась сразу же, как только позволили приличия; выезд она назначила на раннее утро. И ее экипаж, и вторая, меньшая, повозка, оказавшаяся нужной для разросшегося гардероба, уже были загружены, оставалось только запрячь. Тем же самым утром прибыл маркиз де ла Виктуар с грамотой свободного проезда, выписанной от Генриха Наваррского для мадам графини Гленкерк. Эта бумага позволит ей беспрепятственно проехать не только по Франции, но и по некоторым итальянским княжествам.

Глубокой ночью Кат внезапно проснулась, почувствовав, что в темной спальне она не одна. В ногах ее кровати молча стоял какой-то мужчина. Она сразу узнала его.

— Что тебе надо, Жиль?

— Как ты поняла, что это я, Катрин?

— Кто же еще посмеет вторгнуться ко мне?

— Ты и в самом деле покидаешь нас утром?

— Да.

— Почему же?

— Потому что, — терпеливо, словно ребенку, объяснила она, — я еду в Неаполь, чтобы выйти замуж за лорда Ботвелла.

— Этот мужчина не для тебя, Катрин! Он жестокий и грубый викинг. Он убил моего друга, Поля де Гиза. Ты не знаешь, какой он на самом деле!

— Это ты не знаешь лорда Ботвелла, Жиль. Я же знакома с ним уже много лет. Я люблю его и всегда любила.

Жиль замолчал, а потом она услышала его резкий вздох.

— Ты! Тогда это ты — та женщина, по которой он страдал! Это из-за тебя он презрел и оскорбил Кларис де Гиз.

Жиль перешел из темноты в полусвет и встал у края кровати. Его голос стал напряженным и мстительным.

— В отместку мы лишили Ботвелла почти всего состояния, а потом король изгнал его. Когда этот нечестивец покидал Францию со своим вшивым слугой, то у них не оставалось ничего, кроме платья, что было на них, и лошадей, на которых они ускакали. И теперь ты хочешь найти его и усладить ему жизнь? Мой лучший друг мертв! — В глазах у Жиля де Пейрака засверкал все тот же странный золотистый огонь. — А любопытно, прекрасная моя кузина, как твой возлюбленный примет тебя, зная, что я поимел тебя как животное. А он узнает!

— Жиль! — Она нарочно повысила голос, но кузен до того распалился, что даже и не заметил. — Жиль! Немедленно убирайся из моей спальни!

Из гардеробной послышался тихий шорох, и Кат с облегчением поняла, что служанка проснулась.

Жиль де Пейрак протянул руку. Схватив за вырез ее рубашки, он легко разорвал прозрачную ткань. Ничего уже поделать графиня не успела, кузен сразу бросился на нее. Она отчаянно завизжала, но мерзавец приглушил этот визг своей ладонью. Она яростно изворачивалась всем телом, пытаясь ускользнуть от ненавистных пальцев, которые щипали ее и причиняли боль. Черные глаза Жиля безжалостно блестели, в них мерцал безумием золотистый огонек.

— Так! — возбужденно шептал Пейрак. — Отбивайся! Отбивайся! Я люблю, когда женщины отбиваются.

«Боже мой, — подумала Катриона, — он же сумасшедший! Но я не дам себя снова изнасиловать! Не дам!»

Но внезапно руки Жиля оказались заломлены назад, а сам он уже болтался в воздухе.

— Я предупреждал тебя, парень, — тихо произнес Конолл и вонзил кинжал ему в сердце.

Дикие глаза Пейрака удивленно расширились, а затем потеряли всякое выражение. Он рухнул на пол. Ошеломленная Катриона увидела, как из темноты шагнул Ниалл. Совершив последний обряд, святой отец приказал:

— Сбросьте тело со стены у служебных ворот. Пусть его примут за разбойника.

Эндрю и Конолл молча подхватили труп и унесли из комнаты.

Судорожно вздохнув, Катриона от облегчения заплакала, едва ощущая, что кто-то привлекает ее к своей широкой груди. Бережно поддерживая графиню, Ниалл поглаживал рукой ее золотистые волосы. Внезапно он почувствовал, что к нему прижимаются мягкие обнаженные выпуклости. Сердце священника дико забилось, и на короткий миг он закрыл глаза, наслаждаясь. Затем, собрав остатки самообладания, тихо произнес:

— Жиль де Пейрак был развратным чудовищем, он, можно считать, убил свою жену. Я хочу, чтобы вы забыли о том, что произошло сегодня. С вами все в порядке?

Все еще прижимаясь, Катриона обратила к нему лицо, залитое слезами, и он простонал:

— Господи, Катриона! Не смотрите на меня так! Я священник, но тоже мужчина!

— Тогда отпустите меня, Ниалл! Я чувствую, как вы дрожите. Идите, пока мы не сотворили глупости.

Священник нехотя выпустил ее, и графиня прикрыла свою наготу простынями. Хотя служители церкви и нарушали частенько обет безбрачия, сам Ниалл никогда раньше не испытывал соблазна. Прежде чем сделать окончательный выбор, он поимел многих шлюх и никогда не жалел, что отказался от плотских радостей. Но теперь... Как бы прочитав его мысли, Катриона сказала:

— Честные сомнения укрепляют веру, святой отец! Спасибо за то, что спасли меня, но теперь я отдохну. Скоро рассветет, и, что бы ни случилось, сегодня я непременно должна уже быть в пути.

Он тупо кивнул.

— Не выслушаете ли вы мою исповедь перед тем, как я уеду? Думаю, лучше не выносить эту тайну из семьи.

Вновь обретя голос, Ниалл с готовностью ответил:

— Да. Приходите на заре в часовню. Я буду ждать.

И он медленными шагами вышел из комнаты. Пришла Сюзан — удостовериться, что все в порядке. Катриона слабо улыбнулась и потрепала ее по руке.

— Со мной все хорошо. Спасибо, что привела Конолла. Я знала, что, если повышу голос, ты услышишь.

Сюзан зарделась.

— Это была не я, миледи. Это Мэй. Она спит чутко.

— Возблагодарим же Бога!.. А теперь — в постель, дитя мое. Скоро утро.

Катриона подремала в темноте, пока внутренним чувством не ощутила, что рассвет близок. Проснувшись, она быстро оделась и прошла в часовню, где уже находился Ниалл. Молодой священник вновь стал самим собой, хоть и выглядел изможденным. Преклонив колена, графиня вложила свои руки в его ладони и начала исповедь.

Священник молча слушал, пока она перечисляла свои мелкие прегрешения, затем и несколько больший грех, совершенный вместе с Генрихом Наваррским. Епитимью Ниалл наложил легкую, а когда, отпуская грехи, нежно прикасался к ее склоненной голове, рука у него подрагивала. Катриона вскинула свои зеленые глаза и, плутовски сверкнув ими, сказала:

— А вам, святой отец, за ваши грехи три Аве и три патера.

Ниалл прямо-таки задохнулся от смеха.

— Катриона, вы несносны и непочтительны, но я благодарю вас. Ведь я наделал столько шума из ничего, вы согласны?

— Да, святой отец. Но между мыслью и делом существует огромное расстояние.

— Спасибо, дочь моя.

Катриона поцеловала протянутую руку, затем поднялась и позволила Ниаллу проводить ее из часовни. Приглушив голос, он сказал по-гаэльски:

— Труп пока не нашли. Если вы поторопитесь, то успеете уехать прежде, чем его найдут.

— Мы уже готовы.

— Вы поели?

— Нет. Поедим в дороге.

Когда графиня со священником вошли во двор замка, то увидели, что их ждет Дэвид Лесли де Пейрак.

— Адель велела мне попрощаться с вами, если вы все-таки решите нас покинуть. Ей казалось, что вы можете задержаться, хоть и не понимаю почему.

Дядюшка расцеловал ее в обе щеки.

398

— Но прежде чем пускаться в дорогу, племянница, не могла бы ты удовлетворить мое любопытство? От кого ты бежишь?

— От Джеймса Стюарта, — честно призналась Катриона.

— А король знает и все равно тебя не задерживает?

— Да, дядюшка.

Де Пейрак усмехнулся:

— Езжай с Богом, племянница, и если тебе когда-нибудь потребуется моя помощь, то только попроси. Хотя сомневаюсь, что при таких могущественных друзьях я могу тебе понадобиться.

— Иногда нужен именно родной человек, дядя. Спасибо тебе, — ответила Катриона и поцеловала старого добряка. Тот подсадил ее в экипаж; она склонилась в окошко и сказала: — Прощайте, святой отец и деверь мой Ниалл. Еще раз — спасибо за все.

Ниалл Фиц-Лесли припал губами к ее тонкой руке.

— Прощайте, моя прелестная. Будьте счастливы.

— Буду! Конолл, вперед!

Кортеж графини Гленкерк прогромыхал со двора Пети-Шато на большак, ведущий через лес Фонтенбло на юг к Средиземному морю. Но едва отъехав от замка, карета остановилась на поляне, а Катриона, выскочив из нее со свертком под мышкой, скрылась в густых кустах.

Несколько минут спустя она появилась снова, одетая уже в короткие штаны и кожаный камзол, а ее волосы были забраны под шляпу. Не успела она бросить старую одежду в коляску к Сюзан и Мэй, как подъехал Конолл, ведя в поводу Иолэра. Легко вскочив в седло, графиня потянулась, разминая затекшее тело, а затем, прижав колени к бокам коня, ударила шпорами.

— Я свободна, Конолл, — засмеялась она. — Наконец-то! В Неаполь! К Ботвеллу! Я свободна!

46

И ехали они через всю Францию, через города и деревни, которые скоро уже стали расплываться в их глазах и терять всякие различия. Немур... Бриар... Невер... Лион... Вьенн... Авиньон... Марсель... И теперь впервые Катриона увидела южное море, такое не похожее на холодные северные. Оно было все в пятнах — зеленое здесь, голубоватое там, налево — бирюзовое, направо — пурпурное и прозрачное, до самого дна, песчаного или кораллового.

На несколько дней отряд задержался в Марселе, и Катриона восторженно бродила по городу и по его набережным-рынкам, где торговали фруктами, рыбой и пряностями. Из каких только стран там не встречались моряки — французские, испанские, турецкие, русские, арабские, английские, венецианские, генуэзские, сицилийские и даже чернокожие! Она любовалась кораблями, выстраивавшимися у причалов, ей тоже хотелось отплыть в залив, пронестись на всех парусах по Лигурийскому морю, мимо Корсики и Сардинии и далее через Тирренское море прийти в Неаполь. Но путешественница прекрасно понимала, что безопасна только марсельская бухта, а за ее пределами турецкие пираты только и поджидают случая напасть на плохо охраняемый корабль.

Еще до выезда из Марселя к графине явился вестник от Жискара Кира и сообщил, что, хотя он и передал письмо на виллу, где жил лорд Ботвелл, самого адресата ему увидеть не удалось. Граф находился в отлучке. Встревожившись, Катриона захотела сразу же продолжить путь. Жиль де Пейрак говорил, что Френсиса лишили всего, кроме платья и лошади. Если теперь любимый жил в достатке, то у него, несомненно, появился богатый покровитель. Это мог, конечно, оказаться мужчина, но Катриона поспорила бы на весь свой новый гардероб, что Ботвелла содержала женщина.

Так и было на самом деле. Ее звали Анджела Мария ди Ликоза, и она носила титул графини как по мужу Альфредо, графу ди Ликоза, так и по рождению, как дочь Шинно, графа ди Чикала. Мать Анджелы, Мария Тереза, происходила из мусульман Османской империи. В четырнадцать лет девушка пережила набег христианских рыцарей, и один из них, Шинно ди Чикала, не колеблясь, похитил ее. Итальянец глубоко влюбился в свою рабыню, а та, забеременев, сделала самую разумную вещь. Она приняла христианство и вышла за Шинно замуж, так что старший сын у них успел родиться законным. Их младшим ребенком стала Анджела. Дочь выросла столь же прекрасной, что и ангелы, в честь которых ее нарекли, и столь же злонравной, что и дьявол, которому она поклонялась. Родители — в особенности нежная и кроткая мать — были в отчаянии и, едва Анджела подросла, поспешили выдать ее за Альфредо ди Ликоза, человека на двадцать лет старше ее.

Она пришла к мужу девственницей, но вскоре утомилась его ласками. Подарив графу двух сыновей, Анджела начала заводить любовников. Пока жена держалась в рамках приличий, Альфредо ди Ликоза — человек изысканный и терпимый, закрывал глаза на ее прегрешения. В конце концов, он тоже развлекался на стороне. К тому же юная Анджела оказалась совершенно ненасытной, а он уже был далеко не молод. Даже когда графиня приводила любовников в его дом, Альфредо не возражал, лишь бы только находился благовидный предлог для их присутствия. Приличия следовало соблюдать.

А Френсис Стюарт Хепберн появился в этом доме самым невинным образом. Из Франции он отправился в Испанию, но, почувствовав у себя за спиной горячее дыхание инквизиции, убрался вместе со своим слугой Ангусом в Неаполь. При этом не забыл взять у одного друга испанского короля рекомендательное письмо к графу ди Ликоза, и тот с радостью приютил его. И неизбежно, конечно, лорд Ботвелл стал любовником графини. Френсис всегда ценил красивых женщин, а Анджела ди Ликоза, безусловно, была красавицей.

Тонкая, словно ива, она имела изящные, высокие груди конусом и такую тонкую талию, что мужчина мог обхватить ладонями. На коже молочной белизны не обнаруживалось ни единого пятнышка. Под прекрасными высокими бровями, безупречными по форме, чернели глаза, глубокие и бездонные, словно ночное небо, длинные прямые волосы, тоже иссиня-черные, ниспадали почти до самых лодыжек.

Когда хотела, графиня ди Ликоза могла быть очаровательной. Обычно с мужчинами она и хотела быть именно такой. Других женщин Анджела просто терпела или вообще не замечала. Не особенно образованная, едва умевшая писать и читать, она, однако, воспитывалась так, чтобы стать украшением, и в этом преуспела.

В графе Ботвелле Анджела ди Ликоза обнаружила мужчину остроумного, обаятельного, просвещенного, а самое главное — ненасытного в постели. А тот, все время пытавшийся заглушить воспоминания о своей единственной любви, согласился спать с Анджелой, покуда это его забавляло.

Ботвелл никогда не изображал из себя святошу, и он как-то должен был жить. Когда перед разлукой Катриона предложила ему все свое состояние, он отказался взять даже пенни. А она потом неистово гневалась на любимого за эту глупую гордость, зная, что деньги могли означать для него безопасность, и зная, что от тех, кого Френсис ласкает лишь мимолетно, он деньги примет. Такой уж это человек.

Мысль о том, что Френсис пребывает в объятиях другой женщины, подхлестнула Катриону, и она умчалась из Марселя во весь опор. Проскочив Тулон, отряд проследовал вдоль побережья до Монако, где графиня остановилась на ночь в обычной таверне, хотя местный князь приглашал отдохнуть несколько дней у него во дворце. Пролетело мимо государство Генуя, промелькнула граница, за ней — Тоскана, и, наконец, показался Рим. Здесь Конолл вынудил ее остановиться и отдохнуть.

— Господи, женщина! — ревел он. — Вы доконаете моих людей такой гонкой. Граф знает, что вы едете. И к вашему приезду уже отделается от этой шлюхи!

Впрочем, и сама Катриона выглядела изнуренной, под глазами у нее залегли глубокие тени.

Она спала два дня, но вечером третьего вызвала Конолла.

— Завтра выезжаем. Хочу добраться до Неаполя за трое суток.

— Этим утром я послал вперед половину людей с каретами, — отвечал начальник стражи. — Они увезли с собой Сюзан и Мэй.

— А я-то гадала, куда подевались мои служанки. И уже думала, что их увели эти темноглазые молодые люди.

Конолл фыркнул:

— Нет уж. Это родные дочери моего брата, и не хотелось бы мне отвечать перед Хью, если с ними вдруг что-то случится.

— Жаль, Конолл, что ты не столь благочестив, когда заваливаешь чужую дочь, — возразила Катриона, и в ее глазах зажегся озорной огонек.

Воин глянул исподлобья.

— Вы сумеете встать, чтобы приготовиться и выехать на рассвете? — спросил он.

— Да, — протянула Катриона. — А ты тоже будешь спать один, Конолл?

Служивый разразился хохотом.

— Кончай травить, девчонка! Что за злой язык прицеплен к твоей хорошенькой головке! Я-то встану! Посмотрим, встанешь ли ты!

На следующее утро Катриона со своим отрядом уже двигалась по неаполитанской дороге. На второй вечер пути они догнали тяжело груженную карету и фургон с багажом, заночевав даже ближе к Неаполю, чем рассчитывали. На третий день графиня продолжила путь, пока до города не остались считанные мили, и тогда остановилась в небольшой таверне, чтобы помыться и поменять одежду.

Жена трактирщика неодобрительно закудахтала: в ее заведение вошла какая-то пропыленная длинноногая женщина и поднялась по лестнице в самую лучшую спальню. Но вот туда подали чан с горячей водой, и два часа спустя хозяйка таверны уже вся сияла подобострастной улыбкой, по лестнице спускалась изысканно одетая дама с великолепной прической.

А Катриона опять села со служанками в экипаж и въехала в город, сразу направившись к дому синьора Пьетро Кира. Было послеобеденное время, и хозяин отлучился по делам. Но старший сын банкира проводил леди Лесли на ее только что купленную виллу близ деревни Амальфи, к югу от Неаполя. Дом, как разъяснил молодой Кира, полностью обставили и обеспечили прислугой, согласно указаниям, полученным от Бенджамена Кира из Эдинбурга.

А у графини, выглядывавшей в окно кареты, захватывало дух. Дорога опасно вознеслась над морем, которое сверкало и переливалось внизу по крайней мере тремя оттенками голубого цвета. Наконец карета свернула на небольшой проселок, обсаженный деревьями, и вскоре въехала в ворота с бронзовой табличкой «Вилла "Золотая рыба"». Несколько минут спустя показался роскошный дом, не похожий ни на один из тех, в которых Катрионе приходилось жить. Дом был бледно-кремового оттенка под крышей, крытой красной черепицей. Подъездная дорога, усыпанная белым гравием, заворачивала полукругом у самых дверей. В этом полукруге зеленел бархатистый газон, его окаймляли клумбы, плотно засаженные пестрыми цветами, а посередине сверкал струями круглый фонтан со смеющимся купидоном, оседлавшим золотую рыбу. Весь участок вокруг виллы тоже был засажен всевозможными цветами.

— О-о, миледи, — вздохнула юная Мэй, — никогда в жизни я не видела такой красоты!

— На этот раз дитя молвило что-то разумное, — согласилась Сюзан. — На севере подснежники едва осмеливаются высунуть свои головки, а здесь уже все цветет!

Катриона улыбнулась, поглядев на обеих своих служанок и подумав, что дом этот — для влюбленных. И если лорд Ботвелл ее уже ждал, то скоро он будет здесь. Карета остановилась, конюхи опустили ступеньки, на крыльце показалась прислуга. Синьор Кира представил.

— Мажордом Паоло и его жена Мария, экономка и повариха сразу, две горничные и полдюжины садовников.

— Лорд Ботвелл, — обратилась Катриона к Паоло, — не прибыл?

— Никто не приезжал, мадонна.

Она повернулась к Кира:

— Ваш вестник сказал, что доставил письмо на виллу лорду Ботвеллу. Где эта вилла?

— Совсем рядом, синьора.

Она снова повернулась к Паоло:

— Пусть один из садовников покажет путь туда моему начальнику стражи.

— Да, мадонна.

— Конолл, отправляйся.

Капитан снова вскочил в седло.

— Прямо стыд, как вам не терпится, — проворчал он.

— Не волнуйся, — огрызнулась Катриона. — Я уверена, что та девка с глазами-вишнями, на которую ты таращишься, подождет.

И она засмеялась, услышав, как, отъезжая, Конолл ответил грубым возгласом. А потом повернулась к молодому Кира:

— Сегодня вы мой гость, синьор. Слишком поздно вам ехать обратно в город одному.

Они вошли в дом, и графиня приятно удивилась. На первом этаже, открывавшемся квадратным фойе с лестницей посередине, Катрионе показали три гостиные, библиотеку, семейную и большую столовые, а также три кухни. Провожая новую хозяйку на второй этаж, Мария щебетала без умолку:

— Боюсь, что дом слишком маленький, мадонна. Только шесть спален. Однако на третьем этаже очень просторно, и я отвела там вашим служанкам милую комнатку, которая находится прямо над вами.

Женщина вперевалку прошествовала по коридору и показала на пару дверей, каждую из которых украшало изображение львиной головы. Повернув изящные фарфоровые ручки, она распахнула двери и объявила:

— Вот, мадонна, ваша спальня!

Катриона ступила в просторную, хорошо проветриваемую комнату. Двойные окна выходили на небольшие железные балкончики, нависавшие над задним парком. Дальше открывался вид на море.

В комнате стояла большая высокая кровать, задрапированная зеленовато-голубой тканью и покрытая таким же по цвету покрывалом. Мебель была из теплого, полированного ореха, а стены окрашены в кремовый цвет с золоченым рисунком в верхней части и на потолке. По обе стороны окон висели тяжелые шелковые портьеры цвета морской волны. Нежный бриз раздувал прозрачные занавески из кремового шелка. На прохладном изразцовом полу тут и там лежали толстые шерстяные ковры. Напротив окон, по левую сторону от кровати, располагался огромный камин с резной мраморной доской, а довершали обстановку большой платяной шкаф, стол и несколько стульев.

Мария приблизилась к стене, противоположной кровати, и взмахом руки отворила в ней дверь.

— Ваша ванная, синьора графиня.

У Катрионы изумленно раскрылись глаза. Стены и пол в ванной оказались выложены чудесными голубыми изразцами, а посередине в пол была утоплена огромная мраморная ванна, формой напоминающая раковину. На конце ее сияли золотые украшения в виде трех золотых рыбок.

— Посмотрите, мадонна, — возбужденно кудахтала Мария.

Женщина наклонилась и повернула одну из крайних рыбок. Ванна стала наполняться водой.

— А когда захотите спустить воду, — радостно объяснила она, потянув вверх серединную рыбину, — видите? Ну, не чудо ли?! Последним хозяином этой виллы был купец-турок, а они моются больше, чем нужно для здоровья. Впрочем, это не имеет значения.

— А как вода нагревается? — спросила Катриона.

— Ее держат в фарфоровом бачке, под которым всегда горит медленный огонь.

— Посмотрите, Сюзан, Мэй! Разве это не здорово?! Больше не надо вам таскаться с ведрами. Можете наливать мне ванну прямо сейчас! Скоро здесь будет лорд Ботвелл!

А пока Катриона с наслаждением плескалась в надушенной воде, Конолл ехал по холмам вслед за молодым садовником и через несколько миль увидел другую виллу, хорошо укрытую за пышными деревьями. Тут парнишка остановился и показал рукой.

— Хорошо, пошли дальше, — сказал Конолл.

— Нет, синьор капитан, я дальше не пойду. Она проклянет меня, если узнает, что я помог увести ее мужчину.

— Кто это она? — озадаченно спросил шотландец.

— Ведьма!

— Какая ведьма?

— Графиня ди Ликоза. Это ее дом. А лорд Ботвелл — ее любовник.

На какой-то миг капитан задумался. Что ж... человеку надобно жить. И пока что граф не пришел, чтобы приветствовать женщину, в любви к которой клялся во всеуслышание. А Конолл-то полагал, что они встретятся где-нибудь на полпути между Римом и Неаполем. Затем горец припомнил слова вестника. Тот не смог передать послание лорду Ботвеллу в руки, поскольку его на вилле не оказалось. Не могло ли случиться так, что он и вовсе не получил письмо? Да! Конечно, так и было! Обычная женская уловка!

— Подожди меня здесь, — приказал Конолл перепуганному садовнику и пустил свою лошадь по дороге.

Никто не останавливал его, и вскоре он оказался перед самым домом, все окна которого сияли яркими огнями. Спешившись, капитан постучал в дверь. Несколько мгновений спустя открыл мажордом властного вида.

— Я желаю видеть лорда Ботвелла.

— Мне очень жаль. Его нельзя беспокоить. Что ему передать?

— Я капитан Мор-Лесли, милейший, — прорычал Конолл, отпихивая чопорного слугу,— и я намереваюсь побеспокоить его светлость прямо сейчас. Ботвелл! — проревел он что есть мочи. — Ко мне! Ботвелл!

На верхнем этаже хлопнули дверью, и Конолл увидел Френсиса Стюарта Хепберна, легко сбегавшего по лестнице с обнаженной шпагой. Подойдя к капитану, он пристально вгляделся ему в лицо.

— Конолл? Конолл Мор-Лесли?

— Да, милорд.

Лицо графа осветилось улыбкой. Свободной рукой он схватил руку Конолла.

— Черт возьми! Приятно тебя видеть! А что ты здесь делаешь?

— Вы не получили письмо, доставленное сюда несколько недель назад?

— Нет. А ты уверен, что его приносили?

— Да, милорд. Вестнику сказали, что вы в отлучке, но вам передадут, когда вернетесь.

— Я не отлучался отсюда уже много месяцев, Конолл. — Внезапно граф побелел. — Кат?! С ней все в порядке?

Капитан облегченно вздохнул:

— Да, милорд, все в порядке, но она очень соскучилась по вашему обществу. И она ждет вашу светлость на вилле «Золотая рыба».

— Что?!

— Да, сэр! Ждет прямо сейчас. И если у вас здесь нет ничего особо ценного, то берите вашего Ангуса и поехали!

Лицо Ботвелла медленно расплылось в улыбке.

— Что тут у меня может быть ценного, дружище? Ангус! Ко мне!

Однако внезапно наверху появилась одна из самых красивых женщин, каких довелось Коноллу видеть за всю его жизнь. Подобно кошке, она скользнула вниз по лестнице и глубоким голосом проворковала:

— Дорогой, куда же ты? Скоро уже прибудут наши гости.

— Почему мне не передали письмо, которое получено несколько недель назад?

— Какое письмо, дорогой?

Но ее темные глаза метнули на Конолла разгневанный взгляд. Ботвелл заметил это и рассмеялся.

— Ты очень плохо лжешь, моя Анджела. Я предупреждал, что однажды повернусь к тебе и скажу «прощай!». И вот этот день пришел.

— Сейчас?! Когда приедут гости? Кто же будет их принимать?

— Можешь попросить мужа, Анджела.

— Франсиско! — Она простерла в мольбе свои прекрасные руки. — Я люблю тебя!

Граф снова рассмеялся:

— Анджела, ты восхитительная актриса. Только одно на этом свете может оторвать меня от тебя, но это одно сейчас меня ждет. Прощай, дорогая!

Несколько минут спустя шотландцы уже ехали по дороге на виллу «Золотая рыба» и не слышали возмущенных воплей прелестной графини ди Ликоза.

— А что здесь делает Кат? — прокричал лорд, стараясь перекрыть ветер и цокот копыт.

— Она сама вам скажет, — проорал в ответ Конолл.

Когда они прискакали на виллу, солнце уже опускалось в море. Катриона ждала в дверях, и граф соскользнул с седла еще прежде, чем его лошадь остановилась. Все внезапно затихло, и они стояли как вкопанные, не сводя глаз друг с друга. Слуги вокруг тоже замерли в молчании, не осмеливаясь пошевелиться — таким насыщенным и заряженным стал воздух вокруг них.

— Кат, — этот голос обласкал ее, и она покачнулась, — Кат, драгоценная моя любовь, как случилось, что ты здесь?

— Я вдова, Френсис. Патрик погиб.

— Мир праху его.

Они шагнули навстречу друг другу.

— Ангус! Приведи священника! — велел лорд Ботвелл. А затем он схватил Катриону и медленно, обволакивая всю ее своими объятиями, нашел жадный ждущий рот. И тогда вобрал в себя до конца ее сладость, что-то нашептывая ей прямо в губы.

Полностью отдавшись буре чувств, Катриона прильнула к любимому. Она едва держалась на ногах. Сердце колотилось, казалось, в самых ее ушах. Наконец, подняв лицо, ей удалось судорожно выдохнуть.

— Зачем священника?

Поддерживая Кат своей сильной рукой, Ботвелл взглянул ей прямо в глаза.

— Затем, дорогая моя, что я собираюсь немедленно жениться на вас! Сегодня же! Прежде чем короли, родственники или кто-либо еще успеет прийти и снова встать между нами.

— О Френсис! — прошептала графиня. — Я так страшно скучала по тебе! — И она разрыдалась.

— Не плачь, дорогая. Со мной тебе ничего не грозит, и на этот раз никто нас друг у друга не отнимет, — утешал ее Ботвелл. — А теперь, любовь моя, скажи, почему Джеймс смилостивился и позволил тебе ко мне приехать?

— Он вовсе не смилостивился, Френсис. Я бежала. Фамилия перешла теперь к сыну, и Джеми решил, что больше случая мне не представится. Что было между Джеймсом Стюартом, Патриком и нами, не касается молодого графа. И он не думает, чтобы король попытался теперь мстить Лесли. — Катриона потянула Ботвелла в дом.

— А наш кузен-король знает, где ты?

— Ему сказали, что я отправилась во Францию, будто бы избыть вдовью печаль. Но полагаю, теперь он очень разгневан. Ведь мне было приказано явиться ко двору еще этой весной. Он даже послал к Генриху и попросил, чтобы тот меня вернул. Генрих шлет тебе привет.

— Ты встречалась с ним?

— Да. Он был весьма добр. Он сожалеет, что пришлось тебя изгнать.

— Генрих всегда был добр с женщинами, — ухмыльнулся Ботвелл. — И с молодыми, и со старыми. С красивыми и с безобразными. Он обладает невероятным обаянием, и все дамы от него без ума!

Но прежде чем Френсис успел сказать что-либо еще, Катриона повела его в одну из гостиных, откуда открывался вид на море. Стремительно обернувшись, она спросила:

— А кто владелец виллы, где ты жил?

— Граф ди Ликоза, — не моргнув глазом, отвечал Ботвелл.

— А в эти долгие ночи вы спали с его женой или с дочерью, милорд?

В синих глазах графа появился шаловливый блеск.

— Ревнуешь, дорогая?

— Если эта дама еще раз взглянет на тебя, то я выгрызу ей сердце!

Лорд счастливо засмеялся:

— Остерегитесь, дорогая. Графиню ди Ликоза считают ведьмой.

— Да? — Казалось, на Катриону это не произвело впечатления.

— Ей нравится, чтобы так думали крестьяне и другие темные люди, — продолжал Ботвелл, — хотя она и на самом деле весьма даровита в лечении травами. Просто женщина наслаждается той маленькой властью, какую дает ей ее слава. Она наполовину турчанка, потому что ее мать родилась у мусульман и когда-то давно была похищена отцом Анджелы. У нее два брата, причем, по странной иронии судьбы, старшего лет двадцать назад самого пленили турки. И подобно тому как его мать когда-то приняла христианство, он обратился в ислам. А теперь стал военачальником у султана.

— А она очень красива? — спросила Кат.

— Да, — честно признался граф. — Но крестьяне зовут ее Анджела дель Диаволо — Ангел Дьявола. — Он подошел к Катрионе и обнял ее. — Кат, любовь моя, я не хочу говорить об Анджеле. Боже, не могу поверить, что это ты! Знаешь ли, сколько грезил я о такой встрече, считая ее совершенно невозможной?.. Знаешь ли, как тосковал по тебе, уверенный, что никогда в этой жизни снова не заключу тебя в свои объятия?.. Сколько ночей я лежал один без сна и страдал? — И он нежно стер пальцем след от ее слезы. — Как наши малыши?

— Живы и здоровы, — прошептала Кат сдавленным голосом. — Они в Гленкерке с Мэг. Джеми пришлет их, как только

410

это станет безопасно. Самое большее — через несколько месяцев, и тогда наконец-то у нас будет семья.

Ласковые мужские руки еще сильнее сжали ее, и он потерся об ее губы.

— Прежде чем стать отцом, я предпочел бы немного побыть женихом, дорогая.

Катриона тихо рассмеялась:

— А вам не кажется, милорд, что об этом следовало подумать до того, как у меня появилось три ваших ребенка?

— Так я уже предвкушаю, как появится и четвертый, девочка моя!..

Дверь в гостиную отворилась, и вошел ухмыляющийся Конолл, а вслед за ним Эндрю и священник в черном одеянии.

— Итак, Франсиско! Значит, это вы зовете меня с таким неистовством?

— Епископ Паскуале! Когда вы успели вернуться из Рима?

— Сегодня пополудни, и правильно сделал. Эти два дикаря ворвались в церковь, требуя священника. Они запугали моих людей до полусмерти. С чего это вам так понадобился святой отец, Ботвелл? По вам не скажешь, что вы вот-вот испустите дух.

Френсис потянул Катриону вперед.

— Милорд епископ, разрешите представить вам Катриону Маири Лесли. Мы желаем пожениться.

— Нет, Ботвелл. Имена жениха и невесты в церкви не оглашались.

— Да простите нам это, друг мой!

Епископ улыбнулся.

— Зачем же, Франсиско? Дитя мое, — спросил он, пристально вглядываясь в лицо Катрионы, — как хорошо вы знаете этого человека?

— Он отец троих моих младших детей, милорд епископ. Мы бы поженились еще шесть лет назад, если бы наш король не пригрозил кардиналу Сент-Эндрю преследовать церковь, если тот расторгнет мой брак. Теперь я вдова, и хотя Джеймс Стюарт по-прежнему стремится сделать меня своей любовницей, я бежала, чтобы выйти замуж за лорда Ботвелла. Пожалуйста, милорд епископ, не настаивайте на оглашении имен.

Я провела в пути почти два месяца и проехала больше тысячи миль. Мы с милордом жили в разлуке три долгих года. Пожените нас сегодня!

— Сколько времени, как вы овдовели, дочь моя? — задал новый вопрос епископ.

— В этом месяце исполняется два года, как мой первый муж отплыл в Новый Свет, но его корабль так и не дошел до цели.

Епископ задумался. Перед ним стояли вовсе не порывистые, нетерпеливые дети, а, напротив, вполне взрослые люди, явно влюбленные друг в друга. И уже одним этим они выделялись среди высшей знати. К тому же епископу нравился лорд Ботвелл, и святой отец считал, что чем быстрее шотландец избавится от Анджелы ди Ликоза, тем лучше. Причем не было никакого сомнения в том, что появившаяся внезапно красавица способна навсегда вырвать славного милорда из ведьминых лап.

— Очень хорошо, Франсиско и Катерина. Я обвенчаю вас сегодня. Будьте через час в Амальфи, в церкви Санта-Мария-дель-Маре.

— На этой вилле есть освященная часовня, милорд епископ, — негромко сказала Катриона.

— Прекрасно, дочь моя. Пусть это будет здесь. Когда?

— Дайте мне только поменять платье. — Она повернулась к Ботвеллу и заговорила на шотландском диалекте: — Когда я выходила замуж за Патрика, то пришлось стоять в пеньюаре, и у меня уже начинались родовые муки. А всю эту зиму я только и делала, что готовила девушек к свадьбам. Так что, возлюбленный, уж ради тебя и ради себя самой я задержусь, но предстану невестой.

Френсис взял ее за плечи и поцеловал в лоб.

— Иди, любимая. Я позабочусь, чтобы наш гость чувствовал себя как дома.

Епископ Паскуале поудобнее устроился в кресле и со вкусом потягивал сладкое бледно-золотистое вино, которым его угостил Ботвелл.

— Я всегда считал, что вы родились под счастливой звездой, Франсиско, а иначе ваша голова давно бы уже распрощалась с вашими плечами. Ваша суженая — прелестное создание. Итак, король Шотландии зарится на нее?

— Да. Он скрывает свою похоть от всеобщего обозрения, но то, что он сделал ей... не буду расстраивать вас неприглядными подробностями. А прежде чем Джеймс Стюарт, пригрозив ее семье, принудил Катриону лечь к нему в постель, она была образцовой женой. Ее даже прозвали Добродетельной графиней, и сначала его привлекло уже одно это.

— А когда началась ваша связь, Франсиско?

— Мы были знакомы еще при дворе, задолго до того, как ей пришлось бежать от короля и от мужа, вместе взятых... Открыв ее положение, муж был потрясен и оскорблен. Тогда-то и началась наша близость. Нас с Катрионой связывала простая дружба, но больше ей идти оказалось некуда. И то, что случилось между нами... просто случилось. Я никогда прежде не знал такого полного счастья, какое узнал с ней. И такого страдания, как без нее.

Епископ кивнул.

— Сын мой, — сказал он, — сознаете ли вы, как вам повезло! Я встречал королей, которые бы все отдали за то, что есть у вас. Лелейте это счастье! Лелейте эту женщину, которая делает вас таким счастливым! Господь ниспослал вам безмерную милость!

Через час в гостиную вошла Катриона с двумя служанками и обнаружила, что там ее ждет лишь один Конолл. К ее изумлению, на капитане оказался фамильный леслиевский килт, вкупе со всеми горскими регалиями.

— Где ты это выискал, земляк?

Он даже возмутился:

— А ты что, девочка, думаешь, что я поеду куда-то без своего килта? А если бы я умер в пути, то в чем, скажи, пожалуйста, вы бы меня похоронили? Однако теперь я выступаю в качестве твоего отца. Являясь здесь тебе самым близким родственником, поведу тебя к суженому.

Предложив невесте руку, Конолл торжественно прошествовал с ней в капеллу, а следом шли Сюзан и Мэй, одетые в свои лучшие платья.

Часовня эта — маленькая, римского стиля — была выстроена даже раньше самого дома. Прежнему хозяину она служила мечетью, но теперь ей вернули христианский вид — такое указание дал Бенджамен Кира. Еврей-банкир восхищался своей клиенткой, сохранявшей тихую преданность католической вере, когда Шотландия обратилась в протестантство. Поэтому, узнав в Эдинбурге, что на вилле, купленной для графини Гленкерк, имеется древняя часовня, Кира приказал за свой счет обновить ее. Это был его дар необычайной женщине, которую он знал со времени ее девичества и которую он, похоже, уже больше никогда не увидит.

Обстановка внутри часовни была простая. Белел мраморный алтарь, на верху которого поблескивали два тяжелых золотых подсвечника, усыпанных бриллиантами, рубинами, изумрудами и аметистами. Такое же было и распятие. В маленьких окнах сверкали драгоценные витражи; кроваво-красным светом тускло светились лампы для ночного бдения, выдутые вручную в Мурано из тяжелого стекла и вставленные в держатели из золотой и серебряной филиграни. И вся часовня сияла в свете по крайней мере пятидесяти тонких свечей.

Торжественно идя с Коноллом по проходу к алтарю, Катриона увидела, что свидетелями обряда стали ее шестеро слуг и все гленкеркцы. Никто не посмеет усомниться в законности этого брака!.. Глянув дальше, она обнаружила Ботвелла. Подобно Коноллу, жених облачился в парадный килт. Внезапно, до конца осознав, что происходит, графиня послала ему счастливую улыбку.

Он улыбнулся в ответ, и его глаза засветились, выражая восхищение свадебным платьем невесты. Безрукавная накидка из сиреневого шелка мягко сияла в отблесках свечей, а немного более темная юбка мерцала золотой и жемчужной вышивкой. Сквозь сиреневую же кисею рукавов соблазнительно просвечивали округлые руки. Медового цвета волосы, разделенные пробором посередине и схваченные над ушами, рассыпались пышной массой мелких колечек по шее и плечам. Дымчатую розовато-лиловую вуаль накрывал маленький венок из душистых белоснежных цветов.

Капитан церемонно подвел графиню к лорду Ботвеллу и твердым жестом вложил ему в руку ее тонкую ладонь.

— Обращайтесь с ней хорошо, дружище, — хрипло проговорил Конолл, — а не то, еще прежде чем придется отвечать перед молодым графом, будете иметь дело со мной.

— Она — моя жизнь, — тихо ответил Ботвелл, открыто встретив взгляд капитана.

Когда церемония началась, их радость казалась столь велика, что ни один из них до конца не мог поверить в происходящее. Весь обряд совершился для них как в тумане, они смутно слышали слова епископа, обращенные к ним, и машинально отвечали. А затем все кончилось. Они были мужем и женой! Тогда Катриона и Ботвелл начали улыбаться друг другу и никак уже не могли остановиться. Наконец священник сошел с помоста и обнял их обоих.

— Это правда, дети мои. Вы состоите в браке. Смею ли я надеяться, что осталось хоть немного вина и мы отметим сие счастливое событие?

Катриона зарделась, и епископ нашел, что женщину, которой за тридцать, это делает просто неотразимой. Ботвелл смеялся от счастья. Наконец, овладев собой, он обнял жену за плечи и пригласил всех обратно на виллу. Мария и Паоло ринулись в погребок за вином. У нескольких гленкеркцев были с собой волынки, и они стали исполнять серенаду для новобрачных. Катриона внимательно наблюдала за своими воинами. Оставался еще один свадебный подарок, который мужу могли преподнести только они.

Дождавшись, когда волынщики устроили передышку, Катриона поднялась и тихо сказала:

— Моя мать родилась сайтенской Лесли, а я восемнадцать лет была замужем за Гленкерком. Сегодня вы присутствовали при моем втором бракосочетании — с графом Ботвеллом. Мы оба изгнаны из Шотландии, изгнаны нашим королем, который пригрозил разорить всех Лесли, если я не стану его любовницей. То, что вы только что видели в этой часовне, — мой ответ королю Джеймсу Стюарту. Все вы служили моему дорогому мужу верой и правдой, а потом надежно оберегали меня. Теперь вы сами должны решить, каким станет ваше будущее. Вы можете вернуться домой в Гленкерк, и сделаете это с моего благословения. Или можете дать клятву верности графу Ботвеллу. Выбор за вами.

Отвечать поднялся Конолл.

— Люди, которые приехали с вами, миледи, — сказал капитан, — сделали это потому, что в Гленкерке их ничто не удерживало. Мы почтем за счастье служить лорду Ботвеллу, но с одним условием. Если только Лесли однажды, в трудный час, призовут нас на родину, то мы пойдем без промедления. — Он перевел взгляд на Ботвелла: — Мы уверены, что при подобных обстоятельствах вы поступили бы так же, сэр.

Френсис кивнул:

— Да, конечно. — И, повернувшись к жене, просто сказал: — Спасибо, любовь моя.

Катриона ответила улыбкой.

— А теперь я удаляюсь, милорд.

Графиня поспешила вверх по лестнице в главную спальню, за ней прибежали служанки. Они молча сняли с невесты платье и нижние юбки. Пока Сюзан развешивала одежды в шкафу, Мэй принесла тазик теплой надушенной воды. Кат скатала чулки, а затем, обнаженная, взяла поданное ей полотенце и омылась. Вытащив заколки из прически, она принялась яростно расчесываться, пока темно-желтая масса волос не зазолотилась в отблесках свечей. Сюзан натянула на госпожу простое бледно-сиреневое платье, длинное и свободное, а затем обе служанки удалились.

— Боже, — прошептала Мэй сдавленным голосом, — до чего же страстно миледи Кат жаждет своего мужа!

— Нет, глупая киска, — проворчала ее сестра, будучи старше и мудрее, — ей просто хотелось побыть одной до его прихода.

— Зачем же? — удивилась девушка.

— Когда ты сама станешь больше похожа на женщину, тогда поймешь.

Озадаченная Мэй покачала головой.

А Катриона вышла на балкон и встала над садом. Светила луна, разгоряченную кожу ласкал мягкий ночной воздух, наполненный сладковатым запахом ночных цветов. В голове у графини кружился вихрь. Нынешним утром она проснулась вдовой, а теперь была супругой, ожидающей мужа в свадебной спальне. Все случилось так быстро! На какое-то мгновение Катриона даже испугалась. Затем она услышала его голос:

— Кат!

Она обернулась и увидела, что Френсис стоит по другую сторону комнаты и смотрит любящим взглядом. Он простер свои руки, и неожиданно для себя Катриона ощутила робость. Она колебалась. Сразу почувствовав это настроение, Ботвелл быстро подошел и укрыл ее в своих нежных объятиях. Боль-

416

шой и ласковой рукой он провел по ее шелковистым волосам, и все тело Кат отозвалось трепетом.

— Так долго, так бесконечно долго, дорогая, — горестно произнес Ботвелл.

— Я чувствую себя совсем глупой, — прошептала она ему в плечо, — я веду себя как девственница при первой встрече, а не как взрослая женщина, которая нашла наконец любимого и давно знакомого мужа.

— Нет, дорогая, мне нравится твоя робость. Ты всегда была так очаровательно невинна! И если ты не хочешь сегодня любви, то пусть ее не будет. Я знаю, ты устала с долгой дороги.

— Френсис! Поцелуй меня!

Она подняла к нему свое лицо. Какой-то миг Ботвелл с любовью и нежностью вглядывался в это лицо, поднятое в ожидании. Потом, как бы узнавая, провел по нему своими тонкими пальцами, осторожно притрагиваясь к щекам, к приспущенным векам, к носу, к губам, к маленькому упрямому подбородку. Затем он склонился и обвил руками ее талию, все крепче прижимая к себе. Мягко прикоснулся губами к ее устам...

Френсис и прежде всегда обращался с ней невероятно ласково, ласков он был и сейчас. И, однако, Катриона ощущала, что под этим сегодняшним спокойствием бурлило неистовство, которое он изо всех сил пытался сдержать.

Глубоко внутри у Кат замерцал огонек страсти, и она вздрогнула. Рот, крепко прижатый к ее губам, стал вдруг более требовательным, а ее руки скользнули вверх и обвили шею любимого. Френсис поглаживал ее длинную стройную спину, и она тихо простонала, а ее тело, прижатое к нему, ответило тихой дрожью. Вместе с ней Ботвелл медленно продвигался по комнате, пока не почувствовал позади своих ног кровать. Они повалились, не размыкая объятий. Кат быстро перевернулась на спину. Улыбаясь ей сверху, Ботвелл принялся расстегивать длинный ряд крошечных пуговиц у нее на платье. Она схватила его за руки, и их глаза встретились.

— Френсис, я люблю тебя! О небо дорогое! Как я люблю тебя!

— А я люблю тебя, моя прекрасная, драгоценная жена!

Его голова нырнула вниз, а рот отыскал ее грудь. Катриона тихо вскрикнула, и граф успокоил:

— Только если хочешь, милая.

— Но я хочу, Френсис! Как сделать, чтобы ты понял, до чего я хочу тебя? Три года — с той, последней нашей ночи в Оленьем аббатстве — я мечтала снова очутиться в твоих объятиях... хотя уже и не верила, что такое может произойти. Я так жаждала ощутить тебя, вкусить тебя! Мной обладали другие мужчины. Мой бедный Патрик, который так отчаянно пытался вернуть потерянное. Наш кузен Джеймс, который думал, что может приказать мне полюбить его, и который брал меня, словно обычную шлюху. Чтобы они не уничтожили меня, я сокрыла свое тело под защитным покровом. Но сегодня, впервые за три долгих года, я чувствую, что живу полной жизнью, и если ты сейчас не захочешь овладеть мной, то я умру!

— Я всегда говорил, — ответил Френсис, улыбаясь той неспешной улыбкой, какую она так любила, — что ты единственная женщина, которая может за мной угнаться. Целых три года я пытался позабыть тебя между ног у всякой девки, какая только мне улыбалась. И как же здорово, что не нужно больше тебя забывать, моя нежная Кат! Но предупреждаю, дорогая, что этой ночью мое желание неистово!

Изумрудные глаза спокойно выдержали его взгляд.

— Сделайте самое худшее, на что вы способны, милорд, — с вызовом бросила графиня и, потянув голову супруга вниз, поцеловала его медленно, дразняще, раззадоривая.

Желание пронзило Ботвелла кинжальным ударом. Раздвинув губы любимой, он ворвался к ней в рот и с нежностью овладел им. Потом его язык обежал тугие груди, и соски под ним ответно встали жесткими маленькими остриями, скользнув по теплой ложбине между грудей, он побежал дальше, вниз, к пупку. Она закричала, почувствовав жжение, которое немедленно разлилось по ее чреслам. На миг насытившись ее сладостью, Френсис встал над ней, расставив ноги по обе стороны, и склонился, чтобы накрыть губами манящий розовый сосок. А Кат стонала под ним, пытаясь притянуть его к себе еще ближе и жадно выгибая кверху свои округлые бедра.

— Пожалуйста, Френсис, — молила она, — пожалуйста, сейчас!

Ботвеллу хотелось растянуть наслаждение, но сколь ни жаждала его сейчас Катриона, собственное желание было еще большим. Рукой он ласкал ее лицо.

— Хорошо, любовь моя, — прошептал Френсис Катрионе на ухо и глубоко вонзился в нее, получив почти равное удовольствие от обладания ею и от долгого трепетного вздоха, который, казалось, пронесся по всему ее телу.

После этих долгих лет она снова обрела себя! Затерянная в прекрасном серебристо-зеленом мире, где-то между сознанием и беспамятством, Катриона, довольная, бормотала, а его жесткий член нагонял на нее одну волну блаженства за другой. И наслаждение не прекратилось даже тогда, когда жесткость спала, оставив в ней его семя. Френсис притянул ее к себе и поцеловал.

Она ничего не произнесла, но все за нее сказали ее прекрасные глаза, и Ботвелл улыбнулся счастливой улыбкой.

— Нежная Кат, — прошептал он. — Мой любимый противник, моя дражайшая любовь. Теперь все в порядке, милая. Все в порядке. Мы наконец-то дома.

47

Небольшая церковь Санта-Мария-дель-Маре считалась модным храмом и посещалась знатными и богатыми людьми, жившими в окрестностях Амальфи. В четвертое воскресенье апреля 1598 года граф и графиня Ботвелл присутствовали на полуденной мессе. Позже, выходя вместе с супругом на улицу, Катриона заметила изысканно одетую и очень красивую даму, стоявшую прямо перед ними. И женское чутье, и легкое пожатие руки Френсиса подсказали графине, что это бывшая его любовница.

И прежде чем Ботвелл успел заговорить, раздался знакомый ему грудной голос:

— Так, Франсиско! Это и есть твоя новая шлюха!

На площади сразу же воцарилось молчание, и все головы повернулись, чтобы посмотреть на предстоящую схватку.

Катриона замерла. Глаза Ботвелла обратились в синий лед. Однако, ничем не выдавая волнения, он тепло приветствовал

Альфредо, графа ди Ликоза, и со светской изысканностью произнес:

— Фредо, разреши представить тебе мою жену, Катерину Марию, графиню Ботвелл. Епископ Паскуале обвенчал нас пять дней назад.

— И более прекрасной и лучезарной невесты, мне кажется, я никогда не видел, — заметил священник, подтверждая слова графа.

Граф ди Ликоза склонился над рукой Катрионы.

— Графиня, я счастлив познакомиться с вами. — Его голубые глаза весело сверкнули.

На мгновение уголки рта у Катрионы приподнялись, и она прошептала ответную любезность. А затем, неспешно и тщательно, словно граблями, прошлась взором по Анджеле ди Ликоза, которая жадно пожирала ее своими огненными черными глазами. Наконец Катриона подняла глаза к мужу и протянула:

— Знаешь, дорогой, она что-то недотягивает до твоей обычной мерки...

Анджела в ярости шагнула вперед и угрожающе вскинула руку. Но Кат, не моргнув глазом, поймала ее за запястье.

— Только попробуйте, мадам, и вам придется доживать свой век без руки, — прошептала она, — и раз уж мы ведем такую беседу, то разрешите предостеречь вас. Забудьте Френсиса. Вам его больше не видать.

Она отпустила запястье Анджелы. Морщась, та принялась его потирать.

— Почему же тогда вы предостерегаете?

— Потому что я вижу, что вы из тех глупых женщин, которые упорствуют, если их гордость уязвлена. Вспомните, он покинул ваш дом, услышав только одно мое имя. В ту же ночь мы стали мужем и женой. Не ставьте нас в неловкое положение, равно как и свою семью. Меня с Френсисом связывает больше, чем вы даже можете себе вообразить.

Катриона повернулась к сопернице спиной. Взяв мужа под руку, она гордо удалилась, на ходу принимая поздравления и добрые пожелания знатных соседей, обрадованных, что графиня ди Ликоза получила щелчок по носу.

Альфредо усмехнулся:

420

— Вот уж не думал, дорогая, дожить до того дня, когда тебя обставят.

— Тихо, ты, змея! — закричала Анджела в ярости. — Я убью ее! Нет! Это окажется слишком легкой карой! Она у меня станет страдать! Неспешно, медленно! И она у меня еще пожалеет, что жива!

Граф ди Ликоза, улыбаясь друзьям и соседям, затащил разъяренную жену в карету.

— Ты ничего не сделаешь, Анджела! Понимаешь? Ничего! Инквизиция и так уже посматривает в твою сторону.

— Пускай! — огрызнулась та. — Все равно они ничего не докажут!

— А им и не надо ничего доказывать! Достаточно просто намека на подозрение. Посмотри правде в глаза, дорогая. Франсиско развлекался с тобой, равно как и ты с ним. Этот мужчина, без сомнения, глубоко любит свою жену. Ради Бога! Я не хочу иметь лорда Ботвелла своим врагом, и если мне придется выбирать между ним и тобой, то я выберу его. По крайней мере ему можно доверять.

Однако Анджела ди Ликоза никак не могла избавиться от мыслей о прелестной шотландке. Графиня Ботвелл, видимо, была на несколько лет старше ее, однако на свои годы не выглядела. Не пользовалась белилами и румянами: безупречная кожа имела естественный живой цвет. Тело тоже казалось молодым и упругим. Анджела с упоением воображала, как это прекрасное лицо и соблазнительное тело изрежут шрамы, какой уродкой станет соперница. Будет ли Франсиско и тогда любить эту женщину? Ответ прозвучал в ее голове громко и отчетливо: «Да. Будет!»

Она видела, как Ботвелл смотрел на свою жену. На нее, Анджелу, он так не смотрел никогда. И вообще Франсиско никогда по-настоящему на нее не смотрел. Впервые согласившись признать эту болезненную правду, графиня ди Ликоза возмутилась еще больше.

Все последующие недели желание отомстить у Анджелы только росло. Казалось, всякая знатная семья в округе желала устроить прием для молодоженов, и они с Альфредо всегда оказывались среди приглашенных. Не пойти было немыслимо. А графиня Ботвелл быстро стала любимицей и мужчин, и женщин. Ее хвалили за красоту, за очарование, за острый ум. Лорд Ботвелл — всегдашний гуляка — не отходил от своей жены ни на шаг, и обожающие взгляды, которыми они обменивались, уже просто вошли в пословицу.

Именно взаимная привязанность супругов навела Анджелу на мысль о совершении мести. В последние недели она узнала, что лорд Ботвелл и его жена любят друг друга уже много лет, но по разным причинам до самого недавнего времени пребывали в разлуке. Наконец-то соединившись, они испытывали огромное счастье.

Графиня ди Ликоза решила навсегда разлучить Катриону с Ботвеллом. Сначала она подумывала, не устроить ли убийство кого-нибудь из них — предпочтительнее женщины. Однако палец подозрения укажет прямо на нее, Анджелу, и поэтому она отбросила подобную мысль. К тому же боль разлуки окажется куда сильнее, если обоих оставить в живых. Вот когда прекрасная графиня Ботвелл будет вынуждена отдаться другому мужчине, а муж узнает, но будет не в силах спасти ее, — тогда-то оба и испытают невыносимые страдания. Анджеле казалось, что ее замысел не имеет никаких изъянов. Никому и в голову не придет заподозрить графиню ди Ликоза. Дело в том, что ее старший брат еще в восемнадцатилетнем возрасте попал в плен к туркам. Когда он уходил в море, горя решимостью биться с османскими пиратами, мать-турчанка ему сказала:

— Если тебя захватят, то изо всех сил кричи о своей знатности. Скажи им, что ты сын дочери Ферхан Вея, Фатимы Маврской, которую увезли в неволю двадцать лет назад. Обратись в ислам, как я когда-то в христианство, и твое будущее — в твоих руках!

Он и был захвачен, ибо преследовать турок по Средиземному морю мог только безрассудный храбрец. Однако брат не забыл напутствие матери и последовал ее советам. Так ему удалось избежать мраморных копей; он даже поступил учиться в школу принцев и с годами быстро пошел в гору, пока не стал одним из самых умелых военачальников Османской империи. Теперь его звали Чикалазаде-паша. Он пользовался полным доверием своих захватчиков, и при желании ему не составило бы труда вернуться на родину.

Но брат предпочел не возвращаться. На что он мог надеяться в Италии? Самое лучшее — унаследовать отцовский титул вместе со старым, разрушающимся замком, содержать который с каждым годом становилось все дороже. Его женят на самом предпочтительном из доступных приданых, ожидая, что он станет отцом нескольких сыновей. При удачном стечении обстоятельств можно будет позволить себе одну изысканную любовницу. Если же нет, то придется довольствоваться крестьянками.

А Чикалазаде-паша имел великолепный дворец на Босфоре и в нем целую армию рабов. Он был женат на внучке Сулеймана Великолепного, а недавно его назначили великим визирем султана Мохаммеда, кузена жены. Он содержал обширный гарем, который ублажал его изощренную чувственность. Паша безмерно любил красивых женщин. По всему цивилизованному миру сновали его работорговцы и высматривали экзотических красавиц. Девственность значения при этом не имела, но зато высоко ценилась личность. О гареме Чикалазаде ходили легенды по всему Востоку.

Анджела ди Ликоза умела смотреть правде в глаза: графиня Ботвелл была необычайно красивой женщиной. Анджела не сомневалась, что ее ненасытный братец обрадуется такому изысканному прибавлению к своему гарему. Переправить жертву в Стамбул тоже проще простого: турецкие корабли таились у самых итальянских берегов. Анджела имела дело с одним из их капитанов.

Его звали Хайр-ад-Дин — по имени знаменитого адмирала, прославившегося во времена Сулеймана Великолепного. Одной из обязанностей этого капитана было перевозить почту между Чикалазаде-пашой и его итальянскими родственниками. Анджела легко могла с ним связаться и узнать, как скоро он рассчитывает отбыть домой.

Несколько дней спустя в одном из кафе на неаполитанской набережной сидела крестьянка и пила вино с моряком.

— Передай Хайр-ад-Дину, что мне мало дела, какой опасной ему кажется моя затея! Я должна встретиться с ним лично. В двух милях к юго-востоку от Амальфи есть небольшой пляж в виде полумесяца. Я буду там завтра вечером через час после заката. Знаком будут два горящих фонаря.

Женщина поднялась и, прихрамывая, направилась к выходу. Матрос допил свою кружку. Тихо выругавшись, он кинул на стол несколько монет и тоже вышел.

Следующей ночью на песок маленького пляжа выскользнула лодка, пригнанная шестью потными гребцами-неграми. Из нее тяжело выгрузился огромный человек, одетый в ярко-красные рейтузы и полосатую красно-черную рубашку. Его обширная талия была обернута парчовым поясом, откуда торчали кривая турецкая сабля и кортик, сверкавший драгоценными камнями. Прибывший неспешно двинулся вдоль пляжа. Для такого высокого роста он обладал необычайно маленькими ступнями, которые обувал в изысканные сапоги из золотистой кожи с красными кисточками. Из темноты выступила женщина в маске.

— Я — графиня ди Ликоза, — надменно представилась она.

— Снимите маску, чтобы я видел, с кем говорю, — хриплым голосом велел Хайр-ад-Дин и, когда она это сделала, кивнул.

— Вы совсем не походите на брата. Итак, девочка, чем могу служить?

— Хочу, чтобы ты отвез брату подарок.

— И вы вызываете меня с корабля только за этим?! Чтобы сказать, что хотите передать какую-то безделушку моему господину? Женщина!.. Пфф!

— Это особенный подарок, капитан. Невольница для его гарема. Несравненная ценность — знатная дама. Красота, воспитание и очарование — все при ней. Доставь подарок брату в целости и сохранности, и я вознагражу тебя золотом. И уверена, что в случае удачи ты окажешься в большой милости у своего господина.

— Кто эта женщина, графиня?

— Имя тебя не должно заботить, но ее вилла находится по ту сторону мыса. Ты должен хорошо знать этот дом, раньше он принадлежал купцу Абдулу Мехмету. Через несколько дней ее мужу придется ненадолго отлучиться. Если вы в это время нападете в рассветный час, то не встретите никакого сопротивления. Прислуги на вилле всего шесть человек, пять из которых — женщины. Полагаю, что у нее также имеется горничная. Мне мало дела до того, что станет с этими людьми, но с дамой обращайтесь бережно и осторожно. Я хочу, чтобы брат получил ее целой и невредимой.

Капитан глянул исподлобья.

— Почему вы это затеяли, синьора графиня? Не похоже на вас — подыскивать рабынь для гаремов. Вы что, в заговоре с мужем этой женщины? Хотите его от нее избавить?

На лице Анджелы отразилась такая ненависть, что Хайр-ад-Дин в испуге сделал шаг назад.

— Я ненавижу их обоих, — прошипела синьора. — И это моя месть. Он тысячу раз умрет, зная, что она рабыня, а он не в силах ничем помочь!

— А что, если умрет женщина?

— Только не она, — безжалостно засмеялась графиня. — Она будет жить, надеясь вернуться к своему возлюбленному Френсису... Но такого не случится никогда!

Хайр-ад-Дин задумался. Даже если невольница будет подарком от сестры Чикалазаде-паши, то и он сам снискает некоторую милость уже тем, что благополучно доставит ее к новому хозяину.

— Как мне знать, что похищение безопасно?

— Ежедневно около полуночи смотрите на небо над этим пляжем. Красная ракета покажет, что можно нападать следующим утром.

Анджела протянула ему мешочек:

— Скромный знак признательности, капитан.

Почувствовав вес мешочка, тот улыбнулся:

— Синьора контесса, приятно иметь с вами дело. Не хотите ли отправить вашему брату еще какое-нибудь послание?

Она протянула запечатанный конверт и, ни слова больше не говоря, повернулась и исчезла во тьме. На лице у турка мелькнула гримаса. Повернувшись в другую сторону, он зашагал по пляжу к своей лодке.

«Жестокая женщина эта графиня ди Ликоза, — думал он. — Что могла натворить ее несчастная жертва?..»

Пока лодка прыгала по волнам, Хайр-ад-Дин решил, что следует приготовить каюту, соседнюю с капитанской. Там достаточно просторно и к тому же можно с удобством устроить даму со служанкой. Он даст своим людям указание вместе с дамой захватить и горничную. Турок уже имел дело с пленницами и знал, что те, с кем рядом находилась подруга, переносили заточение значительно лучше тех, что были в одиночестве. А ведь если бедняжка не доберется до великого визиря в пристойном виде, во всем обвинят его!

Снова очутившись у себя на корабле, капитан созвал своих офицеров и рассказал им о предстоящем налете на виллу «Золотая рыба».

— Кроме этой женщины и ее горничной, пленных брать не будете. Мы же не какое-то вонючее корыто с рабами. И обращайтесь с пленницами поосторожнее, иначе, клянусь Аллахом, всех вас оскоплю! Не насиловать! Женщина — для удовольствия Чикалазаде-паши, и только его одного.

— А как насчет горничной? — спросил первый помощник.

— Что ж, посмотрим. Но только когда уже будем идти под парусами. На вилле времени не терять.

— Но нельзя же рассчитывать, что наши люди пройдут мимо молодушек. Им не так часто выпадают такие задания.

— Хорошо, хорошо, — снисходительно улыбнулся Хайр-ад-Дин. — Пусть парни, которые отправятся с тобой, поимеют служанок. Однако даму и ее личную горничную доставить нетронутыми.

— Людей возьмем пару дюжин, — заключил разговор первый помощник. — Остается только сидеть и ждать.

48

Графиня Ботвелл сидела, скрестив ноги, посередине донельзя развороченной постели и наблюдала, как одевается муж. Обнаженная и вся розовая от недавних утех, она надула свои прелестные губки.

— Почему мне нельзя поехать с тобой, Френсис?

— Потому, моя молодая жена, — улыбнулся он, — что я собираюсь не на светский раут. Герцог ди Авеллано хочет, чтобы мы наконец покончили с бандитами, которые с недавних пор заполонили его округ.

— Я же ходила с тобой в набеги на пограничье, — возразила Катриона.

— Да, — снова улыбнулся ей Ботвелл, и его глаза затуманились воспоминанием. — И ты, безусловно, была самым очаровательным пограничным воином, какого я знал. С нежными грудями, которые все подпрыгивали, со стройными ногами в зеленых рейтузах... Проклятие, Кат! Я тоскую по всему этому и тоскую по нашему Эрмитажу. Но здесь Италия, дорогая! Если ты поедешь со мной, то меня не воспримут всерьез как наемника. И пусть ты богатая женщина, я предпочитаю зарабатывать на жизнь сам. Мы уходим не больше чем на две недели. И почему бы тебе не написать Джеми и не узнать, может ли он уже прислать детей? По-моему, нашим малышам пора познакомиться с отцом.

Катриона задиристо улыбнулась:

— А будешь ли ты скучать по мне, Ботвелл?

Тут она поднялась, потянулась и дразнящей плавной походкой прошлась по комнате. Френсис немедленно отвесил сочный шлепок по ее соблазнительному заду.

— Не извивайся тут передо мной, девка! И так-то тяжело уезжать от тебя, не побыв вместе и двух месяцев. — Он склонил голову и нашел ее горячий рот. — О Кат! Нежная Кат! — шептал Ботвелл между жадными поцелуями.

А затем...

— Проклятие! Опять! Никогда не встречал женщину, которая умела бы меня так возбуждать!

Катриона тихо засмеялась и вывернулась из его рук.

— Идите играть в войну, похотливый милорд!

Он печально взглянул на нее.

— Надень какое-нибудь платье, нимфа, и попрощайся с нами, как подобает.

Когда графиня вышла в прихожую, Конолл как раз держал речь:

— По-моему, следует оставить несколько человек охранять виллу.

— Охранять — от кого? — удивилась Катриона. — Боже мой, никогда не видела такого спокойного места!

— Не знаю, — задумчиво произнес Ботвелл. — Может, Конолл и прав. Все побережье кишит пиратами.

— Здесь нет ничего ценного, что бы их привлекло. Не говори глупостей. Тебе понадобится каждый человек.

Мужчины обменялись взглядами и пожали плечами. Спорить с Катрионой не стоило. Они отправились к своим людям, сидевшим уже в седлах. Конолл вскочил на коня и прогарцевал во главе отряда, но Ботвелл задержался, повернувшись лицом к жене и положив ей на плечи свои холеные руки.

— Жаль, что ты не можешь поехать вместе со мной, — проговорил Френсис. — Но мы не задержимся. Разорим это гнездо паршивых нищих и вернемся. Спасибо, что привела мне людей Гленкерка. Господи! Какое счастье — снова быть полезным! — И крепко прижал ее к себе. — Я люблю тебя, Катриона Стюарт Хепберн.

Он страстно поцеловал ее, ртом измяв ей уста со сладостью, которая посылала волны желания по всему ее телу. А сам Ботвелл в эту минуту желал, чтобы все бандиты провалились в ад вместе с герцогом.

— Так вы в Авеллано или в постель, милорд граф? — раздался язвительный голос Конолла.

Граф нехотя оторвался от жены.

— Если бы этот человек не был лучшим капитаном во всем христианском мире, то я бы с радостью его придушил, — процедил он сквозь стиснутые зубы, вскакивая на своего жеребца.

Катриона тихонько рассмеялась. Положив руку на колено мужу, она вскинула голову, улыбаясь.

— Я люблю тебя, Френсис. Возвращайся ко мне скорее целым и невредимым. — А потом повернулась к Коноллу: — Присмотри за ним. Всегда будь при нем.

— Да! Да! — нетерпеливо ответил капитан. И они поскакали по аллее, поднимая пыль, которая клубилась следом. А Катриона стояла возле дверей, пока всадники не скрылись из виду. Затем, взбежав в дом, она позвала Паоло.

— Да, синьора графиня?

— Какие выходы у нас намечены на эту неделю?

— Только ужин в субботу вечером на вилле графа ди Ликоза.

Катриона облегченно вздохнула.

— Отмени, Паоло. Раз лорд Ботвелл уехал, у меня прекрасный повод не встречаться с этой проклятой женщиной.

Мажордом улыбнулся. Он любил графиню ди Ликоза не больше, чем его хозяйка. Эта женщина несла зло. На следующий день, выполняя приказание, Паоло сообщил на виллу ди Ликоза, что графиня Ботвелл не сможет принять приглашение ввиду отъезда супруга.

Анджела сияла довольной улыбкой. Все устраивалось как нельзя лучше, а к ее собственному алиби теперь никто не придерется. Что ей помешает на минутку ускользнуть от своих гостей и подать условленный знак Хайр-ад-Дину? Или, еще лучше, послать слугу? Ее неотлучное присутствие подтвердит целая толпа! А так как садовники на вилле «Золотая рыба» в воскресенье не работают, то никто о налете пиратов не узнает до следующего дня. А к этому времени ненавистная соперница окажется уже далеко на пути в гарем Чикалазаде-паши. Дикий смех графини разнесся по всему дому. Заслышав его, слуги крестились и шептали друг другу: «Когда Анджела дель Диаволо смеется — быть беде!»

Принимая в тот вечер гостей, графиня ди Ликоза выглядела еще очаровательнее, еще восхитительнее, чем когда-либо. Всем так понравился прием, что последние из приглашенных, довольные обильной выпивкой, разбредались по своим спальням уже на рассвете.

А за холмами, укутанными дымкой, на вилле «Золотая рыба» тишину ясного солнечного утра разорвал дикий вопль. Мигом проснувшись, Катриона села в кровати и прислушалась. Раздался новый вопль и топот бегущих ног. Она вскочила и подбежала к окну. А выглянув, похолодела от ужаса.

Сад кишел незнакомыми людьми в цветных шароварах, и графиня сразу поняла, что на виллу напали турецкие пираты. Повариху Марию и двух ее молоденьких кухарок повалили на землю и насиловали. Вокруг стояли другие разбойники, дожидаясь своей очереди. Обе горничные в страхе убегали, преследуемые четырьмя или пятью турками. Паоло лежал на огороде рядом с только что сорванными травами, голова его превратилась в кровавую массу.

— Да будет милостив Христос, — послышался рядом с ней шепот Сюзан, плачущей от испуга.

— Забирайтесь в сундук, — приказала графиня. — Меня они не тронут, а потребуют выкуп. Быстро!

Сюзан уже открыла крышку. Выбросив охапку простыней, она помогла Мэй забраться внутрь.

— Лежи, девочка, пока не убедишься, что они ушли. Потом беги в дом садовника Карло и жди, когда вернется его светлость.

— Но, Сюзан, — возразила девушка, — почему ты не прячешься вместе со мной?

— Я должна оставаться с миледи, девочка.

429

Старшая сестра заботливо укрыла младшую бельем и накрепко захлопнула сундук. Катриона взглянула на служанку.

— Они изнасилуют тебя, детка, и я не смогу остановить их.

Сюзан ответила госпоже спокойным взглядом.

— Я не девственница, миледи, а Мэй — да, и это ее непременно убьет. К тому же вы во мне нуждаетесь.

Больше поговорить им не удалось. Под напором сильного плеча дверь рассыпалась в щепки, и в проеме показалась по меньшей мере дюжина людей. Не в силах сдержаться, обе женщины громко завизжали, в страхе прильнув друг к другу. В комнату вошел огромный мужчина. Он окинул их коротким взглядом, а затем спросил у Катрионы по-итальянски с гортанным выговором:

— Как зовут тебя, девочка?

— Я графиня Ботвелл, — ответила Катриона, поражаясь, что еще не потеряла дар речи.

— А эта?

— Моя горничная Сюзан.

— Не пугайся, милашка, — сказал великан. — Я — Хайр-ад-Дин, капитан императорского флота султана Мохаммеда. У меня приказ доставить тебя в гарем нашего великого визиря Чикалазаде-паши. Ни я, ни мои люди не причиним тебе и служанке вреда.

У Катрионы глаза раскрылись от ярости и страха.

— Нет! — закричала она.

Это уже было слишком. Три года разлуки с Френсисом! Поспешное бегство из Шотландии от преследований Джеймса Стюарта! Потом — наконец-то — счастье. И вот теперь ее всего лишают!

— Не-е-ет! — заголосила она. — Нет!

И когда великан шагнул вперед и протянул к ней руку, графиня, побелев, рухнула на пол.

Хайр-ад-Дин кивнул одному из своих людей. Тот бережно подхватил Катриону на руки и пошел с ней из комнаты. Сюзан не заставила себя подгонять, она шагнула следом, хотя сердце ее замирало от ужаса. Один из пиратов спросил капитана по-итальянски:

— Дом поджечь?

Хайр-ад-Дин фыркнул:

430

— Чтобы вся округа знала, что мы здесь? Нет, дурак!

Когда они проходили по саду, Сюзан даже порадовалась, что хозяйка все еще в обмороке. Служанки лежали обнаженными, с перерезанным горлом и причудливо вывернутыми конечностями. У троих из них на избитых до синяков бедрах краснело пятно утерянной девственности, и Сюзан в мыслях возблагодарила Бога, что Мэй не пришлось такого пережить. Но что придет и ее очередь, сомневаться не приходилось. И пленница боялась, потому что она солгала Катрионе и была еще столь же девственна, как и в день, когда родилась.

На берегу, подсаживая Сюзан в шлюпку, пираты всю ее облапали. Эти изверги только радостно хохотали, когда она от них отбивалась, и несли свою похабщину по-итальянски, чтобы и ей было понятно. Но девушка стиснула зубы и напомнила себе, что она Сюзан Мор-Лесли из Гленкерка и ее не запугает какая-то жалкая кучка оборванных иноземцев.

Шлюпка подошла к кораблю, покачивающемуся на якоре, и страхи служанки несколько поуменьшились. Их с Катрионой поместили в просторную и удобную каюту. Турок, несший графиню, осторожно положил ее на койку и вышел. В двери щелкнул замок. Оглядевшись, Сюзан заметила кувшин с водой, серебряный тазик и мягкое льняное полотенце. Она смочила тогда полотенце в тазике и, отжав, положила своей госпоже на голову. Потирая тонкие запястья Катрионы, горничная озабоченно всматривалась в ее застывшее лицо. Дверь позади Кат открылась, и вошел Хайр-ад-Дин.

— Как чувствует себя наша девочка? — ласково спросил он.

— Пока еще без сознания, а спасибо за заботу не скажу, — огрызнулась шотландка. — Вы перепугали ее до полусмерти, когда сказали, что везете в гарем. Какой бы выкуп ни потребовался, лорд Ботвелл заплатит.

— Никакого выкупа. У меня приказание доставить эту женщину в гарем нашего великого визиря Чикалазаде-паши. Она — подарок от его сестры.

На лице у девушки отразилось недоумение.

— От сестры? — переспросила она. — И кто такая эта сестра? И какое право она имела посылать миледи в подарок?

431

Моя госпожа — свободно рожденная знатная женщина и кузина короля Шотландии!

— Сестра визиря — графиня ди Ликоза, — пояснил Хайр-ад-Дин.

У Сюзан глаза полезли на лоб.

— Эта сука? Клянусь Богом, я сама ее убью, когда она попадет мне в руки, рыжая шлюха!

Громадный Хайр-ад-Дин весь затрясся, разразившись оглушительным хохотом:

— Ох, девочка, ты прямо угадываешь мои мысли. Но скажи, почему она так ненавидит твою госпожу?

— А потому, — гневно ответила Сюзан, — что графиня ди Ликоза положила глаз на мужа миледи, а он не хочет иметь дела с этой ведьмой.

Капитан кивнул. Заметив его сочувствие, Сюзан поспешила взмолиться:

— О, пожалуйста, сэр! Милорд и миледи богаты сверх меры. Верните нас, и они выплатят в сто раз больше того, что вы запросите!

— Я бы и сам рад, девочка, потому что не пристало мне соваться в бабьи свары. Но, увы, не могу ничего поделать. Человек, к которому я везу твою госпожу, в великой милости у султана. И если визирь узнает, что я посмел ослушаться его сестры — а он непременно узнает, — то с меня с живого сдерут шкуру. Мне искренне жаль, девочка. Тебе и твоей прекрасной госпоже надо примириться с судьбой. Вам будет не так уж плохо. Чикалазаде не обижает своих женщин.

Сюзан пришла в отчаяние. Она и слышать уже не могла скрип судна, готовящегося к отплытию.

— О, сэр, вы не понимаете! Миледи и ее муж только что поженились после долгих лет разлуки. Она, несомненно, умрет без него. А когда милорд увидит, что жена исчезла, то землю перевернет и отыщет ее.

— Это не мои дела, милая. Я должен лишь доставить вас в Стамбул в целости и сохранности. Твоя госпожа не умрет, не из того теста. Взгляни только на нее. Она уже больше не в обмороке, а просто спит.

Сюзан опустилась на колени рядом с Катрионой и увидела, что капитан прав. Дыхание графини стало ровным, а щеки снова покрылись румянцем.

— Слава Богу, — выдохнула девушка.

Хайр-ад-Дин вышел из каюты, не забыв за собой запереть.

Сюзан просидела возле койки весь день. Катриона так и не проснулась, и служанка поняла, что потрясение еще давало себя знать. Вечером в каюту снова пришел Хайр-ад-Дин, и на плечо Сюзан опустилась его огромная тяжелая рука.

— А теперь, девочка, пришло время поразвлекать моих офицеров.

Сюзан поднялась. Лицо ее побелело от страха.

— Пожалуйста... — простонала она.

— Я мог бы отдать тебя моим матросам, как тех девушек на вилле, — тихо сказал капитан, — но раз ты ее служанка, то я приберег тебя для офицеров. Они не причинят тебе боли, девочка. Их только трое.

Приоткрыв дверь, Хайр-ад-Дин ласковой, но твердой рукой вытолкнул Сюзан в кают-компанию и тут же снова за ней закрыл.

Девушка застыла, наивно подумав, что, если она не шевельнется, мужчины ее не заметят. Эти трое расположились вокруг стола, потягивая кофе и беседуя. Потом один поднял взгляд и воскликнул:

— Ба, оказывается, у нас тут девица! Подойди же, красотка!

Она отпрянула, вжавшись спиной в дверь, сердце ее бешено колотилось. Офицер поднялся из-за стола и приблизился. Высокий и смуглый, он был темноволос и темноглаз, сиял ровными белыми зубами и обладал ухоженной бородкой. За руку он оторвал Сюзан от двери и вывел на свет. Она закричала от страха, и глаза мужчины смягчились.

— Не робей, девочка. Мы хотим с тобой дружить, правда, ребята?

Другие турки ухмыльнулись, и она затрепетала.

— Меня зовут Хусейн, я первый помощник Хайр-ад-Дина. Вот этот парень с косматой бородой — Абдул, второй помощник, а безбородый юнец — Ибрагим, наш штурман. Эй, вы, юные дикари, — набросился офицер на своих товарищей, — приготовьте девице кофе. А то, кажется, она холодна и напугана.

Усевшись, Хусейн откинулся на подушки и притянул Сюзан к себе на колени. Разорвав ей ночную рубашку до самого низа, он стал ласкать ее груди. Когда пленница взвизгнула, турок снисходительно засмеялся.

— Ладно тебе, девочка. Не будь глупенькой. Ты ведь знаешь, почему ты здесь. Будешь ли ты с нами заодно или нет, все равно дело кончится одним. Тебя поимеют. Это не так уж и плохо. Ты могла вместе с теми бедными созданиями достаться матросам еще на вилле. Мы тебе не сделаем больно. Мы просто хотим немного любви.

По щекам девушки полились слезы.

— Пожалуйста, — всхлипывала она, — о, пожалуйста, не надо. Я так боюсь. Я... я... я... никогда...

— Клянусь Аллахом, — воскликнул Хусейн, — по-моему, у нас девственница! — Он поднял ее лицо. — Так ты ни разу не была с мужчиной, девочка?

Сюзан беззвучно кивнула.

— Достань кости, Ибрагим, — велел первый помощник. — Когда у нас девственница, мы всегда разыгрываем, кому ее первому вкусить, — невозмутимо объяснил он. — Сиди спокойно, девочка.

Она в ужасе подчинилась. Хусейн встал над ней, а затем склонился и сорвал с нее остатки одежды. Сюзан попыталась удержать рубашку в руках, но тонкая ткань порвалась. Видя эти бесполезные усилия, турок рассмеялся и похлопал ее по заду. Возмущенная девушка собралась с силами и закатила ему пощечину, а затем только охнула, потому что он больно сжал ей грудь.

— Посмотрите только, господа, такого лакомого кусочка я давно уже не встречал. Чистая... Сладкая, как мед, а груди будто летние дыни!

Все трое принялись жадно разглядывать пленницу. Затем Абдул прорычал:

— Давай же! Бросай свои кости! Я уже такой жесткий, что вот-вот спущу!

Улыбнувшись, Хусейн подал кости молодому штурману:

— Бросай, Ибрагим. Ты первый.

Бросок принес Ибрагиму три очка, и он незлобиво усмехнулся:

— Я всегда кончаю последним.

Абдул торопливо схватил кубики, а потом довольный расхохотался: выпало восемь. Он уже поглядывал на девушку, облизывая губы с явным нетерпением.

— Попробуй-ка меня обойти, Хусейн, — торжествовал он, но первый помощник спокойно взял кости и, покатав их в ладонях, бросил на стол.

— Будь ты проклят, — пробормотал Абдул: выпало девять. Хусейн рассмеялся, а Ибрагим подобрал кубики.

— Успокойся, Абдул, — обратился он к своему разъяренному товарищу. — Давай сыграем еще разок, пока этот счастливчик будет пробовать девушку.

Толкнув Сюзан на подушки, Хусейн встал над ней, расставив ноги по обе стороны тела. Он с жадностью припал к ее губам, а его язык ворвался внутрь, стреляя, подобно греческому огню, и возбуждая в сопротивляющейся девственнице такие ощущения, о существовании которых она и не подозревала. Его руки поспевали повсюду, лихорадочно щупая, нежно прикасаясь, безжалостно сжимая. Потом одна рука очутилась у нее между ног; турок решил проверить, невинна ли жертва, и, найдя ее нетронутой, удовлетворенно буркнул. Пленница яростно отбивалась, и он рассмеялся:

— Мне по вкусу такие живые девки, милая, но тут ты не выиграешь.

Сюзан почувствовала, как жесткий мужской член ищет вход меж ее бедер, и попыталась увернуться. К стыду ее, оба других пирата стояли на коленях рядом, подзуживая Хусейна и подавая ему советы.

— Неужели эта малышка-девственница оказалась для тебя слишком велика, Хусейн! — задирался Абдул. — Слезай с нее, слушай. Я покажу тебе, как правильно вставлять.

— Не подержать ли нам ее, — дразнил товарища Ибрагим. — Когда придет моя очередь, она не будет биться.

— Она не будет биться после того, как ее поимеет настоящий мужчина, ты — мальчик, — похвалялся Абдул.

И тут Сюзан почувствовала, как по ее чреслам разливается жгучая боль; она закричала. Но Хусейн, не переставая, все двигался внутри нее вперед-назад, боль уменьшилась, и вопли превратились в плачевный стон. К ее непреходящему стыду, она не могла удержать свои бедра, и те задвигались в одном ритме с бедрами Хусейна. Вдруг, внезапно скорчившись, мужчина рухнул на нее. Его сразу стащили. Косматый и бородатый Абдул скинул свои мешковатые шаровары; теперь на нее упал уже он. Сюзан попыталась было взбрыкнуться, но турок безжалостно ее отшлепал. Она до крови закусила губу, а он быстро вошел, но, к великой радости остальных пиратов, столь же быстро истек своей страстью.

Абдула немедленно сменил подросток, который начал тяжело вздыхать и напрягаться. Не в силах больше выдержать все это, Сюзан лишилась чувств. Но когда она снова пришла в себя, то обнаружила, что пытка еще не кончилась. Ее принудили отдаться каждому еще по разу.

Наконец ей дали уснуть. Но утром снова заставили обслужить всех по очереди. Стыд ее, однако, уже притупился, и она попросила мужчин принести воды, чтобы смыть со своих бедер их семя вместе со своей кровью. Турки посмеялись, похлопали разные части ее тела, однако принесли небольшой деревянный чан с водой и пушистое махровое полотенце, а первый помощник даже отыскал где-то кусок мыла и, ухмыляясь, подал ей.

Вымывшись дочиста и завернувшись в полотенце, Сюзан спросила у Хусейна:

— А что же мне надевать, если вы так поспешили изорвать мою единственную одежду?

— У вас в каюте есть сундук. Там найдешь подходящее платье для себя и для твоей хозяйки.

Офицер потрепал ее по щеке.

— А ты славная девчушка, — ласково прибавил он. — Надеюсь, ночью тебе было не слишком больно.

— Нет, — прошептала она, донельзя зардевшись. Убежав в соседнюю каюту, девушка позволила себе расплакаться. А найдя сундук и открыв его, Сюзан обнаружила внутри всевозможные одеяния неприличного вида. Пришлось-таки воспользоваться просвечивающими шелковыми шароварами, кисейными блузами, парчовым болеро, прозрачными вуальками и мягкими замшевыми тапочками.

— С тобой все в порядке?

От неожиданности она даже подпрыгнула. Повернувшись, девушка увидела свою госпожу.

— Да, миледи.

— Тебя насиловали?

Голова у Сюзан поникла, и горничная опустилась на койку рядом с Катрионой.

— Да, — прошептала она.

— Почему ты обманула меня, девочка? Ведь ты была девственница, не так ли?

Сюзан кивнула, а затем просто сказала:

— Я не могла оставить вас одну, миледи. Я подумала, что нужна вам. Это не так уж и страшно. Только офицеры, и всего трое... а один — вообще мальчик.

Катриона обняла верную служанку, словно охраняя.

— О Сюзан! Мне так жаль, дорогая! Я бы ни за что на свете не позволила, чтобы с тобой так обошлись! И вот — не смогла тебе ничем помочь, лишилась чувств, как зеленая девица. Что случилось? Где мы? И кто они?

— На вилле все погибли, кроме Мэй. Как только они увидели вас, то не стали искать дальше, и слава Богу! Это турецкие пираты, и им приказано отвезти вас в Стамбул. Вы будете подарком великому визирю Чикалазаде-паше... от его сестры графини ди Ликоза.

— Что?! — На лице Катрионы отразилось недоверие. — Не может быть! Она не сделает такого! Боже мой! Она сделала! Надеюсь, Френсис ее придушит! И если брат хоть чем-то походит на нее...

— Хайр-ад-Дин говорит, что визирь очень важная персона. Нас не выкупят. И нам не убежать.

Катриона закрыла на мгновение глаза, а потом решительно сказала:

— Нельзя нам впадать в отчаяние. Вчера я уступила страху, но не дам ему снова овладеть мной. Мне надо выжить, чтобы отомстить Анджеле ди Ликоза. Надо выжить, чтобы вернуться к Френсису. Не бойся, моя верная Сюзан.

Зеленые глаза графини озорно сверкнули.

— Ты же говорила, что хочешь повидать мир, девочка! Какие невероятные, какие увлекательные истории ты будешь рассказывать своим внукам!..

Сюзан не смогла удержаться от смеха, и Катриона почувствовала некоторое облегчение. Подруга по несчастью оказалась крепкой закалки. Впрочем, чему было удивляться? Ведь она же Лесли!

— Одевайся, девочка моя, и выбери оттуда что-нибудь и для меня. А то, согласись, мои одежды весьма тонки. И еще, Сюзан. Не доверяй здесь никому, кроме меня. Вместе мы сумеем перехитрить турок. Должна сказать, что мне это доставит удовольствие.

Обрадовавшись, что сумела приободрить Сюзан, Катриона полюбопытствовала у самой себя: будет ли хоть когда-нибудь ее жизнь снова размеренной и спокойной. А затем, обладая способностью в любом положении выискивать что-либо смешное, она улыбнулась и добавила:

— О да, наверное, спокойная жизнь навела бы на меня ужасную тоску!

Часть VII
ВИЗИРЬ

49

Даже силы небесные, казалось, вошли в сговор, чтобы поскорее доставить Катриону к месту назначения. Корабль пронесся по Тирренскому морю, скользнул в Мессинский пролив и двинулся по направлению к Криту, где пираты взяли на борт воды и припасов. А когда графиня осознала, что следовала по стопам своей прабабки, ее внешнее спокойствие сменилось легкой дрожью.

Та волшебная сказка, какой была жизнь Джанет Лесли, впервые предстала ее правнучке наяву. Кат задумалась, испытывала ли страх тринадцатилетняя Джанет. «По крайней мере меня не выставят голой «на невольничьем рынке», — подумала она с облегчением. «Если ты понравишься великому визирю, то тогда нет, — зашептал у нее в голове нудненький голосок. — А что, если не понравишься? Куда тебе тягаться с молоденькими девушками? Когда уже за тридцать!»

— Почему ты так нахмурилась, девочка? — спросил Хайр-ад-Дин, который взял привычку играть с ней по вечерам в шахматы. — Готова ли ты наконец признать, что я двигаю фигуры лучше, чем какая-то женщина?

Оторвавшись от своих кошмарных мыслей, Кат рассмеялась:

— Нет, ты, старый лосось! Не готова!

А затем ее прелестное лицо снова помрачнело.

— Поведай мне свою печаль, — сказал капитан, — поделись ею со мной, и, может, я смогу тебя утешить.

— Я боюсь, Хайр-ад-Дин. Я ведь не из тех едва созревших девственниц, каких подают великому визирю. Я взрослая женщина, рожала детей, дважды была замужем. Что во мне может найти Чикалазаде-паша? Он посмеется над подарком сестры и продаст меня какому-нибудь рабовладельцу.

Толстяк отвечал ей сочувственным взглядом.

— Девочка, — терпеливо проговорил он, — ты давно не смотрелась в зеркало? Нет на свете мужчины, который, представься ему выбор между тобой и какой-то зачуханной девственницей, предпочел бы ее. Не предпочтет и мой господин Чикалазаде-паша. Гарем его весьма знаменит. Но визирь предпочитает невинности красоту, обаяние и острый ум. Пусть султан развлекается со своими нескончаемыми девственницами. И вот еще что, моя красавица. Если мой господин пожелает тебя продать, то я выкуплю тебя сам! — И опять вся каюта, казалось, затряслась от его хохота. — Хотя у меня надежды на это так же мало, как и стать папой римским! — прохрипел турок, весело похохатывая.

А корабль меж тем продолжал свой путь по Эгейскому морю, минуя один за другим маленькие греческие островки. Когда позади остались Дарданеллы и открылся простор Мраморного моря, графиня почувствовала щемящую тоску. Родной мир остался позади.

Турецкое одеяние уже сидело на ней привычно и удобно, и она не могла не думать о предстоящей встрече с великим визирем. Что это за человек? Возможно, когда она объяснит ему свое положение, то Чикалазаде-паша согласится на выкуп и позволит им с Сюзан вернуться домой. Судя по рассказам, он совсем не походил на человека, столь отчаянно нуждающегося в женщине, что будет удерживать ее против воли. В этой мысли Кат находила успокоение. Турецкий вельможа представлялся ей почти цивилизованным.

Они прибыли в Стамбул уже вечером; заходящее солнце озаряло своим светом бухту Золотой Рог, как бы показывая, почему этот залив получил такое название. Хайр-ад-Дин немедленно послал вестника во дворец великого визиря. Через час на корабль доставили паланкин, и с ним пришел отряд вооруженных стражников.

— Вряд ли я увижу тебя когда-нибудь снова, девочка, — сказал капитан. — Да ведет тебя Аллах, хоть ты и лучше меня играешь в шахматы.

На глазах у Кат выступили слезы. Повинуясь внезапному порыву, она поцеловала толстяка в щеку. А тот потрепал ее по плечу и повел на палубу, где передал вместе с Сюзан евнуху-негру.

— Полагаю, капитан, — раздраженно проскрипел евнух, — что они не понимают турецкого. На каком из варварских западных наречий мне следует к ним обращаться?

Кат в ярости топнула ногой и накинулась на негра, безупречно выговаривая турецкие слова:

— Гадина! Как ты осмеливаешься говорить таким тоном? В моей стране я знатная дама. И не потерплю неуважения от таких, как ты!

Евнух чуть в обморок не упал, а Хайр-ад-Дин закусил губу, чтобы не рассмеяться.

— Благородная дама говорит правду, Осман. Хоть ее и привезли против воли, она — особый подарок от сестры Чикалазаде. С ней и с ее служанкой надо обращаться помягче.

Негр с опаской посмотрел на Кат. Здесь не миновать хлопот. Он никогда не ошибался в женщинах, и эта задаст хлопот.

— Откуда же, благородная дама, вы говорите на нашем языке? А ваша служанка тоже?

— В детстве я выучила много языков, — ответила графиня, — и ваш был одним из них. А служанка еще только учит, но у нее хороший слух.

Осман кивнул.

— Всегда легче, когда тебя понимают, — заметил евнух Хайр-ад-Дину, словно Кат рядом не было. — Очень хорошо, благородная дама, — сказал он, снова повернувшись к ней, — а теперь вам и вашей служанке следует пройти со мной в паланкин. — Негр окинул их взглядом. — Лица из-под покрывала не видны? Да, хорошо.

И, прежде чем Кат успела слово сказать, ее вместе с Сюзан увели с корабля. Она едва успела обернуться и на прощание помахать рукой капитану. Окна в паланкине были плотно занавешены. Слегка встряхнуло: рабы подняли носилки и двинулись трусцой. Пленницы недоуменно переглянулись. Куда их везли? До чего же хотелось выглянуть наружу, но едва они попытались открыть щелку, как Осман возмущенно завизжал.

Ровным ходом паланкин продвигался сквозь шум, соленый ветер и запах моря. Это была еще набережная. Потом ее сменили шум, тепло и людские запахи города, и, наконец, носильщики вступили в прохладные и тихие кварталы, окружавшие султанский дворец Ени-Сарай. Неподалеку от него, на берегу Босфора, располагался меньший по размерам дворец великого визиря. Во внутреннем дворе паланкин прекратил движение и опустился на землю. Занавеси открылись.

— Пожалуйста, выходите, благородная дама, — пригласил Осман, и шотландки не заставили себя ждать. — Вашу горничную отведут к вам в покои, благородная дама. Вы же отправитесь со мной к Великому евнуху Хаммиду.

И Сюзан увела рабыня-негритянка. Кат последовала за Османом. Они долго шли по какому-то лабиринту коридоров, пока наконец не вошли в огромную резную дверь и очутились в квадратной комнате. На куче подушек, наваленных в человеческий рост, восседал невысокий, но огромный, невероятно расплывшийся негр, цветом чернее дегтя, облаченный в красные и синие шелковые одежды. На голове у него была чалма с большим рубином посередине.

— Приветствуйте поклоном Великого евнуха, — яростно прошипел Осман, падая на колени и низко склоняясь.

— Насекомое, — так же яростно зашипела она в ответ, — я кузина короля и не встаю на колени ни перед кем, кроме Бога и моего господина.

Гора плоти затряслась, давясь громоподобным хохотом.

— Хорошо сказано, женщина! Мой господин Чикалазаде любит острый ум... если только его умеряет мудрость. — Голос казался странно высоким для такого внушительного человека. — Осман, подожди снаружи.

А когда тот вышел, Великий евнух повернулся к Кат.

— Я Хаммид, управляющий хозяйством визиря. Как зовут тебя, моя красавица?

Гордо выпрямившись, она сказала:

— Я леди Катриона Стюарт Хепберн, графиня Ботвелл. Я кузина его величества короля Шотландии Джеймса, который, по смерти королевы Елизаветы, также станет и королем Англии. Я здесь по принуждению, похищенная вместе со служанкой волею сестры вашего господина. Эта женщина домогается моего мужа, хотя им отвергнута. Она думает, что отомстит, услав меня сюда. Если вы только дадите знать моему мужу, лорду Ботвеллу, то он заплатит вашему господину выкуп, вдвое превышающий тот, что будет запрошен. Вас тоже ждет богатая награда.

— Мой господин не имеет привычки клянчить выкупы, женщина. Тебя прислали сюда не за этим, сама хорошо по-

442

нимаешь. Если бы сестра визиря желала вымогать деньги, то тем бы дело и кончилось. Но она пожелала разлучить тебя с мужем и увидела, что одновременно сможет оказать своему брату добрую услугу.

Из-под своих припухлых век Хаммид поглядывал на новую невольницу, желая знать, какое впечатление произвели его слова. Так евнух оценивал, чего она стоит. И он испытал бы сильное разочарование, если бы шотландская дама не проявила силы духа.

— Я замужняя женщина, — заявила Кат, — и не стану подчиняться вашему господину. Скорее умру!

И снова комната затряслась от хохота Великого евнуха.

— Чепуха! — воскликнул он. — Ты — сама жизнь! Не надо пустых угроз. Я слишком много имел дело с женщинами и знаю, когда они всерьез помышляют наложить на себя руки.

Хаммид увидел, что ее глаза блестят от слез, но не пролилось ни единой. В трудном положении дама проявляла мужество, и это ему понравилось.

— Не бойся, красавица. Тебя не поведут к моему господину заплаканной и визжащей. Несколько дней ты отдохнешь. Восстановишь силы после тяжкого испытания, познакомишься с нашими обычаями. Подойди теперь поближе, чтоб мне получше тебя разглядеть.

Кат медленно двинулась вперед, пока не встала прямо перед ним.

— Разденься, женщина.

— Нет! — Казалось, невольницу поразила эта просьба, и она была готова взбунтоваться. Хаммид вздохнул.

— Мне не хочется ставить тебя в неловкое положение, женщина, но если ты не подчинишься, то я просто позову Османа и тебя разденет он.

На миг Кат застыла от гнева. Затем, поняв, что сопротивляться бессмысленно, она пожала плечами и медленно стянула покрывало. Затем сняла парчовое болеро. Дрожащими пальцами расстегнула крохотные жемчужные пуговицы кисейной блузы и тоже сняла ее. Наконец сбросила с ног замшевые тапочки и шагнула из шелковых шаровар.

— Подними руки за голову, женщина, — приказал Хаммид, а когда она подчинилась, то, не отрывая взгляда от ее прекрасных округлых грудей, от темно-розовых сосков, негр прошептал: — Великолепно! — А затем опять приказал: — Распусти волосы и повернись ко мне.

Золотистые волосы обрушились почти до самой талии. Евнух улыбнулся.

— Когда мой господин увидит тебя, женщина, то потеряет голову. Ты — услада взору. А теперь снова одевайся. Осман отведет тебя в твои покои, твоя служанка уже там. Хочешь кушать?

Она кивнула.

— Я прикажу, чтобы тебе немедленно подали ужин. Потом баня, массаж и добрый сон. Ты ощутишь себя заново рожденной. Через три дня я сам выеду с тобой в город, потому что хочу тебе кое-что показать.

Он хлопнул в ладоши; снова появился Осман и увел ее. А Хаммид некоторое время просидел неподвижно, а затем сказал:

— Что ж, господин, по-моему, ваша сестра оказала вам невзначай огромную любезность. Что вы думаете об этой женщине?

Из-за резной ширмы, стоявшей позади Великого евнуха, шагнул высокий человек.

— Она восхитительна! Клянусь Аллахом, Хаммид, я страстно ее желаю! Мои чресла уже горят желанием иметь ее подо мной, чтоб она обессилела, чтоб лишилась чувств от моей любви!

— Не станем спешить, мой господин. Она будет вашей, обещаю вам, но прежде я должен завоевать ее доверие. Ради такой драгоценности стоит и подождать, мой господин.

— Но уступит ли она, друг мой? Я вижу в ней упрямство, которое не так-то просто переломить.

Хаммид улыбнулся:

— Уступит, мой господин. Вы обратили внимание, какое пышное у нее тело? Это тело женщины, привыкшей к почти ежедневным ласкам. А прошло уже несколько недель, как ее похитили, и капитан Хайр-ад-Дин клянется, что в пути к ней не притрагивались. Хотя ум ее не желает признать это, тело уже желает прикосновения мужчины. Мы окружим ее миром чувственных наслаждений, пока ее любовный голод не пересилит желание сопротивляться. Неделя-две — самое большее, мой господин Чика, и она будет ваша!

444

Паша сверкнул белозубой улыбкой:

— Какое имя мы ей дадим?

— Инчили, — не задумываясь, ответил евнух.

— Инчили, Жемчужина, — да! Мне это нравится, Хаммид!

А пока они вели эту беседу, Катриона снова шла за Османом по бесконечным коридорам дворца. Внезапно пленница осознала, что пересекла какую-то невидимую линию и очутилась в гаремном отделении. Повсюду были женщины, женщины всех рас и цветов кожи, дамы и служанки. До ушей графини доносились их замечания, но ей удавалось сохранять бесстрастное лицо.

— Аллах! Какая красавица!

— А так ли хороши мозги, как лицо?

— И то, и другое вместе редко бывает, Ферюке.

— Латифа Султан позеленеет от злобы.

— И нечего жалеть об этом.

Послышался смех. Катриону провели в просторную комнату, где уже стояла Сюзан. Госпожа и служанка радостно бросились в объятия друг к другу.

— Я так волновалась, — сказала девушка. — Нас смогут выкупить?

— Нет, — отвечала Кат. — Придется придумать что-нибудь другое. Однако пока что встреча с визирем мне не грозит.

Осман, не разобравший ни слова, спросил:

— На каком языке вы говорите, женщина? Говорите по-турецки или, если вашей рабыне трудно, воспользуйтесь французским или итальянским, чтобы я вас понимал.

Кат рассмеялась:

— Мы говорим на гаэльском, языке наших предков, но если это тебя смущает, мы перейдем на турецкий.

Осман, казалось, расстроился.

— Рабыни принесут вам ужин, благородная дама. А потом, согласно указанию Великого евнуха, вас отведут в бани. Я вернусь утром.

Им принесли огромную миску баранины в луковом соусе с перцем, две горячие лепешки, блюдо йогурта, полдюжины спелых персиков, небольшую чашу засахаренного миндаля и графин лимонного шербета. Рабыня поставила две миски и два бокала, но приборов для еды не оказалось. Кат полюбопытствовала и узнала, что вновь привезенным невольницам никогда не давали ничего, что могло бы помочь им совершить самоубийство. Есть придется пальцами и помогать себе лепешками. Но поскольку с утра у них во рту не было ни крошки, то госпожа со служанкой принялись уминать за обе щеки, удивляясь еще, как вкусно их накормили.

После ужина рабыня пришла с тазиком ароматной воды и полотенцем, а затем явилась другая, уже старенькая, и повела шотландок в бани. Сюзан предоставили там самой себе, а Кат препоручили банщице, чьи опытные руки прежде всего вымыли ее дочиста, не забыв про голову. Там, где на теле росли волосы, женщина тщательно размазала бледно-розовую пасту, а когда через полчаса стерла, волос нигде не осталось. Тем временем Катрионе успели уже подстричь ногти на руках и на ногах. Нельзя было и в мыслях допустить, чтобы великий визирь оказался оцарапан. Потом ее провели в парилку, а оттуда в менее жаркую комнату, где уложили на мраморной доске и сделали массаж. После этого она так расслабилась, что едва смогла дотащиться до своей спальни, и немедленно погрузилась в глубокий покойный сон.

Три дня ничего особенного не происходило. Каждое утро появлялся Осман и вел их, плотно укутанных покрывалами, на прогулку по саду визиря. Пополудни Катриону провожали в бани, где омывали и массажировали с маслами и мазями, пока ее кожа не стала чувствительной ко всякому прикосновению. По вечерам дозволялось наблюдать некоторые гаремные развлечения, обычно танцы. Открытые чувственные намеки, сквозившие в движениях танцовщиц, сначала ошеломили Кат, а потом и заинтриговали.

Когда на четвертый день ею уже овладела скука, то пришел Осман и сообщил, что надо надеть уличную одежду с покрывалом и следовать за ним.

— Ваша рабыня останется здесь.

— Пусть, — сказала Кат возмутившейся Сюзан.

Ее провели к большому паланкину, и когда графиня уселась, то с удивлением обнаружила напротив себя Хаммида.

— Доброе утро, — бодро сказал негр. — Вижу, что эти три дня пошли тебе на пользу. Я и не думал, что ты можешь быть еще прелестней, чем тогда.

— Я начала уже скучать. Я не привыкла к бездействию. Это все, что делают ваши женщины? Сидят и ждут, когда их позовут в постель господина? Как ужасно! — Она перевела дыхание, а затем спросила: — Куда мы едем?

— На невольничий рынок. Ты — женщина решительная и упорная, поэтому хочу показать, что с тобой случится, если ты пойдешь против воли моего господина. Его спальня должна, подобно прекрасному саду, быть спокойной, благоухающей усладой чувств. Если ты не уступишь великому визирю, а будешь с ним бороться, то он прикажет тебя продать. И если такое случится, то, без сомнения, тебе придется расстаться с твоей служанкой, и очень вероятно, что твоя изысканная красота привлечет какого-нибудь работорговца с Аравийского полуострова или из африканской глубинки. Не думаю, что тебя прельщает стоять обнаженной и ждать, пока тебя облапают все покупатели. Не думаю, что тебе захочется быть проданной какому-нибудь вождю племени в джунгли. Но если ты уступишь моему господину, то получишь безопасность и благополучную жизнь. Выбор за тобой.

Кат глянула ему прямо в глаза.

— Зачем ты мучаешь меня, Хаммид? Ты же знаешь, что мне придется уступить твоему господину.

Евнух кивнул.

— Ты умная женщина, моя красавица, но если ты отдашь моему господину Чика одно твое тело, то он поймет это и оскорбится. Ты должна отдаться вся — и телом и душой!

— Не могу! И не надо ожидать от меня этого, Хаммид!

— Ты должна!

Они продолжили путь в молчании, пока наконец носильщики не остановились и паланкин не опустился на землю. Великий евнух вышел и, предложив свою руку, помог выйти и графине.

— В этом городе много невольничьих рынков, но здесь продают только красавиц.

Графиня огляделась и увидела женщин самых разных возрастов, комплекций и оттенков кожи. Прекрасную девушку, стоявшую на помосте, продавали с аукциона. Она была совершенно голая, и покупатели, не робея, ощупывали ее и тыкали рукой. Лицо несчастной отражало такой стыд и испуг, что Катриона даже вздрогнула. Ужасное зрелище длилось почти час, пока бедняжка не была куплена каким-то человеком с огромными усами. Затем на помост выставили изящную золотоволосую черкешенку лет тринадцати, и Хаммид стал участвовать в торгах. Когда он наконец выиграл их, то при Кат сказал продавцу:

— Пошли девочку в Ени-Сарай с наилучшими пожеланиями от Чикалазаде-паши.

Затем он вместе со своей спутницей вернулся в паланкин. На обратном пути Катриона тихо молвила:

— Я попробую, Хаммид, но я ничего не обещаю. Мне это будет очень нелегко.

Негр улыбнулся:

— Хорошо! Я не ошибся в тебе. Не тревожься, моя красавица. Я не стану тебя торопить. Ты будешь счастлива, обещаю тебе. Визирь — великолепный любовник, и он так тебя усладит, как никогда не услаждал никакой другой мужчина. Он подобен молодому быку — горяч и неистощим.

Кат склонила голову, потому что щеки ее покраснели. Прошло уже столько недель, как она в последний раз спала с Френсисом, ей уже хотелось этого. Но она прежде умрет, чем позволит Хаммиду заподозрить это. Но евнух угадал ее мысли и усмехнулся.

— Я придумал тебе турецкое имя, — сказал он. — Ты будешь отзываться на Инчили. Это значит Прекрасная жемчужина, а ты и есть такая на самом деле. Твою служанку мы будем звать Мара.

Следующие несколько дней прошли спокойно. Хотя Катрионе и позволялось общаться с другими женщинами гарема, она не испытывала желания завязать с кем-то дружбу. Правда, ей любопытно было бы посмотреть на Латифу Султан, жену визиря, но такого случая не представлялось.

На третью неделю, вернувшись как-то из бани, Кат обнаружила, что ее ждет Хаммид.

— Сегодня я представлю тебя визирю, — объявил евнух. Ошеломленная, она взмолилась:

— Так скоро?!

— Время самое подходящее, — заверил ее Хаммид. — Послушай, Инчили, ты же не девственница, а опытная женщина. Неужели твое прелестное тело не страдает по мужскому прикосновению? Не жаждет, чтобы жесткий мужской орган засел у тебя глубоко внутри? Когда в последний раз ты забывалась в объятиях возлюбленного?

— Хватит, — прошептала Кат. — Пожалуйста, хватит.

— Я приготовил тебе особенное платье. Приду за тобой в восемь.

В восемь часов вечера, дрожащая, несмотря на летний зной, Катриона стояла и ждала Хаммида. Одели ее в прозрачнейшую розово-лиловую кисею. Шаровары у лодыжек были расшиты золотыми и серебряными нитями, и такой же поясок охватывал бедра под пупком. Крошечное открытое болеро без рукавов, отороченное жемчужинами, едва облегало груди. Лицо, конечно, пряталось под покрывалом, и поверх него было еще и второе, более длинное.

Хаммид явился с небольшим паланкином и, когда графиню понесли в спальню визиря, шагал рядом.

— Сегодня я войду с тобой. Не бойся, Инчили. Мой господин Чика будет добр.

Наконец они пришли. Положив Катрионе руку на локоть, негр потянул ее в дверь.

— Я привел женщину, Инчили, как мне приказал мой господин, — сказал он высокому человеку, сокрытому во тьме. А затем снял с нее оба покрывала и болеро. Когда обнажились груди, из темноты донесся тихий вздох. Руки евнуха быстро стянули шаровары. Кат осталась совершенно голой.

— Спасибо, Хаммид, можешь идти.

Дверь за негром закрылась. А графиня застыла, испуганная, не зная, чего и ждать. Затем человек вышел из тени, и Кат увидела перед собой красивейшего мужчину, какого когда-либо видела в своей жизни.

Он был высок и смуглолиц, но на его стройных бедрах, где шаровары сидели низко, кожа выглядела такой же светлой, как и у нее. Коротко подстриженные волосы, темные и волнистые, слегка серебрились на висках. Глаза, к удивлению Катрионы, оказались серо-голубыми. Паша совсем не походил на свою сестру. Его профиль напоминал классический греческий: высокие скулы, прямой нос, широко расставленные глаза и пухлый, чувственный рот. Довершали портрет прекрасно ухоженные усы.

Не отрывая взора от ее глаз, Чикалазаде протянул руку. Кат машинально вложила свою. Прикосновение обожгло ее.

— Я никогда не обладал ничем таким изысканным, как ты, Инчили. — Голос визиря окутывал ее, словно теплый бархат.

— Вы еще мной и не обладаете, господин Чикалазаде, — холодно отвечала она.

Паша улыбнулся, сверкнув ровными белыми зубами, а потом и вовсе рассмеялся.

— Но ведь это только вопрос времени, правда, Инчили?

Наклонившись, визирь поднял большее из двух ее покрывал, скрутил в веревку и, обернув ею вокруг талии, притянул к себе. Когда груди Катрионы коснулись его обнаженного тела, то она затрепетала, и чутье ей подсказало, что этого мужчину так просто не проведешь. Твердой рукой Чика поднял ее подбородок и снова улыбнулся.

— Зеленые глаза, — тихо проговорил он. — Они прекрасны, Инчили, но ведь ты сама это знаешь, не так ли?

Сердце ее бешено колотилось, и она не могла вымолвить ни слова. И разъярилась на саму себя. Что с ней произошло? Она попыталась отвернуться, но голова визиря нырнула вниз, и он припал к ее рту. Кат охватил неудержимый страх, она опять попробовала ускользнуть, но мужчина просто притянул ее ближе и мягко раздвинул ей губы, открывая путь своему языку.

Но ей все-таки удалось вырваться. Закатив глаза, Катриона глотала воздух огромными глотками. Ладони ее взметнулись вверх и уперлись в волосатую грудь визиря, пытаясь удержать его на расстоянии. Но он лишь тихо рассмеялся и, схватив за запястья, завел ее руки за спину, так что снова их тела оказались прижатыми друг к другу.

Опять он неспешно овладел ее губами. У Катрионы проснулся огонек желания и начал разгораться неистовым пламенем. Она постепенно прекратила сопротивление и стала отвечать на этот жгучий призыв.

Чувствуя, что несогласная уступает, визирь высвободил одну руку и стал ласкать ею пышную грудь.

— Инчили... — Тихий голос дрожал от страсти. — Ты возбудила меня, как никакая другая.

И турок повел ее к огромной кровати, стоявшей на возвышении. Упав спиной на простыни и нежно привлекая Катриону к себе, он удержал ее, однако, слегка над собой, и налитые груди свесились подобно спелым плодам. Когда, подняв к ним свою голову, визирь облизал соски, по всему ее телу забушевали волны желания. Потом он перевернул ее на спину,

450

его темная голова скользнула вниз, а рот с жадностью припал к набухшему розовому острию, безудержно его обласкивая и рассылая по нутру Катрионы молнии горячего наслаждения. Потом его губы начали томительно обследовать ее прекрасное тело, обжигая кожу. И, наконец, Чика увидел крошечную родинку — тот полный нестерпимого соблазна знак Венеры, что увенчивал нежную расщелину. Рука паши метнулась развязать шаровары. Прижимаясь и корчась, он стянул их и вернулся к заворожившему его пятнышку.

Глаза его сладостно раскрылись, а губы тронула слабая улыбка. Эта родинка звала и приглашала, отказаться было невозможно. Турок склонился и поцеловал ее, довольный, что женщина неистово затрепетала. Опять оказавшись с ней на одном уровне, Чикалазаде взял руку Катрионы и заставил тронуть его. И едва горячая ладонь покрыла могучий орган, как паша застонал.

Он взглянул на лежавшую под ним красавицу. Впервые в жизни у него появилась женщина, не уступавшая ему в чувственности. Кат отпустила член, и визирь опустился на нее. Ласковыми руками раздвинув ей бедра, он встал меж ними на колени. Ухватив Катриону за ягодицы, Чика медленно притянул ее к себе и насадил на свой жесткий член.

И тут он на мгновение опешил, потому что женщина оказалась не только горячей, влажной, но и тесной, словно девственница. Визирь даже простонал от наслаждения. Снова овладев собой, он начал плавно двигаться. Затем осторожно опустил ее на кровать и поудобнее обхватил ногами. Тело Кат покрывали мельчайшие бисеринки влаги, а голова неистово билась на подушке. Большие руки Чикалазаде нежно ласкали ее, и он стал говорить ей слова утешения. Внезапно изумрудные глаза открылись и впрямую встретили его взгляд. Она принялась тихо всхлипывать.

— Нет, Инчили, нет, моя прелесть, — любовно сказал визирь. — Я вижу в твоих сладостных очах тень другого мужчины. Я должен победить этого соперника, ибо ты никогда больше его не увидишь. Ты моя навечно! — ликовал он. — Отдайся мне вся, моя драгоценная!

— Не могу, — рыдала она. — Не могу!

Руки его возобновили свою дразнящую ласку, а губы начали с легким нажимом целовать ей лицо и шею.

— Я сделаю так, что ты забудешь его, — прохрипел Чика-лазаде. И он снова отдался мерному движению страсти, теряя уже самого себя в ее тепле и сладости. Он довел и себя, и ее до высшего наслаждения, а потом Кат рыдала у него на груди, пока, изнуренная, не уснула.

Она спала подобно ребенку, свернувшись клубочком и расслабившись. Визирь с улыбкой поднялся с развороченной постели и, подойдя к низенькому столику, налил себе бокал апельсинового шербета. Развалясь на подушках, он задумчиво потягивал напиток и глядел на свою прекрасную невольницу. Хаммид был прав, она заслуживала особого отношения. Но Аллах! Чужестранка бросает вызов великому визирю! А ведь достаточно одного его слова, и всякая в гареме из кожи вон ле-зет, чтобы ублажить своего господина. Даже его гордая жена-принцесса страстно желала доставить ему наслаждение.

С Инчили, однако, получалось как раз наоборот. Это он пытался завоевать ее. И не отступит, пока не завладеет как ее телом, так и душой. Никогда он не испытывал такого блаженства, как этой ночью. И визирь вздрогнул, представив, какой эта женщина будет, когда полностью ему уступит.

50

Проснувшись, Кат с удивлением обнаружила, что лежит в своей постели. Она уселась и спросила у Сюзан:

— Как я снова сюда попала?

— Вас принес он сам. Сам господин Чикалазаде! Вы спали так сладко, что он не пожелал вас беспокоить. Я так испуга-лась, когда он вошел с вами на руках... Но он был очень добр и показался вовсе не таким чудовищем, как я представляла. Мне понравился.

— Да, он не зверь, — тупо согласилась Кат. Потом ее голос задрожал. — Но я не могу смириться с такой жизнью, Сюзан. Я хочу Френсиса! Хочу домой! Хочу быть свободной! — И она зарыдала.

Когда прошло несколько минут, а Кат все плакала, Сюзан послала рабыню за евнухом Османом. Тот немедля прибежал и спросил:

— В чем дело, Мара?

— Моя дама, сэр. Она вся изошла слезами! Я уже все пыталась сделать!

Осман склонился над Кат:

— Почему ты плачешь, Инчили? Разве что-то тебя огорчает?

А она даже и не заметила его. В отчаянии негр послал за Хаммидом. Великий евнух явился и жестом отослал обоих слуг. Потом сел у кровати и стал ждать. Истерические рыдания продлились еще несколько минут, а затем стали стихать, пока совсем не смолкли. Кат села, лицо ее было мокрым и припухлым. Евнух, не говоря ни слова, протянул ей большой красный платок. Вытерев себе лицо, она звучно высморкалась.

— Очень хорошо, Инчили, скажи, что тебя печалит, — сказал Хаммид.

— Все! — взорвалась пленница. — Я хочу быть свободной! Не могу перенести, что меня держат в клетке! В моей стране женщины свободно ходят повсюду. Здесь я заточена в гареме и гуляю только в саду за высокими стенами. Ненавижу все это! Ненавижу!

Негр понимающе кивнул. Обычный случай со вновь поступившей невольницей. Можно даже пойти на уступки, и немалые, лишь бы Инчили была довольна. Уже много лет Хаммид искал такую женщину, ибо желал уравновесить влияние, которое оказывала на его господина Латифа Султан. Красивая и умная, османская принцесса покорно принесла мужу троих сыновей и дочерей-близняшек, но особых чувственных позывов не испытывала. Поэтому она не возражала против огромного гарема, нужного супругу, чтобы удовлетворять его ненасытный аппетит. Но Великий евнух беспокоился, вдруг визирь попадет под влияние какой-нибудь интриганки, и тогда дом, которому он, Хаммид, отдавал столько сил, превратится в настоящее поле сражения. А учитывая высокое положение Чикалазаде-паши, интриганка могла даже вмешаться в государственную политику.

В Инчили же Великий евнух нашел именно то, что искал. Он быстро понял, что его новая подопечная не только умна, но и нравственна. Да еще красива и на редкость мудра. И, что важнее всего, обладала столь же неуемной чувственностью, что и его господин. Хаммид даже подумал, что Латифа Султан с Инчили могли бы подружиться, и с их помощью он сумел бы направить Чикалазаде по пути величия. Ибо евнух был честолюбив, а заведовать домом великого человека казалось ему целью, к которой стоило стремиться.

— Я получу для тебя разрешение гулять в саду Латифы Султан. Он не огорожен, открыт и морю, и небу. Также предложу моему господину, чтобы он брал тебя на прогулки в своей лодке. Тебе это понравится?

Она кивнула.

— А потом, — продолжил негр, — когда все утрясется, я позволю тебе выходить в город на рынки.

— О да, пожалуйста, Хаммид!

— Хорошо! Теперь прошла твоя истерика?

— Да!

Евнух ласково улыбнулся:

— Я рад, Инчили! Господин Чика говорил мне сегодня утром, до чего он насладился с тобой. Ты ублажила его, как никакая женщина прежде. Сегодня снова пойдешь к нему.

Кат взяла оторопь; мысли обгоняли одна другую. Наконец она решила: «Если уж мне суждено пока это выносить, то буду извлекать пользу для меня самой и для Сюзан».

Она посмотрела на Великого евнуха.

— У меня нет одежды. Самая последняя наложница в этом гареме имеет больше платьев, чем я! Мне что, будут выдаваться жалкие клочки кисеи на каждую ночь? Если уж я должна услаждать моего господина Чика, то пусть мне позволят самой выбрать себе гардероб. По опыту знаю, Хаммид: чтобы удержать мужчину в постели, нужно нечто большее, чем просто умение. Или тебе все равно, как скоро я надоем Чика-паше?

Евнух пришел в восторг. Может, она еще и не совсем готова отдаться вся, но этот чисто женский интерес к тряпкам — очень добрый знак.

— Я пошлю за торговками с базара, чтобы ты сама выбрала товар. Если приглянутся какие-либо ткани — покупай! Наши швеи сошьют тебе платья. Сможешь также купить драгоценности, сурьму и духи. — Хаммид ощутил себя невероятно щедрым. — Когда выберешь что захочешь, Осман позаботится, чтобы женщинам заплатили.

Столько всякой всячины принесли торговки, что у Кат глаза разбежались. И она ни в чем себе не отказала. Купила несколько дюжин кисейных блузок, белых и цветных, шаровары с жакетками под цвет и длинные восточные халаты зеленого, розовато-лилового, сиреневого, бирюзового, бледно-голубого и ярко-розового оттенков. Пожелала оставить себе и несколько рулонов материи: синий шелк, расшитый маленькими звездочками, толстый красный атлас, бледно-зеленую парчу, посверкивающую золотыми нитями, и кисею, золотистую и серебристую.

Впрочем, у торговки красками для лица она купила одну лишь краску для век, презрев хну, белую ртутную мазь и красную губную помаду.

Торговке духами повезло больше, она продала Кат три хрустальных флакона. В одном был мускус, в другом — духи из дикорастущих весенних цветов, а в третьем — что-то лесное из зеленого папоротника и мха.

Потом пришли женщины с драгоценностями на подносах, и тут Катриона проявила большую разборчивость. Она взяла дюжину небольших золотых браслетов и дюжину серебряных. Прельстили ее тонкие золотые цепочки, некоторые простые, а некоторые с аметистами, гранатами, топазами, аквамаринами или оливинами. Приобрела несколько четок — из бирюзы, жадеита и коралла, как белого, так и розового. Последними покупками стали жемчужные ожерелье на тонкой золотой нити и серьги ко всему, что уже было куплено.

Когда Осман возмутился ее расточительностью, она сразу же осадила:

— Иди к Великому евнуху, ты, насекомое! Если он скажет нет, тогда я подчинюсь.

Осман вздохнул и расплатился с довольными торговками.

А Катриона немного поела и затем провела два восхитительных часа в гаремных банях, где ее обхаживали как могли. До главной банщицы уже дошел слух, что новая наложница в большой милости у господина. Снова очутившись у себя в комнате, она заснула, а когда, уже ближе к вечеру, ее разбудили, опять откушала свежего йогурта и фруктов.

Перебирая купленные одежды, Кат остановилась на зеленоватом цвете оттенка незрелого лимона. Шелковые шаровары стягивала у каждой лодыжки манжета немного более темного тона, вышитая золотыми цветами. Прозрачная шелковая блуза имела на длинных рукавах перемежающиеся полосы этих же двух тонов, а поверх Катриона надела короткую, без рукавов жакетку, конечно, тоже из зеленоватого шелка; бока и низ ее украшало богатое золотое шитье с жемчугом. Крохотными жемчужинами было оторочено и болеро. На бедра подошел шелковый пояс с неизменными золотыми и зелеными полосками. Замшевые тапочки посверкивали множеством жемчужных цветочков. Свои золотистые волосы она покрыла длинной полупрозрачной вуалью, тоже из зеленого шелка, а на шею надела два ожерелья — одно жадеитовое, другое жемчужное. На руки нанизала золотые браслеты, а в уши вставила серьги из золота и жадеита.

Когда Хаммид увидел свою любимицу в новом наряде, то его лицо расплылось в широкой улыбке.

— Великолепно, Инчили, — воскликнул он, — у тебя есть и вкус, и чувство стиля!

Негр проводил ее до спальни визиря, а прощаясь с ней перед самыми дверями, напутствовал:

— Желаю тебе этой ночью испытать радость.

Кат спокойно прошла в комнату и увидела, что визирь уже ждет. В его серо-голубых глазах она прочла одобрение.

— Слышал, что ты тратишь мои деньги, — весело произнес паша и, протянув руку, стянул с ее головы покрывала.

— Вы говорите, мой господин, что получаете со мной удовольствие, и, однако, до сегодняшнего дня последняя из женщин вашего гарема имела больше, чем я. Я не жадна и не расточительна, но мне требуются одежды.

— С ними или без них, ты, Инчили, прекраснейшая из женщин.

И Кат увидела, что в его глазах вспыхивает желание.

Заметив шахматные фигуры, расставленные на низеньком столике, она спросила:

— Не хотите ли сыграть, мой господин Чика?

Визирь даже развеселился.

— А ты умеешь?

— И весьма неплохо, или по крайней мере так говорили оба моих мужа, — ответила она со спокойствием, которого не ощущала.

Рука вельможи указала на подушки, лежавшие подле фигур из слоновой кости, а сам он сел у тех, что были вырезаны из черного оникса. Но вдруг его глаза загорелись недобрым огоньком.

— Подожди!

Кат вопросительно подняла глаза.

— Сними жакетку и блузку, Инчили. Если уж ты так хочешь оттянуть неизбежное, то я по крайней мере буду наслаждаться зрелищем твоих грудей.

Она покраснела, и это визирю понравилось. Женщина разъярена, но вынуждена подчиниться. Чудесное, дикое создание, что за наслаждение — эта битва! В конце-то концов он ее все равно укротит. Представив, как Инчили станет вымаливать у него милостей, Чикалазаде испытал крайнее возбуждение. Подобно какому-то огромному зверю, его мужской орган вдруг ожил.

Катриона же играла с упрямой сосредоточенностью, которая восхитила визиря, и, поскольку он не мог отвести глаз от роскошных грудей противницы, его фигуры оказались в угрожающем положении. А она еще и намеренно выставляла свой бюст вперед и поводила им, соблазнительно покачивая. Чтобы устранить этот перевес, Чикалазаде обошел вокруг стола и сел рядом. И тут же, словно невзначай обвив ее рукой, обласкал мягкую грудь, насладившись растерянным вздохом шахматистки и внезапной твердостью розоватого соска. Голова паши склонилась, и он припал к шелковистому женскому плечу, передвигая одновременно своего короля на поле, казавшееся уязвимым. Взволнованная и переставшая думать, Кат сразу пошла ферзем и в ужасе услышала довольный смех визиря.

— Шах, моя рассеянная красавица, и... — он толкнул ее спиной на подушки, — мат!

И, прежде чем она опомнилась, Чикалазаде уже взобрался на нее и со смехом глядел сверху. А руки его поигрывали с тугими шарами, трепетавшими от каждого их прикосновения.

— Не гневись, моя нежная Инчили. Ты слишком сладостна, чтобы я мог устоять. И я не хочу с тобой игр, я хочу с тобой любви.

— А я не из ваших гаремных кисок, что немедля раздвигают ноги перед своим господином, — огрызнулась Кат. — Я не уступлю. Это будет изнасилование!

Визирь снова рассмеялся, а глаза его озорно засверкали.

— Хорошо, — согласился он, — тогда это будет изнасилование волнующее и приятное.

И Катриона почувствовала, как его руки развязывают пояс у нее на бедрах и дюйм за дюймом стягивают шаровары.

— Нет! — завизжала она. — Нет!

Бешено отбиваясь, Кат даже попробовала царапаться, но Чикалазаде только рассмеялся. Мужчина был намного сильнее, и Кат стала уставать. Успешно стянув с нее одежды, он и сам, все еще обхватывая ее ногами, сумел сбросить свои шаровары. Теперь их горячие нагие тела соприкасались по всей длине, и визирь наслаждался атласной гладкостью ее кожи. Он уже потянулся было к сладостным устам, но Катриона в ярости отвернула лицо. Смеясь, паша захватил тогда ее голову меж своих ладоней, и уклониться от его рта оказалось уже никак нельзя. Она еще пыталась сопротивляться, но тут мучитель провел своим нежным языком по ее маленьким белым зубкам, и в ней самой уже взметнулось пламя желания. Несогласные губы разошлись со слабым стоном отчаяния, и она задрожала под телом мужчины. А его губы медленно перешли к ней на веки, трепетно их поцеловали, а затем и щеки, мокрые от слез. Но вот визирь остановился и, опершись на локоть, тихо спросил:

— Почему ты не можешь вся мне отдаться?! Твое тело жаждет моего, однако ты отказываешь мне в полной победе.

— Я... я... я не люблю вас, мой господин Чикалазаде. Я люблю своего мужа. В моей стране женщина, которая отдает свое тело мужчине без любви, считается самой последней тварью.

— Но я люблю тебя. Нет, Инчили, не смотри так недоверчиво. Я говорю правду. Если бы меня волновало только одно твое прелестное тело, то меня не заботили бы твои чувства. Но они меня заботят. Если я не буду обладать тобой вполне, любовь моя, то не смогу обладать тобой вовсе, а это мне непереносимо. — Напряжение, звучавшее в его голосе, даже пугало. — Ты никогда больше не увидишь своего мужа. Теперь ты принадлежишь мне. Но я запасся терпением, ибо хочу, чтобы ты меня любила.

И снова ее губы ощутили этот чувственный рот, требовательный и жгучий. Не в силах сдержаться, Кат прильнула к ненасытному мужчине и почувствовала, как его руки поглаживают ее дрожащее тело. Губы визиря оказались на ее грудях, и язык уже мучил их, пытал, чертил свои узоры, и соски немедленно восстали в ответ жесткими остриями. Но вот он

458

двинулся дальше по животу, подрагивающему под его прикосновениями, и стал опускаться ниже и ниже, ища доступа к ее сладости. С каждым разом его язык погружался все глубже, пока она совсем не потеряла голову от накатывавшихся на нее волн удовольствия. А затем и сам мужчина вошел в нее, твердый и острый, и Кат закричала от блаженства, со стыдом умоляя любовника не останавливаться.

Но и Чикалазаде никогда в жизни так не желал протянуть наслаждение. Эта женщина воспламеняла его страстью, несравнимой с тем, что он знал прежде. Его кипучее семя уже бурно в нее изливалось, и наложница голосила от радости.

Но потом, успокоившись в его объятиях, она снова зарыдала, смачивая слезами волосы мужской груди. Визирь крепко прижал чужестранку к себе, поглаживая ее золотистые волосы и утешая нежными словами. На какой-то короткий миг он проникся ее горем, ибо сам осознал, что если когда-нибудь потеряет Инчили, то его собственная жизнь лишится смысла. Он, Чикалазаде-паша, великий визирь султана Мохаммеда III, оказался пленником в сетях у этой прекрасной, непокорной невольницы. Какая ирония судьбы!

Плач прекратился, и Чикалазаде уснул, не выпуская ее. Проснувшись в ночной тьме, он почувствовал, что женщина не спит.

— Хаммид сказал, — тихо произнес визирь, — что ты ощущаешь себя в заточении. Не хочешь ли выехать со мной завтра ночью? Будет полнолуние, а у меня на Босфоре есть небольшой островок. Там есть беседка, и крыша в ней открыта небу. Завтра вечером я увезу тебя туда и буду любить под звездами при лунном свете.

Она задрожала, и, почувствовав это, Чикалазаде повернулся и притянул ее в свои объятия. Его губы были нежны, нежно было и его тело; визирь снова овладел Катрионой, насладившись слабым стоном ее уступки. На этот раз она уже не плакала, а потом даже ласково прильнула к нему.

Вышло очень удачно, что на следующий день у Чика не оказалось государственных дел, ибо он не мог думать ни о чем, кроме Инчили. Утром визирь обсудил со своим управляющим, что надо подготовить к вечеру. А ближе к полудню отправился навестить жену.

Латифа Султан была правнучкой Селима I и внучкой единородной сестры Сулеймана Великолепного. Эта красивая женщина унаследовала от прабабушки Фирузи Кадим нежнейший цвет кожи, а от бабушки Гюзель Султан — мягкий нрав. Ее длинные белокурые волосы имели серебристый оттенок, глаза отливали бирюзой. Замуж за Чикалазаде-пашу принцессу выдали еще девочкой, и дети их уже стали взрослыми и жили отдельно. Дни Латифы протекали в удовольствиях, а с мужем она сохранила дружбу. Раз в неделю, по пятницам, визирь приходил к ней в постель, но обычно просто спал, потому что она не была особо склонна к любовным утехам. Богатый гарем вполне удовлетворял чувственные запросы паши, а супруга достойно выполнила свой долг, родив ему детей, так что он относился к ее сдержанности с уважением.

В то ясное утро Чикалазаде сидел рядом с супругой в небольшой беседке, откуда открывался вид на море. Паша выглядел слегка изможденным, и Латифа подумала, его возраст уже дает себя знать.

— За все те годы, что мы вместе, я никогда не просил об одолжении, — сказал визирь.

Принцесса улыбнулась:

— Наверное, ты попросишь о большом одолжении, раз напоминаешь об этом.

— Ты — османская принцесса, и тебе никогда не грозило, что я приведу еще одну жену, ведь я могу сделать это только с твоего позволения. И пока я никогда не хотел брать другую жену.

— Это новая невольница, Инчили, — спокойно сказала Латифа. — Но разве мало, что ты обладаешь ее телом?

— Мало, — тихо отвечал визирь. — Хочу большего и не думаю, что она уступит, пока не станет моей женой.

— Она так сказала?

— Она не знает наших обычаев. Ей, по-моему, и в голову не приходило, что я могу захотеть взять ее в жены. Но тебе она понравится, Латифа.

— И Хаммид меня в этом уверяет, — сухо заметила принцесса, а затем прямо взглянула на мужа. — Не знаю, должна ли я верить своим глазам, но они говорят мне, что ты влюблен. Может ли такое быть, чтобы великому Чикалазаде-

460

паше вскружила голову простая женщина? Ты и на самом деле в плену этой нежной страсти?

— Не смейся надо мной, Латифа, — жестко одернул ее визирь.

— О, мой дражайший Чика, я и не смеюсь! Поверь мне, вовсе нет! Ты просто всегда гордился, что твои чувства остаются при тебе. А теперь я вижу совсем другого человека. Очень хорошо, мой господин. Хаммид говорит, что мне не придется изображать забытую Гюльбехар подле твоей любимой Курхемы, так что я даю тебе разрешение взять Инчили второй женой. Когда произойдет это радостное событие?

— Сегодня вечером, перед тем как я поеду с ней на остров Тысячи Цветов.

— Так скоро, мой господин?

— Инчили должна у меня забыть прошлое, за которое так цепляется. А став моей женой, она почувствует себя спокойнее. — Опустившись на колени, визирь взял руки Латифы и нежно поцеловал. — Спасибо, моя голубка. Ты всегда все понимала.

Он пошагал прочь по саду, а на принцессу, глядевшую ему вслед, накатила волна жалости. Она еще не видела ту, которую звали Инчили, но ей уже было ясно, что муж, добиваясь обладания этой женщиной, ищет обладания луной. А такое желание никогда не осуществится.

51

— Тебе надо стать мусульманкой, Инчили, — тихо сказал Хаммид.

Кат раскрыла глаза.

— Никогда!

— Не будь глупенькой, моя дорогая, — упрекнул ее евнух. — Это же просто для виду. Просто шесть раз в день надо встать на колени и произнести молитву. Кто же узнает, что у тебя в душе? Только Бог.

Катриона задумалась. Слова Хаммида казались разумными. И несомненно, так же посчитала и ее прабабка, ибо не могла она быть любимой женой султана и в то же время прилюдно исповедовать христианство. В конце концов, ее заботило только одно — выжить и бежать.

— Очень хорошо, — услышал Хаммид. — Сделаю, что вы просите.

Пополудни Кат подвергли особому очистительному омовению, а затем отвели в женскую мечеть, располагавшуюся поблизости. Машинально ответив там на вопросы престарелого муэдзина, она к вечеру официально приняла ислам.

Новообращенная, однако, не знала, что, едва она вернулась во дворец, Чикалазаде, как визирь, подписал бумаги, делавшие Инчили его второй женой. По мусульманскому закону это могло происходить без согласия невесты и даже без ее ведома. Требовалось только разрешение ее охранителя, а им был Хаммид, принявший в качестве свадебного подарка большую сумму золота.

Пришел вечер, и Кат в нетерпении стала ждать паланкин, в котором ее отнесут на лодку визиря. Выход в мечеть обострил у пленницы тягу к свободе, и она даже сумела примириться с тем, что являлась пока собственностью Чикалазаде-паши. И уже решила больше не сопротивляться визирю. Ее цель — вернуться к мужу, в Италию, а для этого надо суметь переговорить здесь, в Константинополе, с семейством Кира. А позволят ей это сделать только тогда, когда станут доверять, когда убедятся, что она довольна своим положением.

Даже верная Сюзан не должна догадаться, что на уме у ее госпожи. Эту тайну надо держать при себе, пока замысел побега не примет окончательный вид. Но тут раздался голос Хаммида, и Кат виновато вздрогнула.

— О чем задумалась, Инчили, красавица моя? Женщине не к лицу глубокие мысли.

Она рассмеялась.

— Ты застал меня врасплох, Хаммид, но думаю, ход моих мыслей ты одобришь. Я думала о том, что ты прав. Не скажу, что это мне легко, но я решила попробовать смириться со своей судьбой. В конце концов, она не такая уж и страшная. Возможно, со временем я сумею полюбить моего господина Чикалазаде. Как ты думаешь, Хаммид, такое может случиться? Визирь, похоже, и в самом деле ко мне неравнодушен.

Евнуху едва удалось скрыть свою радость.

— Если хочешь, — осторожно начал он, — то я бы мог немного успокоить твои тревоги. Ты мне доверяешь?

— Попробую, — отвечала Кат. — Но что ты станешь делать?

— Это старинный способ расслабления, называемый гипнозом. Я погружу тебя в особое состояние и внушу некоторые понятия. Когда ты проснешься, то почувствуешь себя свободнее. Однако не бойся, ибо если ты не желаешь подчиняться моим внушениям, то гипноз не подействует. Сила твоей собственной воли — лучшая твоя защита.

— Я доверяю тебе, Хаммид, — решительно сказала Кат, — приступай.

Евнух снял у нее с шеи золотую цепочку с маленькой бриллиантовой слезкой.

— Смотри на этот камешек, Инчили. — Евнух медленно покачал им перед ее глазами. — Как красиво он переливается всеми цветами радуги.

Ласковый голос успокаивал, и Кат почувствовала, как ее окутывает сладостное тепло.

— Надо сосредоточиться на этой слезке, дитя мое, и скоро ты начнешь расслабляться.

Подвеска медленно покачивалась. Телом Катрионы все более и более овладевала истома, веки ее становились тяжелее и тяжелее, пока совсем не сомкнулись.

— Ты спишь, Инчили?

— Да, Хаммид.

Евнух вытащил у Кат булавку из платья и, подняв ногу своей подопытной, быстро воткнул острие в нежную ступню. Спящая не дернулась, даже не вскрикнула, и он посчитал, что можно приступать к делу.

— Готова ли ты покориться Чикалазаде-паше, твоему хозяину и господину?

— Да, Хаммид, я, насколько смогу, постараюсь ублажить его.

— Я рад, Инчили, и хочу, чтобы ты была счастлива. Ведь и нужно-то для этого совсем немного. Только повинуйся велению своего тела, красавица, пусть оно переборет твой живой ум. Господин Чикалазаде горячо любит тебя. Разве ты не хочешь его обрадовать, показав, что он доставил тебе удовольствие?

Она молчала, словно превозмогая свои чувства, а затем ее голос тихо ответил:

— Да, Хаммид. Я отдамся моему господину Чика.

Евнух удовлетворенно улыбнулся:

— Спасибо, моя дорогая. Я доволен, что вам обоим предстоит большое счастье. И еще об одном, милая. Не надо говорить визирю об этой нашей беседе. Он не должен знать.

— Я не скажу.

— Очень хорошо, Инчили. А теперь я начну считать, и на счет «три» ты проснешься со свежими силами, готовая всю ночь ублажать своего господина. Раз... два... три.

Глаза у Кат открылись.

— Чудесно! — воскликнула она. — Я спала, Хаммид, но отчетливо тебя слышала. И я словно заново родилась. Спасибо, друг мой.

Евнух опять улыбнулся:

— Ты готова сейчас же идти к визирю?

— Да.

— И сегодня я снова должен похвалить твой костюм.

Тут уж улыбнулась и Кат. Ей приятно было носить роскошные одежды фаворитки, и свой внешний вид она продумывала очень тщательно. Сегодня ее выбор пал на бледно-розовый шелк, пронизанный серебряными нитями. Жакетка, надетая поверх кисейной блузы, тоже розовой, имела оторочку серебром и голубыми лазуритовыми камешками. На поясе и тапочках чередовались серебряные и бирюзовые полосы. Серебряные браслеты украшали руки, а в уши были вдеты серьги, выточенные из бирюзы.

На этот раз Сюзан сделала ей новую прическу. Собранные назад и кверху, пышные золотистые локоны превратились в огромную косу, куда вплели бирюзовые ленты и ниточку крошечных жемчужин. На ее прекрасное лицо падала розовая кисейная вуаль.

Взволнованная предстоящей прогулкой, Катриона едва смогла усидеть в паланкине. Носильщики пробежали по гаремным коридорам, вышли в парк и доставили ее на мраморную пристань, где уже ждала лодка визиря.

Глазам шотландки предстало изящное судно, полностью позолоченное и расписанное по бортам красной глазурью.

Украшенные финифтью бледно-голубые весла перемежались с серебристыми, а на веслах были черные, как деготь, рабы. Гребцы, сидевшие на серебристых веслах, были одеты в голубые атласные шаровары с серебристым поясом, а сидевшие на бледно-голубых, наоборот, — в серебристые шаровары с голубым поясом. Навес на лодке, разрисованный полосами тех же красного, золотистого, голубого и серебристого оттенков, подпирался четырьмя позолоченными столбами с резьбой из цветков и листьев. По сторонам его свисали шелковые кисейные занавеси, ярко-алые и золотистые, а палубой служил настил из отполированного розового дерева. Под навесом, возлежа среди несчетного количества подушек всех тонов и оттенков, уже ждал свою новую супругу Чикалазаде-паша.

Хаммид осторожно перевел ее с паланкина на лодку. Поудобнее опершись на подушки, Кат легла на бок рядом с визирем и подняла к нему глаза. Тихим голосом, стараясь передать побольше страсти, она сказала:

— Добрый вечер, мой господин.

Лицо паши осветила улыбка.

— Добрый вечер, Инчили.

Повернувшись к надсмотрщику, он кивнул. Лодка медленно отчалила от пристани и пошла прямо в Босфор, двигаясь к Черному морю. Солнце еще не село, и видны были полетнему зеленые горы, обрывавшиеся к воде. Небо за ними сияло буйством красок — розовых, золотых, лиловых, густопурпурных, кораллово-красных, — которые переливались на синем фоне.

Кат вобрала воздух полной грудью, и Чикалазаде рассмеялся:

— Только не говори мне, любимая, что здесь пахнет сладостней, чем в моем саду.

— Это запах свободы, мой господин.

Глаза визиря затуманились, а потом он тихо сказал:

— Не горячись так, моя пленная голубка. Сегодня я возвысил свою невольницу. Дело в том, что моя жена, Латифа Султан, — османская принцесса, и я мог иметь других жен только с ее разрешения.

— А я-то думала, что мусульманским мужчинам дозволяется иметь четырех жен.

— Всем, кроме тех, кто женат на принцессах крови. Но сегодня пополудни, с разрешения Латифы, я взял тебя второй женой.

Катриона только еще больше раскрыла глаза. А он, довольный, продолжил:

— Ты, знаю, удивляешься, как это может быть. Но, по мусульманским законам, твоего участия здесь не требуется. И ты больше не рабыня, драгоценная моя. Ты счастлива?

Визирь выжидающе смотрел на нее, и лицо его сияло от удовольствия.

А у Кат бешено застучало в висках. Огромным усилием воли она сумела все-таки с собой совладать. Тихим голосом, таким тихим, что новоиспеченному мужу пришлось наклонить к ней ухо, наложница отвечала:

— Вы оказываете мне невероятную честь, мой господин.

Боясь себя выдать, она не смогла больше вымолвить ни слова.

Но и сказанного хватило. Визирь потянул ее в свои объятия и припал к губам, которые легко раскрылись. Покрыв ее лицо поцелуями, он двинулся вниз по стройной шее и дальше, к грудям. Одержимый страстным желанием, паша стал тут же расстегивать ее розовую блузку, в спешке даже разрывая кисею. Дорвавшись до голого тела, он с жадностью принялся теребить то один, то другой сосок, а потом, приложив голову к сердцу Катрионы, довольно вздохнул, уверенный, что теперь-то уж полностью ее завоевал.

— Сегодня мы начинаем все сначала, моя драгоценная Инчили. — Его глубокий голос дрожал от избытка чувств. — Прошлое умерло, моя прекрасная невеста. Нас будет заботить только настоящее и будущее. Посмотри! Встает полная луна, а над ней — Венера, планета богини любви! Вскоре мы очутимся на острове Тысячи Цветов, а там, в Беседке звездного света, нам предстоит ночь блаженства.

Оторвавшись от ее грудей, визирь вгляделся в лицо Катрионы. В его серо-голубых глазах плясали золотые огоньки.

Ответом ему было молчание. Кат страшно хотелось завизжать. Чтобы скрыть лицо от паши, она прижала его голову к своей груди. Как это прабабка умудрилась прожить столько лет с мусульманами?! Итак, без ее согласия и даже без ее ведома! Теперь понятно, почему Хаммид так торопил ее принять ислам.

Евнух притворялся ей другом, убаюкивал, внушая ложное ощущение безопасности. И все это, чтобы помочь своему господину. Она никогда больше не станет доверять Хаммиду. Однако сейчас примет эту игру и сыграет ее по-своему — так, что никто и не догадается. Пока она будет визирю обожающей второй женой. Нельзя допустить, чтобы ее выдало возмущение. Пусть все думают, что укротили строптивую.

Лодка приближалась к острову. Кат уже чувствовала запах цветов.

— Мой господин Чика, — тихо сказала она, — мы почти приплыли. Я хотела бы привести в порядок свою блузу, иначе рабы увидят то, что им не следует видеть.

Паша со вздохом поднял голову.

— Я бы мог так остаться навечно, любимая.

— Мы почти уже в нашей свадебной спальне, мой господин, там вы сможете опять подремать, — игриво заметила она.

— Этой ночью не будем спать ни я, ни ты, жена моя.

Голос визиря погрубел от страсти, и Кат вздрогнула.

Лодка ткнулась носом о пристань, и Чикалазаде соскочил на берег, чтобы покрепче ее привязать.

— Вы не будете нужны до утра, — сказал он надсмотрщику. — Устрой гребцов поудобнее, но из цепей не выпускай. Соблазн убежать будет слишком велик. — Склонившись, паша за руку вытянул Кат из лодки. — Жаль, что придется пройти пешком, любовь моя, но я не хотел, чтобы в эту ночь из ночей рабы путались у нас под ногами.

— Мой господин Чика забывает, что перед ним не изнеженная восточная красавица. В моей стране женщины не только ходят пешком, но даже и ездят на лошадях. Ведите же меня, мой господин, я иду за вами.

Ступени, вырубленные в скале, уходили вверх, и остров показался Кат просто высоким утесом. Однако на вершине она с изумлением увидела прекрасный ухоженный сад, посередине которого стояла мраморная беседка. Луна светила так ярко, что легко удалось разглядеть и даже определить многие из цветов. Здесь росли бальзамины и розы, бугенвиллеи и лилии, сладкие ночные табаки и калоникционы. Вокруг журчащих фонтанов были посажены сосны и кипарисы вместе с грушевыми и персиковыми деревьями, склонявшими свои ветви под тяжестью спелых плодов.

— Это чудо! — искренне воскликнула Катриона. — Никогда не видела такого великолепного сада.

— Я сам его разбивал, — похвалился визирь. — Подобно моему господину султану, я обучался ремеслу.

Прежде с этой стороны она его не знала. И, взяв свою Инчили за руку, паша повел ее по дорожке, усыпанной белым гравием. Еще немного, и показалась беседка, стоявшая посреди овального пруда, в котором отражался свет неба.

Это строение, возведенное из желтоватого мрамора, имело продолговатые очертания и продолжалось небольшой верандой с колоннами. Пройдя по узкому решетчатому мосту, они оказались перед открытой деревянной дверью, обитой латунными гвоздями. Шагнув внутрь, Кат замерла в изумлении.

Из окон, составлявших всю противоположную стену, открывался вид за пруд и дальше, за сад на море, освещенное луной. Под ногами у Катрионы оказался огромный ковер, сплетенный из нитей красного, зеленого, золотистого цвета и разных оттенков голубого. На стене справа висел шелковый гобелен с изображением роскошного персидского сада. В стене слева была дверь, а рядом с ней — еще один шелковый ковер, запечатлевший пару влюбленных, тоже в цветущем саду. Один угол занимал низкий стол, окруженный подушками. С балок разрисованного потолка свисали золотые и серебряные лампы, и ароматное масло в них наполняло комнату благоуханием.

Но главным предметом обстановки здесь была огромная кровать, поставленная на самой середине и венчавшая крытое ковром возвышение. Она представляла собой квадратный топчан с шелковыми простынями и пуховыми одеялами. Рядом, на том же возвышении, располагались невысокие столики из черного дерева, выложенные пестрой перламутровой мозаикой. На них стояли графины с золотистой жидкостью и чаши с фруктами, маслинами и засахаренным миндалем.

Бесшумно приблизившись сзади, паша обвил Кат рукой, ладонью накрыв ей грудь и потирая сосок большим пальцем.

— Тебе здесь нравится, любимая? — спросил он.

— Все это несказанно красиво, — честно признала Катриона.

— Подними голову, — велел паша, и, взглянув вверх, она увидела вместо потолка стеклянный свод, открывавший великолепный вид на ночное небо. У нее даже дух захватило.

— Никогда не видела ничего подобного. Как это сделано?

— Есть один способ, но он слишком сложен для твоей милой головки, сладость моя, — ответил визирь, поворачивая Кат к себе лицом и целуя ей кончик носа.

Кат взъярилась, но быстро сумела проглотить обиду и подняла к нему лицо, приглашая к новому поцелую. Чикалазаде слегка потерся губами о ее губы, а затем весело сказал:

— Давай ляжем в постель, любимая моя.

— А нельзя ли поухаживать за вами, мой господин?

Она зашла ему за спину и помогла снять халат из красной парчи с золотым рисунком. Ниже была шелковая сорочка, расшитая золотой и серебряной нитями, а далее синие шаровары, отороченные серебром, и красные кожаные сапоги. Нежными прикосновениями Кат освободила визиря от одежд, не удержавшись при этом обласкать его широкую волосатую грудь. Ни у одного из ее прежних любовников не было подобной, и теперь эта густая поросль ее зачаровывала.

Голый Чикалазаде развалился на кровати.

— Разденься теперь и ты, — велел Чикалазаде-паша. — И чтобы это выглядело изящно.

Зеленые глаза ответили визирю пристальным взглядом, и по его мягкому члену пробежало покалывание. Мягко, неспешно, одним движением плеч она сбросила кисейную блузу. Потом скинула тапочки, и лицо паши осветила улыбка восторга. Визирь дышал все чаще. Наконец она медленно спустила шаровары, а затем быстро повернулась к своему взволнованному зрителю лицом. Паша снова улыбнулся.

— Графин с золотистым напитком, Инчили. Налей нам обоим по бокалу.

Она почувствовала пряный запах вина и в недоумении оглянулась на визиря.

— А я-то думала, что мусульманам запрещены крепкие напитки.

— Султан пьет, — объяснил Чикалазаде, — и муфтий распорядился, что раз владыка приобщился к вину, то и каждый может это сделать, а поэтам дозволяется прославлять сию усладу. Вообще-то я придерживаюсь Корана — не пью и не позволяю своим домашним. Но сегодня, любимая, наша свадебная ночь. Выпьем друг за друга сладостного кипрского вина. — Визирь поднял бокал и произнес: — За тебя, Инчили, жена моя. Хоть ты и вторая в моем доме, но первая в моем сердце.

Взглянув ей прямо в глаза, он осушил бокал. Кат поняла, что должна ответить. Тоже подняв бокал, она тихо молвила:

— За вас, мой господин Чика. Пока Аллаху угодно видеть меня вашей женой, я буду стараться усладить вас. — И тоже выпила до дна.

— Можешь не звать меня «мой господин», когда мы одни в нашей спальне, любимая. Зови меня Чика или муж. Да! Называй меня мужем! И пока еще я не слышал этого слова из твоих уст. Скажи, Инчили! Скажи «муж»!

Кат вознесла безмолвную мольбу: «Прости меня, Ботвелл!» — а затем, глядя на Чикалазаде, сказала:

— Муж.

Глаза визиря пронзили ее огненным взглядом, и она вдруг почувствовала, как у нее по телу разливается тепло. Паша улыбнулся:

— Ощущаешь жар? Не бойся. Хаммид чего-то такого намешал в вино, что поможет нам растянуть удовольствие. Эта ночь не будет иметь конца.

Кат вздрогнула в ужасе от скрытого смысла этих слов. А затем визирь встал и приказал опуститься перед ним на колени. Она повиновалась, и ее сердце тут же бешено заколотилось, потому что паша велел:

— Отведай меня, моя нежная, как я скоро отведаю тебя.

Перед ней, густо обсаженный черными волосами, висел его мужской орган.

— Повинуйся, — резко потребовал голос визиря. Дрожащей рукой Катриона подняла мягкий член и поцеловала его кончик. Зная, что другого выбора нет, она вложила головку в свой теплый рот и принялась сосать.

— Аллах! Аллах! — стонал паша от наслаждения. Несколько минут спустя он протянул руку вниз и поднял женщину. Они вместе упали на кровать, и Кат оказалась лицом кверху. Визирь сразу нашел ее рот, целуя все страстнее, и опять ее жег изнутри этот волшебный жар. Прикосновения мужчины отзывались пламенем, и Катриона теряла самообладание.

Неожиданно ей отчаянно захотелось этого турка, и она уже корчилась под ним, постанывая от удовольствия. Длинные его пальцы ласкали мастерски, но она молила прилагать еще больше усердия и делать с ней все, что ее господин пожелает. Внушение о том, что надо слушаться своего тела, вкупе с сильным возбуждающим средством, довели Кат до неистовства. Она прошептала:

— Ты подобен быку, муж мой! Могучему черному быку!

Серо-голубые глаза заблестели, и он ответил:

— А ты, возлюбленная, — быку пара — нежная золотая телочка. Быстрей же, моя нежная. Вставай на четвереньки, и я буду любить тебя, как нам надлежит...

И тут Чикалазаде перевернул Катриону на живот и подогнул ей колени. Немедленно взгромоздившись сверху, визирь испустил вздох блаженства; Инчили ждала его, горячая и влажная, а ее свисавшие книзу груди затрепетали под лаской мужских рук. И вот он поскакал на ней, и Кат отзывалась криками на новые и новые волны наслаждения, окатывавшие ее тело и душу. Это длилось целую вечность. Неистощимый, паша вонзался в нее глубже и глубже, снова и снова, пока наконец она не лишилась чувств.

А когда Кат очнулась, то визирь перевернул ее на спину и с тревогой приблизил свое лицо. Нежно тронув его за щеку, она сказала:

— Все хорошо, Чика.

А потом почувствовала, как он раздвигает ей бедра, желая опять вонзиться. Над стеклянным сводом медленно проходила луна, оставляя после себя бездонное черное небо.

52

Когда Френсис Стюарт Хепберн прибыл в Авел-Лако, то обнаружил, что разбойники, терзавшие округ, исчезли так же внезапно, как и появились. Но об их недавнем присутствии говорили сожженные фермы, свежие могилы и перепуганные женщины и дети.

Несколько дней Ботвелл со своими людьми рыскал по окрестным дебрям. Ничего не обнаружив, они вернулись на виллу «Золотая рыба» и нашли ее пустой. В саду было шесть только что зарытых могил.

У графа, наверное, помутился бы рассудок, но, к счастью, навстречу им вышел главный садовник, ожидавший приезда хозяина. Кивнув на могилы, Карло скорбно сказал:

— Там Паоло, Мария и служанки. Малышка Мэй у меня. Синьору графиню и Сюзан увезли. Пойдемте, милорд. Девушка нам все расскажет. Она была здесь, когда все это произошло, но ей как-то удалось спастись. Она у нас уж три недели, а все отмалчивается. Думаю, однако, что с вами она заговорит.

Едва завидев графа и капитана, Мэй с плачем бросилась в объятия к дядюшке:

— О-о-о-о-о, дядя Конолл, какой это был ужас! Пираты увели мою госпожу и Сюзан вместе с ней!

Капитан крепко ухватил племянницу за плечи.

— Соберись, девочка, и расскажи нам в точности все, что случилось. Думай хорошенько и ничего не упусти.

Глотая слезы, Мэй понемногу приходила в себя.

— Когда вы уехали, мы с Сюзан спали на выдвижной кровати в комнате у миледи. В воскресенье мы проснулись на рассвете от страшных воплей. А когда подбежали к окну, увидели, что в парке полным-полно турецких пиратов! Паоло они уже убили. Поймали, когда он собирал травы на завтрак, и отрубили голову. Марии и девушкам перерезали глотки... а прежде пираты над ними надругались. Их из...

Бедняжка никак не могла выговорить это слово, и Ботвелл ласково прикрыл ей рот ладонью.

— Не надо, девочка. Мы и так догадываемся. Расскажи лучше, как ты бежала. И еще о моей жене и твоей сестре.

Он убрал руку. По девичьим щекам прокатились две огромные слезы, но Мэй нашла в себе силы продолжить:

— Миледи велела нам спрятаться в бельевом ящике, но сестра отказалась. Не важно, говорит, что будет с ней, — дескать, она уже не девственница. Это она соврала, милорд, Сюзан так же невинна, как и я! — Не в силах больше сдерживать себя, Мэй опять расплакалась.

Мужчины дали ей несколько минут порыдать, а затем Ботвелл негромко сказал:

— Продолжай, девочка. Что было дальше?

— Они спрятали меня в сундук и велели не шевелиться, пока все совсем не стихнет и я не уверюсь, что пираты ушли. Тогда я должна бежать к Карло и оставаться там до вашего приезда. И не успела крышка захлопнуться, как раздался звук, будто выламывают дверь спальни, а потом вошли пираты. Они не тронули ни миледи, ни Сюзан, только увели их с собой.

— А ты поняла что-нибудь из их разговоров? — спросил Конолл.

Мэй задумалась.

— Да! Капитан вел себя с миледи очень вежливо. Он назвал себя... похоже на «Каротин». И также сказал, что имеет приказ доставить миледи к великому визирю, Чика — как-то там — паше.

— Санта-Мария! — только и охнул Карло. Он не разбирал слов девушки, говорившей на чужом ему языке, но узнал имена. — Хайр-ад-Дин, милорд, — возбужденно произнес садовник. — Капитан Хайр-ад-Дин. Тезка, а некоторые говорят, даже и внук великого капитан-паши Сулеймана Великолепного! Этот пират находится на личной службе у Чикалазаде-паши, великого визиря Османской империи.

— Но зачем какому-то проклятому турку вдруг потребовалась моя жена?

Карло явно испытывал неловкость. Никто не любит тех, кто приносит дурные вести. Однако хозяин должен был знать.

— Милорд, Чикалазаде-паша — турок всего наполовину. Он сын графа Чикала и старший брат графини ди Ликоза.

— Своими руками убью эту суку, — прорычал Ботвелл.

— Если только я не доберусь до нее прежде, — тихо заметил Конолл.

Оба разом повернулись, вскочили на коней и поскакали туда, где жил граф ди Ликоза.

Тиха была вилла «Золотая рыба», но «Морская вилла» оказалась еще безмолвнее. Сначала Ботвелл даже испугался, что никого не застанет. Но, едва они подъехали к дому, как выбежал слуга и взял лошадей, а другой провел гостей к хозяину.

— Мне нужна Анджела, — сказал Ботвелл без предисловий.

— Вы опоздали, друг мой! Инквизиция все-таки забрала ее. Завтра утром графиня ди Ликоза будет сожжена на главном рынке Неаполя.

— Вы видели ее? Она еще может говорить? Знаете, что она сделала? Отправила мою жену в рабство! В гарем к своему брату! Я должен успеть переговорить с ней до казни.

— Так вот оно что, — вздохнул Альфредо. — Ее слуга был пойман, когда подавал знаки турецким пиратам. Этот несчастный показал на Анджелу и обвинил ее в колдовстве: она будто бы держала его душу в рабстве и заставляла выполнять свою волю. Естественно, инквизиция сразу прослышала и пришла за ней. Святые отцы только и ждали какого-нибудь такого случая, ибо моя жена никогда не скрывала своего презрения к церкви. Но тут Анджела словно сошла с ума! Рассмеялась им в лицо и даже не попыталась спастись! По-моему, ей просто не верилось. А они даже не стали марать руки и пытать ее, а просто приговорили к костру. Раз уж женщине все равно.

— Где ее держат, Альфредо?

— В Неаполе, в тюрьме инквизиции. Я поеду с вами, Франсиско, и возьмем с собой епископа Паскуале. Он добудет нужные разрешения.

Ботвелл кивнул.

— А скажи, Фредо, есть что-нибудь такое, что внушает Анджеле страх? Вообще что-нибудь? Я как-то должен принудить ее говорить.

— Змеи, — без колебаний ответил граф ди Ликоза, — она до смерти боится змей.

Ботвелл переглянулся с Коноллом.

— Возвращайся к садовнику, дружище.

— Да, милорд. Уж их-то я раздобуду. Встречаемся на перекрестке Сан-Дженаро по неаполитанской дороге.

Капитан ушел, и Ботвелл снова повернулся к графу:

— Мне очень жаль, Фредо. Не хотелось усугублять твое горе. Знаю, ты любишь Анджелу. Но я хочу вернуть жену. Если придется перевернуть землю, то я это сделаю.

— Ты никогда больше не увидишь Катриону, Франсиско. Если Анджела отправила ее к Чикалазаде-паше, то твоя супруга пропала. Даже если ты и сумеешь добраться до Стамбула, то она уже будет либо обесчещена, либо мертва. Смирись со своей потерей, как я — со своей.

— Никогда! Ты думаешь, меня волнует, что Катриону принудил какой-то другой мужчина? Пока я могу ее вернуть? Не говори, что не могу ее вернуть. Могу! И верну!

Граф ди Ликоза скорбно покачал головой, но, как и обещал, выехал вместе с Ботвеллом. Прежде они заглянули к епископу Паскуале, который, выслушав их рассказ, переоделся из церковного платья в костюм для верховой езды и первым поехал по неаполитанской дороге.

На перекрестке Сан-Дженаро уже ждал Конолл, и у седла его висела небольшая тростниковая корзина с закрытым верхом. В город всадники добрались к вечеру. Ботвелл понял, что, не захвати они с собой епископа, никогда бы им не пробраться в тюрьму инквизиции. Все окна этой мрачной крепости были перекрыты решетками, а вход освещали чадящие смоляные факелы.

Подъехав к воротам, епископ потребовал немедленной встречи с интендантом тюрьмы. Их быстро впустили. Конолл осторожно отвязал корзину и захватил ее с собой. Внутри посетителей сразу окутал запах протухшей пищи, немытого тела и испражнений. Откуда-то донеслось тихое стенание.

— Господи! Мы, кажется, забрались в самый ад! — прошептал капитан. Но, встретившись глазами с Ботвеллом, осекся.

Вслед за охранником они поднялись по винтовой лестнице в покои интенданта. Там их приветствовал сам хозяин, епископ Гвидо Массини, который не преминул заметить шотландскому графу:

— Наслышан о вас, милорд. В нашей стране ходили некоторые разговоры относительно колдовства, и вы, я полагаю, еретик.

— Нет, Гвидо, — тихо возразил епископ Паскуале. — Лорд Ботвелл раскаялся в своих заблуждениях и вернулся в лоно истинной веры. Он женат на добродетельнейшей и преданнейшей из женщин. Эта чета прилежно посещает храм и весьма щедро жертвует бедным.

— Слышу с облегчением, — улыбнулся интендант, обманчиво веселый человечек с ледяным взглядом черных глаз. — Чем могу служить милорду?

— Гвидо, у вас содержится приговоренная к смерти Анджела ди Ликоза. Мы желаем ее видеть. Она виновата в том, что жену графа Ботвелла похитили турецкие пираты. И, прежде чем преступница завтра умрет, мы хотим узнать, какие указания она им дала.

Епископ Массини рассердился:

— Нет конца подлым деяниям этой женщины! Конечно, вы сможете с ней встретиться. Однако даже если она вам что-то и расскажет, мало надежды, что вы получите свою супругу обратно от неверных. — Но, взглянув на Ботвелла, епископ не стал продолжать. — Я выпишу вам пропуск.

— И моему капитану тоже. Причем мы должны увидеться с ней без свидетелей.

Интендант перевел взгляд с расстроенного лица графа на угрюмую физиономию Конолла.

— Что в корзине? — И он тут же замахал своей холеной рукой. — Нет, даже и знать не хочу.

Массини взял со стола уже готовый документ и нацарапал в одном месте имя Анджелы ди Ликоза, а внизу — свою подпись. Он протянул бумагу Ботвеллу.

— Когда узнаете, что вам надо, приходите, и выпьем по бокалу вина. — И повернулся к остальным двоим: — Побудьте здесь, если не желаете идти с ними.

Френсис посмотрел на графа ди Ликоза, но Альфредо лишь покачал головой:

— Нет. Я уже попрощался. Не хочу ее больше никогда видеть.

Ботвелл с Конноллом пошли за охранником по лестнице.

— Ее содержат вполне прилично благодаря мужу, — попробовал тот завязать разговор, — а обычно ведьмы сидят у нас внизу, с водяными крысами.

— Мы будем говорить с ней наедине, — холодно отвечал Ботвелл. — Ты останешься снаружи. И что бы ты ни услышал, стой на месте, пока тебя не позову я или мой капитан.

— А мне-то какое дело, — пожал плечами тюремщик. У одной из камер он остановился, нашел нужный ключ и открыл.

Шотландцы переступили порог, и дверь за ними со скрипом затворилась. Анджела ди Ликоза стояла спиной к вошедшим, глядя в зарешеченное окно.

— Если это еще один священник, то пусть уходит, — бросила она. А потом вдруг резко повернулась. — Франсиско, дорогой! Так все-таки Бог есть!

476

Но радость на ее лице померкла под ледяным взглядом Ботвелла.

— Я пришел, — сурово сказал граф, — потому что надеюсь, что даже ты захочешь очистить совесть перед смертью. Я хочу знать, что именно ты подстроила моей жене.

В ответ узница лишь вытаращила свои черные глаза и разразилась истерическим хохотом. Стражник за дверью содрогнулся. Наконец Анджела обтерла свое лицо обшарпанным рукавом.

— И в самом деле, Франсиско? Ты просто невероятен! Да, я подстроила похищение твоей жены, но Бог, видимо, оказался на ее стороне, потому что поймал этого придурка — слугу. Итак... завтра я умру. Увы, если тебя у меня не будет, то не будет и у нее. — Графиня Анджела снова засмеялась, на этот раз чуть печально. — А у тебя, Франсиско, не будет никого из нас, но это вовсе не то, что я замышляла!

— Еще раз, Анджела. Что именно ты с ней сделала?

Вопрос, казалось, даже позабавил женщину, и она покачала головой. Френсис протянул руку и, намотав вокруг ладони ее мягкие черные волосы, безжалостно дернул к себе.

— У меня нет времени, Анджела. Где она?

Черные глаза заблестели нехорошим огоньком, однако графиня молчала. Другой своей рукой Ботвелл сорвал с нее тюремный халат и озверело толкнул на койку. И прежде чем Анджела осознала, что происходит, она уже лежала распластанная на соломенном матраце, а руки и ноги ее были привязаны к стоякам.

— Что ты еще придумал? — завопила она. — Я позову стражника!

— Он не ответит, Анджела. У меня есть разрешение интенданта извлечь из тебя сведения любым способом, какой потребуется. Итак, какие указания ты дала своим друзьям-туркам относительно моей жены?

Графиня оглядела своего бывшего любовника холодным взглядом, а затем плюнула ему в лицо. Френсис Ботвелл кивнул Коноллу. Тот открыл корзину, задумчиво в нее посмотрел, а потом вытащил коротенькую, но толстую змею и подал Ботвеллу. Френсис обернул рептилию вокруг руки и погладил головку, которая покачивалась, постреливая языком. Он спустил ее на матрац прямо между ног Анджелы. Графиня дико завизжала:

— Франсиско! Во имя милосердия! Убери ее! Убери!

— Что именно ты сделала с моей женой?

Она напряглась, пытаясь вырваться, ее черные глаза отражали бездну страха, но все равно она не захотела ответить. Ботвелл видел, как бьется сердце в ее груди. Змея раскрутилась и начала медленно подползать к телу. Графиня завыла долгим воем испуганного животного.

— Она идет к твоему теплу и к твоей влаге, Анджела. А вскоре ее потянет во тьму твоей утробы, где прежде уже столько побывало! А когда она благополучно заберется к тебе внутрь и начнет там извиваться, я вытащу из корзины другую, а потом еще одну и еще... пока твой живот не превратится в змеиное гнездо. Ты уже ощущаешь их у себя внутри, Анджела? И как, приятно?

Сверля ее безжалостным взглядом, глаза Ботвелла приблизились к ней. Она так удивилась жестокости возлюбленного, что на кратчайший миг даже позабыла страх. Но затем ужас вновь охватил ее. Наконец она сумела выдохнуть:

— Я услала ее к моему брату! Убери змею! Я все скажу! Только убери!

Небрежным движением Ботвелл поднял змею и бросил обратно в корзину.

— Говори тогда, сука, или я вывалю на тебя все, что принес.

— Я послала твою драгоценную супругу к моему брату Чикалазаде-паше, великому визирю султана. Это большой ценитель женской красоты, а его любовные подвиги вошли в легенду. Пока она еще не там, Франсиско, но скоро будет. И тогда главный евнух брата прикажет омыть ее в бане и надушить, а затем отведет на осмотр к своему господину. Ее разденут догола. И когда брат увидит ее, а я признаю, что твоя благоверная прелестна, то он насладится ее телом.

— Мерзавка ты! — прорычал Ботвелл.

Анджела рассмеялась:

— Ты никогда ее больше не увидишь! Для тебя она потеряна! Скоро она будет лежать под моим братом и изойдет стонами от желания. — Графиня доверительно понизила голос: — Говорят, брат просто бык, и он научит, как услаждать его. А у тебя останутся одни воспоминания и мучительная мысль, что ею обладает другой мужчина. — Голос Анджелы стал бархатно-мягким и даже ласковым. — Только представь, Франсиско! Ее золотистые волосы рассыпались по подушке, стройные белые ноги жадно раздвинуты, ей уже невмоготу ждать налитой член возлюбленного господина. Она готова вымаливать его милости! Она живет в гареме вместе с сотней других красавиц и борется за его знаки внимания столь же горячо, как и все остальные женщины.

Страшный смысл этих слов сразил Ботвелла, превратив его лицо в маску боли и страдания. Шагнув к выходу, он рывком открыл дверь и вышел. Конолл медленно подошел к приговоренной и какое-то время стоял, молча ее разглядывая. Анджела перепугалась, ибо этот мужчина не смотрел на ее обнаженное тело с вожделением. И даже вообще не выказывал никаких чувств.

— Ты злая женщина, — негромко сказал он, — но не думай, что ты выиграла. Мы вернем ее. Не для того я присматривал за ней с самого детства, чтобы она так кончила.

Мужчина вынул нож и перерезал веревки. И, прежде чем Анджела поняла, что он делает, поднял корзину со змеями и вытряхнул ей на колени.

Покидая камеру и слыша позади вопли ужаса, Конолл улыбался, показывая волчий оскал.

— Запри снова, — велел он стражнику. — Открывать нельзя до утра.

На следующий день Конолл Мор-Лесли не удивился, узнав, что ночью за душой Анджелы ди Ликоза приходил дьявол, который оставил на память о своем визите ее бренное тело вместе с полудюжиной змей. Толпа, собравшаяся посмотреть, как будут казнить живую Анджелу, оказалась разочарована. Труп привязали к столбу и сожгли, а горожане приветствовали это слабое утешение одобрительными возгласами.

53

Конолл позволил Ботвеллу предаваться скорби ровно двадцать четыре часа. А потом отвез его в турецкий квартал Неаполя и затащил в бани, где пара дородных молодцов оттерла пьяного Френсиса дочиста. Затем его держали в парной, пока не открылась каждая пора и не стала сочиться потом. А когда вывели, то окатили чуть теплой ароматной водой и позволили поспать на мраморной скамье в другой парной. Однако час спустя разбудили, дали чашку горячего кофе по-турецки, и тогда страдалец сблевал большую часть выпитого вина. Его перевели в теплую комнату, побрили, опять вымыли. И после этого одели в его же собственные чистые одежды, которые Конолл не забыл захватить. Старые сожгли. Наконец графа с поклонами проводили на улицу, где его ждал капитан.

Ботвелл так ослабел, что едва смог взобраться в седло. Он немедленно разразился проклятиями в адрес Конолла, а тот в ответ просто сказал:

— Я нашел за несколько улиц отсюда одну таверну, где хозяин англичанин и умеет весьма прилично готовить говядину.

И повел за собой графа на Ла-Роза-Англо. Там, в отдельной комнате, их уже ждал накрытый столик. Трактирщик, сам с севера Англии, подал горячие ломти жареного мяса, кровяной сок с которых каплями стекал на огромные куски йоркширского пудинга. На столе также стояли глиняная миска с артишоками в масле и уксусе, бадья с несоленым маслом и круглая буханка горячего поджаристого хлеба. В графинах, залитых по самое горлышко, пенился темный эль, и при виде его брови у Ботвелла радостно взметнулись вверх. Хозяин усмехнулся, обнажив крепкие зубы.

— Да, милорд! Октябрьский эль, он самый! Делаю собственноручно и разливаю по бочкам каждый год. А здесь это не так-то просто!

Ботвелл уселся за еду. Он не ощущал особенного голода, но аромат говядины начал оказывать на него свое волшебное действие, и он потянулся к солонке. А полчаса спустя отодвинулся от стола и сказал:

— Спасибо, Конолл.

Тот кивнул.

— Я взял на себя смелость и попросил господина Кира с вами встретиться. Он, верно, нас сейчас уже ждет, милорд.

— И что, может помочь?

— Кто знает, милорд. У них в Стамбуле и глава семейства, и главное отделение банка.

Ботвелл встал и расплатился с трактирщиком. Увидев, какую ему дают монету, тот даже рот разинул.

— Спасибо, сэр, — пролепетал он. — Всегда горды оказать услугу пограничному лорду!

Но Ботвелл уже сидел в седле и направлялся в еврейский квартал к Пьетро Кира. Конолл улыбался, довольный, что не дал графу умереть от жалости к самому себе. В доме их немедленно провели в большую гостиную; прибежали слуги с вином и бисквитами.

Затем вошел сам Пьетро, облаченный в изысканную длинную мантию, отороченную мехом; на шее у него висела массивная золотая цепь с кулоном. Банкир ухватил графа за руку со словами:

— Мне жаль, что приходится принимать вас при таких обстоятельствах, милорд. Давайте присядем. Расскажите мне все, что знаете.

Ботвелл повторил то, что узнал от юной Мэй и от Анджелы ди Ликоза.

— Да, — кивнул Пьетро, — мы знали все это, но хорошо было бы получить подтверждение. И мы уже послали письмо в Стамбул. Не беспокойтесь за свою жену, милорд. Подле нее есть друзья, и, придет время, мы свяжемся с ней. Она смелая и находчивая дама.

— Я отправлюсь в Стамбул при первой же возможности, синьор Кира.

— Конечно, милорд, но вам не следует этого делать. По крайней мере пока. Надо удостовериться, что графиня туда прибыла, что с ней все благополучно, что наши люди ее нашли. А если вы сейчас появитесь в султанской столице и станете требовать назад свою жену, то дело может кончиться роковым образом для вас и, возможно, для нее. Султан Мохаммед — странный человек, подверженный колебаниям настроения от великой доброты до невероятной жестокости. Он очень любит своего визиря. И если Чикалазаде-паше пришлась по нраву ваша прелестная супруга... Давайте действовать неспешно и наверняка. Пока миледи в безопасности. Причинять ей вред не входит в замыслы великого визиря.

— Но как я получу ее назад, Пьетро Кира? Как?

— Когда мы узнаем все, что требуется, насчет ее положения, тогда и станем предполагать, милорд. Возможно, удастся выкупить вашу жену. Однако скорее всего придется ее похищать. А пока, прошу вас, вернитесь домой и ожидайте от меня известий. И еще, милорд. Думаю, вы знаете, что деньги вашей супруги находятся в полном вашем распоряжении. Перед приездом в Неаполь она распорядилась, что, если с ней что-либо случится, вы и ваши дети унаследуете ее состояние.

Тут Ботвелл явно огорчился:

— Я не могу и пенни тронуть из ее денег.

Однако капитан заметил:

— Чтобы содержать виллу, нужны средства, милорд. Почему бы вам просто не отсылать все счета к синьору Кира? Он скрупулезно поведет всю бухгалтерию. Знаю, вы никогда не возьмете ее деньги для себя. Но, Боже мой, дружище, вы же ее муж, и миледи не поблагодарит меня, если я позволю вам умереть с голоду прежде, чем она вернется.

Ботвелл печально кивнул:

— Что считаешь правильным, Сеноллл, то и делай.

Тот снова повернулся к банкиру.

— Ваши курьеры быстрее наших, сэр. Не соблаговолите ли вы известить молодого графа Гленкерка, что дети миледи останутся пока у него до особого распоряжения? Она послала письмо, чтобы их отправили сюда, но теперь, конечно, это невозможно.

— Будьте уверены, капитан, — отвечал Пьетро Кира, который уже продумывал, какую депешу отправит он своему дядюшке в османскую столицу.

В Стамбуле было родовое гнездо семейства Кира. Скромные когда-то еврейские торговцы, они возвысились и представляли теперь один из самых могущественных банковских домов во всей Европе и Азии. Это произошло благодаря Эстер Кира.

Матрона родилась давно — еще в 1490 году. В шесть лет она осталась сиротой и вместе с младшим братом Иосифом была взята на воспитание в дом дяди. В двенадцать лет девочка уже торговала вразнос, поставляя редкие товары в гаремы богачей. В шестнадцать ей дозволили войти к султанским наложницам, а в двадцать наконец-то улыбнулось счастье: она познакомилась с Чирой Хафиз, матерью Сулеймана Великолепного. И когда в 1520 году султан Сулейман взошел на престол, Эстер и ее родственники были навечно освобождены от

482

налогов за услуги, оказанные престолу. Никто, даже в семье, так и не узнал, какие подразумевались услуги, но высочайший указ не подлежал обсуждению.

Теперь уже дядюшка не захотел выпускать из рук столь ценную племянницу и выдал ее замуж за своего младшего сына. А когда старший умер, не оставив детей, то огромное банковское дело унаследовали сыновья Эстер. И это было справедливо, потому что расцвет семейства случился именно благодаря ее усилиям.

И, подобно тому, как эта женщина была фавориткой у матери Сулеймана, она перебывала затем в подругах у его любимой жены Хуррем Кадим, у ненаглядной Селима II Нур-у-Бану и, наконец, у Сафийе — свете очей Мурада III и матери нынешнего правителя. Теперь Эстер Кира шел сто восьмой год, но она не потеряла живости и более всего на свете обожала славную интригу.

А главой семейства был сейчас пятидесятитрехлетний внук Эстер по имени Эли, старший сын ее старшего сына, Соломона, который скончался недавно на девятом десятке. И сегодня Эли оказался в немалой растерянности, потому что получил письмо из Неаполя от кузена Пьетро. Он никогда не пытался обходить закон, а тут ему предлагали совершить преступление, выкрасть женщину из чужого гарема. Приученный, однако, к правилу, вбитому в него с детства, он немедленно пошел советоваться с бабкой.

Когда-то черные как смоль, ее волосы давно уже стали белоснежными, но темные глазки что две смородины не потеряли ни капельки остроты. Если бы Чира Хафиз была еще жива, то легко узнала бы старую подругу.

— Я, — сказала Эстер обеспокоенному внуку, — нанесу визит Латифе Султан. Если эта женщина действительно в гареме Чикалазаде-паши, то принцесса должна знать. — Она сочно захихикала. — А уж если эта женщина хоть чем-то похожа на Чиру... — И хихиканье перешло в радостный гогот. — Ай-й-й! Да смилостивится Яхве над бедным визирем!

Этот разговор совершенно не убедил Эли Кира в правильности его поступка, но банкир был человеком чести, а семья его достигла процветания благодаря семье Эстер. Так что он был ее должником и расплатится сполна.

Латифа Султан встретила старую даму с восторгом.

— Вы так давно не показывались, — сказала принцесса, усаживая еврейку поудобнее и приказывая своей рабыне принести сладкого шербета и липкой пастилы, которую, как она помнила, Эстер обожала.

— Я живу уже по ту сторону времени, дитя мое, — отвечала гостья, — и совсем нечасто выбираюсь повидать друзей. Силы уже не те, что прежде.

Латифа склонила голову набок.

— Вы знаете, я ужасно рада видеть вас здесь, — начала она, — но я не обманываюсь, и вряд ли вы потратили ваши драгоценные силы на обычный светский визит.

Старушка кивнула:

— В гарем твоего мужа недавно была введена новая женщина.

— Много новых женщин, Эстер. Они прибывают каждую неделю.

— Не играй со мной в слова, дитя мое. Ты знаешь, о ком я говорю.

— Инчили, — тихо молвила Латифа. — Уверена, что вы подразумеваете Инчили.

— Что ты знаешь об этой женщине, моя принцесса?

— Очень мало, Эстер. Она была прислана моему господину его сестрой. И вскружила ему голову. — Здесь Латифа выдержала паузу. — Об этом еще мало кто знает, Эстер, но Чикалазаде-паша — с моего разрешения, конечно, — взял Инчили своей второй женой.

Эстер Кира глубоко вздохнула:

— Тогда это, без сомнения, она. Ты можешь меня с ней познакомить, Латифа Султан?

— А кто она, Эстер? Откуда вы о ней знаете?

Поскольку они были одни, то старушка решила довериться принцессе. Помощь Латифы ей потребуется.

— Инчили родилась в своей стране знатной дамой. Первый ее муж был великим тамошним вельможей, а второй — велик еще более. Но, на беду, их король ею прельстился и захотел сделать своей любовницей. Французский монарх тоже с удовольствием оставил бы при своем дворе женщину, которой восхищался. Однако это еще не все, Латифа Султан. Только слова мои должны остаться тайной даже от господина Чикалазаде. Соглашаешься?

484

Принцесса кивнула.

— Вторая жена твоего мужа — правнучка самой Чиры Хафиз. Восемьдесят лет назад я тайком вынесла младшего из сыновей Чиры и Селима I, принца Карима, из дворца Эски-Сарай. Я спрятала его на корабле, который отплывал в Шотландию, и отправила вместе с ним моего брата Иосифа.

Принцу было всего шесть лет от роду, и он был последним из сыновей Селима. Чира боялась, что, когда муж умрет и на трон взойдет Сулейман, ребенок станет помехой. Она не хотела, чтобы его убили. Хотя Сулейман и любил своего братишку, ему в конце концов как-то пришлось бы от него избавиться — иначе он не сумеет обеспечить себе безмятежное царствование.

В то лето город поразила эпидемия чумы, и мы с Чирой представили дело так, будто принц тоже заразился. Она никого к нему не пускала. А через несколько дней я тайком принесла в корзине труп мальчика такого же роста, а обратно вынесла живого ребенка. И те давно истлевшие кости, что покоятся в могиле принца Карима, принадлежат на самом деле совсем не ему.

И вот почему, дитя мое, когда султан Сулейман стал нашим правителем, Кира были освобождены от налогов. Но ни он, ни его отец, равно как и никто другой в этой стране, не подозревал, что принц остался в живых. А дома у Чиры, в Шотландии, истинных родителей мальчика знали только его дед и дядя, а кроме них, мой брат Иосиф и еще один священник.

У Латифы изумленно раскрылись глаза, и старая Эстер засмеялась.

— И это еще не все, дитя мое! Интрига только начиналась. Потому что если бы ты пожелала открыть могилу самой великой Чиры Хафиз, то не нашла бы там ничего, кроме камней! Дважды пыталась любимая жена Сулеймана Хуррем — да проклянет Аллах ее память! — отравить мою дорогую госпожу. И Чира видела только два способа избежать гибели. Либо Хуррем придется уйти, либо придется уйти ей. Но слабостью Чиры было то, что она слишком любила своего сына. И ей пришлось тогда изобразить собственную смерть и вернуться на родину. Но еще раньше она предупредила султана Сулеймана, что ему надо опасаться Хуррем. Сулейман уговаривал мать не бежать и даже плакал, но слов ее не послушал. Потом по злой воле Хуррем погибли двое его лучших сыновей — принц Мустафа и принц Баязет, и Османская империя досталась никчемному Селиму II.

И знаешь, когда на самом деле умерла Чира Хафиз? В тот же самый день, что и Сулейман! А Инчили — ее правнучка и внучка принца Карима, подобно тому, как ты — правнучка Фирузи Кадим и султана Селима и внучка Гюзель Султан.

Тут старушка прямо задергалась от удовольствия и закивала головой.

— Общего у тебя с Инчили больше, чем один муж!

— Она осведомлена о своих высочайших предках, Эстер?

— Не знаю, моя принцесса, но полагаю, что ей известны хотя бы некоторые из них.

— Тогда почему она ничего не сказала?

— Возможно, просто не знала, как воспользоваться этими сведениями. Она, наверное, еще не решила, как отсюда убежит.

— Убежит! Боже, Эстер! Почему же ей отсюда бежать? Мой господин без ума от нее, и она имеет все, что можно купить за деньги.

— Но у нее нет свободы, дитя мое. В ее стране женщины вольны ходить туда, куда хотят. Что же до предметов роскоши, то дома она баснословно богата. Но самое важное... Всего лишь за два месяца до того, как ее похитили, Инчили вышла замуж за человека, которого глубоко любила много лет. Он отвечает ей взаимностью, и если бы не мой неапольский племянник, то явился бы уже сюда с вооруженным отрядом освобождать жену. Ты должна помочь мне подготовить ее побег, Латифа Султан.

— Я никогда умышленно не причиню вреда моему господину Чикалазаде. Он любит Инчили так, как никого не любил прежде — даже меня. Как же я буду его огорчать?

— Послушай, дитя мое. Если Инчили хотя бы на одну десятую сделана из того же теста, что и ее прабабушка, то она попытается бежать. И предпочтет умереть в этой попытке, нежели навсегда быть разлученной со своим мужем. И разве не сильнее тогда огорчится твой господин? Визирь — гордый человек, и если женщина открыто отвергнет его, то он почувствует еще большую боль. До сего дня ты занимала почетное место и в доме твоего мужа, и в его сердце. Но если Инчили останется, то он скоро поставит ее выше тебя. Позор коснется всех твоих сиятельных родственников, а это значит, что вмешается султан. И кто знает, что он сделает?

На лице у Латифы появилось удрученное выражение. Затем она хлопнула в ладоши, и вошла рабыня.

— Поди к госпоже Инчили и скажи, что у Латифы Султан в гостях старинная подруга, с которой она хочет ее познакомить.

Когда рабыня вышла, принцесса снова повернулась к Эстер.

— Я встречала ее только раз, но она очаровательна. Чика ни за что не примет за нее выкуп. Я никогда не видела, чтобы он вел себя так с другой женщиной. Ему в тягость каждая минута, когда ее нет рядом.

— А что, по-твоему, чувствует она? — спросила старушка.

— На людях Инчили весьма сдержанна, но покорна. Какова в своей спальне, не знаю. Она ни с кем не пыталась завязывать дружбу и требует, чтобы ей прислуживала только та служанка, которую привезли вместе с ней. Другие женщины в гареме ужасно ревнуют. Она невероятно красива, Эстер. Даже я испытываю некоторую ревность.

Эстер улыбнулась слабой улыбкой и предалась воспоминаниям.

— Ее прабабушка была самым прекрасным созданием, какое мне доводилось видеть. Волосы Чиры имели просто волшебный золотисто-рыжий оттенок, а глаза — золотисто-зеленый! Султан Селим обожал ее, а другие его три жены, как ни странно, — тоже. Ах, дитя мое, то были славные времена! Четыре кадины султана заботились не столько о себе, сколько о сохранении династии и царства. Разве можно сравнить с ними этих плутовок, что живут сейчас в Кии-Сарае и строят козни ради одной только собственной выгоды? А все началось, знаешь ли, с той недоброй памяти Хуррем и пошло до самой Сафийе, которая борется сегодня с фаворитками не только ее сына, но даже и внука. Когда-то султаны были сильными и славились как великие воины, подобно твоему мужу Чикалазаде-паше. Это злые жены и матери их погубили! — страстным голосом закончила старушка.

И в тот миг, когда слова ее затихли, дверь в покой открылась и вошла женщина. Она любезно кивнула принцессе.

— Добрый день, Латифа Султан. Я пришла по вашей просьбе и благодарю вас, что вспомнили обо мне.

Потом зеленые глаза вошедшей остановились на Эстер, широко раскрылись, а следом выразили недоумение. И она тихо сказала:

— Но этого не может быть!

— Но это есть! — возликовала старушка. — Мне сто восемь лет, а ты — правнучка Чиры Хафиз. Она, наверное, очень хорошо меня описала, если ты сразу поняла, кто перед тобой.

— Вы и в самом деле Эстер Кира?

— Да, дитя мое. А Латифа Султан — твоя кузина, ибо она правнучка любимой подруги госпожи Чиры, Фирузи Кадим, которая была второй женой вашего общего прадеда. Встаньте рядом, дочери мои, вы должны стать подругами — какими были они.

Молодые женщины переглянулись, а затем Латифа протянула руки Катрионе.

— Подойди, Инчили. Раз уж я буду помогать тебе, то мы должны подружиться и доверять друг другу.

Кат взяла эти руки в свои.

— Мне было очень страшно, — отвечала она, — но раз у меня есть друзья, то бояться уже не стоит. Спасибо, Латифа, и вам также, Эстер Кира.

— Ах, дитя мое, — вздохнула старушка, — до чего же ты похожа на госпожу Чира, когда улыбаешься, но в остальном я бы тебя и не узнала.

— Да, говорят, я похожа на прабабушку, — подтвердила Кат.

Женщины уселись вокруг низенького столика, и Эстер наклонилась вперед.

— Ваш супруг, дорогая, все еще благополучно пребывает в Неаполе, хотя удерживать их там с его капитаном нелегко. Если вы согласитесь написать и успокоить мужа, то я позабочусь, чтобы письмо до него дошло. Нам еще только предстоит подумать, как вам лучше бежать. Но проявите терпение. Мы найдем способ.

— Вместе со мной захватили мою горничную, Эстер. Я не могу ее здесь оставить.

Еврейка философски пожала плечами.

— Если одной бежать невозможно, то двоим — невозможнее только слегка.

Внезапно двери комнаты распахнулись, и вошел Чикалазаде-паша. Его жены сразу поднялись и с изяществом поклонились.

— Эстер Кира, — прогудел визирь. — Мне сказали, что вы к нам выбрались, старая подруга. Что же привело вас в мой дом?

— Я пришла взглянуть на новую красавицу, которая завоевала ваше каменное сердце, мой господин. И Латифа Султан подтверждает те слухи, что бродят по городу. Вы взяли вторую жену. И сегодня я очень приятно провела время с вашими благоверными. Они меня услаждали, и мы чудесно посплетничали.

Визирь засиял и с собственническим видом обнял обеих супруг.

— Даже султан позавидовал бы моему счастью, признайте, Эстер? Разве моя Латифа не нежна?

Принцесса не отрывала от мужа обожающего взгляда, но он глянул на нее только коротко, хоть и с лаской, а затем сразу перевел свои жадные глаза на Катриону.

— И разве моя Инчили — не редкостная драгоценность? Не само совершенство?

В улыбке, которую Кат обратила к своему господину и повелителю, Эстер Кира заметила нечто стальное, пышное тело напряглось. «Эта женщина способна выжить, — подумала еврейка. — И мы благополучно вернем ее мужу».

Она дала знак рабыне, и та помогла ей подняться на ноги.

— Мне пора, дорогие мои. Визит был очень приятным. — Эстер повернулась к визирю: — Вы ведь позволите вашим женам навестить меня дома, мой господин?

— Конечно, Эстер, конечно. Я даже думаю, что Инчили будет рада возможности выйти в город. Она прямо томится взаперти, не так ли, голубка?

— Немножко, мой господин Чика, — раздался в ответ тихий голос.

— Тогда я скажу Хаммиду, что у вас обеих есть мое позволение совершать в городе покупки и визиты в любое время, когда захотите. При условии, конечно, что поедете в закрытых носилках и с должным сопровождением.

Хотя визирь обращался к обеим женам, видел он только Кат. И ему уже не терпелось.

— Пойдем, Инчили, я желаю твоего присутствия. — Чика снова взглянул на Эстер: — Вы почтили мой дом, друг мой. Спасибо, что пришли. Латифа позаботится, чтобы вам дали подобающий эскорт. Пойдем же, Инчили!

Они с Кат вышли, тогда Латифа тихо сказала Кира:

— Видите, Эстер? Он с ума сходит по ней. И теперь не оторвется от нее весь день и всю ночь. Только если придет вызов от султана.

— Она не любит его, моя принцесса. Только терпит, чтобы выжить и убежать. Она из той же стали, что и Чира Хафиз. Я вижу в ее глазах решимость, у нее тот же твердый рот, что был и у моей дорогой госпожи.

Латифа вздохнула:

— Инчили очень красива. Неудивительно, что Чика влюблен в нее.

— Красота — пфф! — фыркнула еврейка. — Красота — это цветок, который быстро вянет, дитя мое. Если визирь любит ее только за красоту, то тогда он глупец. Подобно своей прабабке, Инчили замечательна не только внешне. К тому же ты — вылитая Фирузи Кадим, а ее считали столь же прелестной, что и Чиру Хафиз. А теперь, дорогая, старой Эстер и в самом деле пора. Помоги мне взойти в носилки. — И, опираясь на руку Латифы, гостья поковыляла во двор.

54

Будь то в его собственной спальне или в спальне его второй жены, великий визирь требовал, чтобы Инчили была совершенно голой. Ее золотистые волосы, зачесанные назад и завязанные в одну большую косу, переплетались с лентами драгоценных камней. Ей позволялось оставлять только на руках и лодыжках свои золотые и серебряные браслеты. Полагалось угождать визирю во всех его прихотях. Катриона так и делала, понимая, что в этом — залог ее выживания. Внешне нежная и спокойная, внутри она приходила в ярость от каждого унижения. Ее внезапно ввергли в тот век, где женщины ценились меньше лошадей, и это оказалось ужасным потрясением.

Когда Чикалазаде-паша желал Инчили, все другие немедленно отсылались. Визирь особенно любил, чтобы Кат прислуживала при омовениях. Надо было залезать к нему в теплую воду и ласково мылить его всего нежнейшими мылами. Потом они натирали тела друг друга душистыми маслами. Все заканчивалось вполне предсказуемо.

И такое внимание далеко не льстило Кат, наоборот, она чувствовала, как ее оскверняет ненасытная похоть визиря. Унизительна была и эта постоянная нагота. Ненасытный визирь часто овладевал ею три или четыре раза за ночь. Только неукротимый дух Катрионы и страстное желание бежать не давали ей сломаться.

Весьма важной оказалась и дружба с Латифой Султан. То, что они были кузинами, происходившими от Селима I, а их прабабушки души друг в друге не чаяли, сблизило и молодых женщин. Латифа рассказывала Кат истории, которые слышала от своей бабушки Гюзель. Младые годы у той прошли на берегу Черного моря, во Дворце лунного света, где жили жены и дети принца Селима. В этих рассказах, овеянных любовью, присутствовала и Чира Хафиз.

— Жаль, что я не знала ее, — сокрушалась Латифа. — Бабушка Гюзель и ее сестра, тетушка Хали, всегда говорили о ней с такой любовью. Она обращалась с ними, как со своей дочерью, Нилуфер Султан.

— А я знала прабабушку, — поведала Кат. — Она умерла, когда мне было всего четыре года, но я помню эту красивую и властную старую даму. Внуки и племянники — числом не счесть! — всегда ее слушались. В замке Гленкерк, в фамильном зале, есть большой ее портрет, написанный незадолго до Турции. И мне никак не удавалось соотнести образ той красивой, гордой девушки с изысканной седовласой леди.

В глазах у Латифы появился озорной блеск. Она наклонилась вперед и зашептала:

— Наша религия запрещает рисовать людей, но Фирузи Кадим была художницей недюжинного дарования. Она написала много небольших портретов, где изобразила членов своего семейства, а перед смертью передала их дочери, моей бабушке Гюзель. А та, в свою очередь, передала мне. Сейчас я тебе их покажу! — Принцесса хлопнула в ладоши и сказала рабыне, явившейся на зов: — В большом сундуке из кедра, обитом латунью, на дне лежит красный лаковый сундучок. Достань его и принеси сюда.

Сундучок тотчас доставили и осторожно положили принцессе на колени. Латифа открыла его с благоговением. Внутри было несколько подносов; она сняла бархатную подушечку с верхнего, где обнаружилось шесть овальных миниатюр — два мужских портрета и четыре женских. Кат сразу узнала не только свою прабабушку, но и ее лучшую подругу Фирузи Кадим, на которую Латифа походила как две капли воды. Принцесса улыбнулась.

— Красивые, не правда ли? Китаянка — это Зулейка Кадим, третья жена Селима I. Девочка бунтарского вида с глазами цвета янтаря — это Сарина Кадим, его четвертая. Тот из мужчин, что помоложе, — султан Сулейман, старший сын Чиры. Другой — султан Селим I.

Не отрываясь, Кат разглядывала этих людей и их отпрысков, чьи портреты лежали на нижних подносах. Особенно ее очаровал полнощекий малыш, который оказался принцем Каримом, или Чарлзом Лесли, первым графом Сайтен, и ее дедушкой. Рожденная и воспитанная как шотландка, Кат никогда и не задумывалась о своих восточных корнях. Однако у нее было столько же прав на титул «султан» после имени, сколько и у Латифы, но об этом никто никогда не узнает.

— Так странно думать, — заметила Катриона, — что некоторые из них одновременно и мои предки.

— Но, зная это, дражайшая Инчили, разве ты не счастлива с нами?

Кат вздохнула. Кузина была таким ребенком.

— Латифа, — начала она тихим голосом, — я не такая девочка, какой приехала на эту землю Чира. У меня дома — мой второй муж, ради которого я выказала неповиновение королю, а также девять моих детей. Я просто не могу выкинуть их всех из своего сердца. Я не люблю визиря. Я люблю моего настоящего супруга, лорда Ботвелла. Ты, которая любит пашу и которая жена ему уже столько лет, желаешь своему мужу только самого лучшего. Помоги же мне бежать, кузина! Помоги мне вернуться к моему господину! Как бы ты чувствовала себя, если бы тебя украли у Чика и принудили стать женой другого? Ты знаешь, что, когда мы с визирем наедине, он все время держит меня голой? Что мне дозволяется носить только ленты и побрякушки?

Латифа зарделась деликатным румянцем, и голос ее перешел в шепот:

— А мне и невдомек, Инчили. Он всегда был очень чувственным. Поэтому я и не возражала, чтобы он набрал себе огромный гарем. Лучше пусть уж другие удовлетворяют его аппетит! А я, после того как родились наши дети, оказалась относительно свободной от таких услад. Мне они не особо нравятся. А тебе?

— Только с моим истинным господином. И тогда — нравятся очень. Всякий раз, когда я притворяюсь, будто покорна Чика, это причиняет мне страдание. Я чувствую себя уже не женщиной, а куклой, вещью.

Латифа кивнула, а затем доверительным тоном поведала:

— Как-то раз Чика с моим кузеном султаном Мохаммедом устроили состязание, кто в один день лишит невинности больше девственниц. Выиграл Мохаммед, который обладал двадцатью четырьмя, но Чика отстал только на одну. Потом они решили, что настоящим победителем будет тот, у кого больше девушек забеременеют. Султан опять выиграл; у него понесли шестнадцать, а у Чика только девять.

— Пожалуйста, Латифа! — взмолилась Кат. — Пойдем к Эстер завтра. Я должна готовить себе побег, а иначе сойду с ума... И не поможешь ли ты нашему другу Хаммиду подыскать каких-нибудь юных прелестниц, чтобы отвлечь Чика от моей постели? Хотя бы только иногда!

Принцесса сочувственно кивнула, и на следующий день обе супруги визиря почтили дом Кира своим визитом. Там Катриона смогла написать короткую весточку Френсису, заверив его в своей безопасности, в любви к нему и желании поскорее с ним воссоединиться. При Кат же письмо немедленно отправили, и тогда она спросила у старой дамы:

— А вы еще не придумали, как устроить мой побег, Эстер Кира?

— Возможно. Только твоему мужу придется приехать в Стамбул и помочь нам. — Старушка повернулась к Латифе: — Иди погуляй по саду, дитя мое. Когда паша спросит тебя, знаешь ли ты, как бежала Инчили, ты честно ответишь, что нет.

Принцесса кивнула и удалилась.

— Я бы хотела, — начала Эстер, — чтобы твой муж приехал сюда тем же путем, каким вы вернетесь. Если он будет его знать, то потом вам придется легче. Вашим преследователям и в голову не придет, что вы можете двинуться по суше. Так что вы это и сделаете, хотя и не сразу.

Вы отплывете на небольшом судне и направитесь по Мраморному морю через Дарданеллы в Эгейское. Там пройдете остров Лемнос и доберетесь до берегов Тессалии. Войдете в устье реки Пиньос и станете подниматься вверх по течению, пока это будет возможно. Затем пешком и перевалите через горы. На реке Аоос вас будет ждать вторая лодка. Спуститесь до самого моря, пересечете его и окажетесь уже в Италии. Обе реки текут по безлюдной местности, и есть только два городка на Пиньосе, так что вы никого не встретите. Однако опасность всегда существует, поскольку до самой Италии путь ваш лежит по землям султана. Поимка означает смерть.

— Лучше смерть с Ботвеллом, чем жизнь с Чикалазаде-пашой! — с яростью отвечала Кат. — Когда, Эстер Кира, когда?

Старушка покачала головой:

— Никогда не думала, что встречу еще одну Чиру Хафиз. Чем они вас вскармливают в вашей дикой стране, отчего женщины становятся такими решительными?

По лицу Кат расплылась улыбка, озарившая его бунтарской радостью.

— Нас вскармливают свободой, Эстер Кира. Чистой свободой в больших дозах, опорой на себя и независимостью! А теперь... когда? Когда я смогу стряхнуть прах этой земли с моих туфель?

— Терпение, дитя мое! Прежде мы должны тайком привезти твоего мужа с другом в Константинополь. Потом их придется здесь прятать и ждать подходящего часа. Когда же он пробьет, ты должна откликнуться сразу, а с собой не возьмешь ничего и никого, кроме служанки. Все необходимое мы вам дадим.

— Вы сообщите мне, когда он появится здесь, Эстер?

— Нет, дитя мое, не сообщу. Если ты будешь знать, то уже не сможешь разыгрывать роль любящей жены визиря. Я свяжусь с тобой, когда придет день побега.

Веки у Катрионы защипало от слез, и в горле застрял комок.

— Вы правы. Я не стану подвергать его опасности. — А потом ей пришла в голову одна мысль. — Эстер, где жила моя прабабушка, когда ее сын стал султаном?

— В Эски-Сарае, в Старом дворце. Но теперь он совершенно обветшал да к тому же поврежден пожаром. Со времен Селима II он пустует. А почему ты спрашиваешь?

— А комнаты, где жила прабабушка, сохранились?

— Да, дитя мое. Сын Чиры опечатал их после ее официальной смерти. Двадцать четыре года назад Эски-Сарай поразил страшный пожар, но эти покои были в Лесном дворе, вдали от основного гарема, и огонь до них не дошел.

— Я схожу туда, Эстер Кира! Когда Чира тайно бежала, то в спешке позабыла нечто очень для нее дорогое. Я знаю, где эта вещь находится, и хочу ее взять!

Глаза старушки засверкали.

— Я сама отведу тебя в Эски-Сарай, дитя мое. Я не видела Старый дворец со времен пожара, а в покоях Чиры Хафиз не была уже больше полувека. И прежде чем умру, навещу места своей молодости. Отправляйся в сад и приведи Латифу Султан. Без нее нам никогда не убежать от бдительного Османа. Ты не против, если она пойдет с нами?

— Нет, только пусть согласится, что, если я обнаружу то, что ищу, это будет мое.

— Согласится.

Услышав, что задумали Кат и Эстер, Латифа с воодушевлением захлопала в ладоши.

— Я никогда не была в Старом дворце, — сказала принцесса. — Бабушка ушла оттуда после замужества, и мой отец родился уже в доме Гюзель.

— А кто была твоя мать? — спросила Катриона.

— Аиша Султан, дочь Нилуфер, единственной дочери Чиры Хафиз, то есть сестры твоего деда.

— Так мы, оказывается, дважды кузины, — удивилась Кат. — Почему ты мне раньше не говорила? То, что я ищу, могло бы законно принадлежать тебе как правнучке Чиры.

— Нет, кузина. Что бы ты ни искала, у тебя более сильные права, потому что ты происходишь по мужской линии, а я — по женской. И к тому же, что бы то ни было... — прелестные

495

бирюзовые глаза лукаво сверкнули, — мне почему-то кажется, что Чира отдала бы это тебе. Ты, конечно, больше похожа на нее, чем я. А теперь пойдемте, но прежде отделаемся от Османа, чтобы никто у нас не путался под ногами.

Во дворе носильщики уже стояли наготове. Эстер удобно устроилась в своем просторном паланкине, а Кат села в другой. Латифа подозвала назойливого евнуха.

— Господин Кира дает нам дюжину стражников, — сказала принцесса. — Мы с Эстер покажем Инчили, где жила наша прабабушка. Тебе идти нет нужды. Оставайся в гостях у своего друга Али.

Раздираемый между чувством долга и желанием приятно провести время с главным евнухом семьи Кира, Осман заколебался. И пока негр пребывал в растерянности, Кат выскользнула из носилок и шагнула к нему. Под кисейным покрывалом ее глаза угрожающе сощурились.

— Насекомое! — зашипела она. — Как ты смеешь ослушаться своей госпожи Латифы Султан? Если сию же минуту не пойдешь обратно в дом, то я расскажу моему господину Чика, как дерзко ты вел себя с его первой женой! За твое непослушание он прикажет забить тебя до смерти!

И, повернувшись спиной, она плутовски улыбнулась Латифе, которая едва сдерживала смех. Испуганный евнух, лицо которого стало пепельно-серым, убежал в дом.

Когда молодые женщины рассаживались в паланкине, Латифа захихикала:

— Ты, может, и родилась шотландкой, моя западная кузина, но в тебе есть и османская кровь. Это дает себя знать.

— Когда враг колеблется, Латифа, никогда не позволяй ему собраться с мыслями или с силами. Старая боевая мудрость горцев.

Паланкины быстро двигались по шумным улицам. Когда снаружи стало тише, Кат почувствовала, что носильщики с напряжением идут в гору. Наконец они остановились. Латифа наклонилась и открыла занавески. Шагнув наружу, она подала руку кузине.

Перед ними возвышались обугленные руины великого дворца, который увенчивал когда-то один из семи холмов Константинополя. Внизу, сверкая в лучах заходящего солнца, лежал Золотой Рог. Отсюда был виден весь город, а вдали, где угадывались очертания Ени-Сарая, голубел Босфор. Все три женщины замерли, очарованные этой величественной картиной. Затем Эстер Кира сказала:

— Пойдемте, дети мои, я покажу вам Лесной двор, где некогда жила Чира Хафиз. — И она дала знак двум стражникам идти следом. — Они все услышат, но ничего не расскажут, — пояснила старая дама с хитрой улыбкой. — Они немы.

Эстер повела своих спутниц вокруг обвалившихся стен Старого дворца, и вскоре они подошли к небольшим железным воротам, совершенно заросшим. Здесь еврейка остановилась и кивнула своим людям:

— Вырубите кусты лишь настолько, чтобы нам пройти, но чтобы никакой прохожий не заметил.

— А что, если ворота заперты?

— Так и должно быть, дорогая. Но когда-то мне доверили ключ, который, возможно, еще их откроет.

С этими словами Эстер шагнула к замку, опутанному паутиной, и осторожно попыталась его открыть. После небольшой встряски ключ со скрипом повернулся. Скрипя ржавыми петлями, ворота медленно открылись.

— Оставайтесь здесь, — велела Эстер немым, а сама неспешно вошла туда, где когда-то был сад Чиры Хафиз.

Папоротники, сорные травы и осенние цветы росли по пояс. Они давно презрели некогда четкие границы клумб и теперь лезли даже на замшелые кирпичные стены. До самого пожара 1574 года за садом тщательно ухаживали. Живые изгороди, не подрезавшиеся в течение этих двадцати четырех лет, высились вдоль гравийных дорожек подобно зеленым стенам. Поразительно, но фонтаны все еще били и полнились не только одичалыми водяными лилиями, но и огромными золотыми рыбками.

— А откуда приходит вода? — спросила Кат.

— Ее качают из-под земли по одному из римских или византийских акведуков. До того как Мохаммед Завоеватель взял город у византийцев, это был императорский дворец. А вот и Лесной двор Чиры Хафиз.

Катриона поежилась. Никогда, даже в самых дерзких своих грезах, она не думала, что попадет в Стамбул, и уж тем более в тот самый дворец, откуда ее прабабка — та властная старая женщина — скрытно правила целой империей. Вот одно из тех мест, где Мэм была молодой и красивой, где ее страстно любил великий султан. Прежде Кат никогда так не думала о ней, потому что образ старой женщины был в ее памяти слишком силен. И когда Эстер открыла дверь и шагнула в комнату, то шотландка вошла следом, исполненная благоговения.

Внутри царили тишина и неподвижность. Повсюду лежала пыль, висела паутина. Кат снова поежилась, ощущая вокруг себя духов прошлого. Подле нее стояла Эстер Кира, погруженная в воспоминания.

Постепенно глаза Кат привыкли к темноте, и ей не составило труда обнаружить изразцовую стену у камина. Приблизившись, она стала внимательно искать ту плитку с чертополохом, о которой говорил сын. Найдя, мягко на нее нажала, и та упала ей на ладонь. Ни секунды не колеблясь, Катриона просунула руку в отверстие и улыбнулась: ее пальцы нащупали истлевший бархатный мешочек с каким-то твердым предметом внутри. Вытянув мешочек наружу и раскрыв, она извлекла подвеску и торжествующе подняла ее вверх.

— Ваши старые глаза узнают это, Эстер Кира?

И Кат, пританцовывая, пошла к старой даме, приглашая ее посмотреть находку. Эстер кивнула и улыбнулась.

— Подвеска, которую сделал сам Селим I, чтобы отметить рождение его первого сына, султана Сулеймана! Посмотри на обратную сторону. Вот туда. Почему Чира не взяла эту драгоценность с собой, Инчили? Она ценила ее выше всех других.

— В спешке оплошала юная Рут. И обнаружилась пропажа только уже в Шотландии. На этот Новый год мой старший сын подарил мне копию, и раз уж я здесь, то захотелось забрать и оригинал. Хорошо было бы оставить его при себе, но еще лучше, наверное, если вы, Эстер, пошлете эту вещь в римский банк Кира на хранение. Когда подойдет день побега, то мне не хотелось бы обременять себя такой драгоценностью.

— Ты поступаешь мудро, Инчили. Если ее найдут у тебя, то это будет трудно объяснить. Готова спорить, что денег, какие визирь дает тебе на безделушки, не хватит на столь дорогое приобретение.

— Позвольте мне взглянуть, — тихо сказала Латифа. Она почтительно взяла реликвию из узловатых рук старой дамы. — Это прекрасно! Как он ее любил! Он ставил ее выше всех жен-

498

щин. Как прекрасно быть столь любимой! Но это счастье выпадает совсем немногим из нас.

И принцесса со вздохом отдала подвеску обратно Эстер, которая снова вложила ее в мешочек, а тот спрятала где-то в своих необъятных юбках.

Еще несколько минут женщины бродили по покоям давно умершей Султан-валиде, которую звали Чира Хафиз. Кат не покидало чувство, будто она вторгается сюда без приглашения. Вернув на место плитку с чертополохом, шотландка пожалела, что не пригласила с собой горничную. Бабушка Сюзан, Рут, провела свою юность в этом самом дворце.

Наконец они пошли по саду в обратный путь. В паланкине и Кат, и Латифа были странно молчаливы. На дворе у Кира они обнялись на прощание со старой дамой и, не жалея слов, поблагодарили за прогулку. Осман стоял и все время дергался. По дороге во дворец визиря дамы тихо говорили о тайнах, которые теперь их связывали еще сильнее.

Чикалазаде-паша поджидал жен с нетерпением. Его хмурый вид и прищуренные глаза должны были их насторожить. Но Кат с Латифой все еще не покидало радостное возбуждение.

— Где вы были? — спросил визирь. — Я вернулся из Ени-Сарая и обнаружил, что мой дом пуст.

— Мы ездили в гости к Эстер Кира, мой господин, — весело ответила Латифа. — А она пригласила нас в старый Эски-Сарай, и мы показали Инчили, где жила великая Чира Хафиз. Прогулка была восхитительной, и спасибо вам за разрешение пойти.

— Я провел полдня в одиночестве.

— Мой господин Чика, — задиристо начала принцесса, подняв к нему лицо и торжествующе улыбаясь, — у вас самый знаменитый гарем во всей империи после моего кузена султана, конечно. И я не могу поверить, что вы томились чем-либо иным, как не выбором.

Безо всякого предупреждения рука визиря взметнулась и ударила Латифу по лицу. Ошеломленная, принцесса только охнула, и глаза ее наполнились слезами. Невозмутимые рабы затаили дыхание: ведь было известно, что Чикалазаде никогда не бьет свою жену. И только Кат налетела на визиря, принявшись яростно колотить его по груди.

— Как вы смеете ее трогать! — кричала она. — Латифа вам ничего не сделала! Вы жестоки и несправедливы!

Теперь уже по-настоящему испугавшись, принцесса попыталась было оттянуть Кат назад.

— Нет! Нет! Инчили, ты должна попросить прощения у моего господина Чика! — И она попробовала опустить шотландку на колени. Кат отвернулась от визиря и нежно тронула щеку подруги. На покрасневшей коже белел отпечаток руки.

— Никогда! У него нет права бить тебя!

— Он имеет полное право, — заявила Латифа, отчаянно пытаясь успокоить гнев, который уже закипал в серо-голубых глазах Чикалазаде. — Он наш господин и повелитель. Мы ничто, кроме того, чем он нас делает, Инчили.

— Неужели ты и в самом деле в такое веришь? — вскричала Кат.

Латифа повернулась к визирю и встала на колени. Он протянул ногу, и голова принцессы коснулась носка его сапога.

— Простите дерзость мою, господин. И простите также и вторую вашу жену. Инчили плохо еще знакома со здешними обычаями, и знаю, она не хотела ничего дурного.

Чика ласково погладил ее по голове.

— Прощу ее ради тебя, дорогая. Но все-таки она должна быть наказана, а иначе и остальные в моем доме посчитают меня слабым хозяином. — Он коротко кивнул, и двое евнухов ухватили Кат под руки. — Отведите ее к столбу наказаний и приготовьте к порке.

— О мой господин! — зарыдала Латифа, поднимая залитое слезами лицо. — Пожалуйста, не стегайте Инчили. Она моя подруга!

Визирь кивнул еще одному евнуху.

— Отведи госпожу Латифу в ее покои, — негромко приказал он.

В испуге принцесса подчинилась. Евнухи вытащили Кат на середину двора и, стянув с нее жакетку, привязали цепью между двумя столбами. Кисейную блузу тоже сорвали, обнажив не только длинную прелестную спину, но и полные груди. Визирь неспешно приблизился и молча встал радом. Казалось, прошла вечность. Затем, безжалостно ухватив Катриону за волосы, он оттянул ее голову назад и тихо сказал:

500

— На этот раз наказание будет нестрогим, но никогда больше не смей меня ослушиваться, будь то прилюдно или нет. Я обожаю тебя, драгоценная, но не дам подвергать себя позору. Поэтому сегодня наказывать стану сам лично. Если согласишься попросить прощения, то я сразу закончу. Иначе получишь все двадцать плетей.

Посмеиваясь, он склонился и яростно ее поцеловал. Она закусила губу до крови.

— Сучка.

Паша отпустил ее голову, и Кат услышала, как он пошел обратно. Осман с орудием кары уже стоял наготове.

— Дурак! — отругал его визирь. — Сложи кнут. Я не хочу, чтобы кожа у нее стала как у крокодила.

Ждать было ужасно, и сердце Кат неистово колотилось от страха и ярости. Визирь несколько раз попробовал хлыст в воздухе, и от каждого щелчка внутри у нее все переворачивалось. Затем раздался резкий свист, и на спину лег первый удар. Она снова закусила губу до крови. Третий удар извлек из нее тихий стон, а пятый — слабый крик. Наконец Кат завизжала, не в силах выносить жестокую боль. Ибо паша вовсе не церемонился, спина у нее горела огнем, каждый удар усугублял страдания. Однако она не желала просить прощения. Наконец Катриона лишилась чувств. Но сразу подбежал Осман и замахал над ней жженым пером, чтобы снова вернуть к страшной действительности.

— Несчастная женщина, — ликовал он, — ты не избежишь наказания!

С трудом очнувшись, Кат встретила его ледяным взглядом. Донесся голос Хаммида:

— Ты зря ее злишь, Осман. Госпожа Инчили не вышла из милости и вряд ли выйдет. Она просто проявила непослушание.

Затем лицо главного евнуха оказалось у нее перед глазами.

— Уступи ему, дочь моя.

Кнут снова впился в ее горящую спину.

— Никогда! — только и сумела выдохнуть Катриона, и вновь тьма беспамятства поглотила ее.

Хаммид покачал головой, а затем крикнул:

— Она жаждет вашего прощения, мой господин.

Встретив взгляд главного евнуха, Осман побоялся опровергать эти слова.

— Освободить, — велел Чикалазаде-паша, — и пусть немедленно позаботятся о ее спине. Сегодня я жду Инчили у меня.

Кат отнесли в ее покои, где уже ждала Латифа вместе с Сюзан. Лицо служанки было белее полотна. Она осторожно сняла с измученного тела остатки одежды, и непокорную уложили на постель животом вниз. Спина ее превратилась в месиво кровавых рубцов. Сюзан заплакала.

— Как он мог? Как он мог? Никто никогда не обращался так с моей госпожой! Никто!

— Не плачь, девочка, — ласково сказала Латифа. — Это только выглядит страшно. Посмотри, кнут был сложен, и кожа не повреждена. Шрамов не будет, а через несколько дней исчезнут и боль, и рубцы.

Сама принцесса бережно омыла раны прохладной водой и, едва касаясь рубцов, втерла в них бледно-зеленую мазь.

— Это особый бальзам, — объяснила она Сюзан, — который несколько снимет боль. Теперь посиди рядом со своей госпожой, пока я не вернусь.

Латифа побежала по дворцовым коридорам в покои мужа.

— Прошу позволения поговорить с вами наедине, — смиренно молвила она.

Отослав рабов, визирь жестом пригласил ее сесть рядом.

— Я сама обработала раны Инчили, господин, но ваша вторая жена не сумеет услужить вам по крайней мере два-три дня. К ней все еще не вернулось сознание, и ее слегка лихорадит. Наказать так жестоко, Чика! Если бы кнут не был сложен, то ты бы мог забить ее до смерти.

— Она оправится? — с тревогой спросил паша. Лицо его сразу стало озабоченным, и сердце у Латифы сжалось. «Эстер Кира права», — подумала принцесса. — Я не хотел причинять ей страдания, но она вела себя так дерзко! Не захотела просить прощения, пока ей не отвесили одиннадцать ударов.

— А что ты ожидал, Чика? — негромко спросила Латифа. — Ты же не какую-то нежную девушку взял. Это гордая европейская дама, которая привыкла говорить что думает. Я пытаюсь научить ее нашим порядкам, но на это нужно время. Так что будь с ней терпелив.

— Тебе она нравится. Я рад! Рад, что вы подружились.

— Да, мы подружились, Чика. А теперь, пожалуйста, мой господин, дайте ей несколько дней, чтобы залечить и спину, и душу. Боюсь, что на этот раз вам придется довольствоваться своим гаремом. С тех пор как появилась Инчили, он у тебя в постыдном забвении, и там зреет нешуточный бунт. Хаммид тебе расскажет!

— Очень хорошо, — согласился визирь с кислым видом. — Даю ей три дня. Потом я жду ее у себя в постели, послушную и покорную моей воле.

Латифа закусила губу, чтобы не улыбнуться.

— Будет так, как вы пожелаете, мой господин муж, — тихо сказала она и возвратилась в спальню Катрионы.

Верная Сюзан не отходила от постели своей госпожи.

— Как она?

— Все еще не пришла в сознание. И немного беспокойна, моя госпожа принцесса.

— Отправляйся спать, Мара. Твоя хозяйка получила это наказание за то, что попыталась защитить меня. И будет только справедливо, если сегодня с ней посижу я. Но прежде чем уйти, принеси мне мою вышивку.

Несколько часов Латифа Султан усердно занималась рукоделием. Она дважды подрезала фитили у ламп и подливала масла и один раз снова намазала раны Кат зеленым бальзамом. От бесконечных узоров на полотне глаза принцессы утомились, линии уже казались расплывчатыми. Она восхищенным взором окинула прекрасное тело кузины, проследила изящные очертания спины и ягодиц. В самом ли деле Инчили нравились ласки мужчин? Или она ненавидела их, подобно Латифе?

Принцесса знала, что в гареме некоторые женщины любили друг друга. Это запрещалось, но евнухи предпочитали тут закрывать глаза, поскольку довольная жизнью женщина приносит меньше хлопот, чем недовольная. Латифа стояла выше обитательниц гарема как по крови, так и по положению. Никто из них не посмел бы приблизиться к ней, и такого никогда не случалось. Теперь она подумала, будет ли женщина-любовница столь же груба, как Чикалазаде.

Кат застонала, не приходя еще в сознание, а потом перевернулась на спину и закричала:

— Френсис! Френсис!

До чего же красивы были груди у кузины! Какой безукоризненный, кремового оттенка стан! Ошеломленная, Латифа наклонилась и мягко сказала:

— Тише, Инчили! Теперь все хорошо, дорогая моя!

Но Кат закричала снова:

— Френсис! Френсис! О да, любимый! Да!

Принцесса не поняла слов незнакомого языка, но по лицу Инчили догадалась об ее грезах. Кузина переживала миг наслаждения с мужчиной, которого обожала. Вот она слегка забилась. Побоявшись, что в беспамятстве подруга повредит себя, Латифа протянула руку, чтобы ее успокоить, и коснулась выпуклой груди. Сосок мгновенно отвердел, а женщина отозвалась стоном. Не в силах более сдерживаться, Латифа обласкала этот шар мягкой плоти и почувствовала трепет, когда прекрасное тело напряглось и выгнулось навстречу ее прикосновению.

Охваченная дрожью, принцесса встала со стула и разделась. Она легла на постель рядом с Инчили и трясущимися ладонями принялась поглаживать ее, старательно избегая больной спины. Кузина закорчилась, не приходя, однако, в сознание. Латифа наклонила голову и стала жадно облизывать ее соски. Инчили снова простонала, и принцесса перевернулась на живот, начав раздражать руками уже свои женские органы. Ее бедра двигались навстречу ее собственным пальцам, пока она не рухнула на простыни с глубоким вздохом облегчения.

Несколько минут Латифа так и лежала, зардевшись и прерывисто дыша. Затем она поднялась, оделась и снова принялась за свою вышивку, ошеломленная содеянным.

В начале их супружеской жизни Чика нередко требовал от нее ласк, и она это возненавидела. Но трогать Инчили оказалось приятно. Женская кожа была гладкой и нежной. Принцесса задремала и проснулась, когда ее коснулась легкая рука Сюзан.

— Позвольте теперь посидеть мне, госпожа, — тихо сказала девушка.

Поблагодарив служанку кивком, Латифа Султан с удовольствием отправилась в свои покои. Там ее ждала недавно купленная девушка-рабыня, хорошенькая, но одинокая и на-

504

пуганная. Пару раз, неловко задевая женские прелести своей хозяйки, она нежно краснела и просила прощения. Латифа об этом прежде не задумывалась. Теперь, однако, девушка ответит на ее милость и доброту, надо только соизволить их проявить. Пусть Чикалазаде-паша берет хоть десяток женщин за ночь. Его жена Латифа Султан больше не собиралась жить в одиночестве.

55

Три дня спустя, когда ее спина почти зажила, Кат снова очутилась в постели у Чикалазаде-паши. Вернулась она туда угрюмой и непокорной, но визирю уже надоели покорные красавицы, чередой проходившие через его спальню, и он предпочел обратить все в шутку. Именно строптивость и привлекала его в этой женщине.

А Катриона, хоть и сумела понять своего мучителя, простить все-таки не смогла.

Начался новый, 1599 год по христианскому календарю. Стоя в одиночестве на террасе у Латифы и созерцая воды Босфора, Кат обнаружила, что напрягает слух, пытаясь услышать звук гленкеркской волынки. По щеке у нее покатилась одинокая слеза, и она подумала, был ли Френсис уже у Кира.

Зима шла, а страсть визиря не утихала. Кат уже больше с ним не боролась, решив, что надо принимать свою судьбу, прежде чем удастся ее изменить. На Новый год она чутьем поняла, что Ботвелл рядом. Итак, побег состоится! А потом настала весна, и ухудшилось положение на границе с Австро-Венгрией. Султан решил послать туда Чикалазаде-пашу.

Мохаммед отличался крупными формами, кожа его была светла, волосы черны, взгляд карих глаз глубок. Дополняли портрет борода и усы. Добротой султан превосходил многих, а жестокостью — любого на свете. По восшествии на престол четырьмя годами ранее он приказал казнить всех своих братьев, числом девятнадцать, старшему из которых исполнилось всего одиннадцать лет. Заодно велел утопить семерых наложниц отца, имевших несчастье забеременеть.

Чувственные аппетиты этого правителя вошли в пословицу. А его очаровательная мать — венецианка Сафийе, стремясь удержать сына в своих руках, потакала всем его желаниям.

Но у султана была все-таки одна черта, достойная подражания. Он не бросал тех, кто верно ему служил, и проявлял к этим людям немалую доброту и щедрость. И вот, заметив унылое лицо визиря, Мохаммед спросил:

— Что же сдерживает твое воодушевление, Чика? Год назад ты бы с радостью взялся за подобное дело.

— Вы посчитаете меня глупцом, мой падишах, но в прошлом году я взял вторую жену, и теперь меня печалит мысль о разлуке с ней.

Глазенки у султана заблестели.

— Я слышал, это дивное создание. Правду, значит, говорят?

Чикалазаде-паша снова вздохнул:

— Она вытягивает из меня все силы своей красотой!

— Тогда возьми ее с собой в поход. Что необычного в том, что военачальника в кампании сопровождает женщина?

— Спасибо, мой падишах, но лучше не надо, — отвечал визирь с нескрываемым сожалением. — Если я повезу Инчили с собой, то уже не смогу наилучшим образом заботиться об интересах моего господина и повелителя.

Султан довольно засмеялся:

— Благодарю тебя, что ставишь мои интересы выше своего вожделения. Но скажи, Чика, неужели ты не боишься оставлять Латифу с твоей новой женой одних? Без тебя они же в клочья раздерут друг друга, да и весь твой дом.

— Нет, господин. Удивительно, но они словно сестры. Однажды, несколько месяцев назад, мне пришлось наказать Латифу, так Инчили налетела на меня, словно бешеная лисица, и попыталась защитить свою подругу. Конечно, я отстегал ее за такую дерзость.

Султан понимающе кивнул.

— Ты поступил мудро, друг мой. Женщины годятся только для одного. И им все время нужно показывать, кто хозяин. — Он похлопал визиря по плечу. — Взбодрись, мой друг! Ты едешь всего на несколько месяцев. Подумай, с каким нетерпением Инчили будет тебя ждать.

Мужчины дружески рассмеялись, а потом султан сказал:

506

— Если Латифа с Инчили такие подруги, то почему бы, Чика, тебе не уложить в свою постель обеих вместе? Поиметь сразу двух женщин — такое наслаждение. — Он понизил голос, чтобы его слышал только визирь.

Глаза паши сощурились, и он ответил:

— Когда вернусь домой, то непременно попробую. Выглядит очень заманчиво.

Взор Мохаммеда затуманили грезы.

— Да, друг мой. Очень заманчиво. — Затем султан снова перешел к делу. — Я прикажу Якуб-бею позаботиться о подготовке войска. Он станет твоим заместителем. Поезжай с Инчили на свой остров, побудь там несколько дней. Но будь готов выступить через неделю. Да хранит тебя Аллах.

К полудню Чикалазаде возвратился к себе во дворец.

— Сегодня пополудни отправишь Инчили на остров Тысячи Цветов, — приказал он Хаммиду. — На остров пусть завезут фрукты, орехи, кофе, шербеты, яйца и сладости. Каждый день к вечеру должна доставляться горячая еда. Прислуживать нам будут только двое. Пошли служанку Инчили и молодого евнуха.

Пару часов спустя лодка паши уже скользила по водам Босфора. Напротив Кат сидела недоумевающая Сюзан, а на носу устроился молодой евнух.

— Почему нас так поспешно везут на остров? — спросила служанка.

— Потому что визиря отсылают на границу, и он вернется только через несколько месяцев. — Кат понизила голос и заговорила на шотландском диалекте: — Еще немножко, Сюзан, и я освобожусь от него на более долгий срок.

Она не сказала горничной, что перед самым отплытием на остров в гарем явилась торговка драгоценностями и тайком сунула ей в руку записку от Эстер Кира: «Когда визирю придет время уезжать, придумай предлог, чтобы остаться на острове».

Кат сожгла бумажку в жаровне, пораженная, что Кира знала о намерениях визиря, когда ей едва только стало о них известно.

Она еще не привыкла к Востоку и не знала, сколь важно здесь знать последние слухи. В то время, когда визирь был у султана, Эстер Кира навещала Сафийе. Но вот визирь покинул дворец, и султан пришел выпить кофе с матерью и ее престарелой подругой. Он принес забавный рассказ о том, как не хотелось его доброму другу Чика оставлять свою новую жену. Все трое от души посмеялись над влюбленным. А вернувшись домой, Эстер сообщила Френсису Стюарту Хепберну, что через несколько дней он воссоединится со своей супругой.

Замысел и в самом деле был очень простой. Ботвелл с Коноллом подождут, пока визирь со своей армией не удалится от города на несколько дней пути, а потом нападут на остров и перебьют рабов. Отсутствие Инчили с Марой в доме обнаружат лишь через несколько дней, а тогда беглецы уже будут в Эгейском море.

Но Катриона обо всем этом ничего не знала. На острове она с удовольствием водила Сюзан по саду. С ними был один лишь белый евнух Фейсал, потому что лодка сразу отправилась обратно. Кат показала слугам два малюсеньких закутка, где им надлежало пребывать, когда явится господин и повелитель. Полагалось ухаживать за хозяевами, не надоедая своим присутствием.

Едва прибыв на остров, визирь сразу же приказал Катрионе раздеться. Она возмутилась:

— Я столько денег трачу на платья и драгоценности, чтобы понравиться вам, мой господин Чика, а вы так редко позволяете мне их носить.

— Носи их перед своими подругами. Я люблю тебя такой, какой создал Аллах.

Надув губы, она повиновалась, снимая одежды медленными дразнящими движениями. Глаза его заблестели. Сюзан подала горячий ужин. Кат обнаружила там всяческие пряности и приправы, которые, считалось, помогали в любви. Она незаметно поежилась, осознав, что эти три дня отдыхать не придется. Когда блюда были расставлены, визирь отослал Сюзан:

— Можешь идти спать, Мара. Но скажи Фейсалу, чтобы он не дремал у себя в спальне.

— Слушаюсь, повелитель, — ответила девушка и вышла.

Теперь Чикалазаде обратил свой взор на Кат:

— Подойди сюда, Инчили.

Обогнув низенький столик, она приблизилась. Визирь усадил ее к себе на колени и, начав ласкать, довольно вздохнул.

— Посмотри на меня, — велел он. Кат подняла свои зеленые глаза навстречу его серо-синим и увидела то, чего боялась. Зрачки у Чика расширились, в них плясали золотистые огоньки. Он явно наглотался любовных зелий и теперь будет совсем ненасытен. Она вздрогнула, а визирь засмеялся, словно угадав ее мысли. Задушевен и тих был густой мужской голос: — Нам некуда спешить, любовь моя. Да мы и не будем.

И свободная его рука скользнула к ней между ног, начав ласково поглаживать. Кат сразу ощутила, что силы уходят, а накатывается знакомое томное чувство.

А эти прикосновения, вначале нежные, вскоре стали раздражать. Она попробовала увернуться, но визирь крепко ее держал.

Там, где он притрагивался, Кат обдавало жаром, у нее вырывался стон. Сама тому не веря, она быстро теряла власть над собой, улетая в какой-то радужный мир, где одно за другим сменялись изысканнейшие ощущения, и вот она уже едва дышала, не в силах совладать со своей страстью. Ей пришло в голову, что визирь накормил ее теми же снадобьями, какие принял сам.

В ужасе Катриона закричала и попыталась слезть с его коленей, но он бережно поднял ее и уложил на подушки, бархатные и атласные, где белое тело ослепительно выделялось на фоне густых, насыщенных оттенков. Чика возвышался над ней каким-то колоссом; он снимал свои широченные шаровары. При виде его длинных, гладких, мускулистых ног сердце Кат неистово забилось. Визирь встал на колени и, закинув ее бедра себе на плечи, нашел губами то место, где не так давно побывали его пальцы. Убедившись вскоре, что привел женщину в исступление, он спустил ее ноги, вполз на нее и вонзился во влажную плоть. Кат облегченно зарыдала.

Он безжалостно втискивался внутрь и шел обратно, намеренно причиняя ей боль, однако эта боль составляла часть неистового чувственного ощущения, и Кат наслаждалась ею. Он поймал зубами ее сосок и резко укусил. Она завизжала и попыталась вывернуться, но раненое место уже яростно облизывал горячий язык, унимая раздражение.

Ее всю затрясло. Не в состоянии более сдерживать себя, Катриона готова была отчаяться. Только бы ускользнуть от мужчины, виновного в ее бессилии! Но страсть визиря разгоралась неудержимо, его уже ничем не пронять. Кат все-таки стала бороться, хотя волны желания, бившие ее и трепавшие, превосходили по силе все, что она знала прежде, и сопротивление ни к чему не приводило. Внезапно эта сладостная мука закончилась, и она уже падала, падала куда-то в бархатистую тьму забытья.

Она пришла в себя, ощутив мягкие поглаживания, но глаза открывать не захотела и даже не шевельнулась. Все ее существо восставало против этого чувственного мужчины, который называл ее женой, однако держал за вещь, служившую ему для удовольствия.

— Открой глаза, Инчили.

Она повиновалась, скрывая под опущенными ресницами смесь отвращения и страха.

— Пора тебе искупать меня.

— Слушаюсь, мой господин Чика.

Поднявшись с постели, Кат прошла в ванную комнату. Она поразилась тому, что еще держалась на ногах. На ее зов пришел евнух и приготовил воду. Она понюхала бутылки с благовонными маслами, выбрав наконец розовое. Отлив его в чан, отослала слугу и позвала визиря:

— Ваша ванна готова, мой господин.

Чикалазаде вошел совершенно голый. Он тихо стоял, пока женщина омывала его теплой водой, а затем, легко касаясь, размазала мягкое мыло по широкой спине и груди. Опустившись на колени, она стала намыливать ему ноги, и могучий член задрожал. Кат быстро схватила щетку из свиной щетины и принялась ею работать. Потом еще раз облила визиря теплой водой.

— Так, мой господин, — бодро улыбнулась она, — можете теперь отмокать.

В ответ прозвучал довольный голос:

— Спасибо, любовь моя. Быстро мойся и приходи ко мне.

С этими словами визирь плюхнулся в большой квадратный бассейн, выложенный зелеными изразцами.

Кат медленно намылилась, оттягивая тот миг, когда придется пойти к нему. А Чика наблюдал за своей Инчили из-под полуприкрытых век, зная почти в точности ее мысли и наслаждаясь ее затруднением. Для того он и держал эту женщину голой, принуждая к лакейским обязанностям, чтобы укротить и приручить. Одновременно визирь испытывал сладостное ощущение власти. Удовольствие, какое он получал от беспрерывной битвы с упрямой чужестранкой, не шло ни в какое сравнение с легким завоеванием пусть даже целой дюжины других красавиц.

Наконец, не в состоянии больше оттягивать, Кат спустилась в бассейн. Чика немедленно протянул руку и привлек ее к себе. Прижатые к мужской груди, округлые выпуклости напряглись, а нежные соски затвердели, раздраженные волосками. В первый раз за вечер визирь припал к ее рту: этот неуемный, щупающий язык показался Катрионе кляпом. Взяв ее руки, паша обвил их себе вокруг шеи. А затем своими ладонями взял ее под водой за ягодицы, прижал к стене и, приподняв, пронзил. Она только изумленно охнула, но этот звук был заглушен его губами. Впиваясь короткими яростными рывками, Чика излил свою страсть, а затем прижал Кат уже ласковее, потому что она почти лишилась чувств.

Довольный тем, что показал свое превосходство, визирь с ухмылкой выскочил из бассейна и, наклонясь, вытащил Катриону. Несмотря на расслабление от теплой воды и мужских ласк, Инчили помнила о своем долге. Взяв с кафельной печи теплое полотенце, она обернула мужа и, усадив, другим полотенцем вытерла, не забыв протереть между пальцами ног. Потом уложила лицом вниз на мраморной скамейке и растерла розовым маслом. Ее руки умело массировали твердое тело, а Чикалазаде урчал, словно большой холеный кот.

Наконец он сказал: «Хватит», — и поднялся, выказывая свой опять налившийся член. А увидев ее лицо, усмехнулся:

— Ночь едва началась, Инчили, и мне еще только предстоит тобой насытиться. Раз уж я должен уехать на несколько месяцев, то надо как-то остудить огонь, который ты зажигаешь в моих чреслах.

А Кат уже шаталась. Она простерла к нему руки и взмолилась:

— Пожалуйста, мой господин муж, больше не надо. Пока не надо!

Но визирь словно ее и не услышал. Схватив Катриону за руки, он принудил ее лечь ничком на ту же мраморную скамейку, а сам, взгромоздившись сверху, раздвинул ей бедра и нежно вошел сзади. Руками же слегка ее приподнял, чтобы ласкать груди. Большие ладони Чика сдавливали эту теплую плоть, теребя соски так, что Кат вскрикивала.

В тот миг терпение шотландки лопнуло. Визирь пользовался ею как животным, не думая, что происходит в ее душе. И она не завопила от ярости только из-за мысли о скорой свободе. А в висках уже стучала кровь.

Хрюкнув от удовольствия, Чика наконец-то отпустил ее и поднялся, воскликнув:

— Я уже так славно потрудился этим вечером, что чувствую жажду. Принеси мне шербет, моя голубка!

Кат постояла на трясущихся ногах, а затем направилась в спальню, к столу, где стояли графины с шербетом. Смешивая любимые напитки визиря, она с опаской глянула назад и обнаружила, что Чика лежит, развалясь на кровати, и созерцает в стеклянном куполе ночное небо. И тогда ногтем большого пальца покорная супруга осторожно открыла крышечку своего бирюзового кольца и ссыпала в чашу щепоть белого порошка. Это сонное зелье дала Катрионе Эстер Кира, но прежде у нее не хватало духу им воспользоваться. Сегодня, однако, ей уже больше не выдержать, а те возбуждающие средства, каких он наелся, в любом случае помрачат его сознание.

Она с улыбкой прошла по комнате и подала напиток. Визирь с жадностью выпил до дна и, небрежно отшвырнув чашу, притянул Катриону к себе.

— Ты такая красивая, — начал он задушевно. — Как же ты меня услаждаешь, Инчили! Ты чудесно меня услаждаешь! Ты знала это, моя драгоценность? Я ценю тебя выше всех женщин. Никогда еще простая смертная не приносила мне такого блаженства.

Она прижалась к его плечу.

— Как счастлива я, что приношу вам удовольствие, мой господин муж.

Визирь ощупью нашел ее груди, принялся их мять, но его движения стали неуклюжими. Внезапно он начал похрапывать. Кат высвободилась из его хватки и легла отдельно, наблюдая, будет ли это замечено. Порошок подействовал, и одурманенный Чика крепко спал. Утром она подсыплет ему в кофе другой, который уравновесит действие возбуждающих средств и почти полностью скует его похоть. Несколько часов можно будет тогда отдохнуть.

Встав с измятой постели, Катриона вернулась в ванную. Раз за разом она наполняла серебряный кувшин, омывая себя снова и снова, уничтожая всякие следы прошедшего часа. Баня была ее единственным утешением в Турции. Обсохнув, она надела прозрачную ночную рубашку. Когда Чика проснется, то разозлится и потребует снять. Но пока хоть что-нибудь защитит ее от ночной прохлады.

Улегшись на дальнем краю кровати, Кат обернулась легким шерстяным одеялом и сразу заснула.

Когда она открыла глаза, то солнце уже вставало. Чика неистово храпел, развалясь на спине и почти не сменив за ночь позы. Потягиваясь, Кат встала. Воздух был холодный, так что она вынула из своего сундука белый шерстяной халат и накинула себе на плечи, а потом еще раз убедилась, что визирь крепко спит, и выбежала в сад.

В лучах раннего солнца роса на траве блестела бриллиантовым блеском; только-только раскрывались нарциссы и тюльпаны на клумбах и наполняли воздух своим ароматом. Над самой поверхностью темного моря зависла слабая серебристая дымка; горные склоны оделись уже яркой весенней зеленью. На несколько минут Кат снова оказалась свободной и наслаждалась этим ощущением. Если только выдержать еще два дня и убедить Чика оставить ее на острове, то Кира придут на помощь. Очевидно, похищение легче организовать отсюда, а не из дворца Чикалазаде. Жаль, не удастся попрощаться с Латифой. Кат решила, что, когда вернется в Италию, пошлет своей милой кузине весточку через Кира.

Внезапно лицо пленницы озарилось улыбкой. Она только что придумала, как уговорить визиря. Использовать против него его же мужскую гордость! Так ублюдку и надо!

Чика тревожило, что она никак не беременела. Визирь знал, что его Инчили родила девять живых детей, а сам он был отцом детей Латифы, не считая четырех десятков от гаремных женщин. И теперь ему страстно хотелось ребенка от возлюбленной. Не зная, конечно, о снадобье, которое она принимала, паша никак не мог понять, почему живот ее не распухает.

Она и скажет ему, что, видимо, понесла. Сошлется на странные прихоти беременных и вымолит еще несколько дней на острове. А если Чика откажет, то она станет плакать и дуть губы. Визирь другого и ждать не станет — ведь он считает женщин мягкими, глуповатыми созданиями.

Поднялся небольшой бриз, и Кат поежилась, представив, что ее ждет. Всегда приятно обдумывать предстоящие сражения! Она даже посмеялась про себя: какая кровь ее здесь взыгрывала — шотландская или турецкая?

56

— Нет! — твердо сказал визирь. — Я не позволю этого, Инчили.

Кат расплакалась.

— Вы не любите меня, — всхлипывала она. — Вы украли у меня моего мужа и воспользовались мной как животным! Вам совсем нет до меня дела! Пусть умру я даже вместе с этим ребенком!

— Ребенком? — Челюсть у визиря отвисла. — Каким ребенком?

Она подняла к нему заплаканные глаза.

— Я не вполне уверена, мой господин, потому что еще слишком рано, но очень вероятно, что я понесла.

Лицо визиря осветилось таким трепетным восторгом, что Кат уже почти позволила себе испытать чувство вины.

— Ребенок, — выдохнул он. — Тогда, моя голубка, об острове и речи быть не может. Я не стану подвергать опасности моего сына.

Она выдавила из своих глаз новые потоки жидкости:

— Но я не вынесу, что меня сейчас опять заточат в гарем, мой господин муж! А здесь так приятно и спокойно.

Катриона понизила голос, вынуждая визиря наклониться, чтобы расслышать. Заодно ему открылся чудесный вид на ее пышные груди. Соблазнительный запах, исходивший оттуда, опьянял мужчину.

— Мы провели здесь столько сладостных часов, мой муж. Это единственное место, которое мне не приходится делить ни с кем, даже с моей дорогой Латифой. — Она ухватила его руку и со значением сжала. — Впереди у нас еще один чудесный день... — Ее ресницы веером разлеглись на ее розовых щеках. — А потом еще одна чудесная ночь. Позвольте же мне остаться и помечтать. Только несколько дней, и я буду совершенно уверена. Стану счастливой. А вы разве этого не хотите, мой господин муж?

Из ее зеленых глаз готовы вот-вот брызнуть слезы, а мягкие губы надулись. Про себя визирь снисходительно улыбнулся. Инчили вела себя так по-женски! А взор ее обещал ночь невероятных наслаждений, удовлетвори он только ее желание. Да и если по-честному, то почему бы и нет? Ведь это не девушка, которая понесла в первый раз, нет, это испытанная производительница. А у беременных бывают странные капризы, и следует потакать им, когда возможно. На острове вполне безопасно, а служанка составит ей компанию. Надо только прислать Османа, а с ним еще полдюжины стражников. Хотя никто и не посмеет явиться сюда без его, Чикалазаде, разрешения.

Он принял ужасно строгий задумчивый вид, и Кат поняла, что одержала победу.

— Очень хорошо, — молвил визирь. — Я позволю тебе остаться на неделю, но охранять тебя приедет Осман.

— Конечно, мой господин, — пролепетала она.

Чика притянул ее к себе на колени и обнял.

— А мне будет награда, голубка?

Кат ухватила его за голову и, поцеловав глубоко и очень убедительно, начала очередной сеанс любви.

Наутро визирь уплыл на своей лодке. Во дворце он даст распоряжения, и Инчили останется на острове.

Прощаясь, она махала ему с каменной пристани. Но как только визирь оказался за пределами слышимости, то мигом повернулась и закричала на своем языке:

— Прощай, мой господин визирь! Прощай навсегда!

Сюзан разинула рот:

— Миледи, с вами все хорошо?

— Так хорошо, девочка, мне не было еще ни разу за эти месяцы, — рассмеялась Кат. — Сейчас, когда он уехал, я могу тебе сказать. Мой любимый Френсис близок и твой дядя Конолл тоже! Не знаю точно день и час, но самое позднее через неделю мы будем спасены!

— Слава Богу, — с чувством вздохнула Сюзан.

— Это будет непросто, — предупредила Кат. — Нам предстоит долгий и опасный путь. Но я лучше умру с Ботвеллом, чем буду жить балованной женой у Чикалазаде-паши!

— Тогда вы не беременны? Он сказал, что вы понесли и я должна особенно усердно о вас заботиться.

— Боже мой, конечно, нет! Не рожать же мне ребенка от этого похотливого дьявола. Нужен был только предлог, чтобы остаться здесь. Легче бежать отсюда, чем из дворца визиря. А теперь, милая, будь все время наготове. Сегодня явится Осман с несколькими стражниками. Нельзя им дать никакого повода для подозрений.

— Милорд убьет этих евнухов?

— Конечно, дорогая. Чем позже наш побег обнаружат, тем дальше мы уже успеем уйти.

— Хорошо! Я ненавижу Османа, и пусть его прикончат!

Катриона даже изумилась.

— Почему? Что он тебе сделал?

Шотландки взобрались уже на вершину утеса. Они сели на мраморную скамейку у маленького бассейна с золотыми рыбками.

— Вы же знаете, что евнухи не способны жить с женщиной, подобно остальным, — начала Сюзан, — но оскопить мужчину можно по-разному. Некоторым, обычно маленьким мальчикам, отрезают и палку, и мешочек. Другим, которые постарше, — только мешочек, чтобы не дать им воспроизводиться. Хотя такого быть не должно, они могут навострить себя с помощью особых снадобий. Ну, детей у них, конечно, не появляется. Осман — как раз тот случай. А если уж евнух глаз положит на какую-нибудь девушку... — Она помолчала. — Что ж, у них есть несколько способов достичь удовлетворения.

— Осман положил на тебя глаз? — взъярилась Катриона. — Он осмелился? Почему ты мне не сказала, девочка? Я бы сразу это прекратила.

— Мне казалось, что у вас и своих забот хватает, миледи, — просто ответила Сюзан.

Кат обняла служанку рукой и крепко к себе прижала.

— Ах, Сюзан! Когда мы благополучно выберемся отсюда, то, клянусь, ты никогда больше не будешь ни в чем нуждаться. Как были верны моим предкам твоя прабабушка и твоя бабушка, так и ты верна мне. Я этого не забуду.

— Мы одна семья, миледи, пусть вы и госпожа, а я служанка. Лесли никогда не бросают своих.

— Да, Сюзан. Не бросают.

И женщины надолго замолчали, наблюдая, как резвится в бассейне, распушив хвост, маленькая рыбка.

А в стамбульском доме Кира тем временем граф Ботвелл прямо-таки не находил себе места. Уже почти год, как похитили его жену. Тогда было начало лета 1598 года. В середине сентября они с Коноллом начали свое опасное путешествие: на утлой рыбацкой лодке отплыли из Бриндизи и после перехода по Адриатическому морю достигли Иллирии, а там и устья реки Аоос.

Они вошли в реку ночью и поднимались много дней, пока дальше плыть уже не смогли. Тогда лодку пришлось оставить, вытащив ее на берег и надежно спрятав в малозаметной пещере. Теперь путь лежал пешком по лесистым горам. К счастью, погода была мягкой, и снега еще не выпадало. Перевалив в Тессалию, к истокам реки Пиньос, шотландцы нашли там, в точности, где указывал Пьетро Кира, лодку со всем необходимым. Подле их ждал молодой человек, который представился как Ашер Кира, сын Эли.

Ашер имел поручение довести путешественников до самого Константинополя, обучая их по дороге основам еврейского уклада. Перед домашними у Кира Ботвелл с Коноллом изобразят дальнего родственника и его слугу, приехавших изучить постановку дела в главном отделении банка. Это успокоит ненужное любопытство, и они смогут свободно ходить по городу.

Для большего правдоподобия граф отпустил окладистую темно-рыжую бороду и, надев шаровары, жилет и блузу с широкими рукавами, водрузив себе на голову тюрбан и подпоясавшись вышитым поясом, стал прямо-таки настоящим турком. А Коннолл с его черной бородой производил даже еще большее впечатление.

Ашер Кира успешно выполнил свое поручение, и в середине декабря 1598 года они прибыли в османскую столицу. Путь занял ровно три месяца.

А теперь шел апрель 1599 года, и до сих пор Ботвелл выжидал. Но однажды, ближе к вечеру, когда он копался в счетах, вошел слуга и сказал, что Эстер Кира желает поговорить с господином в ее саду. Когда граф пришел к старой даме, та жестом предложила ему сесть рядом на скамейку. Женщина выглядела такой хрупкой и легкой, что казалось, ее унесет первый же порыв ветра, однако голос ее был тверд, а взор ясен.

— Как вы поживаете, друг мой? — спросила она.

— Хорошо, мадам, но с каждым днем горю все большим нетерпением.

— Сегодня утром я была во дворце. На днях визирь отбывает на венгерскую кампанию. Мне кажется, что вы сможете вернуть себе вашу собственность через несколько суток после его отъезда.

— С ней все в порядке?

— Да, но ей пришлось нелегко, а предстоящие дни будут самыми трудными. Она знает, что час вашей встречи приближается, и должна любыми уловками вытянуть из паши разрешение остаться на острове. Это самое удобное место для побега. Я все передумала: просто невозможно увести ее из дворца визиря, сразу поднимется суматоха, и вас немедленно поймают, со всеми вытекающими последствиями. А там — единственное место, откуда мы можем ее забрать и успеть при этом убраться восвояси. — Эстер помолчала. — Милорд, — с нежностью в голосе продолжила она, — милорд, я должна вам кое-что поведать. Вам уже говорили, что визирь ценит Инчили превыше всех женщин. Но вам не сказали, что он испросил дозволения у своей супруги-принцессы и взял любимую наложницу второй женой.

Ботвелл шепотом изрек цветистое ругательство, а старушка слегка улыбнулась.

— Итак, милорд, вы не просто заберете обратно вашу жену, вы также украдете и его жену!

Френсис расхохотался:

— Что же такого в этой девке, что все мужчины желают иметь ее только по закону? Мой бедный кузен, едва заключил династический брак с датской принцессой, сразу стал тянуть Катриону в свои официальные любовницы. Ее первый муж, Патрик Лесли, целый год гонялся за ней по всей Шотландии

518

и только так сумел привести ее к алтарю. А я, да поможет мне Бог, оказался в изгнании за то, что среди прочих грехов тоже попытался сделать Кат своей супругой. И теперь вы говорите, что паша испросил дозволения жениться на моей жене?

С ботвелловским гоготом слился кудахтающий смешок старой дамы. Наконец Эстер вытерла мокрые глаза и сказала:

— Мы обсудим наши замыслы через пару дней.

Часть VIII
ПОБЕГ

57

Всеми силами она пыталась вынырнуть из охватившей ее тьмы, борясь с удушьем и отдирая жесткую руку, которая накрыла ей рот. А когда полное сознание вернулось, над ухом у Кат прозвучал знакомый чудесный голос:

— Тс-с, любовь моя! Это я, Френсис!

Ее глаза мигом распахнулись, и что же? Над ней склонился какой-то бородатый мужчина. Рука убралась. Переведя дыхание, Кат ответила улыбкой.

— Проклятие, Ботвелл, ты прямо вылитый султан! — Тут у нее по лицу полились слезы, и она бросилась в объятия супруга.

А Френсис, крепко прижимая жену к себе, поглаживал ее голову и с нежностью, ласково вопрошал:

— Можно ли мне отлучиться, чтобы заработать на жизнь и чтобы вас при этом не похитили? Уж теперь-то мне пришлось за вами погоняться, будьте уверены!

Ее плечи тряслись все сильнее.

— Милая моя, все хорошо. Я здесь и увезу тебя домой. Не плачь, девочка. Ты вела себя так мужественно. Эстер Кира рассказала, что тебе пришлось пережить.

Она вывернулась и вскинула голову. Лицо ее было искажено страданием.

— Ты меня любишь, Ботвелл?

Тут он, казалось, потерял дар речи. А потом задумался.

— Ладно, давай посмотрим. Я прошел три моря и два пролива. Теперь поверну назад и потащу за собой двух женщин. Каким же чудом будет, если мы доберемся до Италии живыми! Может, все это я делаю из любви к приключениям? Боже, мадам, как вы думаете?

— Я уже не та, что была, Ботвелл. Я любимица визиря. Ты все еще хочешь меня обратно?

Он рассмеялся, а затем снова посерьезнел.

— Моя честная, честная Кат. Ты думаешь, я ничего не знаю? Анджела ди Ликоза очень четко объяснила, что за человек ее брат. И если бы меня волновали одно только тело да постель, Кат, то я бы, наверное, и мог — хотя признаю скрепя сердце — заменить тебя другой женщиной. — Он обернул вокруг своей руки ее золотистые волосы и притянул к себе. Потом нежно потерся ртом об ее уста и улыбнулся своими теплыми сапфирово-голубыми глазами. — Но тогда, моя дражайшая любовь, кто бы честил меня по-гаэльски? И помогал мне растить наших детей? И говорил со мной о Шотландии долгими зимними ночами?

Катриона закусила губу, и ее веки сомкнулись. Но эта попытка удержать слезы оказалась напрасной, и они снова потекли у нее по щекам.

— Да, Кат, я люблю тебя, — сказал Ботвелл. — А теперь давай прекратим эти глупости. До восхода меньше двух часов. И лучше отсюда убраться побыстрее.

— А стража?

— Мы с Коноллом ее сняли.

— Их было шестеро. Вы убили всех?

— Да.

— А трупы?

— Там, где их нашла смерть.

— Нет! Прилетят стервятники, а птиц увидят крестьяне. Кто-то полюбопытствует и приедет посмотреть. Припасы для меня завезли вчера. И если не случится ничего непредвиденного, то сюда никто не явится по крайней мере неделю. Привяжите к трупам камни и сбросьте в море. Тогда не будет падали и не будет любопытных.

Френсис восхищенно покачал головой.

— Мадам, вы не перестаете меня удивлять. — Он поднял с пола сверток и подал ей. — Переоденься в дорогу. А мы с Коноллом займемся пока остальным. Сюзан ждет в лодке. Когда будешь готова, спускайся к пристани и не пугайся, когда увидишь там молодого человека. Это правнук Эстер, Ашер. Он пройдет с нами часть пути.

— Меня пугает совсем не молодой человек, Ботвелл.

Он встал и окинул ее ухарским взглядом.

— Приятно поглядеть на вас, мадам, особенно когда столь призывно торчат ваши милые сиськи. Если бы только не приходилось так спешить! Эта постель выглядит весьма удобной.

— Здесь — никогда! — яростно возразила Кат. — Меня тут слишком долго мучили! Лучше уж пусть завалят на живой изгороди!

— Как только мы благополучно выберемся отсюда, мадам, я постараюсь утолить это ваше желание, — ухмыльнулся Френсис и еле увернулся от метко пущенной подушки. Все еще смеясь, он выбежал из беседки.

Кат соскочила с кровати. «Я снова живу. Я опять сумела выжить!» — торжествующе подумала она и от всей души захохотала.

Развернув сверток, который дал ей Ботвелл, она обнаружила там женского только нижнее белье, все остальное — синие шаровары, белая рубашка, жилет, пояс, сапоги и тюрбан — было на молодого человека. Она не стала медлить: одевшись, туго заколола себе волосы и скрыла их под цветным платком, а поверх водрузила чалму. Натянув сапоги, встала и обмотала пояс вокруг талии. Потом, бросив взгляд в зеркало, вновь его размотала, сняла рубашку и обвязала свои полные груди льняным полотенцем. Затем снова оделась, натянув поверх рубашки расшитый жилет. Еще один взгляд на себя — и по лицу ее расплылась улыбка. Никто, увидев этого молодого человека, не догадается, что имеет дело со второй женой визиря.

Она в последний раз окинула взором спальню, но брать с собой не захотелось ничего. Эстер говорила ей, что все необходимое для долгого путешествия будет прислано семейством Кира. Драгоценности, подаренные визирем, останутся здесь. На правой руке у Кат было рубиновое сердечко — память о Патрике Лесли — и бирюзовое кольцо, что дала с зельем ее покровительница, на левой — сверкало изумрудом большое обручальное кольцо от Френсиса. Другого ей ничего не требовалось. Она даже не повернулась бросить последний взгляд на комнату и вышла.

Быстрым шагом Катриона пошла по чудесным садам. «И человек, который использовал ее как тупую скотину, больше не сможет наслаждаться своим чудесным островком!» Эта мысль доставила ей немалое удовольствие. Так она отомстит Чикалазаде-паше. Визирю все здесь будет напоминать о ней, и он скоро возненавидит сие пристанище любви.

Внезапно она споткнулась. Поперек чистой гравийной дорожки лежал чей-то труп. Кат узнала Османа. Она не испытала сожаления. Просто перешагнув, пошла дальше, а затем осторожно спустилась к пристани, где на волнах покачивалась лодка.

Ровно неделю спустя на остров Тысячи Цветов прибыла другая лодка, которая должна была отвезти жену визиря обратно во дворец. На пристани никого не оказалось, и надсмотрщик взобрался по каменным ступеням на вершину утеса. Там он обнаружил, что и беседка, и сад пусты. Стал звать Османа, но его голос затихал в чистом утреннем воздухе. Тогда, сбежав вниз к лодке, он прокричал:

— Обратно во дворец!

Лодка описала крутую дугу и заскользила по Босфору. Надсмотрщик даже не стал ждать, когда она причалит, а спрыгнул на берег и помчался что было прыти искать Хаммида.

Он нашел Великого евнуха у госпожи Латифы Султан, где тотчас бросился на колени и завопил:

— Беда, Хаммид! На острове Тысячи Цветов нет никого — ни живых, ни мертвых. Никого! Я сам все обыскал.

Лицо Хаммида вмиг посерело. А сердце принцессы стало раздираться между евнухом, который был с ней почти всю ее жизнь, и красавицей кузиной. Латифа искренне пожалела беднягу, но почувствовала облегчение оттого, что Инчили бежала. Сейчас, однако, следовало позаботиться о Хаммиде. Чика посчитает виновным именно его, а гнев великого визиря будет страшен.

— Я сам поеду на остров, — объявил евнух. — Ты, наверное, ошибся. Уж кто-то там должен быть!

— Нет никого, говорю вам, — повторял надсмотрщик. — Я даже кричал. Остров пуст.

— Меняй гребцов, — велел Хаммид.

Несколько часов спустя он вернулся и снова пришел к Латифе Султан.

— На острове действительно никого нет. И никаких признаков насилия. Ни крови. Ни трупов. Ничего. Как будто их и не было. Что мне сказать моему господину, принцесса? Ведь он обожает Инчили. Она понесла его ребенка. Что я ему скажу? Визирь меня убьет.

Последние слова были произнесены с такой скорбной уверенностью, что принцесса совсем разжалобилась и испытала искушение открыть евнуху правду. Но все-таки Латифа устояла.

— Скажи ему все как есть, Хаммид. Ведь ты только выполнял его приказания. Послал Османа с четырьмя стражниками, как было велено моим господином Чика. Снабдил припасами на неделю, а в конце этого срока отправил лодку. Не поступало оттуда никаких вестей о беде. Как же ты мог что-то заподозрить? И не твоя вина, что там все исчезли.

— Завтра я опять поеду, — с мрачной решимостью отвечал Хаммид. — Хоть какие-то следы должны были остаться. И я их найду!

— Делай как считаешь нужным, — сказала Латифа Султан.

На следующий день Хаммид снова отплыл на остров Тысячи Цветов. Зная, что иначе ему предстоит бессонная ночь, евнух проглотил с вечера сильное успокоительное снадобье. Так удалось выспаться, и голова теперь была ясной.

Он медленно поднялся в сад и, не поднимая глаз от земли, стал осматривать гравий на дорожках. Эту неделю стояла сушь; если и была кровь, то дождем смыть ее не могло. Беседка звездного света встретила Хаммида безмолвием. Он раскрыл двери и некоторое время оглядывал спальню. Постель оказалась смятой, а подушка в изголовье хранила еще слабую вмятину. Евнух подошел ближе. Ночная рубашка Инчили лежала, небрежно брошенная, на полу. Все остальное в комнате находилось на своем месте. А открыв сундук исчезнувшей, он обнаружил там ее одежды и драгоценности в аккуратном порядке. И никаких пропаж.

Тщетно выискивая следы борьбы, евнух терялся в догадках. Но куда могли подеваться сразу восемь человек? Он должен приложить все усилия и узнать это. Хорошо Латифе говорить, что надо сказать Чика правду, но какую правду? «Мой господин визирь, ваша жена таинственно исчезла, и мы не знаем даже как». Такого Чикалазаде-паша не потерпит.

Очутившись снова в саду, Хаммид вгляделся в воды Босфора. Солнце гоняло тени по голубой глади, и внезапно он увидел... на аквамариновой поверхности выделялись шесть темных пятен. Поспешая настолько, насколько позволяли его размеры, евнух вернулся на пристань и тихим голосом дал указание надсмотрщику. Лодка выгребла ближе к стрежню пролива; один из рабов разделся и глубоко нырнул. Несколько минут спустя он снова появился на поверхности, и его вытащили на борт.

— Что там? — спросил Хаммид.

Гребец поежился.

— Трупы, господин. Шесть трупов, все с перерезанным горлом.

Евнух кивнул.

— Возвращаемся во дворец, — бросил он, устало опускаясь на подушки. Теперь Хаммид знал или думал, что знал, как все случилось. Стражников застали врасплох и убили. Инчили увезли. Но, вспомнив, какой прибранной выглядела спальня, евнух изменил свою версию.

Инчили бежала. Но кто ей помог? Женщина была в чужой стране, отгороженная от всего остального мира, однако она сумела найти помощников и скрыться. А когда Хаммид перебирал в уме все возможности, то неизменно возвращался к одной: Эстер Кира. Почтенная дама оставалась единственной особой из внешнего мира, которая водила знакомство с Инчили. Но зачем же понадобилось старушке навлекать беду на свое семейство и подстраивать этот побег?

Он приказал надсмотрщику грести к Ени-Сараю. Там Хаммид переговорил со своим другом и наставником Ага Кизляром. Тот согласился, что положение и в самом деле щекотливое, но ему не нравилась дружба между его госпожой, Султан-валиде Сафийе, и Эстер Кира. Старушка прочно обосновалась в покоях валиде, перебывав в задушевных подругах уже у четверых. Она казалась «непотопляемой», но если нити этого скандала вели к ней, то лучшего случая избавиться от интриганки даже представить было нельзя.

Ага испросил аудиенции у султана, но рассказал лишь то, о чем, по его мнению, владыке следовало знать.

— Вторая жена Чикалазаде-паши исчезла с его острова. Это похоже на похищение. У нас есть причины подозревать некоторых людей, но мы не можем продолжить расследование без вашего позволения. Не соблаговолит ли мой господин и повелитель подписать этот ордер?

Вспомнив, какой разговор у него состоялся с визирем всего две недели назад, Мохаммед выполнил просьбу Аги и приложил свою печать к указу, предоставившему друзьям-евнухам полную свободу действий. Вскоре к дому Кира, расположенному в еврейском квартале, был отправлен отряд янычаров. Ага с Хаммидом поехали следом в паланкинах.

Встретил сановников Эли Кира и пригласил в гостиную, куда подали кофе, мед, миндальные булочки с пастилой и пестрые леденцы. Банкир сразу понял, что что-то случилось. Не зря же эти двое явились сюда с целым отрядом султанской гвардии.

Он выждал, сколько требовалось светскими правилами приличия, а затем посмотрел на старшего из гостей и спросил:

— Итак, господин Ага, почему же вы пришли в мой дом с такой охраной? Что-то не так? Может, где-то в городе начались волнения, а я о них не слышал?

— Эли Кира, с острова Тысячи Цветов похитили жену Чикалазаде-паши. Что вам известно об этом?

Ни один мускул не дрогнул на лице банкира. «Они ниоткуда не могли проведать», — напомнил себе Эли, и темные глаза его удивленно раскрылись.

— Похитили Латифу Султан? — воскликнул он, надеясь выглядеть искренним.

Губы Аги тронула слабая усмешка. Подозрения Хаммида подтверждались. Кира что-то знали.

— Нет, не Латифу, — терпеливо объяснил евнух, — а новую, вторую жену визиря, Инчили.

— А откуда мне что-то может быть известно об этом? — надменно спросил банкир. — Я даже не знал эту даму.

— Возможно, и не знали, — согласился Ага. — Но готов спорить, что знала ваша бабушка. Госпожа Инчили была в нашей стране чужой. Единственное лицо за пределами дворца, с кем она общалась, Эстер Кира, а чтобы бежать, даме требовалась помощь извне.

— По-моему, вы говорили, что ее похитили, — невозмутимо заметил Эли. — Но разве чужестранка не могла подкупить евнухов, и те помогли ей? Почему же вы полагаете, что если моя бабушка была слегка знакома с этой дамой, то она и возглавила заговор? Где доказательства? Вы ведете себя оскорбительно, господин Ага, и я лично пожалуюсь султану на ваши действия!

Нарочито медленным жестом Ага извлек из рукава своего халата пергамент, свернутый в трубочку, и протянул банкиру:

— Если вы соблаговолите взглянуть на сей документ, то обнаружите, что это указ от султана, который дает мне право предпринимать всякие шаги, какие сочту нужными в данном расследовании. Султан не желает, чтобы печалился его друг и ценный слуга Чикалазаде-паша. А поверьте мне, Эли Кира, визирь испытает очень большую печаль, когда увидит, что его любимица исчезла.

Эли Кира посмотрел прямо в глаза Кизляру, а затем перевел свой взгляд на Хаммида.

— Я ничего не знаю об этом деле, — твердо сказал банкир, — и если у вас нет более веских доказательств, а есть только недостойные подозрения, то я вынужден просить вас покинуть мой дом.

— Не торопитесь, Эли Кира. Я намерен допросить остальных членов вашего семейства. В этот самый миг, согласно моему приказу, янычары вошли в женскую половину дома.

— Как вы смеете?— закричал банкир, побагровев от ярости. Он тотчас побежал на другой конец здания, а за ним неожиданно скорым шагом двинулись оба толстяка евнуха.

Из гарема уже доносились вопли ужаса и возмущения, и сцена, которая открылась глазам Аги, доставила ему немалое удовольствие. Именно такой животный страх ему и хотелось внушить женщинам Кира. Теперь, окидывая комнату своим взглядом рептилии, он понял, как тут надо себя вести.

Побелевшая как полотно Мариам Кира стояла, испуганно прижимая к себе своих младших дочерей, Ребекку и Сару. Старшая, Дебра, замерла подле, такая же бледная. Живая реликвия семейства, Эстер Кира сидела в огромном кресле, хрупкая, но грозная, словно сокол. По зале слонялась толпа здоровенных молодых янычаров, и к молодым служанкам явно уже приставали.

Весь красный от гнева, Эли мигом похолодел. Тем не менее он набросился на Агу:

— Вот уж хуже оскорбления и быть не может, Али Зия! Я немедленно посылаю вестника к султану! Вы обвиняете нас в каком-то заговоре, но не предъявляете никаких доказательств! Врываетесь в мой дом со своими солдатами, пристаете к моим служанкам, пугаете моих женщин! Подтвердите ваши обвинения или убирайтесь!

— Замолчите все!

Эстер Кира умела заставлять себя слушать.

— В чем дело, Али Зия? Султан-валиде Сафийе не обрадуется, если я расскажу ей об этом вторжении.

Ага Кизляр оглядел старушку. Вот она — настоящая сила, скрывающаяся за вывеской банковского дома. Эта крошечная, внешне хрупкая старушка с ее всезнающими глазками-смородинками. Встретив их немигающий взгляд, Ага поежился. И улыбнулся:

— Что вы сделали со второй женой Чикалазаде-паши, Эстер Кира?

— А что с ней случилось?

— Я не знаю, но думаю, вам известно.

— Чепуха! Не понимаю даже, о чем вы говорите.

Ага снова улыбнулся:

— Это вся ваша семья, Эли Кира? — спросил он.

— Нет. Еще есть мои сыновья.

— Приведите их сюда.

Банкир кивнул девушке-служанке, и несколько минут спустя она вернулась с четырьмя мальчиками.

— Это все?

— Еще есть Ашер и наш кузен Джон, — беспечно отозвалась Дебра.

Ага коршуном набросился на эту добычу:

— Где ваш сын Ашер и кто этот кузен?

— Они уехали по делам банка, и их не будет еще некоторое время.

— Куда уехали? И кто этот Джон Кира?

— Я отослал их в Дамаск, а наш кузен приехал из Северной Европы.

— От кузена Бенджамена из Шотландии, — снова встряла Дебра.

Эли Кира метнул на дочь разъяренный взгляд:

— Помолчи, Дебра. Не следует заговаривать, если к тебе не обращаются. Ты ведешь себя слишком развязно.

— Али Зия!

Все глаза повернулись к Хаммиду.

— Али Зия! — Высокий голос евнуха дрожал от волнения. — Эта женщина Инчили родом из Шотландии! Я помню, она мне сказала, когда мы приняли ее в первый раз.

Ага сощурился. Вот и недостающее звено. Евнух резко повернулся и окинул взглядом сыновей Эли.

— Эти двое! — Он указал на младших. — Сколько им лет?

— Тринадцать и шестнадцать, — отвечал банкир.

— Славный возраст. — А следующие слова прозвучали ударами молота: — Я окажу честь твоему дому, Эли Кира. Возьму сих достойных молодых людей в гвардию янычаров.

— Нет! — завопила Мариам.

Сердце банкира забилось часто-часто, но голос его был тверд.

— Вы не можете этого сделать, Али Зия. Я плачу налог. Они не подлежат такой повинности.

— А я оказываю вам честь, Эли Кира. Ваши сыновья поступят в отборное войско, которое состоит под началом у самого султана. И вы не сможете отвергнуть мое великодушие, не оскорбив моего повелителя. И... я даже окажу вашей верноподданной семье еще большую честь. — Его взгляд переметнулся на юную Дебру. — Я беру вашу старшую дочь в гарем моего господина. Никогда не видел таких красивых глаз. Их фиолетовый цвет — такая редкость. Уверен, что после должной подготовки она очарует Мохаммеда.

— Нет! — теперь уже кричал Эли Кира. — Девушка обручена! Через два дня у нее свадьба!

— Ошибаетесь, друг мой, — улыбнулся Ага. — Через три ночи я представлю ее султану, и она войдет к нему в постель как свежая забава. Возможно даже, ваша дочь завоюет его сердце. Если нет, то доживет жизнь во Дворце забытых женщин.

Мариам Кира бросилась к ногам евнуха и пала ниц.

— Что вы ищете? — взмолилась она. — Я помогу, если только сумею. Но не берите моих детей, заклинаю вас!

— Мариам. — Банкир поднял жену с пола.

— Эли! Эли! — Она обратила к нему свое зареванное, искаженное ужасом лицо. — Какое дело ты сотворил? Что есть такого важного, что ты готов пожертвовать Давидом и Львом? Что есть такого, что ты соглашаешься приговорить Дебру к жизни в одиночестве и позоре? И если ты тут замешан, то скажи ему! Во имя Яхве, скажи, умоляю тебя!

Эли Кира в отчаянии оглянулся на свою бабку. Привычка, воспитанная годами, теперь яростно боролась в нем с отцовскими чувствами. Он просто не знал, что делать.

Эстер вздохнула:

— Пусть выйдут все, кроме Али Зия, Хаммида и Эли. Должен же мой внук узнать, из-за чего все это столпотворение. А к правнукам моим не прикасайтесь, иначе ничего не узнаете!

— Забери своих людей и жди во дворе. Никого и ничего не трогать, — приказал Ага начальнику янычаров.

Комната потихоньку опустела. Остались только старушка, банкир и евнухи.

— Садитесь! Садитесь же! — велела Эстер. — Говорить буду долго.

Она устроилась поудобнее. Остальные трое выжидающе смотрели на нее.

— Знает ли кто из вас, когда я появилась на свет? — спросила матрона и захихикала: — Я родилась первого апреля 1490 года по христианскому календарю. Мне сто девять лет! Да, а о том, что я вам собираюсь рассказать, мой смущенный бедняга внук не знает ничего. Поскольку, однако, мои действия, — и она выделила слово «мои», — поставили Эли в неловкое положение, то, думаю, ему тоже следует послушать.

Банкир оставался бесстрастен. Не было в семейных делах абсолютно ничего, о чем бы он не ведал. Но Эли уразумел: снимая вину с него, бабка спасала их всех. Наглядный пример к тому первому уроку, что она ему когда-то преподала: выживать любой ценой. Немолодой уже человек испытал внезапный порыв нежности и любви. Этой даме семейство было обязано процветанием. Ему захотелось обнять ее и прижать к себе. Но он сидел тихо, сохраняя на лице слегка недоуменное

530

выражение. «Хорошо, — подумала Эстер. — Внук мне подыгрывает».

И она продолжила:

— Ваши подозрения верны, Али Зия. Я действительно помогла женщине, которую вы зовете Инчили, вернуться к своим. Так бы поступили и вы сами, если бы знали, кто она такая.

— Это знатная дама из Европы, — объявил Хаммид.

— Это правнучка Чиры Хафиз, — отвечала Эстер.

— Как может быть такое, старая женщина? — удивился Али Зия. — Чира Хафиз оставила только одного сына, султана Сулеймана, и еще дочь, которую выдали за Ибрагим-пашу. Из ее внуков принцы Мустафа и Баязет были убиты, принц Джанхагир умер, принц Селим стал султаном Селимом II, а принцесса Михрмах вышла замуж за Рустем-пашу. Дети Ибрагим-паши и принцессы Нилуфер никогда не покидали этих краев. Ваш возраст повлиял уже вам на мозги, Эстер Кира.

— Хоть ваш возраст — только треть моего, Али Зия, мозгам вашим до моих еще далеко, — без запинки последовал ответ. — Я много лет была близкой подругой Чиры Хафиз и поэтому знала все про нее и про ее семью. В Европе у Чиры оставался брат, граф Гленкерк, из рода которого и происходит ваша беглянка. Такой же титул носил первый муж Инчили, а нынешний граф Гленкерк — ее старший сын. Благодаря любезности Чиры мы управляем огромным состоянием гленкеркских Лесли уже больше полувека. Сомневаюсь, — продолжала еврейка, — что Инчили когда-нибудь слышала о жене Селима I, но когда я впервые увидела молодую даму, то чуть не упала в обморок. Она — зеркальное отображение Чиры, подобно тому как Латифа Султан похожа на свою бабушку Фирузи Кадим. А когда обе жены визиря встали рядом, то я словно перенеслась на восемьдесят пять лет назад и даже на миг подумала, что уже умерла и мои подруги пришли меня приветствовать.

Она сделала паузу, чтобы оценить, какое впечатление производил ее рассказ. В глазах внука Эстер уловила намек на восхищение. Оба евнуха сидели словно зачарованные, и старушка про себя улыбнулась. Евнухи — это такие дети!

— После того как я поговорила с Инчили и порасспрашивала ее, то убедилась, кто она такая. С помощью Латифы Султан я попробовала уговорить ее принять свою новую жизнь. Но ты, Хаммид, сам знаешь, как она не находила себе места. Тогда спасать несчастную даму прибыл ее второй муж со своим помощником. Я ввела их в дом под видом кузена по имени Джон Кира и его слуги. Заодно тайно познакомила с еврейскими обычаями, чтобы никто не заподозрил, кто они на самом деле и зачем приехали.

У меня не было другого выбора, кроме как помочь этому европейскому дворянину. Он — любимый кузен шотландского короля, а тот — наследник престарелой английской королевы и, несомненно, ей пожалуется. А та напишет своей подруге Султан-валиде Сафийе, которая поговорит со своим сыном султаном.

Скандал тогда разразится на весь мир. Лучший друг и визирь Мохаммеда удерживает против ее воли в плотском рабстве кузину шотландского короля! Вы же знаете, до чего у этих христиан строго насчет нравственности. И как, по-вашему, почувствует себя султан, если его опутают таким клубком?

Инчили вообще никогда не должны были посылать в гарем к Чикалазаде-паше. Все подстроила сестра визиря, женщина дурного поведения, известная своим ревнивым характером и жестокостью.

Тут Эстер повернулась к младшему евнуху и пронзила его обличительным взглядом.

— Ты это знал, Хаммид. Инчили говорила тебе, кто она, и умоляла отдать ее за выкуп. Она могла сделать тебя богачом. Но ты предпочел воспользоваться ею, чтобы потешить ненасытный аппетит твоего хозяина. Имея, конечно, в виду свои цели. Но теперь-то сознаешь, в какое неловкое положение ты мог поставить султана и его правительство?

Со своих хрупких плеч она изящно переложила вину на грузные плечи евнуха. Эли Кира рот разинул от восторга. Али Зия задумался.

— Инчили здесь давно уже нет, — молвила Эстер. — А я сослужила еще одну услугу дому Османов. Когда Чикалазаде вернется из кампании, скажите ему, что у госпожи Инчили случился выкидыш и она умерла. Кстати, на самом деле никаким ребенком и не пахло. Просто нужно было как-то остаться на острове, где муж мог ее спасти. Евнухи мертвы и ничего не расскажут. Ваших гребцов не составит труда распродать и взять новых, с надсмотрщиком тоже как-то разделаетесь. А больше никто и не знает, что Инчили бежала. Люди поверят каждому вашему слову.

— Султан знает, — сказал Али Зия.

— Представьте ему дело так, будто женщина умерла, а евнухи испугались, что их обвинят, и спрятались. Затем доложите, что все, замешанные в происшествии, уже наказаны. Для Мохаммеда это не слишком важно, и он позабудет.

Али Зия кивнул:

— Вы правы, Эстер Кира. Вам хорошо знаком нрав османских правителей.

— Еще бы, — усмехнулась еврейка. — Я имею с ними дело уже почти сто лет.

Евнухи встали, а с ними банкир.

— Приношу извинения, Эли Кира, что нарушили покой этого дома. Нам казалось, что было совершено злодейство, мы подозревали вашу семью. Надеюсь, вы не сочтете нужным жаловаться султану.

— Нет, — поспешил ответить Эли. — Случилось ужасное недоразумение. И вы лишь сделали то, что вам предписывал долг.

Ага взглянул на Эстер.

— Вы просто замечательная старушка, — сухо молвил он и вышел из комнаты. Следом потянулись Хаммид с Эли.

Когда евнухи остались одни на парадном дворе дома, то старший повернулся к младшему:

— Делай так, как она сказала. Если возникнут какие-то вопросы, я тебя поддержу.

— Вы верите ей, Али?

— Да... и нет.

Ага взошел в свой паланкин и дал знак трогаться. По дороге в Ени-Сарай Али Зия пришел к важному выводу. С влиянием Эстер Кира на семью монарха следовало покончить, и еврейке придется умереть. Даже в свои преклонные годы она оставалась хитрой сверх всякой меры и очень опасной. К тому же старая дама была живым связующим звеном с тем временем, когда на османском престоле восседали сильные люди и правили в одиночку, без советов женщин и евнухов. Али Зия не хотел, чтобы это время возвращалось.

58

Был рассветный час, и берег лежал вдали темной полосой. Пурпурные горы вонзались в небо, и над всеми высились белоголовые Олимп и Оса. Меж одним гигантом и другим простирались плодородные земли Тессалии, рассеченные надвое рекой Пиньос, которая впадала в Эгейское море.

В тот короткий промежуток между приливом и отливом, когда темно-зеленые воды реки лениво смешиваются с бирюзовыми водами моря, в устье Пиньоса скользнула небольшая лодка.

Она стояла на якоре неподалеку всю ночь, дожидаясь затишья, а теперь, спокойно войдя в реку, двинулась вверх. Случайный наблюдатель обнаружил бы на этом суденышке четырех мужчин и одну женщину, явно семью торговцев, сновавших вдоль побережья, которые сейчас направлялись в Лариссу, чтобы продать свой товар. А обитатели лодки разом издали вздох облегчения. Еще один этап их путешествия остался позади. С того часа, как скрылся за кормой остров Тысячи Цветов, небеса были благосклонны, а волны им помогали.

Промелькнул в стороне клочок суши, где рабы османских правителей добывали мрамор — предмет султанской внешней торговли. Промчались мимо берега Дарданелл, недолго длился и переход через Эгейское море. Навстречу едва ли попалась пара-другая таких же суденышек. И была только одна остановка — на острове Лемнос, чтобы забрать на борт пресной воды.

После золотисто-голубого моря река ошеломила Катриону своей грубой красотой. Обернувшись темным плащом, графиня сидела на носу лодки и уже не знала, в какую сторону поворачивать голову. Справа — обитель богов, Олимп, откуда ниспадали к воде крутые скалы. Слева — Оса, восстающая на пятнадцать сотен футов прямо от ложа долины. Повсюду зеленела пышная растительность, а на сочных лугах паслись прямо-таки сказочные кони.

— Они дикие? — спросила Катриона, потому что не было видно ни домов, ни людей.

— Нет, — отвечал Ботвелл, — просто с самых древних времен их выращивают таким особым способом. А людей мы скорее всего не увидим до самой Лариссы. Турки селятся в городах и на хуторах. Пиньос протекает только через два города.

Река сужалась, входя в ущелье.

— Долина Темпе,— пояснил Френсис. Им предстал замкнутый мир, пронизанный зеленым светом. — Легенда говорит, что создал ее Посейдон, греческий бог моря. Он желал завлечь в эти дивные чертоги свою возлюбленную — дочь бога реки.

Катриона вскинула голову, и здешнее волшебное сияние отразилось в изумрудах ее глаз.

— Как красиво! И он добился ответной любви?

— Не знаю, но это весьма романтическое место. Долина связана еще и с богом солнца, Аполлоном. Он домогался девушки по имени Дафна, и та бежала сюда, чтобы укрыться. Ведь она хранила верность Диане, сестре-близняшке Аполлона. Аполлон не отставал от Дафны, и здесь он ее настиг. И тогда несчастная вознесла мольбу к своей покровительнице, заклиная спасти от позора. Богиня откликнулась, превратив девушку в цветущий лавровый куст. С тех пор долина Темпе посвящена Аполлону, а в античные времена лавровые венки победителям Пифейских игр брали именно отсюда.

— Если бы ты был Аполлоном, а я — Дафной, то я бы никогда от тебя не убежала, Френсис.

Он улыбнулся ей, а она — ему. Путешествие густо вызолотило лицо Катрионы, и ее глаза казались еще зеленее обычного. Волосы темного медового цвета, не знавшие на море ни платка, ни чалмы, выгорели и посветлели. Она выглядела прелестно, а с тех пор как супруги Ботвелл в последний раз предавались любви, прошло уже много месяцев. Граф вздохнул: сейчас не время, а обстановка такая подходящая! Впереди показались развалины Храма Аполлона, вознесшегося высоко над рекой и окруженного могучими старинными дубами. Какое удовольствие — овладеть здесь Катрионой!..

Тут Френсис поймал на себе ее взгляд и виновато улыбнулся. Жена тихонько засмеялась:

— Мне так жаль, Ботвелл!..

— Ведьма ты, — ухмыльнулся он.

— Нет. Просто твоя вторая половина. — И Катриона схватила его большую руку, чтобы прижать к своим губам. — Доберемся ли мы до дому, Ботвелл? — спросила она с мольбой.

— Доберемся, Кат. Обещаю тебе.

Но вот ущелья остались позади. Снова распахнулась долина Тессалии во всем своем великолепии. Прежде чем солнце достигло зенита, вдали встали стены древней Лариссы. Катриона снова покрыла волосы, а Сюзан спрятала свое хорошенькое личико под объемистыми складками черного фериджи, так что на виду остались только глаза.

Заплатив пошлину турку — начальнику пристани, беглецы получили разрешение причалить неподалеку от рынка, располагавшегося на самой набережной.

— Дом Саула Кира совсем близко, и можно дойти пешком, — сообщил Ашер. — Он вдовец, а дети его выросли и разъехались. Осталась только сестра-вдова, которая за ним ухаживает. Там вы будете в безопасности.

Путь лежал через многолюдный базар, полный существ мычащих, блеющих, кудахтающих и крякающих. Шум животных и крики людей оглушали, и когда площадь осталась позади, все облегченно вздохнули.

Ашер привел своих товарищей на небольшой двор, окружавший желтый кирпичный домик. Саул Кира вышел навстречу и тепло их приветствовал, сразу поручив Катриону и Сюзан заботам своей сестры Абигайль. Та подозрительно оглядела вверенного ей молодого человека. Графиня стянула свой головной убор, и волосы волной обрушились ей на спину. Старушка удовлетворенно кивнула.

— Что могу для вас сделать? — спросила она.

— Ванну, — одновременно выдохнули госпожа и служанка и рассмеялись от своего единодушия.

Час спустя они появились вымытые, с волос их исчезла морская соль. Абигайль дала каждой чистую одежду, а платок и чалму Катрионы выстирали и посушили. Евреи подобных никогда не носили, и поэтому заменить их в доме было нечем.

Пока Сюзан помогала накрывать на стол, Катриона подсела к мужчинам. Ботвелл обнял жену рукой.

— Есть добрая весть... и есть плохая, — сказал он.

— Какая добрая?

— Нас не преследуют. Им не удалось напасть на след, и они решили сказать своему хозяину, будто ты умерла при выкидыше. Но мы все равно пойдем осторожно: я не хочу натыкаться на османских чиновников, которые задают излишние вопросы. Или на каких-нибудь востроглазых работорговцев.

Она вздохнула:

— Слава Богу, что не преследуют. Но какова же плохая весть, любимый?

— Эстер Кира умерла.

— О Френсис! Но ведь возраст... Ей перевалило уже за сто лет. Что ж, да простит Господь ее душу. По-моему, у нее была великая душа.

— Да, — кивнул Ботвелл.

И хорошо, что причиной этой смерти жена посчитала старость. На самом же деле все случилось по-иному. Произошло внезапное колебание курса турецкой валюты. По городу побежали тревожные слухи, людей умышленно настраивали против банкиров. В тот день Эстер навещала во дворце мать султана, а когда возвращалась домой, натолкнулась на разъяренную толпу. Старую даму вытащили из паланкина и забросали камнями. Назавтра курс валюты чудесным образом вернулся к своему обычному уровню. Однако Эстер Кира была уже мертва.

И султан, и валиде не жалели слов горести, но перед судом за это очевидное убийство не предстал никто.

Кира, однако, вняли этому предупреждению. Ашеру было дано приказание идти со своими подопечными до самой Италии, а там устроиться в Риме у дядюшки. Главное отделение банка продолжало свои обычные операции, но без прежней помпы, ибо высочайшая милость была утеряна.

Не желая обременять жену чувством вины и усугублять ее горе, лорд Ботвелл опустил в своем рассказе эти подробности. Самая трудная часть пути еще только предстояла, и Катрионе нужно было собраться с силами. Времени плакать не было. Френсис все-таки спросил, не хочет ли она связаться с Латифой Султан, но ей показалось лучше подождать до Италии. Тогда она пошлет своей османской кузине вместе с письмом особый подарок — копию подвески Чиры Хафиз.

Задерживаться далее в Лариссе не имело смысла.

На следующий день, попрощавшись с радушными хозяевами, путешественники отправились вверх по реке. Саул выпустил голубя: когда эта птица прилетит в Стамбул, Кира узнают, что Ашер благополучно добрался до Лариссы.

Спустя два дня мнимые торговцы причалили в Триккале, где и продали свой небольшой запас шелков. Купец не скрывал восторга, потому что редко встречал такое отличное качество. Для вида пришлось взять на борт немного товаров для обмена.

Наутро беглецы покинули Триккалу и снова продолжили путь вверх по течению. Берега стали более дикими, русло — каменистее, а барашки на воде предупреждали о порогах. Ботвелл с Ашером по очереди становились к рулю, а Катриона и Сюзан, сменяя друг друга, наблюдали за рекой с носа суденышка. Конолл время от времени взбирался на высокую мачту и, цепляясь за свой шаткий насест, высматривал опасные стремнины.

Ночью плыть они уже не могли. Для большей безопасности бросали морской якорь посреди реки и всегда оставляли стражу. Местность выглядела все менее обжитой, теперь она кишела разбойниками.

Уже в самых своих верховьях Пиньос окончательно сузился, обмелел, а по дну пошли сплошные камни. Теперь путникам два дня предстояло шагать по лесистым горам к реке Аоос, а потом еще немного вдоль нее до того места, где Ботвелл с Коноллом спрятали другую лодку. А та, что благополучно вывезла их из самого сердца Османской империи, была потоплена. Ботвелл по-прежнему не желал ничем себя выдавать.

Графиня удивлялась, как в таком дремучем лесу мужчины находили дорогу. Но Ботвелл объяснил, что, идя в Стамбул, оставлял на деревьях глубокие зарубки. Почти год спустя они все еще были заметны. А лес был похож на шотландский — дубы, вязы, сосны, березы. Путники встречали диких оленей, медведей, волков, кабанов, видели множество знакомых птиц. И все эти божьи твари тоже напоминали им о родине.

Каждый нес с собой небольшой запас пищи. Был мешок мелкой муки, ее смешивали с водой, варили, и выходила каша. Или поджаривали на раскаленном камне и ели хлеб. Из другого мешка доставали инжир, изюм, сушеные персики. Ашер развертывал серебристо-красную фольгу и отламывал кусок от небольшого темного брикета, спрессованного из сушеных листьев. Он называл это «чай». Размешивая кусочки в кипятке, Кира получал напиток янтарного цвета, который шотландцы нашли подкрепляющим.

У всех было оружие. У Сюзан — кинжал. У Катрионы с Ашером — тоже по кинжалу и вдобавок еще по ятагану. Конолл и Ботвелл несли, кроме этого, большие английские луки со стрелами.

В первый день им удалось пройти много миль. Конолл сумел подстрелить двух уток, которых женщины на привале ощипали и зажарили с сушеными фруктами. А Ботвелл, никогда не упускавший случая порыбачить в горном ручье, вытянул три форели. Еда всем понравилась.

Наутро беглецы тщательно залили костер водой и прикопали кострище. К полудню они добрались до истоков Аооса, а еще через час, спускаясь вдоль каменистого берега, неожиданно вышли на заросшую, но еще вполне проходимую дорогу. Кат спросила о ней, когда путники присели пожевать фруктов и напиться воды.

— Сработана рабами Рима, — отвечал Ботвелл. — Иллирия была любимой провинцией императоров. Есть две легенды относительно этого названия. Ведут его от Иллирия — героя, которого римляне считают сыном Циклопа Полифема и морской нимфы Галатеи, греки же — сыном Кадма и Гармонии.

— А почему это была любимая провинция?

— Потому что иллирийцы — прирожденные воины, жестокие и выносливые. Римляне охотно набирали их в свое войско. А в третьем веке после Рождества Христова на империю накатилась первая волна варваров, и Иллирия стала последним оплотом античной культуры. Именно отсюда в ту пору чаще всего происходили выдающиеся императоры, которые выбирались их солдатами прямо на поле сражения. Сейчас, конечно, это лишь окраина Османского царства. Однако здесь меньше турок, чем в других местах, потому что жители приняли мусульманство. Так они избежали завоевания и сохранили свои земли. Султан крепко держит города и долины, но в горах местным племенам оставили их старинные права. Они платят за это большую дань... Дальше придется идти осторожно. Не хочу привлекать ничьего внимания.

Катриона посмотрела ему прямо в глаза.

— Нам грозит опасность?

— Скажем так, лучше не нарываться ни на каких разбойников. Мы в безопасности до тех пор, пока движемся и пока темно. У них еще живы языческие запреты — они никогда не нападают ночью.

На следующий день в два часа пополудни маленький отряд наконец вышел к пещере, в которой была спрятана лодка. Хорошо укрытый тайник сохранился нетронутым. Ничто не мешало беглецам сразу же и начать сплавляться, но Ботвелл решил, что у женщин усталый вид.

— Сделаем здесь привал на ночь, — объявил он. — Отдохнем и тронемся в путь на заре. Ашер, помоги Кат и Сюзан поставить лагерь, а мы с Коноллом пойдем подстрелим что-нибудь на ужин.

Устроиться они решили в самой пещере. Огонь из нее будет незаметен, дождь не намочит, дикий зверь не придет. Сюзан спустилась к реке, нарезала тростника и связала в факелы. Ашер помог ей собрать дров для костра и ушел рыбачить. Тогда Катриона отпустила служанку и стала хлопотать сама. Уроки, усвоенные на пограничье у Ботвелла, теперь пришлись очень кстати. Она разожгла костер, выложила кухонные принадлежности и пошла с флягой по воду.

Прямо внизу был небольшой песчаный пляж, а при нем — неглубокая заводь, ограниченная почти правильным кругом скал. Там плескалась Сюзан; и Катриона пообещала, что вскоре составит ей компанию.

Вернувшись в пещеру, она поместила кувшин на выступ стены, чтобы никто не споткнулся, и огляделась — не забыла ли чего. В старательно вырытой яме весело горел огонь. С двух сторон от него крепко стояли в земле железные палки, а вертел, деревянная ложка и котелок лежали рядом. Мужчины еще не вернулись, а у женщин уже все было готово.

Убедившись, что дело сделано, Катриона собралась уже идти купаться. Но внезапно она услышала пронзительный вопль ужаса. Сюзан! Не раздумывая, графиня стремительно бросилась наружу и вприпрыжку спустилась к реке. Она осознала свою ошибку слишком поздно. Ятаган остался в пещере, и у нее был один кинжал. А на берегу стоял мужчина. Еще двое гонялись в воде за Сюзан. Девушка, отчаянно взмахивая руками, плавала из стороны в сторону, пытаясь от них оторваться. Тот, что стоял на берегу, повернулся лицом к Катрионе. Она выхватила кинжал из-за пояса и пригнулась, готовая к бою.

— А русалка-то с другом, — закричал мужчина по-турецки своим товарищам.

Катриона поняла, что это османские солдаты, а не разбойники-иллирийцы, как ей сначала подумалось. Она набрала для зычности воздуха в легкие:

— Оставьте мою сестру в покое! Мы верные подданные султана, да продлит Аллах его годы! Это так ведут себя императорские воины?! Нападают на беззащитных путников?

Голос ее налился презрением. А солдаты, похоже, были удивлены, и графине даже показалось, что их с Сюзан могут оставить в покое. Но затем один из турок вышел из воды и направился прямо к ней. Катриона только охнула, потому что турок оказался не меньше семи футов ростом. Потребовалось все ее мужество, чтобы не испугаться и не убежать. Когда тот совсем уже приблизился, она завопила:

— Стой! Ближе не подходи, или я выпотрошу тебе брюхо!

Гигант встал и, явно развеселившись, начал внимательно ее разглядывать.

— По-моему, мой юный петушок, тебе вовсе не подобает отдавать приказы. Но во мне пробудилось любопытство. Значит, ты не иллириец, тогда почему же ты здесь?

— Мы из Триккалы, — отвечала Катриона, — идем навестить нашу бабушку. Второй муж у нее — иллириец. Мы поднялись по Пиньосу вместе с одним нашим другом, речным торговцем, и шагаем уже два дня. Бабушкин дом всего в паре часов отсюда. Но прежде чем продолжить путь, сестра захотела искупаться.

Лицо турка расплылось в улыбке, и Катриона похолодела. Ей стало ясно, что предстоит.

— А я Омар, капитан иллирийской гвардии. Мы собирали тут с горцев дань султану. С местными жителями нам следует вести себя пристойно, чтобы не навлечь хлопот на нашего повелителя. Иллирийкам не дозволяют с нами общаться, и мы их тоже не беспокоим. И вот уже сколько недель мы лишены женского общества. А сестра у тебя — такая милашка!

Гигант обернулся к своим людям.

— Достаньте речную нимфу, — резко приказал он. Затем снова посмотрел на Катриону. — И нежного юношу тоже поиметь приятно, — рассмеялся турок, прыгая вперед.

Кинжал вонзился ему в руку. Омар крепко выругался, но продолжал наступать. Еще несколько раз Катриона ранила его до крови, однако гигант все шел и шел на нее, пока она не оказалась прижатой к обрыву. Мужчина и женщина замерли лицом к лицу. Ее сердце бешено колотилось, она тяжело дышала от страха и упадка сил. Раздался вопль Сюзан, и Катриона вздрогнула.

Она бросилась на гиганта, но тот сумел увернуться и лишь удивленно зарычал, когда кинжал вошел ему глубоко в плечо. Другой рукой он нанес Кат яростный удар по голове, повергший ее наземь. Чалма и платок слетели.

В наступившей тишине капитан извлек кинжал из раны и вытер кровь. Затем увидел у своих ног женщину, лежавшую почти без чувств. И заревел от восторга:

— Клянусь Аллахом! Еще одна! Да это дикая кошка, не женщина!

Склонясь, турок поднял Катриону за локоть и, схватив большим и указательным пальцами ее лицо, пристально вгляделся.

— Велика милость Аллаха! — пробормотал он почти про себя. — Ты же красавица! То-то будет мне награда!

Онемевшая женщина стояла, не шевелясь, а капитан ловко раздел ее догола.

— Благослови меня Аллах! Вот оно, мое счастье, — ликовал Омар.

Пальцы турка забегали по ее вжавшемуся животу, и графиня содрогнулась. Шок проходил.

— Спокойно, милая, — тихо проговорил капитан. — Не надо меня бояться. Я огражу тебя от моих людей. Тебе больше цена такой, какая ты есть, а не окровавленной после них. Парни утолят свою похоть на другой.

Катриона с ужасом наблюдала, как служанку вытащили из воды и уложили на спину. Один ее удерживал, другой готовился насиловать. И тогда, несмотря на свое собственное положение, Кат почувствовала бесконечную жалость, жалость к девушке, которая знала от мужчин только насилие да разврат и никакой нежности, никакой любви. «По крайней мере у меня это было», — подумала она.

— Пойдем, — прервал ее размышления голос Омара. Гигант отвел Катриону чуть дальше по берегу, там сел и притянул ее к себе на колени. Женщина приготовилась к борьбе. Но когда турок увидел ее искаженное страхом лицо, то разразился громогласным хохотом.

— Не бойся, красавица, я не буду тебя принуждать, хотя, ведает Аллах, ты соблазнишь и святого. Увы, несколько месяцев назад меня поразила лихорадка, и с тех пор я не мужчина. Однако... — Капитан довольно захихикал: — Ублажить девочку можно и другими способами. Может, попробуем сегодня ночью, когда мои люди уснут?

Катриону передернуло.

— Что ты собираешься делать со мной?

— Как что? Продам тебя, женщина! Аллах! Ты что, никогда не смотрелась в зеркало? Принесешь мне целое состояние. Хотя еще не знаю, где смогу получить за тебя больше — на открытом рынке или от прокурорши Фатимы. Ну да увидим в Аполлонии.

На нее накатилось бессилие. «О Боже! — безмолвно простонала Катриона. — Неужели снова?!» Затем она овладела собой. Пока еще турки не ведают, что путницы идут не одни. И если только удастся задержать их здесь до прихода мужчин, то еще есть надежда. Но едва солдаты наиграются с Сюзан, как Омар захочет уходить. Не дать ему это сделать можно было только одним способом. И хотя Катриону чуть не вырвало от такой мысли, она отчетливо осознала, что другого выхода не оставалось.

А капитан между тем ласкал ее груди. Пусть временно он ничего не мог, но кровь все равно играла. Тем лучше. Вознеся молитву за скорое возвращение мужчин, Катриона постаралась, чтобы ее голос звучал мягко и невинно, отражая муки сомнения.

— Я уже два года как вдова, капитан, а мой муж был очень простой человек. Что... что... — Она запнулась, смущенно опустив глаза, и нервно хихикнула. — Что вы имели в виду, когда сказали, что есть другие способы усладить девушку? — удалось ей закончить на одном дыхании.

Поросячьи глазки Омара сощурились, а потом заблестели в предвкушении блаженства.

— Два года вдова? Такая хорошенькая девушка и никаких поклонников? И не с кем побаловаться?

— Сначала я носила траур, а потом заболели отец и сестра, и мне пришлось ухаживать за ними, пока они не умерли, — скромно отвечала Катриона.

— Но муженек-то твой, наверное, был похотлив? Показывал он тебе в постели разные штучки?

— О нет, капитан! Когда я вышла за него замуж, он был богат, и отец выручил за меня большой калым. Но когда мой бедный супруг покинул нас, от его денег из-за плохих вложений уже ничего не оставалось. И если бы меня не взял обратно мой несчастный отец, я бы очутилась в нищете.

— Но ты уже не девственница, да?

Катриона не отважилась солгать.

— О нет, капитан! Мой муж исправно выполнял свой супружеский долг раз в неделю.

— Раз в неделю?! Один раз в неделю?! — возмущенно взревел гигант. — Аллах, женщина! Если бы ты была моей женой, то я бы вставлял тебе трижды за ночь, а по субботам даже двойную дозу!

Он снова захихикал:

— Итак, тебе пришлось жить с седовласым стариком, который едва ли был на что-то способен, и вот теперь ты, горячая, молодая вдовушка, ничего не знаешь о всех тех удовольствиях, которые мужчина может доставить женщине? Скажи, милашка, не хочешь ли ты, чтобы я показал тебе кое-что прямо сейчас?

Катриона уткнулась ему в плечо. Приняв робость за согласие, капитан исторг из своего чрева громыхающее урчание, словно довольный кот-великан, и провел толстым пальцем вдоль линии ее крепко сжатых бедер. Катриона прикрыла глаза и всеми силами сдерживала крик.

Ниже по течению, в лесу, Ашер Кира услышал отчаянные визги Сюзан. И, не забывая об осторожности, поспешил узнать, в чем дело. В своих юношеских грезах стамбулец, конечно, и прежде воображал, как берут несогласную женщину, однако наяву увиденная сцена изнасилования его ужаснула. Тяжело дыша, он с трудом сдерживал гнев и отвращение. Рассудок одержал верх. Едва ли под силу было бороться одному с тремя. Снова слившись с густым подлеском, Ашер бросился искать Ботвелла.

На это ушло почти полчаса: юноша двигался осмотрительно, но и оставлял на пути вехи, чтобы легче было отыскать обратный путь. Сначала он нашел Конолла и все ему выложил. Шотландец похолодел, но сразу же ухватил Ашера за локоть и потащил к Ботвеллу. Лицо графа потемнело от ярости, и он ринулся бы напролом, если бы товарищи не удержали его.

— Сейчас вы уже не сможете остановить эту дьявольщину, — мрачно произнес Конолл. — Нам главное — получить их обратно живыми.

Френсису казалось, что он лишится рассудка. Его прелестная, отважная Кат снова страдала! Ну почему небеса никак не могли оставить их в покое?! И в этом яростном исступлении граф понял, что должен убить ее мучителя сам.

Уже смеркалось. Путь в лагерь проходил в угрюмом молчании. Взобравшись на небольшой обрыв, с которого был виден пляж, они обнаружили, что турки разожгли костер и уселись вокруг него. Сюзан видно не было, а Катриону, совершенно голую, зажал у себя на коленях огромный мужчина. Ползком приблизившись, путешественники услышали, как солдаты спорят со своим начальником.

— Не понимаю, почему вы нам ее не даете, капитан, — говорил один из солдат. — Раз вы сами уже не можете, то позвольте нам с Мустафой.

— У вас есть вторая девка, Пса.

— Она уже без сознания, капитан, — заканючил солдат. — А что за радость вставлять полутрупу? Позвольте же нам поиметь золотоволосую. Ну чего же вы? Вы же прежде никогда не жадничали!

— Дураки вы оба! Эта женщина — настоящая красавица! И если я не дам вам ее испортить, то мы получим за нее в Аполлонии славный куш. И тогда вы сможете купить всех женщин, каких пожелаете. А эту оставьте в покое!

— Мы видели, что вы ей уже делали, капитан. Позвольте нам по крайней мере то же самое... Ах, капитан! У нее такие огромные сиськи! Так и хочется потрогать. Не мучьте, капитан. Дайте хоть пощупать.

Гигант поднялся, сбросил женщину с колен и заревел:

— Нет! Нет! И еще раз нет! Вы же ее всю изгадите синяками! Я вас знаю. Вы же сущие звери! Втыкайте другой и думайте, сколько денег принесет эта.

Он снова рухнул на землю и рванул Катриону к себе. Все-таки у него на коленях ей грозила меньшая опасность.

А Ботвелл в своем укрытии возблагодарил Бога, что жену пока не изнасиловали. Сюзан, бедная девочка, приняла на себя всю тяжесть. Граф поклялся про себя, что непременно позаботится о ней, как сумеет. Только бы выбраться отсюда живыми, и она никогда не будет ни в чем нуждаться.

Дав знак Коноллу с Ашером, Ботвелл осторожно скользнул обратно в лесную чащу. Там, на небольшой полянке, он повернулся к своим товарищам:

— Думаю, разумно подождать, пока они не уснут. Каждый из нас возьмет на себя по одному, но капитан — мой.

Оба кивнули. Граф обратился к Ашеру:

— Как, сможешь убить человека, парень?

Тот кивнул еще раз:

— Да, милорд, смогу. Я видел, что они делали с Сюзан, и я хочу разделаться хотя бы с одним из тех двоих.

Граф мрачно усмехнулся, и они стали ждать. Безлунная ночь становилась все темнее, и постепенно шум на берегу стих. Слышался уже один только храп. Мужчины осторожно пробрались к лагерю. Костер догорал. Все трое мерзавцев были возле него. Тот, кого оставили караулить, храпел так же громко, как и остальные. Ботвелл изумленно покачал головой. И это турки, считавшиеся лучшими воинами в мире!.. Вместо того чтобы спать друг подле друга, они лежали вразброс — представляя собой легкую добычу для человека и зверя. Вперед!

Тремя бесплотными тенями мужчины скользнули в круг, освещенный слабым сиянием костра. На лицо каждого из солдат легла жесткая рука и приглушила крик. Горло обоим было перерезано от уха до уха. И тот, и другой умерли сразу. Остался капитан.

И тогда тишину ночи разорвал шотландский боевой клич, от которого кровь стыла в жилах. Турок в ужасе вскочил на ноги. Бросив вокруг быстрый взгляд, Омар понял, что его солдаты мертвы. И тогда он медленно повернулся лицом к своим противникам. Их было трое — безбородый юнец, о котором не стоило и беспокоиться, и двое закаленных ветеранов. Капитан трусом не был, однако такой расклад ему не понравился.

— Я капитан Омар из иллирийской гвардии султана, — спокойно сказал он. — А кто вы?

Вперед шагнул самый высокий:

— Мое имя не имеет значения, ты, свинячий выкидыш! Тебе не прожить столько, чтобы повторить его!

Это было невероятным оскорблением, но капитан сделал вид, что озадачен.

— Знаю ли я вас, мой господин? И какую вы имеете ко мне обиду?

Он слегка перенес свой вес с ноги на ногу.

— Не двигаться, капитан! — рявкнул высокий. — У моего юного друга в руке пистолет, который направлен прямо на тебя. Оружие заряжено, и курок взведен, и если вдруг палец у него соскользнет... — Он улыбнулся. — Ты, конечно же, видел, капитан, как умирают от пулевого ранения? Большая дырка прямо в брюхе. Кишки вываливаются наружу, словно связка сосисок. Сделай только один шаг, и ты испытаешь эту изысканную пытку.

Турок сглотнул и перевел взгляд на юношу, к которому раньше отнесся с таким пренебрежением. Ашер ответил испепеляющим взором. В тонкой мальчишеской руке была зажата большая, зловещего вида штука. Казалось, парень хорошо с ней знаком и даже дружен. Капитан Омар встал очень смирно.

А граф повернулся к Коноллу. Тот бережно держал на руках окровавленное тело племянницы.

— Сюзан?

— Жива, милорд, — ответил тот сдавленным голосом. Лицо бывалого воина было мокрым от слез.

— Боже! Что это за люди, которые сделали такое с девушкой?!

— Кат! — позвал Ботвелл.

Она, пошатываясь, вышла из-за спины капитана, все еще голая. Сбросив свой тяжелый плащ, Френсис укутал ее.

— Ашер отведет тебя и Сюзан к лодке. Подожди только, пока они с Коноллом ее спустят.

— А ты?

— У нас с капитаном осталось одно незаконченное дельце.

— Я не уйду, Френсис. Заканчивайте при мне.

Уголки его губ тронула улыбка.

— Ты ведь никогда не бежала от опасности, любовь моя? Что ж, очень славно. Но только лучше, мадам, вам чем-нибудь прикрыться. У нас есть лишняя одежда?

Она кивнула.

— Я сейчас, Френсис. — И полезла вверх по склону.

Неплохо сочетались запасное белье Сюзан, шаровары Ашера и рубашка Конолла. Годны еще были ее собственные кушак и сапоги.

А тем временем могучего капитана Омара заставили тащить лодку к воде. Ее поставили на якорь у самого пляжа. Ашер остался на борту вместе с раненой Сюзан. Девушка уже пришла в сознание и теперь то плакала, то смеялась от радости, что все кончилось. Конолл раздул огонь, и на площадке стало тепло. Бойцы сняли рубашки и сапоги.

— Пойми меня, турок, — сказал Ботвелл, — если я тебя не убью, как собираюсь, то это сделает мой капитан. Однако я считаю, что всякий приговоренный к смерти должен знать, почему он умирает. Так знай же: дама, которую ты собирался продать в рабство, — моя жена. Девушка, над которой твои люди надругались, — племянница капитана.

Омар пропустил эти слова мимо ушей. Он внимательно разглядывал своего противника. Тот ростом был почти с него, но весил намного меньше. Турок почувствовал, как им овладевает уверенность. Он быстро раздавит неверного пса. Что же до его кривоногого товарища, то этот вообще не представлял никакой угрозы. Однако мудро будет разделаться с ним немедля. Стремительно повернувшись, он застал Конолла врасплох и свалил его мощным ударом в голову. Шотландец даже не охнул, лишь испуганно вскрикнула Катриона.

Теперь Омар повернулся к высокому. Мужчины стояли друг против друга. Каждый пытался оценить силу врага. В свете пламени костра засверкали ножи. Охваченная внезапным ужасом, Катриона опустилась на колени возле оглушенного Конолла. Она смотрела и молилась.

Блеснула сталь... Затем еще и еще. Мужчины бились исступленно, забыв про насмешки, и только время от времени тишину нарушали короткие неясные восклицания. На потных телах играли отсветы огня. Казалось, усталость над противниками не властна. Но вдруг Омар резко отбросил свой нож и прыгнул на Ботвелла, обхватив того медвежьей хваткой. Граф попался, словно кролик в капкан. Нож выпал у него из руки. Огромный турок будто выжимал из врага саму жизнь.

— Кат! — только и выдохнул Ботвелл. — В лодку, девочка! Скорее!

Он почувствовал, как хрустнуло ребро, и стал бороться еще яростнее. Сражался он не только с исполином-противником, но и с накатывающимся беспамятством. Если эта чернота поглотит его, то он — мертв. А врожденная гордость его мучилась позором положения. Чтобы он, Френсис Стюарт Хепберн, погиб от руки какого-то глупого турка?! Сквозь шум в ушах до графа донесся голос жены и придал ему мужества. Если он погибнет, то Катриона обречена на адские страдания.

А графиня, прокравшись по песку, подняла сначала нож Омара, а затем и мужнин. Встав на трясущихся ногах, она начала раз за разом вонзать их оба в ту гору мяса, какой был турок, но, похоже, не находила уязвимую точку. Однако, подобно назойливому насекомому, эти уколы начали раздражать гиганта. Оставив свою полуобморочную жертву, он набросился на Катриону.

— Женщина! — прорычал он, и шотландка отскочила.

Турок разоружил ее и несколько раз легонько ударил. В страхе за Ботвелла, чувствуя себя как никогда беспомощной, она упала на колени. И внезапно раздался дикий рев. Повернувшись волчком, капитан Омар внезапно ухватился обеими руками за брюхо. На лице турка застыло искреннее недоумение. Затем он медленно поднял руки к глазам, посмотрел на них и прижал обратно к огромной дыре на своем животе, откуда уже лезли наружу длинные розовые кишки. Но было поздно: из громадного чрева хлынул поток крови.

Исполнившись отвращением, Катриона поползла прочь, но гигант все наступал и наступал на нее, шел и шел, а губы его шевелились, бормоча слова, которых она не слышала. Теперь уже внутренности было не удержать, они прорывались у него между пальцами, вместе с красными струями. Над обрывом стоял Ашер Кира с дымящимся пистолетом в руке. Ботвелл и Конолл лежали без движения.

С ужасом Катриона оглядела эту бойню, в которой сама сыграла главную роль. Капитан Омар рухнул мертвым прямо к ее ногам. Взор несчастной женщины замутился, и, не помня себя, она завизжала:

— Боже!.. Никогда больше! Никогда!

Часть IX
ИСЦЕЛЕНИЕ

59

В прохладе гор, зеленеющих над Римом, там, откуда видно даже море, до которого так много миль, когда-то была построена великолепная вилла для любовницы папы Александра VI Борджиа. Называлась она просто — «Моя вилла», и окружал ее чудесный парк с оленями, птицами и прудами.

Теперь этой прекрасной усадьбой владел иностранец — лорд Стуарти. Но кроме имени, окрестные жители о нем почти ничего не знали. Ворота виллы всегда были закрыты, если только кто-либо не въезжал или не выезжал. Новый хозяин имел большой отряд верной стражи, но в дом входил только ее капитан. Прислуживали исключительно женщины, нанятые в Риме, а торговцев не пускали дальше задней двери.

Ходил слух, будто у лорда Стуарти есть жена, но ее никогда не видели. Было также известно, что иногда он наведывается ко вдовой трактирщице Джованне Руссо.

Но когда деревенские кумушки пытались что-либо из нее выудить, их ждало разочарование. На все расспросы ответ был один:

— Это славный человек, которому выпало великое страдание. И больше не спрашивайте, потому что я все равно ничего не скажу.

Это было странно, так как сердобольная Джованна имела вполне заслуженную славу сплетницы. В конце концов местные жители приняли таинственного лорда как такового и больше не обращали особого внимания на «Мою виллу».

А Френсис Стюарт Хепберн знал, что теперь уже никогда не вернется в Неаполь. На вилле «Золотая рыба» их с Кат поджидало слишком много ужасных призраков. Когда они в конце концов добрались до Италии, то поселились на новой вилле, купленной к их приезду. Граф возблагодарил Бога, что у него был дом, куда можно было привести жену, и этот дом стоял на отшибе.

После ужасного испытания она много дней находилась при смерти. Ботвелл не сомневался, что только его собственная сила воли, отчаянное желание удержать Катриону на этом свете и сохранили ей жизнь.

Весь последний отрезок пути она то приходила в сознание, то вновь теряла его, испытывая упорную вялую лихорадку. От еды отказывалась, яростно отпихивая миски, и это было единственное проявление чувств. Френсису с огромными усилиями удавалось только вливать ей в рот немного жидкости. И все-таки он не дал жене умереть.

Странным образом, но именно несчастье госпожи отвлекло Сюзан от собственной печали. Служанка страшно пострадала, но едва ли до такой степени, как Катриона. Молодая женщина винила теперь в этом себя.

— Ведь все случилось из-за моей несдержанности, — сокрушалась она, готовая вот-вот заплакать. — Но я помогу ей стать прежней, милорд. Клянусь вам!

И благодарный граф не мог не радоваться ее присутствию.

Когда они прибыли на виллу, там уже ждала юная Мэй. Сестры заключили друг друга в объятия. Признательная обеим женщинам за свое спасение в Неаполе, девушка стала усердно заботиться о Катрионе.

С той безумной ночи графиня Ботвелл не проронила ни слова, а ее дивные глаза лишились всякого выражения. Иногда граф чувствовал, что жена пристально его рассматривает, но, оборачиваясь, встречал все тот же пустой взгляд. Однако он любил ее, как никогда прежде, и пытался своим поведением показать, будто ничего не случилось.

Он не спал в ее постели, а спал в соседней комнате. Ночами дверь между ними оставалась открытой: вдруг Кат позовет. Несмотря на бессмысленное выражение лица и глубокое молчание, больная, казалось, понимала все, что ей говорят. Они изъяснялись взглядами и знаками.

Кроме супруга, Конолла и Ашера, мужчины к леди Ботвелл не допускались. Близость незнакомца могла вызвать у нее плач и стенания.

Шотландцы появились на вилле в середине лета, а теперь наступила чудесная римская осень. Кат понемногу начала выходить из дома и совершала недолгие прогулки по парку. С ней всегда была Сюзан или Мэй, а садовникам велели скрываться при ее появлении.

И вот уже округа снова полнилась слухами. Все только и говорили, что о загадочной мадонне Стуарти. Хотя садовники и убирались прочь с глаз, никто ведь не запрещал подсматривать из-за кустов. В таверне Джованны Руссо эти парни взахлеб хвалили ее бледно-золотистые волосы (которые так и не обрели прежний темный оттенок), превозносили изумрудные глаза, славили стройную фигуру и прелестное лицо без единой морщины.

А Джованна подливала им в кружки, шлепала проказников по рукам и слушала. Ее всегда занимала жена любовника, о которой тот с ней никогда не говорил. Трактирщица дала бы руку на отсечение, что скорбь, угнетающая лорда, имела причиной какую-то беду, случившуюся с его супругой. К ней, Джованне, он выбирался только для разрядки, но ей и того хватало. Стуарти был в постели лучшим мужчиной, какого она знала, — сильным, нежным и уважительным.

Как-то раз Джованна сумела пробраться в парк виллы. Ей надо было увидеть соперницу. Но когда это произошло, ее стали раздирать противоречивые чувства.

Если прекрасная дама выздоровеет, то с любовником пиши пропало. Однако трактирщица по-своему любила Ботвелла и желала ему счастья. Поэтому славная женщина начала ставить в деревенской церкви свечки за мадонну Стуарти.

Одним чудным осенним днем Ботвелл явился в спальню к супруге и знаком отослал обеих служанок. Сунув тонкую руку графини себе под локоть, он вышел вместе с ней в залитый солнцем парк.

— Сюзан говорит, что ты ешь уже лучше. И это видно. От пищи и от свежего воздуха твои щеки снова порозовели.

Катриона ничего не ответила, но губы ее тронула слабейшая тень улыбки. Они пошли молча, а затем внезапно Френсис схватил жену за плечи и посмотрел ей в глаза.

— Кат! Во имя Бога, дорогая моя! Скажи же мне что-нибудь!

Он вдруг увидел, как из ее глаз понемногу уходит пустота.

— Я люблю тебя, голубка моя! И сейчас люблю еще больше, чем прежде! Не отгораживайся от меня, Кат! Не уходи от меня снова!

— Как можешь ты любить меня, Френсис? — Ее голос был тих, так тих, что граф засомневался, не послышалось ли. Нет, губы шевелились.

— Почему же мне не любить тебя, милая?

Ее лицо источало брезгливость.

— Боже мой, Ботвелл! Разве у тебя совсем не осталось гордости? Я испачкана и никогда больше не очищусь. Я сама уже грязь!

— Ты нечиста, только если сама так думаешь, Кат. Мужчины жестоко попользовались твоим телом, не отрицаю. — Его пальцы впились ей в мягкую плоть предплечий, а глаза буравили ее. — Но ни один из этих мерзавцев никогда не обладал тобой по-настоящему. Никогда! Твоя душа всегда оставалась при тебе!

— Будь доволен своей пухлячкой-кабатчицей, Френсис, — устало сказала она. — Если до меня еще дотронется какой-нибудь мужчина, я умру.

Ботвелл не удивился даже тому, что жена знала о Джованне.

— Очень хорошо, любимая, я не буду пытаться ласкать тебя. Но однажды придет ночь, и ты переменишь свое решение. Я подожду, Кат. А пока, молю тебя, только не замолкай снова, не переставай разговаривать со мной. Если Бог пожелает, чтобы до конца моих дней у меня не осталось ничего, кроме твоего голоса, то и тогда я буду счастлив.

И в тот же миг на губах у нее мелькнула прежняя улыбка.

— Лицемер! — бросила она, и ее глаза заблестели.

С того самого дня больная пошла на поправку. Ничего ей не говоря, Ботвелл написал ее сыну, графу Гленкерку, и попросил прислать детей к Рождеству. Тем временем лорд ухаживал за Катрионой, надеясь снова обрести ее любовь и доверие. Теперь каждое утро они вместе слушали службу в своей маленькой часовенке, а потом вместе завтракали у графини в спальне. Позже Френсис оставлял жену на попечение служанок, иногда появляясь снова к обеду. Но вечерами он был с ней всегда.

Катриона и не подозревала, что каждый такой вечер муж тщательно продумывал заранее. С изысканным вкусом он выбирал блюда, вина, цветы, которые украсят сегодня их стол. Ему доставляло наслаждение дарить супруге небольшие по-

554

дарки вроде маленькой шкатулки, инкрустированной перламутром, бледно-зеленого шелкового пеньюара или клетки с пестрыми певчими птицами. Эти знаки внимания и любви графиня принимала умиротворенно: шкатулку — улыбаясь, пеньюар — зардевшись, а птичек — с негромким возгласом радости.

Все чаще Ботвелл ловил на себе ее взгляд, бросаемый скрытно из-под густых ресниц. А ночами Катриона беспокойно расхаживала по своей спальне, и он всегда слышал это, потому что ограничил свои визиты к Джованне и теперь ночевал только дома. Однако к жене Френсис не приближался, ибо понимал, что раны ее оставались еще слишком глубоки. Но он знал, что такая чувственная женщина в конце концов непременно выздоровеет и опять захочет любви. Надо было только подождать.

Двадцать первого декабря, на Святого Фому, по щебенке подъездной аллеи прогромыхал тяжелый экипаж. Когда он остановился прямо перед дверями дома, Ботвелл поспешил к жене и пригласил ее встречать гостей.

— Как ты мог! — возмутилась она. — Я не хочу никого видеть! Никого!

Но граф только усмехнулся:

— Не сердись, милая. Это приятный сюрприз.

И тогда сердце ее бешено забилось от радостного предчувствия. Она затрепетала.

— О Френсис? Это наши дети?

Рука мужа крепче сжала ей плечо.

— Да, — улыбнулся он. — Это наши дети.

Карета остановилась, и лакей соскочил открыть дверь. А когда в проеме появился мальчик, от неожиданности вздрогнул уже граф: ребенок был вылитый он сам.

— Иан!

Катриона вырвалась из-под ласковой руки супруга и схватила сына в объятия.

— Мама!

Он уткнул свое маленькое, внезапно ставшее беззащитным личико в ее мягкое плечо. Но почти тут же вырвался из объятий. Человечек вскинул голову, и его сапфирово-синие глаза устремили на Ботвелла твердый взор.

— Мой единородный брат, граф Гленкерк, объяснил положение, сэр. Он предоставил на выбор носить либо имя Лесли, либо ваше. Я думаю, отец, — и тут Ботвелл снова задрожал, — думаю, мы предпочли бы признать нашим главой вас, поскольку вы прежде были так любезны признать нас.

Френсис проглотил комок в горле, а затем ответил мальчику улыбкой. Этот большой мужчина оказался уже не в силах сдерживать себя. С радостным возгласом он поднял сынишку и прижал к груди. Улыбка, которой тот наградил его, едва ли не разнесла графское сердце на кусочки. И особенно забавно было, что мальчик заговорщицки прошептал:

— Пожалуйста, папа, отпустите меня, а то сестрам покажется, будто ими пренебрегают. Они ведь привыкли, что мужчины их балуют.

Ботвелл подчинился, а потом взглянул на жену. Катриона стояла на коленях, обнимая дочурок. Со старшей они походили друг на друга как две капли воды — те же темно-золотистые волосы и те же изумрудные глаза. Но младшая являла смесь обоих родителей: глаза материнские, а волосы его, темно-рыжие. Катриона шепотом велела девчушкам поздороваться с отцом. Писклявый лепет «папа», «папа» до того переполнил его сердце чувствами, что оно едва не лопнуло.

Следующие несколько дней графиня стремительно возвращалась к жизни, и Ботвелл знал, что именно юные гости прогнали мучивших жену злых духов. Теперь воздух на вилле полнился звонкими детскими голосами, и Френсис наслаждался отцовством — к своему собственному изумлению.

Это Рождество они впервые провели всей семьей. Сначала была месса благодарения в их часовне, а после нее Катриона с детьми отправились в деревню и раздали беднякам подарки и милостыню. Пораженные крестьяне благоговели перед этой стройной дамой, золотоволосой и зеленоглазой, которая так хорошо изъяснялась на их языке. Всех, конечно, очаровали и девочки, которым очень понравилось итальянское произношение их имен. Теперь они стали зваться донна Джанетта и донна Франческа.

Когда корзинки опустели, графиня с дочерьми заглянули в таверну, где им было предложено отведать местных напитков.

И пока Джанетта с Франческой объедались рождественскими сладостями и ласкали крошечных уморительных котят, принесенных здешней кошкой, леди Ботвелл холодно приняла бокал вина от Джованны Руссо.

Какой-то миг трактирщица и графиня изучали друг друга. Потом Джованна заговорила — так тихо, что услышала только Катриона.

— Если бы я имела счастье быть замужем за Франсиско Стуарти, то не стала бы дальше упорствовать и пустила бы его к себе в постель, синьора графиня.

— Что ты знаешь об этом, трактирщица? — прошипела та в ответ.

— Знаю, что всякий раз, когда он спит со мной, то представляет, будто это с вами.

Ошеломленная Катриона была готова расплакаться.

— Не могу, — прошептала она. — Ты ведь знаешь, что со мной сделали.

Джованна встрепенулась.

— Dio mio! — охнула она. — Неужели же богатой и знатной даме тоже нет никакой защиты?!

Трактирщица порывисто схватила Катриону за руки, потом заглянула в лицо.

— Со мной тоже такое случалось, синьора... В последнюю распроклятую войну притащился сюда отряд французов... — Она сплюнула. — Таверну взяли под свой штаб. Пробыли тут с неделю. А мне вставать со спины давали за день едва ли на пару часов... чтобы готовить им еду, конечно. Убили моего мужа, потому что он возмутился. Когда эти подонки наконец ушли, я уже думала, что, если ко мне снова прикоснется мужчина, я просто не перенесу.

— Однако ты — любовница моего мужа.

— Появился такой, какой требовался. Он был simpatico, и я захотела его, — улыбнулась Джованна. — А разве вам милорд Франсиско не simpatico? И в душе... разве вы не хотите его?

Ответ Джованне дали сказочные изумрудные глаза, на которых блестели слезы.

— Я буду молиться за вас, госпожа, — тихо сказала трактирщица и, повернувшись, пошла прочь. Она не сомневалась, что потеряла своего милого Франсиско навсегда.

60

У Катрионы, конечно, и в мыслях не было, будто она первой на свете пострадала от мужчин. Но в сердце ее не находилось места для чужой беды — только для собственного горя. И лишь теперь графиня осознала, сколько других приняли такое же страдание, и поняла, что винила Ботвелла во многих своих несчастьях.

В глубине души она чувствовала, что если бы Френсис не связался с Анджелой ди Ликоза, то и похищения не было бы. Но оно совершилось, и никакими силами теперь этого не изменить. А если еще позволить проклятому прошлому уничтожить их любовь, то тогда демон Анджелы и вовсе одержит победу.

Несколько дней Катриона боролась сама с собой. Уже давно она не находила себе места, ночь за ночью беспрерывно мерила шагами комнату. Она любила Френсиса и одновременно боялась прикосновения мужских рук. Пугало также, что чувственность ее угасла. Графиня понимала, что первый ход сделать должна она сама. Внимательный к ее переживаниям, Ботвелл не начнет. А если она будет держать себя в руках, то в любой миг сумеет отступить, не обидев его.

Тридцать первого декабря лорд Ботвелл уехал в Рим по делам. Он обещал вернуться к ночи, чтобы отпраздновать Новый год вместе с женой. Несколько часов после его отъезда Катриона провела в мучительных раздумьях и, наконец, решилась. Она не скрывала от себя своих страхов, не скрывала и то, что опять хотела его.

Пока горничные, разнося запах лаванды, устилали ее широкую постель свежим бельем, а кухарка готовила для праздничного стола жирного каплуна, графиня находилась со своими детьми. Они хорошо помнили мать, и это даже смущало Катриону, пока однажды малыши не принялись обсуждать между собой такие события ее жизни, помнить которые никак не могли.

— Откуда вы все это знаете? — спросила она.

— А что? Нам рассказывала Бесс, — удивились дети, а графиня в мыслях отослала своей старшей дочери благодарственную молитву. Вот кто не дал ее совсем забыть.

Теперь она приглядела за их мытьем, а усадив ужинать, преподнесла коробку пинокатти, красноватых сахарных ромбиков. Нянечка, Люси Керр, улыбалась, а Катриона рассказывала юным шотландцам чудесные истории об их далекой родине.

Наконец малыши при ней помолились, она уложила их в кроватки и нежно каждого поцеловала. Каким громадным наслаждением было смотреть на эти счастливые личики! Пожелав детям спокойной ночи, Кат поспешила в свои покои, где служанки готовили для нее ванну.

— Что вы наденете, миледи? — спросила Мэй.

— Выложите зеленый пеньюар, что подарил милорд.

Брови у Сюзан слегка приподнялись. Она протянула руку за душистыми маслами для ванны.

— Дикие цветы, — раздался голос хозяйки, — те, которые мы привезли из Шотландии, в серебряном флаконе.

«Итак, — счастливо подумала горничная, — она снова попытается расправить крылья». Сюзан улыбнулась самой себе и пожелала, чтобы возвращение ее госпожи в мир чувственных наслаждений оказалось таким же приятным и радостным, как и у нее самой. Молодая женщина впервые в жизни была влюблена. Избранником ее стал один из конолловских воинов, Роберт Фиц-Гордон, который сумел показать Сюзан, что любовь может быть приятной. Свадьба состоится вскоре после Нового года.

По самые плечи графиня погрузилась в фарфоровый чан. Ее посветлевшие волосы были тщательно забраны кверху и закреплены черепаховыми заколками. От благоухающей горячей воды, от близости огня Катриона стала совсем сонной и расслабленной. Служанки суетились, убирая ее одежду.

Но вот в дверях послышались шаги, и дремотные глаза мигом распахнулись. Он постоял немного, озирая ее страстным взглядом, а затем спохватился:

— Прошу прощения, моя дорогая. Я не знал, что ты принимаешь ванну.

— Френсис!..

Проклятие! Ей вовсе не хотелось допускать в свой голос столько отчаяния. Муж снова повернулся к ней.

— Я бы желала, чтобы вы остались и рассказали, как прошел ваш день, милорд.

Сердце ее больно сжалось, потому что в его глазах вспыхнула надежда.

— Сюзан, Мэй... Можете оставить нас. Позаботьтесь, чтобы у кухарки был готов ужин, а мы ей позвоним. Весь вечер вы можете располагать собой.

Служанки поблагодарили реверансом и быстро вышли из комнаты.

— Подойди и сядь рядом со мной, Френсис. Как там Ашер Кира?

Ботвелл опустился в кресло и стал рассказывать о делах, по которым ездил в город. Он пытался не отводить глаз от ее лица, но взор все равно убегал к мягким грудям, лишь слегка скрытым водой. Френсис усилием воли вскинул взгляд. А жена опустила ресницы. Однако он успел уловить в ее глазах смешинку.

— Кат! — Это вышло неожиданно резко, и она снова подняла глаза. — Я не святой. Я просто не могу сидеть здесь и не притрагиваться к тебе. Ты всегда на меня так действовала, ты же знаешь.

Он поднялся, а она закричала:

— Нет, Френсис! Не уходи от меня!

Их глаза снова встретились, он явно был озадачен. Тогда Катриона тихо сказала:

— Ты помнишь, как я пришла к тебе в первый раз, Френсис?

— Да, — отвечал он, не отрывая от нее взгляда. — Ты два дня скакала верхом, а перед тем тебя страшно унизили.

— Меня еще раз унизили, милорд. — Ее голос надломился. — Но я снова буду вашей женой.

В комнате наступило молчание, а потом Ботвелл негромко спросил:

— Ты доверяешь мне, Кат?

Она кивнула.

— Тогда поднимись, любовь моя.

Графиня встала, и вода полилась с нее ручьями обратно в ванну. Френсис взял с серебряного блюдца жесткий кусок мыла и, потерев себе ладони, принялся ее намыливать. Кат затрепетала, но не отпрянула, а руки его стали двигаться вниз по ее плечам, спине и ягодицам. Потом он губкой омыл ее, и меж нетвердыми ногами снова потекли ручейки.

— Повернись.

Кат встала к нему лицом, опустив глаза. Теперь эти большие крепкие ладони бережно намыливали ей груди, и Френсис слегка улыбнулся, потому что соски стали твердыми. Он перешел к животу, сразу задрожавшему, а потом ниже. Мыло скользило по коже, и вдруг один из пальцев коснулся той самой крошечной родинки. Графиня слабо вскрикнула и почти затряслась. Она ухватила мужа за запястья и нескоро отпустила, а потом ее руки тихо упали. Тот без слов продолжил свое дело, добравшись до внутренних сторон ее бедер. И снова губка смывала клочья мыльной пены.

Взяв жену на руки, Френсис нежно перенес ее к огню и усадил на коврик. На деревянной сетке грелись широкие турецкие полотенца, и одним из них он тщательно обсушил ей мокрую кожу. Подняв к себе любимое лицо, он ласково улыбнулся:

— Итак, дорогая, оказалось не очень уж и страшно?

— Нет, — ответила она едва слышно. Тогда Френсис обвил жену своими большими руками, и ее голова легла к нему на широкую грудь. Так они помолчали. А потом он отпустил ее и сказал:

— Я воняю лошадьми, милая моя. Теперь твоя очередь меня помыть.

Катриона и слова не успела сказать, а Ботвелл уже стянул с себя одежду и взбирался в чан. Этот огромный мужчина даже попробовал развалиться в ее белой фарфоровой ванночке, разрисованной изящными цветочками и украшенной золотой каемочкой. Однако колени его все равно торчали из воды. Катриона хихикнула.

— Что, — печально вопрошал он, — неужели это так смешно, мадам?

А хихиканье уже переросло в заливистый серебряный смех. Катриона развеселилась до слез. Не понимая причины, но испытывая огромное облегчение оттого, что слышал ее хохот впервые за много-много месяцев, Ботвелл тоже рассмеялся. Наконец, с трудом овладев собой, она выдохнула:

— Френсис! В моей фарфоровой ванне с цветочками ты выглядишь так нелепо!

Он притворился рассерженным, а потом усмехнулся:

— Возможно, голубка. Мне бы тот дубовый чан, который был у нас в Эрмитаже.

Они замолчали, вспоминая блаженные дни в его огромном доме на пограничье. Потом Ботвелл встал в ванне и тихо попросил:

— Помой меня, как раньше, Кат.

Она робко взяла мыло, потеряла его было в воде, а затем трясущимися руками дотронулась до спины мужа. Ее пальцы задвигались по коже легко, она чувствовала, как возвращаются давние ощущения, и становилась смелее, а пальцы ее двигались увереннее. Когда по спине его потекли струйки теплой воды, Ботвелл повернулся к жене лицом и с легкой ухмылкой наблюдал, как она старательно натирает ему грудь, потом плоский живот и, наконец, отважно двинулась мылить половые органы.

Увидев ответ на ее прикосновение, Катриона тихонько охнула, ее щеки залились румянцем, а глаза взметнулись вверх. Френсис затаил дыхание. Собравшись с духом, она начала смывать мыльную пену. Ботвелл шагнул из ванны, взял ее полотенце и, обсушившись, спросил:

— У тебя хватит смелости?

Графиня кивнула и направилась к кровати. Скользнув под простыню, она приподняла ее для мужа.

Френсис забрался туда и привлек жену в свои объятия. Она была жесткой и неподатливой, словно дубовая палка. Через несколько минут, успокоенная его нежностью, Катриона начала расслабляться.

— Я так боюсь, Френсис, — прошептала она.

— Знаю, дорогая! Но ты должна помнить, что я никогда не причинял тебе боль. Не причиню и теперь.

— Но ты хочешь меня.

— Да, голубка.

— Но не желаешь принуждать. Почему?

— Потому что я люблю тебя, Кат. Потому что я знаю, что с тобой обошлись очень жестоко. Ты имеешь полное право испытывать страх, но, клянусь, любовь моя, я не причиню тебе боли.

Ее тело внезапно затряслось. Подняв лицо жены, Ботвелл обнаружил, что оно мокро от слез.

— Кат!..

Эти слова были мольбой, полной страдания. Затем она почувствовала его поцелуй, и раньше чем успела опомниться, тело Френсиса слилось с ее телом.

Едва только Катриона ощутила в себе тепло его любви, как прежние страхи начали исчезать. Он целовал ее, и страшные воспоминания улетучивались. Теперь их было только двое. Все остальное стало не важным. Френсис ласково пробежал своим языком по ее губам и понял, что они раскрыты. Его теплое дыхание ворвалось к ней в рот. Как будто в самый первый раз, Ботвелл с нежностью обследовал ее, и его телу передалась дрожь любимой.

— Погляди на меня, Кат! Открой глаза, моя дорогая. Я — Френсис и никто другой, и я люблю тебя!

Темно-золотистые ресницы поднялись со щек. Глаза припали к глазам и уже не могли оторваться. А руки его ласкали спину Кат, длинные тонкие пальцы гладили тело, и оно становилось мягким и податливым. Притянув ее на изгиб своей руки, Френсис накрыл одну грудь ладонью. Он по-прежнему глядел ей в глаза.

Катриона вздрогнула. Сердце бешено колотилось, будто вот-вот выскочит, а в чресла ей вливался огонь. Волна желания жестоко потрясла графиню. И это после всего, что произошло?! С яростным торжеством она осознала, что хочет его!

Френсис нежно толкнул ее на спину, а сам встал сверху на четвереньках. Губы его безудержно забегали по ее коже, смыкаясь на розовых сосках, опускаясь ниже, раздразнивая тело легчайшими поцелуями.

А она выгибалась навстречу этому рту, ухватив голову Френсиса дрожащими от возбуждения руками. Он застонал каким-то странным рыдающим звуком, а она неистово корчилась под его руками и губами. И сквозь биение собственного желания Ботвелл услышал голос своей любимой, молящей взять ее прямо сейчас.

Он встал на колени и раздвинул ей ноги. А потом прохрипел:

— Смотри на меня, Кат! Хочу, чтобы ты смотрела на меня, когда я в тебя вхожу! Хочу, чтобы ты знала, что это я, а не какой-то кошмар из прошлого!

По ней пронесся трепет, но она подняла глаза, встретила его взгляд и прошептала:

— Возьми меня, Ботвелл! Возьми меня прямо сейчас!

И уже безо всяких сомнений он вонзился в нее, глубоко погрузившись взглядом в эти дивные очи.

Она неслась сквозь пространство, снова смелая и свободная, ликуя и радуясь их любви. А затем внезапно ощутила, будто падает и падает сквозь бесконечное время. И откуда-то из-за этого сумрака донесся голос Френсиса, зовущий ее по имени. Что-то слабо возразив, Катриона открыла глаза и увидела, что муж смотрит на нее, счастливо улыбаясь.

— О дорогая, — нежно произнес он, — далеко же тебя унесло.

Она покраснела, а Френсис рассмеялся:

— Сама твоя натура взбунтовалась бы, если ты и дальше боялась бы любви.

Он тронул ее лицо пальцем. Катриона поймала эту большую руку и прижалась к ней лицом. Голос ее был тих и спокоен:

— Я люблю тебя, Френсис, но если и ты любишь меня, то... умоляю вас, милорд, никогда больше меня не оставляйте одну, ибо всякий раз тогда со мной случается какое-нибудь несчастье. Если меня не похищают и не преследует шотландский король, то затаскивает в постель Генрих Четвертый. Да, Ботвелл, не зря у тебя такой удивленный вид. Твой очаровательный друг король приказал мне приехать в Фонтенбло, запугал тем, что возвратит к Джеми, а затем и соблазнил.

Катриона встала и подняла прозрачный шелковый пеньюар, подаренный Ботвеллом. Потом натянула его через голову. Платье легло, словно вторая кожа, а вырез опустился почти до самого пупка. Затем она стремительно повернулась к Ботвеллу.

— Боже! — только и охнул тот, и его сапфировые глаза восхищенно прошлись по ней с головы до ног. А она меж тем продолжала:

— Почему-то всегда, когда мне кажется, будто я в полной безопасности, что-то непременно случается. Отныне я должна жить спокойно, Френсис. Должна. — Катриона помолчала. — Я очень богатая женщина, Ботвелл, а ты очень гордый мужчина. Мы не можем жить без денег, но мы можем жить без твоей чрезмерной гордости. Именно она принесла нам несколько лет разлуки и едва не унесла жизни наши и наших детей. Больше такого не будет. Если ты не в силах смириться с моим богатством, то тогда мне лучше вернуться в Шотландию и попросить у Джеми прощения. Как любовница короля я по крайней мере обрету защиту. И послушай, Френсис Стюарт Хепберн! Впредь я не потерплю, чтобы меня снова преследовали, соблазняли и насиловали. Не потерплю!

Он тоже поднялся, нашел полотенце и обернул его вокруг бедер.

Отблески огня играли на его широкой спине. Сердце у Катрионы неистово колотилось, и она уже не понимала, что же побудило ее на такой ультиматум. Что же она наделала! И как он ответит?..

Френсис молча стоял возле окна. Подойдя сзади, Катриона обвила его руками, прижимаясь сквозь шелк всем своим горячим телом и положив голову на твердое мужское плечо.

— Разве я этого не стою, Френсис? — сиплым от волнения голосом прошептала она. — Пусть то, что принадлежало мне одной, теперь принадлежит нам обоим. Неужели тебе так трудно это принять? Разве ты не согласишься разделить со мной мое состояние? И разве мы не устали? Я — да, Френсис. Я очень устала от нелюбимых мужчин. Я люблю тебя и хочу быть с тобой.

Под своими ладонями она ощущала ровное биение его сердца. Наконец Френсис негромко заговорил:

— Мы уже не сможем вернуться домой, Кат.

— Знаю, милый, и буду всегда скучать по Шотландии, но для меня дом там, где ты. Я поняла это за годы нашей разлуки.

— Полагаю, мы сумеем привыкнуть к тихой жизни.

— Да, Френсис, сумеем.

Ботвелл повернулся, и они оказались лицом к лицу. Его руки легко легли ей на плечи.

— Ты и в самом деле рассталась бы со мной, Кат? — спросил он.

Откинув голову, графиня устремила на мужа любящий взгляд. От слез ее дивные зеленые глаза блестели чистым алмазным блеском.

— Что ты, Ботвелл! Проклятие! Я никогда бы не смогла от тебя уехать. Я люблю тебя! Всегда любила! И пусть наконец

Господь смилостивится над нами, ибо всегда я буду любить тебя!

Лорд издал глубокий вздох облегчения, и Катриона счастливо засмеялась.

— А что, Френсис, ты сомневался?

— Моя дорогая жена, с самой нашей первой встречи я никогда не мог сказать с уверенностью, как вы поступите или что случится дальше. И это всегда составляло одну из главных прелестей графини Ботвелл.

И внезапно отовсюду вокруг — из деревни, из долины, из-за гор, где были несчетные церкви Рима, — донесся буйный колокольный звон. Колокола провожали год 1599-й, последний в шестнадцатом столетии. Они радостно приветствовали новый год — 1600-й, а с ним и следующий век.

Френсис Стюарт Хепберн нагнулся, чтобы поцеловать жену, и в голове у него мелькнула восторженная мысль. Вместе с Кат они победили! Пережили все страдания и жестокости, какие мир, не скупясь, обрушивал на них. А теперь чего только они не сделают в этом чудесном новом веке?!

— С Новым годом, дорогая, — сказал Френсис и снова нашел ее рот, увлекая любимую в тот особый мир, который был ниспослан только им двоим и куда больше не войдет никакой другой мужчина.

Эпилог

1601 год

Весной 1601 года Джеймс Лесли, пятый граф Гленкерк, был извещен сержантом своей стражи, что явился какой-то высокий джентльмен в маске и просит позволения войти. Граф разрешил со словами: «У меня нет врагов», — что вполне соответствовало истине. Нынешний Гленкерк держался поодаль от двора, выказывал верность королю только при необходимости, а большую часть времени уделял своим обширным владениям и нескольким процветающим доходным делам. Не знали отказа и двое его маленьких сынишек, а беременная жена готовилась произвести на свет третьего.

Джеймс предложил таинственному гостю виски, а потом невозмутимо поинтересовался:

— Не соизволите ли снять маску, сэр?

— Конечно, — раздался вдруг знакомый голос, и пятый граф Гленкерк очутился лицом к лицу с четвертым. — Что ж, Джеми, можешь сказать, что ты рад меня видеть. — Патрик Лесли криво усмехнулся.

— Отец! — Лицо молодого человека побелело, а глаза широко раскрылись. — Боже мой, отец! Но ты же погиб! Нам сообщили, что твой корабль не пришел в порт назначения.

— Через минуту все объясню, Джеми. Но расскажи мне прежде о твоей матери и о моей тоже.

«О мой Бог!» — вздохнул Джеймс. И там, и там плохие вести.

— Бабушка Мэг скончалась прошлой зимой. Она умерла легко, не болела. Просто однажды вечером отошла ко сну и больше уже не раскрыла глаз.

— Дьявол! — тихо выругался Патрик. — Если бы только мне прибыть немного раньше! — Затем спросил: — А твоя мать? Что с моей женой?

Джеймс опять заколебался. Но кроме как сказать правду, выхода не было.

— Мать уехала, отец.

— Уехала? — Патрик осекся. — Ах да, конечно. Король не стал долго ждать и снова ее затребовал. Она при дворе? Счастлива?

— Она в Италии, отец. Мать — жена лорда Ботвелла. Они вместе в изгнании.

— Блудливая сука! И сколько же она выдержала, прежде чем убежать к любовнику и навлечь угрозу разорения на всю семью?

— Не смей мне больше так о ней говорить! — вскричал сын, и, глянув в глаза молодому графу, старый несколько удивился. — Когда дядя Адам прибыл и сообщил, что твой корабль погиб, это ее опустошило. В твоей смерти она винила одну себя и, возможно, осталась бы в Гленкерке горевать о тебе всю свою оставшуюся жизнь, если бы не король. Ты прав — едва прослышав, что Патрик Лесли пропал без вести, он сразу объявил тебя мертвецом, а меня — пятым графом. Я получил приказание немедленно жениться, чтобы обеспечить наследование титула. А матери дозволялось оплакивать тебя до весны. Затем ей надлежало вернуться ко двору... и в постель к его величеству.

Она бы все равно не уехала, если бы не я. Мне ведь было известно, что произошло между королем, тобой, лордом Ботвеллом и матерью. Но Джеймс Стюарт о моей осведомленности даже не подозревал. Поэтому мне не полагалось знать и о его угрозах семейству Лесли. Я прилюдно всячески поддерживал его и делал вид, что толкаю мать в его объятия. Когда он приезжал сюда на мою свадьбу, то дни проводил на охоте, а ночи — у нее в постели.

Могу только заверить: когда она бежала от своего сиятельного любовника, я притворился крайне разгневанным и оскорбленным до глубины души. Даже письмо ей отправил, чтобы немедленно вернулась. Как же король мог мстить тому, кто был в полном неведении?! И я выиграл, отец. Я выиграл!

— Господи, Джеми! — восхитился Патрик. — Какая у тебя твердая рука!

— Я сам продумал каждый шаг этого побега, — с гордостью продолжал молодой граф. — Поехала также Сюзан со своей младшей сестрой. А еще — пятьдесят молодых гленкеркцев, искавших приключений.

— Она счастлива, Джеми?

На миг глаза сына потеплели. Глянув на отца, он подумал: «Ты глупец, что потерял ее».

— Да, — просто ответил он. — Очень счастлива.

Патрик вздохнул.

— Надо было сразу отпустить ее с Френсисом, когда тот уезжал. Но упрямец король решил, что раз леди Лесли не досталась ему самому, то пусть не достанется его заклятому врагу и сопернику. Это почти разбило ей сердце. И если бы не ребенок, которого твоя мать тогда носила, ей было бы не выжить. — Он умолк, погрузившись в воспоминания, а потом спросил: — Как мои дети?

Джеймс улыбнулся:

— Прежде чем покинуть нас, мать позаботилась обо всех. Я женился на Белле Гордон, вы это устроили еще вместе. Бесс замужем за ее братом Генри. У меня двое мальчиков, а у нее — мальчик и девочка. Умер сын у дядюшки Грейхевена, и Колин женится там на старшей дочери. Ясное дело, унаследует фамилию. А Робби возьмет младшую. Мать переписала на него доход и усадьбу, так что и он будет независим. Аманда станет следующей графиней Сайтен, свадьба в декабре. А малышка Мораг пойдет за Малькольма, младшего сына Хантли, у нее отличное приданое, которое включает и собственный дом.

Патрик кивнул.

— О старших детях твоя мать позаботилась хорошо. А как с младшими?

— Когда все успокоилось и Джеймс Стюарт решил забыть, я отослал их к родителям.

Патрик промолчал. А потом все-таки спросил:

— Ты что же, подразумеваешь, будто Иану и Джейн я не отец? Что они тоже от Ботвелла?

— Да. Так мне сказала мать. Я бы все равно их оставил и вырастил как Лесли, но как только в Италии все устроилось, супруги захотели забрать своих детей.

Патрик совсем опечалился, а Джеми добавил:

— Ты потерял ее уже давно, отец. И я не могу мать в душе никак осуждать. Ты сам убил ее любовь. Что же теперь жаловаться?

Четвертый граф снова помолчал.

— Ты знаешь все, что тогда случилось?

— Да, хотя когда она мне это рассказывала, то только и делала, что оправдывала тебя.

Несколько минут мужчины сидели молча.

— Тебя не было пять лет, отец. Ты что же, в самом деле рассчитывал, что приедешь — а ничего не изменилось? Где ты был, откуда не мог вернуться раньше, и как же тебе это в конце концов удалось?

Патрик протянул свой бокал.

— Плесни-ка сюда виски, парень. Вот уж чего мне так не хватало в Новом Свете!

Джеми подлил, отец со смаком потянул напиток и начал свой рассказ:

— Наш корабль отплыл из Ли двадцать седьмого августа 1596 года. Мы быстро пересекли Северное море, миновали Ла-Манш и очутились в Атлантике. Несколько недель мы шли на запад-северо-запад при свежем ветре, ясных небесах и спокойном море. Затем внезапно, ниоткуда налетела буря. Я за свою жизнь видывал много жестоких бурь, Джеми, но никогда ничего подобного! Один Бог знает, как нам удавалось еще управлять кораблем. Раз бушующая ледяная стихия обрушила на судно громадную волну, настоящую зеленую гору. Мне удалось ухватиться за веревку, обвязанную вокруг мачты, но тот убийственный вал смыл за борт половину из тех матросов, что были на палубе.

Когда шторм наконец утих, мы обнаружили, что нас отнесло далеко с курса, хотя несколько дней я еще не знал, насколько корабль или то, что от него осталось, был жестоко поврежден. Мы бы там и погибли, если бы нам не встретилось одно испанское судно.

Сначала они приняли нас за еретиков-англичан и готовы были уже пустить ко дну. К счастью, мой испанский — чистый кастильский. Пусть это послужит тебе уроком, Джеми. Если ты не забываешь языки, то в трудную минуту всегда сумеешь вывернуться.

Я объяснил капитану этого судна, что мы не англичане, а шотландцы и не протестанты, а католики. Помнится, я даже поведал ему про своего дядюшку — аббата Чарлза и дядюшку

Френсиса, который ныне секретарем у самого папы. Это произвело весьма сильное впечатление на капитана Веласкеса.

А когда он рассмотрел медальоны у нас на шеях, то и вовсе нам поверил.

— Но где же вы очутились, отец?

— Буря отнесла нас далеко к югу, Джеми, на самый кончик материка, к месту, которое испанцы называют Флорида. Нас доставили в маленький городок, именуемый Сан-Августин, и много месяцев держали там.

Потом я узнал, что испанцы быстро установили мою личность, отправив депешу своему послу в Эдинбурге. Кузен Джеми, однако, в ответ написал тамошнему испанскому губернатору, что хотя мне не следовало причинять вреда, но задержать в Сан-Августине желательно было по возможности дольше. Думаю, он надеялся покрепче привязать к себе Кат, а когда я вернулся бы, у нас не осталось бы другого выхода, как примириться с его волей.

Патрика передернуло.

— Ублюдок, — выругался он, а потом продолжил: — Хоть мы и были пленниками, обращались с нами по-королевски. У меня имелся собственный дом, да и те несколько человек команды, что остались в живых, не бедствовали. А потом, видя, какой я непоседливый, мои захватчики разрешили мне выезжать вместе с ними верхом. Боже, Джеми! Что за страна этот Новый Свет! Земля тянется до бесконечности, а какое разнообразие! Горы и пустыни, леса и реки. То богатейшая земля, сын мой!

— И именно поэтому ты не вернулся раньше, отец?

— Что?

— Пять лет, отец. Тебя не было пять лет!

Казалось, Патрик слегка смутился.

— Время улетело так быстро, — тихо сказал он. — Ах, Джеми! Что это за дивная страна! Тебе надо ее увидеть.

— Возможно, отец. Однако ты вернулся домой. Приехал в Гленкерк. Что ты теперь будешь делать?

— Я не собираюсь оставаться здесь, сын. В том обширном и богатом Новом Свете я вкусил настоящей свободы. Зачем же мне оставаться в этом бедном и старом? Там человек может сам себе построить империю и не должен пресмыкаться ни перед одним королем. Там вообще нет никаких королей.

Я вернулся, — продолжил Патрик негромко, — чтобы увидеться с матерью и с женой. Теперь я вижу, что Мэг умерла, а Кат давно уехала.

— Учитывая, при каких обстоятельствах ты исчез, — заметил Джеми, — неужели ты и в самом деле думал, что мать будет ждать? Если бы ты только видел короля рядом с ней! Ему никак не терпелось заполучить ее в свою высочайшую собственность. И что, я буду просто стоять и смотреть, как ее позорят?.. Некоторые считают, что быть любовницей короля — большая честь, но мы, Лесли, — нет! Я был не в состоянии защитить мать, и я знал, что она никогда не переставала любить лорда Ботвелла. И уже поэтому заслуживала всяческого счастья, какое могла обрести с ним.

Как же теперь я могу написать ей, что ты жив и что брак, который она честно заключила три года назад, — двоемужество? Что снова ее оторвут от Ботвелла? Я не могу сделать такое! Не могу!

— Тогда и не надо, Джеми. Уже четыре года, как король объявил меня покойником. Поэтому наш брак с твоей матерью был расторгнут вполне законно. Я вернулся потому, что очень люблю всех вас. И именно таким считал свой долг перед Кат. Я думал, что если чувства ее ко мне не изменились, то она могла согласиться поехать со мной в Новый Свет.

Теперь, однако, моя совесть чиста. Твоей матери ничто не угрожает, и она счастлива. Гленкерк, безусловно, в надежных руках, ибо его хозяин — ты, а в детской уже есть наследники. Я бы хотел увидеть свою семью. Но только детей, Джеми, только детей, а кроме них — Адама и Фиону. Не бойся, ни один Лесли меня не выдаст.

К тому же если мы станем вести дела друг с другом, то между нами не должно быть тайн. А нам предстоит изрядно потрудиться, чтобы наладить связи через океан.

— А тебе есть к чему ехать обратно, отец?

Патрик Лесли улыбнулся.

— Прежде чем явиться сюда, я заглянул в Эдинбург к Бенджамену Кира. Я привез меха, серебро, золото и различные драгоценности. Могу и впредь поставлять им эти товары. Бенджамен уверяет, что найдет сбыт. Я снова богач, сын мой, но теперь уже сам по себе, от Гленкерка мне ничего не нужно, Джеми.

Молодой граф, хотя и несколько виновато, испытал облегчение. Угадав его мысли, Патрик рассмеялся. А Джеми спросил:

— А тебе не будет одиноко, отец?

— Я буду скучать по тебе, по моим детям и, конечно же, по внукам, с которыми скоро познакомлюсь. Однако... — и четвертый граф улыбнулся той ухарской улыбкой, какую пятый помнил столь явственно, — меня с нетерпением ждет в Сан-Августине некая сеньорита Консуэла Мария Луиза О'Брайен. Ей восемнадцать...

И тут у Джеймса подступил комок к горлу, потому что эта дама была годом младше Бесс. А Патрик меж тем продолжал:

— И у нее бледно-золотистая кожа, иссиня-черные волосы, порывистый нрав, унаследованный от отца-ирландца, и глаза цвета южных морей. Такие прозрачные, такие влекущие, что мужчина в них может утонуть.

Поскольку твоя мать снова вышла замуж, то не вижу причины, почему мне не поступить так же. Мать Луизы была дочерью испанского гранда, а ее отец-ирландец — мой деловой товарищ. Он дьявольски обрадуется, если я стану его зятем. Луиза знает о моем браке с Кат и обещала ждать до моего возвращения. — Патрик ухмыльнулся. — Эта дикая кошечка заявила, что лучше пойдет ко мне в любовницы, чем в жены к кому-то другому. Не объяви я тут же о своих намерениях, папаша избил бы ее до полусмерти.

Молодой граф отозвался смехом и устремил на отца восхищенный взгляд.

— Мать сколько раз повторяла, что ты никогда не терялся с девками.

На короткий миг лицо Патрика окутала печаль.

— Только с ней я иногда терялся, Джеми. У нас с Кат были добрые времена и родилось шестеро славных детей. Но я должен честно признаться, что с самого начала наш брак вызывал у нее сомнения. И я порой думаю, что если бы дело зависело только от одной Кат, то она бы никогда за меня не вышла. Но что ж, мы живем уже в новом веке, и Джеймс Стюарт разделил нас — сам того не ведая, он оказал нам большую услугу.

Четвертый граф поднял свой уже наполовину пустой бокал:

— За Катриону, графиню Ботвелл! Пусть Бог хранит ее и дарует счастье, ибо она того заслуживает!

Пятый тоже медленно поднял бокал и, глядя на отца с гордостью и любовью, воскликнул:

— За прекрасную графиню Ботвелл! Да благословит ее Бог!

СОДЕРЖАНИЕ

Литературно-художественное издание

16+

Смолл Бертрис

Любовь дикая и прекрасная

Роман

Ответственный корректор И.Н. Мокина
Компьютерная верстка: Е.В. Коптева
Технический редактор Н.И. Духанина

Общероссийский классификатор продукции
ОК-005-93, том 2; 953000 — книги, брошюры

Подписано в печать 03.02.14. Формат 84х108 $^1/_{32}$.
Усл. печ. л. 30,24. Тираж 3000 экз. Заказ № 7813/14 .

Наши электронные адреса: WWW.AST.RU
E-mail: astpub@aha.ru

ООО «Издательство АСТ»
129085, г. Москва, Звездный бульвар, д. 21, стр. 3, ком. 5

Отпечатано в соответствии
с предоставленными материалами
в ООО “ИПК Парето-Принт”, 170546, Тверская область,
Промышленная зона Боровлево-1, комплекс № 3А,
www.pareto-print.ru